三國史

張大可文集

第九卷

創于1897
商務印書館
The Commercial Press

图书在版编目(CIP)数据

三国史/张大可著.—北京:商务印书馆,2013
(张大可文集)
ISBN 978-7-100-09396-5

Ⅰ.①三… Ⅱ.①张… Ⅲ.①中国历史-三国时代
Ⅳ.①K236

中国版本图书馆CIP数据核字(2012)第202552号

三 国 史
张大可 著

商 务 印 书 馆 出 版
(北京王府井大街36号 邮政编码100710)
商 务 印 书 馆 发 行
北 京 德 富 泰 印 务 有 限 公 司
ISBN 978-7-100-09396-5

2013年5月第1版 开本 640×980 1/16
2013年5月北京第1次印刷 印张 31 1/4

定价:126.00元

内容提要

本卷《三国史》分为上、下两编，以及两个附编，三个附录，收入文集为第九卷。正文上编，“三国鼎立的形成”；下编，“三国对峙归一统”。这是由两本书合成，即《三国史》和《三国十二帝》。《三国史》，于2003年在华文出版社推出，前身是中国青年出版社于1995年出版的《中国小通史》中的一册，书题《三国》，也是笔者首次把三国鼎立的历史作为一个断代来论说的尝试。《三国十二帝》全称《三分的挽歌——话说三国十二帝》，是应华文出版社之邀写的三国史话故事，以三方帝王为中心，于2006年在华文出版社推出。这两本书都是三国通俗史话，角度不一，重心有别。《三国史》，重在说“事”，是通俗断代史；《三国十二帝》，重在说“人”，是以鼎立三方的帝王为主评说历史。两书评说同一段历史，只是角度不同，故内容有所交叉重复。两书合并，删去重复，重新调整结构，这就是本卷上下编的由来。两个附编选录相关资料。附编一选录开设《三国志》专题课部分讲稿25篇，题名《〈三国志〉名篇讲析》，以见作者“三国史研究”的基础和原生态。附编二选录近年来的几篇散论。三个附录为三国帝系表、大事年表，以及两篇书评。笔者研究三国史，最初出版的是一本论文集，题名《三国史研究》，收入文集为第八卷。该书初版于1988年。笔者还写有《话说三国》，以及主编《三国人物新传》，这两本书也是通俗文字，也都是解读《三国史研究》论集中笔者的历史观点。三分故事，由于戏剧、小说的传播，妇孺皆知；如今加上视频、绘画等的传播，影响更大。笔者研究三国史，自《三国史研究》出版以后，从理论探索转向致力于通俗解读三国历史，拉近作者与读者的距离，把历史写得轻松并好看一些，这就是本卷《三国史》的写作旨趣。换句话说，《三国史研究》与《三国史》代表了作者前后两个时期的行文风格，叙说方式不同，而意蕴完全一致，两书可视为姊妹篇，所以一并收入文集。

目　录

上编　三国鼎立的形成

下编　三国对峙归一统

附编一：《三国志》名篇讲析

附编二：散论三篇

上编　三国鼎立的形成

【说明】本卷《三国史》上编“三国鼎立的形成”，以“事”为中心，评说三国鼎立形成的历史原因，系节取自华文出版社《三国史》的前八章。本编从汉末军阀混战起，叙事到夷陵之战止，三分地理均势形成，奠定了三国鼎立的基础。由于三国时代，是一个由“分”到“合”的特殊时期，三分的形成，以及三方鼎峙斗争极其复杂，所以谋略博弈和军事斗争成为叙述的主线，这是阅读的要点。

导　言

三国鼎立是我国历史上一个特殊的历史发展阶段。从中国封建社会两千多年历史发展的整个长河中，我们可以看到，王朝兴衰，军阀混战，群雄割据，南北对峙一再出现，而三国鼎立的局面，却是唯一的一次历史存在，可见这一历史局面的出现是一个特例。特例是历史发展中的变异，就像生物遗传工程中的变异一样，有它变异的特殊原因，而不能用“常规”的必然性理论去解释。

目前史学界已成定论的观点认为：“三国鼎立出现的根本原因，在于各地区封建经济的发展，导致了分裂倾向的加剧。”其理由是：“长江流域上下游几个区域的封建经济，发展到了勉强可以自给和彼此均衡的程度，给南方孙、刘的割据提供了物质基础，而同一时期北方的国家则由于社会经济受到割据混战的严重摧残，无力消灭南方的国家，以统一中国。”（翦伯赞：《中国历史纲要》第二册第5页）这就是三国鼎立的“必然性”理论，可名之曰“经济均衡论”。史学界发表的许多论文、出版的学术著作和各种教科书，对三国鼎立的看法都没有越出“经济均衡论”的藩篱。事实上，早在春秋战国之际，长江流域已有巴、蜀、楚、吴、越等国家建立，何待于两汉以来的江南开发形成经济均衡？割据长江中上游的刘璋、刘表，甲兵资实，不弱于孙吴，更不减于刘备，何以要待刘备建立蜀汉来形成曹、孙、刘三家对峙？可见“经济均衡论”是把复杂的历史简单化了。

“经济是基础”，任何时候这都是立国的基本条件。东汉末年的战乱，使北方经济残破，没有力量支持曹操不停顿地发动大规模的军事行动，的确是三国鼎立的一个重要因素。曹操统一北方未久，就南下荆州，接着又东进赤壁，连续大规模作战，北方经济无法承受。吴国的朱治就说：“中国萧条，或百里无烟，城邑空虚，道殣相望，士叹于外，妇怨乎室，加之以师旅，因之以饥馑，以此料之，岂能越长江与我争利哉。”周瑜论曹操必败，原因之一是“又今盛寒，马无藁草”，也说明了赤壁之战，曹军后勤供应不继，人乏衣粮，马缺草料，乃是一种冒进。但是，当时曹操已得天下十之七八，长江上游的益州牧刘璋遣使请降，只有区区江东六郡相抗，且孙权内部未靖，山越未服，南北对抗众寡悬殊，并未形成均衡。只要曹操计划周密，时机得宜，不冒进赤壁，完全有统一中国的可能。赤壁战后，荆吴之势强，刘备入蜀，三国鼎立形成，这才出现了南北经济均衡之势，对于“三分对峙”，有一定的影响，但仍不是主要的因素，因为曹魏的实力，仍大大强于吴蜀二国力量之和。尤其是蜀国这个弱小政权，远不敌曹魏，而诸葛亮居然能够屡次北伐，其原因乃蜀国所恃得天独厚的地理条件，以及吴蜀两国的互为犄角之援。经过几十年的对峙，北方经济恢复，吴蜀两国政治昏暗，人心反向，曹魏的人力、物力占了压倒的优势，三国也就归于一统了。经济的因素最后起了决定性的作用。但是，我们不能以此来反证，三国鼎立决定于南北的经济均衡。

三国鼎立有着多因素的历史原因，是经过极其复杂的历史演变才形成的。如果我们原始察终，研究一下三国历史发展的全过程，便可明显地看出来。三国鼎立始于公元 220 年的曹丕称帝，迄于公元 265 年的西晋建立，前后 46 年。在西晋建立之前两年，蜀汉已亡，历史进入了晋吴两国的南北对峙。但作为有始有终、因果相连的历史时期，三国纷乱的历史，应起于公元 190 年的军阀混战，迄于公元 280 年的西晋灭吴，前后 91 年。研究三国历史，不追溯东汉末的军阀混战，就不能说明三分的由来和三国史事的因果；不讲西晋灭吴，就没有结尾。这 91 年的纷争历史，以汉末动乱三国形成时期的历史最为精彩绝伦，波澜壮阔。本书着重讲三国鼎立为什么形成，从这一角度可将 91 年的三国历史划分为“群雄割据”、“三国鼎立形成”、“三国对峙并走向统一”三个阶段。公元 190 年至 207 年是东汉末群雄割据阶段，前后 18 年，从人才均势上形成了曹、孙、刘三个集团。公元 208 年赤壁之战至公元 229 年孙权称帝，是三国鼎立形成阶段，前后 22 年，三方斗争交错，内容复杂，形势发展瞬息万变，最终形成了三分的地理均势和政治均势，三国鼎立才得以确立。公元 230 年至 280 年，是三国对峙并走向统一的历史阶段，前后 51 年。第一阶段 18 年，可分为中原军阀十年大混战与袁曹火并两个段落。十年大混战，混沌一片，群雄纷争，逐鹿中原。袁绍与曹操联手，雄踞北方。官渡之战，袁绍败没，埋葬了天下归一的形势；曹孙刘三个集团崛起，人才三分，孕育了鼎立的基因。第二阶段，曹孙刘三方的政治、军事、外交斗争，形成了三分地理均势，可以说是“人谋”的规划形成了三国鼎立。第三阶段，半个世纪的“三分对峙”，地理均势起了主要作用，南北的经济均衡作为地理均势的补充也起了重要作用。研究三国鼎立不同阶段的历史发展，尤其是第一、二两个阶段错综复杂的历史内容，可以鲜明地看出，“形成三分”实非某种单一的历史原因所决定，也并非必然要出现的局面，而是各种各样的主客观原因，通过无数的偶然事变，相互作用的结果。历史的偶然的背后总是隐藏着必然性。历史研究的任务，就是要按照历史的本来面目揭示这种受必然性支配的偶然是怎样引导着历史的发展，从而总结出规律性的东西来，这才是必然，而不是反过来将复杂的历史内容罗列在简单化的必然性公式模式中。

所谓“必然”，是指历史发展的趋向和客观的历史条件。东汉末年豪强地主集团的经济膨胀有很大的割据性，必然带来军阀割据混战；反过来，割据兼并必然导致统一，这就是历史发展的趋向。南北的经济均衡和吴蜀两国所依恃的地形险阻，是客观的历史条件。所谓“偶然”，是指在东汉末年军阀混战走向统一的过程中，出现了三分鼎立的局面。这一局面是由于三分的人才均势、三分的地理均势、三分的政治均势等多种历史原因的交叉才形成的。而这些历史偶然事变，是“人谋”起了主导的作用，所以三国历史的特点是“时势造英雄，英雄造时势”，因而既威武雄壮又慷慨悲凉。曹孙刘三家成功了，而后三家又都失败了，统一三分的是三姓之外的司马氏，真是风云变幻，气象万千，可提供我们许多有益的启迪和借鉴。正由于此，三国故事不胫而走，自宋代以来，由于平话、戏剧、小说的影响，已是家喻户晓。但戏剧、小说演说的历史，毕竟与历史事实有所区别，因此我们总结三国历史形成的原因，以及政治、军事、外交斗争的经验教训，评价历史人物，主要应依据陈寿的《三国志》及裴注等史籍，把《三国志》与《三国演义》既要有联系又要区别开来。中央电视台通过现代影视艺术，把《三国演义》改编成 84 集电视连续剧，走进千家万户，这对于普及三国历史知识有重大意义。

本书不仅与历史演义不同，而且与历史故事也有区别，自然与影视艺术有更大区别。我们写的是真实历史，还历史以本来面目，让读者了解系统的历史知识，从中受到启迪和教益。故这本书不要求面面俱到，而是突出主要的人和事，勾勒出历史的轮廓就可以了。行文要求深入浅出、生动活泼，为此，引文原则上用白话意译，与叙述语言打成一片。本书既要通俗流畅又要有深度，作者要明确表示自己的看法和观点，引发读者思维，起抛砖引玉的作用，所以我们还用夹叙夹议的形式发表作者意见。

基于上述想法，本书谋篇布局，以专题形式与时间顺序交叉展开，既打破章节结构，也不按编年叙述，以突出主要的人物和事件。具体说，本书以战争为经，人物与事件为纬，组织专题谋篇布局，故官渡之战、赤壁之战、夷陵之战各为专章，评说“人谋”活动，以曹孙刘三家为主线，追寻三国鼎立演变之迹为主题，给读者勾画一个清晰的轮廓，还三国历史本来面目。希望本书的出版，有助于读者从历史的高度去欣赏小说演义与影视艺术，一定会相得益彰。本书的这种结构，以及评议，仅是一家之言，是非得失，还待读者评说。

第一章　东汉末年的军阀大混战

三国鼎立是东汉末年军阀混战、割据兼并的结果。而军阀混战则是豪强地主集团割据性的一种表现，同时，又是政治腐败的直接产物。因此，东汉豪强地主势力的发展、政治的极端腐败以及割据集团的形成是研究三国历史首先要讨论的问题。

东汉统治的崩溃

公元25年，汉光武帝刘秀建立东汉王朝，到公元220年汉献帝刘协被废，东汉灭亡，历经12个皇帝，近二百年。公元190年，关东诸侯起兵讨伐董卓，爆发了东汉末年的军阀大混战，群雄林立，东汉统治崩溃，实际上已名存实亡。

东汉豪强集团的兴起　两汉四百余年的统一，地主经济得到了高度的发展。东汉开国者刘秀就出身贵族官僚地主家庭。他是汉高祖刘邦的九世孙。东汉的开国功臣，云台二十八将、三十二功臣、三百六十五功臣，大多出身“世吏二千石”，或为“乡闾著姓”，是一个以南阳豪强为基干的豪强集团。因此，东汉政权一建立，就显示出严重的兼并性和割据性，它维护豪强地主的利益，造成土地高度集中。如贵族地主济南王刘康，有田八百顷，奴婢多至一千四百多人。官僚地主郑泰，有田四百顷。东汉政治家仲长统对东汉末豪强地主经济势力的膨胀有着生动的描述。他说："汉朝中兴以来，豪强富人，居住着几百间富丽堂皇的深宅大院，占据了大片肥沃的土地，役使着成千的奴婢和上万的长工。妖童美妾充满了内庭，女乐倡优排列于深堂。有的兼营商业，车船周游全国各地，囤积居奇，货物充满都邑。他们的奇物宝货堆满了巨室，马牛猪羊布满了山谷。"（《后汉书·仲长统传》摘意）豪强地主不仅占有巨大的财富，而且在地方上有很大的势力，大都拥有自己的武装，有的多达二三万人。有一官半职的豪强要作威作福，没有官职的劣绅也武断于乡曲。豪强们的荣耀逸乐不亚于王侯，他们的势力显赫，与郡守县令相匹敌。如果中央政权稳固，能够有效地控制豪强地主，地方经济愈发达，国家愈强大。反过来，如果中央政权削弱，国家对豪强控制失御，地方经济愈发达，愈要闹独立。东汉末年就是后一种情况。

东汉末黄巾大起义，豪强地主纷纷组织武装，修筑坞壁，镇压黄巾，乘机扩展势力。公元 190 年，关东兵起，天下大乱，豪强地主各拥兵自重，率族自保，有的则做有计划的迁移，或择主而居，或占山为王。如颍川荀彧北依袁绍，后投曹操。右北平无终人田畴则是一个占山为王的典型豪强。北方乱起，他率宗族等数百人，入徐无山中，"营深险平敞地而居，躬耕以养父母。百姓归之，数年间至五千余家"（《三国志·田畴传》）。当时饱受战乱流离之苦的黎民被迫依附强宗，沦为部曲僮客，壮大了豪强的力量。田畴力量壮大后，制定了约束部众的二十余条法纪，"法重者至死"，又制订了婚嫁之礼，学校授业之法。田畴还遣使与乌丸、鲜卑交通，使之致贡，俨然是一个独立王国。在全国各地林立着无数个像田畴这样的强宗豪右，他们就是东汉末军阀割据混战的社会基础。割据一方的州牧郡守，如果得不到这些地方豪强的支持，就很难立足。据有北方幽、冀、青、并四州的大军阀袁绍，招命田畴，又即授将军印，礼命五至，畴终不出。公元 194 年，陶谦让徐州给刘备，刘备不敢接受。后来得到下邳陈登支持，刘备才领徐州牧。但终因基础薄弱，刘备两次得徐州，两次丧失了徐州，在北方不能立足。后来他在荆州驻屯十余年，依靠荆州地主集团入川，又得到刘璋旧部、东州地主集团及益州地主集团的支持才建立了蜀汉。孙权得江北大族张昭、周瑜支持，特别是得到江东地主集团顾陆朱张四大姓以及全氏、贺氏等豪强的支持，才站稳江东。曹操是以颍川荀氏、沛国曹氏、夏侯氏地主集团为基干，广泛罗致北方地主集团的支持发展起来的。袁曹角逐，曹胜袁败，因素很多，但其中一个因素，就是像田畴这样的众多豪强弃袁投曹，在很大程度上改变了袁曹双方的力量对比，才使得曹操由劣势转变为优势，并在战胜之后，能够稳住局势，巩固对所占地区的统治。

东汉豪强地主集团分为两个阶层。一是世代官僚地主，史称士族地主，又称世家大族。他们世代为高官，经学传世，在中央和地方都有着坚固的势力。如汝南袁氏四世五公①，弘农杨氏四世四公②，颍川荀氏世为“冠冕”③。他们的门生故吏遍天下，在政治上有很大的号召力。二是地方豪强地主，主要是大商贾兼并土地形成豪强，史称庶族地主。他们有大量的田产，奴婢以千计，但在政治上受士族地主的压抑。曹操家族是沛国谯县的大豪强，属于宦官集团的大官僚，其父曹嵩曾官至太尉，但仍是庶族地主。所以曹操在政治上的号召力不如士族地主的代表人物袁绍、袁术兄弟强，初起时不能与二袁匹敌。二袁利用他们的政治号召力，在东汉末最早萌动了觊觎汉室之心，成为祸首，这是他们在政治上失败的一个重要原因。曹操、孙权、刘备都是庶族地主的代表人物，大乱初起时他们还想扶持汉室，建立功名；后来看到汉室不可复兴，仍然各自打着效忠汉室的旗号收揽人心，终于鼎立三分。此外，士族地主集团多谋士，庶族地主集团多武

---

① 《三国志·袁绍传》裴注引华峤《后汉书》，汝南袁氏，袁安、袁敞、袁汤、袁逢、袁隗五人，经历四代，均居三公之位，故曰四世五公，或曰四世居三公位。

② 据《后汉书·杨震传》，弘农杨震，震子杨秉，秉子杨赐，赐子杨彪，四人历四代，均居三公之位，故曰四世四公。

③ 颍川荀氏即曹操谋士荀彧、荀攸家族，世代为高官，知名当世。

将。士族地主军阀排斥庶族地主，他们手下缺乏能征惯战之将，军队战斗力不强，在混战中极易被消灭。曹孙刘三家都以庶族地主和平民出身的战将为骨干，又广延士族智士，得到两个阶层豪强地主集团的支持，所以在混战中越战越强，刘备更是屡仆屡起。认识东汉末豪强地主集团的割据性，对把握两个阶层的军阀性质具有重要的意义。

政治极端腐败 东汉后期政治腐败，是导致军阀混战的直接原因。东汉政治从第四代皇帝和帝起就开始腐败，外戚宦官轮流专政，而宦官专政则是腐败的集中表现。和帝即位，年仅十岁，养母窦太后临朝，其兄弟窦宪、窦景等，并居机要，专权自恣。窦氏一门贵盛，其子弟亲戚，飞黄腾达，所受赏赐，使东汉王朝“仓帑为虚”。和帝长大，依靠宦官郑众诛杀窦氏，郑众因功封侯，参预政事，宦官势力开始抬头。和帝以后，太后贪权，几乎后继皇帝都是幼年。皇太后临朝称制，依靠外戚掌权，小皇帝长大，依靠家奴宦官杀逐外戚，夺回权力。东汉后期外戚、宦官轮流专政，就是这样演出的。桓、灵二帝相继以诸侯王入继大统，他们不信任朝官，更加依赖宦官，前有“五侯”，后有“十常侍”，宦官专横达到极点，不仅杀逐外戚，而且又屡兴党狱[①]，打击士族地主，“海内涂炭二十余年”（《后汉书·党锢列传》）。宦官子弟党羽，布列州郡，与盗贼无异。他们随意掠人妻女，夺人田宅，草菅人命，无恶不作，逼得民怨沸腾，终于爆发了黄巾大起义。

桓帝时，外戚梁冀专权，任大将军，他侵占京师洛阳周围近千里的地方作为私人林苑。林苑中有一处占地数十里的“兔苑”，有人误杀了苑中的一只野兔，十余人遭株连被杀头。梁冀掠夺受贿的钱财多达三十余亿。梁冀倒台，家财被籍没，其数相当于东汉政府当时一年赋税收入之半，由此可见当时政治的黑暗。

外戚是靠裙带关系专国，一心谋取的是皇亲国戚这个小集团

① 党狱：即下文“钩党之狱”的省称。宦官诬陷士大夫官僚共为部党，拉帮结派，反抗朝廷，逮捕党人严刑拷打，互相牵引株连，兴起大狱，故称钩党之狱。党人入另册，禁锢终身，即剥夺政治权利终身，所以又称“党锢之祸”。

的利益，所以窦宪、梁冀等专权误国，终被诛灭。宦官本是一群不学无术的皇帝家奴，他们深居宫中，与世隔绝，“不知稼穑之艰难，不恤征戍之劳苦”，至于治国良策更是茫然不知所以。宦官在宫廷糜烂生活和皇帝淫威的熏陶下，养成了阿谀皇帝，崇拜权势的品性。他们只争自己的权利得失，哪管什么国计民生，所以宦官专权，更为黑暗。桓帝依靠宦官单超、左悺、具瑗、徐璜、唐衡五人诛杀梁冀，五人同日封侯，世谓之“五侯”。单超不久死亡，其余四侯极为横暴，他们“竞起第宅，以华侈相尚”，兄弟、姻戚遍布州郡，充当地方长官，大肆掠夺，民不堪命。老百姓痛恨他们，加上外号，编出顺口溜，说：“左回天，具独坐，徐卧虎，唐雨堕。”意思是说，左悺权势之大，有回天之力；具瑗专横，没人敢与他平起平坐；徐璜像只母老虎；唐衡祸毒像一场大雨流遍天下。灵帝时宦官张让、赵忠、封谞、段珪、曹节、侯览、蹇硕、程旷、夏恽、郭胜等十人为中常侍，朋比为奸，蛊惑圣心，灵帝竟然称“张常侍是我父，赵常侍是我母”。中常侍侯览家在山阳防东，残暴百姓，侵夺民宅。他霸占民田 118 顷，民宅 381 所，公然仿照皇宫修建了豪华宅邸 16 区，每区都有楼阁、亭台、池塘。他还公开掳掠妇女，发掘坟墓掠取宝物。他的哥哥侯参做了益州刺史，倚势搜括金银、锦帛、珠宝三百余车，钱一亿。如此贪残的宦官专权，不仅广大人民受到更沉重的剥削和压迫，而且统治阶级本身的大多数也遭压迫，堵塞了一些太学生的仕途，激化了各种社会矛盾。

宦官专政，只代表一小撮凶狡之人的利益。正途仕进的士大夫为了维护整个地主阶级的长远利益，他们中的代表人物耿直派官僚和一些太学生联合起来抨击宦官，议论朝政，有的利用手中权力狠狠打击宦官。如大宦官张让的弟弟张朔做野王县令，贪赃枉法，逃匿张让家中，司隶校尉李膺派人从张让家中将张朔缉拿归案处死，山阳太守翟超，籍没中常侍侯览“资财”，东海相黄浮收拿中常侍徐璜兄子下邳令徐宣，治罪弃市，暴其尸。宦官向桓帝诉冤，指使人诬告李膺等“养太学游士，交结诸郡生徒，共为部党，诽讪朝廷”（《后汉书·党锢列传》），从而制造了遍及全国的大冤狱，史称“钩党之狱”。公元166年，桓帝延熹九年，第一次钩党之狱，李膺等二百余人下狱。公元169年，灵帝建宁二年，第二次钩党之狱，钩连牵引，遍及全国，无辜受害者成千累万。大凡天下豪杰及儒学有行义者，宦官一切指为党人。史称：“自此诸为怨隙者，因相陷害，睚眦之忿，滥入党中。又州郡承旨，或有未尝交关，亦罹祸毒，其死、徙、废、禁者，六七百人。”（《后汉书·党锢列传》）这仅仅是京师诏狱拷治的人数。这次党狱波及全国，“时诏书下举钩党，郡国所奏相连及者多至数百”。青州六郡，五郡有党人。只有平原郡，因平原相史弼舍命保护，抗旨不报，“济活者千余人”。由于民众保护党人，于是出现了“一人逃死，祸及万家”的惨况。张俭逃亡，辗转株连，布遍天下，“其所经历，伏重诛者以十数，宗亲并皆殄灭，郡县为之残破”（《后汉书·党锢列传·张俭传》）。宦官何以有这样大的能量，使全国成千累万的无辜者被指目为党人而惨遭杀害呢？只因“诏书疾恶党人，旨意恳恻”（《后汉书·史弼传》），也就是皇帝旨意要制造大冤狱，调动了整个国家机器，海内生灵，在劫难逃。

单从权力斗争来看，钩党之狱是东汉政局长期动荡的总爆发。东汉政局不稳是由于外戚、宦官、士大夫三大势力互斗不已。外戚借太后之力专国，宦官假皇权以肆虐，士大夫标榜清流自重。所谓清流就是以儒学为正宗，凭着孝廉、征辟、对策的正途仕进。这三大势力实质上代表着太后、皇权、相权三种力量，它们之间的斗争是秦汉专制主义制度固有的矛盾。外戚、宦官好似寄生在皇权肌体上的一对毒瘤。秦汉中央集权，加重君权，对于巩固全国统一、发展经济和繁荣共同文化等方面发挥了巨大作用，但是皇权过重，它又不可避免地要产生以意为法、权落群小的弊端。太后、皇权、相权，三种权力平衡，国家政局稳定；失去平衡，政局动荡。三种权力的关键是加重相权，使皇帝、太后受到牵制，依照封建制度的宗法、国法治政，天下太平。反之，削弱相权，皇权过分集中，皇帝为所欲为，社会形成以意为法的多中心权力结构，大权必然旁落群小。东汉政局不稳，主要是“危自上起”，其源盖出于光武帝集权过度，使帝、相权力失去平衡。秦汉初制，丞相权大，君权受到相权牵制，大权不得旁落群小。秦末赵高弄权，拥立二世，须得丞相李斯同意。西汉公卿操废立之权，当国统断续之际，大臣以社稷为重，所立之君既长且贤。周勃诛诸吕，迎立文帝，而有“文景之治”；霍光拥昭立宣，而有“昭宣中兴”。汉武帝封禅改制，削夺相权，以侍中参议朝政，又设中书令出纳章奏，形成皇帝近侍左右决策机构，称为“中朝”。“中朝”代表皇帝，凌驾在以丞相为首的“外朝”之上，这就为宦官的登台扫清了道路。光武帝中兴，进一步削弱相权，废丞相，事归台阁。东汉三公只是荣衔，毫无实权。东汉三公诛一宦竖，须得请旨而行，故有陈蕃、窦武之谋泄，何进诛宦官之败。但是朝廷有过，天象变异，却要策免三公，外朝大臣成了皇帝犯过的替罪羊。于是外戚、宦官乘隙而起。东汉皇帝废立操于外戚、宦官之手。太后贪权立幼，权落外家；幼帝长成与外戚争权，重用宦官。因此宫廷政变，迭次发生，造成了东汉政局长期动荡不稳。士大夫有感于此，激扬气节，以正色立于朝堂，外戚专权与外戚斗，宦官窃柄与宦官争。但是公卿无实权裁抑外戚与宦官，只能以气节相尚，争取舆论。舆论“污秽朝廷”，更加激起皇帝对外朝官僚的猜忌。因此，愈是清廉之臣，就愈是罪尤之臣。皇帝要杀逐这些忠正清廉之臣以释猜忌，就要大兴冤狱。这就是钩党之狱产生的根本原因。

钩党之狱浩劫全国，罹其祸毒者，皆天下善士，因而造成了社会的大倒退，使贤愚错位，是非颠倒，法制瓦解，道德沦丧。老百姓既蒙受宦官的荼毒，又承担社会动荡的实际灾难，生产停滞，经济崩溃，从而激化了阶级矛盾，加深了东汉政权的危机。桓、灵二帝为了向外戚夺权而与宦官同流合污，皇权代表了腐朽的势力而与皇权的政治基础士大夫官僚地主阶级对立，这标志着统治阶级内部分崩离析，不能照旧统治下去了。但是皇权是政权的象征，士族地主阶级要巩固自己的统治，又必须维护皇权。于是代表士族地主阶级的朝官名士与外戚联合起来反对宦官，企图用清君侧的方式来修补和巩固皇权与士族地主的一致性。所以黄巾大起义爆发，灵帝大赦党人，士族地主联合镇压黄巾起义以维护皇权。由于朝官名士反对宦官，而使士族地主阶层在社会上享有很高声望，他们的一致行动镇压了黄巾起义。黄巾起义虽然失败了，但它却动摇了东汉政权的统治。然而灵帝依然故我，不但没有回到士族地主阶级阵营中来诛除宦官，反而变本加厉地信用宦官，成为这一腐朽集团的支柱，最后使一部分士族地主也痛感失望，哀叹汉运将尽。冀州刺史王芬、南阳许攸、沛国周旌等连结豪杰，“谋废灵帝，立合肥侯”。汉阳（今甘肃甘谷）人阎忠竟公然谏劝皇甫嵩以兵威取汉而代之。至于拥有强兵的方镇牧伯，无论寒族士族都心怀异志，等待时机，拥兵割据。董卓就是在这一背景下崛起的。

董卓乱政

董卓是东汉末穷凶极恶的大军阀。公元 189 年，他带兵入洛，专断朝政，擅废立，成为汉末军阀混战的导火线。

冠绝一时的雄韬武略 董卓字仲颖，陇西郡临洮县人。两汉时期的临洮县即今甘肃岷县，那时是一个防御羌人的边陲重镇，为陇西郡的南部都尉治。那一带山高水险，本是羌中之地。那里的人民，与羌人交接，骑马弯弓，养成了勇武剽悍的习性。董卓就是在这样的地理环境和社会习俗中成长起来的一个雄略人物。董卓又出身于一个武官家庭，他父亲董君雅是颍川纶氏县尉，领一县之兵。董卓生来力大体壮，有一副好身躯，粗猛有谋史称他“旅力少比，双带两鞬，左右驰射，为羌胡所畏”。他青年时游历羌中，尽与羌豪相结，精通羌人之事，被羌人视为豪侠好汉。董卓成为大军阀，他的基干队伍就是以羌人为主体的凉州兵。

董卓是在东汉对西羌的部族战争中培植起来的军阀。西羌扰边是东汉严重的边患，兵锋祸及的范围，为今甘肃、陕西、山西及四川北部等广大地区。干戈绵延的岁月，从安帝永初元年（公元 107 年）至灵帝建宁三年（公元 170 年），长达 64 年。董卓年少从军，他从一个行伍吏卒，升迁为中郎将、前将军，就是在羌汉战争中一台一阶升上来的。他二十多岁时为凉州兵马掾，击破羌胡，“斩获千计”。公元 167 年，董卓约三十五岁，为中郎将张奂司马，大破寇掠关中的东羌、先零羌，斩其酋豪，首虏万余人。公元 184 年，董卓为东中郎将，镇压山东黄巾军，兵败抵罪。公元 185 年又被起用为破虏将军，从张温西征韩遂，六路大军，五路败退，唯董卓一军不败，升为前将军，与皇甫嵩齐名。此时董卓已拥兵自重。公元 189 年，灵帝征董卓为少府，要他交出兵权，董卓抗命不就。灵帝又改拜董卓为并州刺史，调离关中。董卓仍不交兵权，带领凉州兵驻屯河东观变。何进召董卓，他闻命星夜上路，带兵入洛。

公元 189 年，灵帝死，汉少帝刘辩即位，何太后临朝，外戚何进为大将军。当时多数的朝官名士，包括袁绍、袁术在内，还想挽救将倾的东汉大厦，他们与何进联盟诛宦官。出身宦官的寒族地主豪强代表人物曹操也加入了谋诛宦官的行列。宦官集团，极端孤立。何进不费吹灰之力就杀了蹇硕，夺得了对禁军的指挥权。但是代表皇权的何太后反对诛除宦官，何进召四方猛将豪杰入京，以兵谏胁迫太后。当时袁绍、曹操、陈琳等人主张何进专命诛宦官，先斩后奏，何进也确实拥有这样的实力。何进没有听从，他有两个考虑。一是投鼠忌器，为了维护皇权的神圣，何进不愿专命诛宦官。二是专制制度，矫命独断乃欺君之罪，何进不愿犯宫阙之怒。所以召诸侯入京强行请旨诛宦官。殊不知用强力胁迫太后，实际上就是蔑视皇权，等于“倒持干戈，授人以柄”，恰恰足以煽起董卓这一穷凶极恶大军阀的觊觎野心。结果宦官先发制人，杀了何进，袁绍、袁术合力消灭了宦官，却没有力量阻止董卓入京。东汉宦官政治就像一个人的晚期癌症一样，伴随着宦官的诛灭，东汉政权也就瓦解了。

董卓入洛，步骑不过 3000 人。当时京师官兵甚盛。司隶校尉袁绍拥有禁军的指挥权，其时曹操任典军校尉，后将军袁术控制了大将军何进的部曲，济北相鲍信又募来一支山东兵，执金吾丁原有骁将吕布。这些力量合起来十倍于董卓而有余。由于董卓三十余年的行伍生涯，具有身经百战的经验，当时东汉朝廷里，没有一个将军是他的对手。董卓觉察自己势单力弱，但他十分狡诈地运用权谋虚张声势。他过四五天就将部众在夜里暗地拉出军营，天明“乃大陈旌鼓而还，以为西兵复至，洛中无知者”。董卓这一手竟然镇住了一时人杰袁绍、袁术、曹操等人，他们纷纷逃出京师，禁军及何进部曲统归于卓。董卓又离间丁原部曲，使吕布杀丁原而并其众，收吕布为义子。于是董卓势力大盛。

董卓入洛所办的第一件事就是废帝更立，控制皇权。董卓废少帝刘辩为弘农王，随后又杀弘农王及何太后，拔掉了朝官和名士所凭借的旗帜。董卓立灵帝少子陈留王刘协为帝，这就是汉献帝。汉献帝时年九岁，被董卓玩弄于股掌之中。董卓挟天子以令诸侯，封郿侯，进位相国、太师，带剑上殿，位在百官之上，俨然一个摄政王。

政治上，董卓为了收买人心，外示宽柔，起用党人名士做朝官，外放大臣为牧伯太守，平反党人冤狱，以从人望。周珌、伍琼、郑公业用为尚书，以何颙为长史，荀爽为司空，陈纪、韩融等为列卿。外放尚书韩馥为冀州刺史，侍中刘岱为兖州刺史，孔伷为豫州刺史，张咨为南阳太守，张邈为陈留太守。以镇压黄巾而负有盛名的两位中郎将朱儁和皇甫嵩，被朝野目为国家柱石，群臣希望他俩有所作为，抗衡董卓。可是两人都极为害怕董卓，听命征召。董卓表朱儁为太仆，并为自己的副职，外示亲密而内心忌惮，朱儁没实权，丝毫动弹不得。

军事上，董卓深固根本，牢牢地控制关西。董卓招抚了凉州的马腾、韩遂，又征召关中潜在的政敌皇甫嵩和京兆尹盖勋。皇甫嵩时为左将军，有雄兵三万屯驻扶风。盖勋鼓动皇甫嵩与自己联兵反董卓。本来决机两阵之间的兵谋，皇甫嵩还比董卓高一筹，但皇甫嵩雄略不敌董卓而听征，交出了兵权，到洛阳去做城门校尉。盖勋孤掌难鸣，也只好听征，到洛阳去就任越骑校尉。皇甫嵩到了洛阳，董卓将他逮捕下狱，迫使皇甫嵩屈服后又用为御史中丞。董卓控制了关中，所以关东兵起，他安然转移长安。

遗臭万年的祸国大盗　董卓废帝擅立，大权在握，野心日益暴露。他不思治国，一心谋篡逆，放纵部下以结党羽。东汉二百余年承平，京师贵戚宅第相望，金帛财产，家家殷积。董卓驱使士兵剽掳，淫掠妇女，谓之“搜牢”。何太后合葬灵帝文陵，董卓趁机掠取陵中随葬珍宝，又“奸乱公主，妻略宫人”（《后汉书·董卓传》），以严刑胁众，睚眦之隙必报，人不自保，国家法纪全被践踏。

公元190年，关东兵起，董卓退出洛阳，胁迫献帝西迁长安，更加暴露了他的凶残本性。他发掘了诸帝陵寝及公卿墓冢，收其珍宝。董卓还把洛阳及其附近二百里内居民几百万口驱赶入关中，将房屋烧光，鸡犬杀尽。被驱赶的人民，沿途缺粮，更遭到军队的践踏和抢掠，死亡无算，积尸满路。史称“旧京空虚，数百里中无烟火”。东汉200年来政治、经济、文化中心的巍峨帝京，成了一片瓦砾场。

接着董卓又把关中弄得残破不堪。他大肆搜括，敲剥黎民，筑坞于郿县，高厚七丈，与长安城等，号曰“万岁坞”，积贮了30年的军粮，珍藏黄金二三万斤，银八九万斤，锦绮珠玉杂物奇玩，积如丘山。董卓得意洋洋自称：“事成，雄据天下；不成，守此足以毕老。”由此，足以看出董卓把个人的荣辱，完全建立在千百万人的尸骨上。

董卓为了满足他无止境的贪欲，还椎破了秦时所铸的铜人、钟鐻，毁坏了汉时的五铢钱，更铸小钱，致使物价腾贵，谷一斛至数十万。老百姓又蒙受了一层灾难。

公元192年（汉献帝初平三年四月），司徒王允用计收买吕布诛杀了董卓。当时汉献帝染病痊愈，宴会群臣于未央殿。吕布怀揣诛卓诏书前往迎请董卓，吕布同乡骑都尉李肃率亲兵十余人化装为卫士守在掖门。董卓入宫，李肃等奋起杀董卓，董卓呼叫吕布保驾，吕布宣读诏书，刺死董卓。长安百姓奔走相告，士女出卖衣装首饰，沽酒相庆，“士卒皆称万岁，百姓歌舞于道”。一代穷凶极恶的祸国大盗，终于被钉在历史的耻辱柱上而遗臭万年。

剽悍凶残的凉州兵团　董卓虽死，祸犹未已。因为董卓的凉州兵团未受损伤。所谓凉州兵团是一支汉羌混合队伍。这支军队是董卓长期对西羌作战精心培植起来的部曲武装，它的基干是湟中义从和关中秦胡，有三万余人。董卓入洛，招降纳叛，极盛时有十余万人。董卓驻屯河东时，招纳了两员河东将杨奉、徐晃。董卓入洛，攀附董太后为本家，招纳了董太后之侄董承。但董卓倚重的是凉州将、羌胡兵。董卓死后，扰乱长安的四大部将李傕、郭汜、张济、樊稠都是凉州人。李傕字稚然，北地人；郭汜又名多，张掖人；张济武威人；樊稠金城人。此外，董卓部曲将段煨，武威人；牛辅部智囊贾诩，武威人。史籍缺载籍贯的董卓部曲将董越、杨定、李蒙、王方，以及女婿牛辅，多为凉州人。董卓年少时就与羌豪交结，故凉州兵的基层军吏更多羌人豪帅。

董卓入长安，部曲将牛辅、董越、段煨、张济皆拜为中郎将。牛辅屯陕（今河南陕县），董越屯渑池（在今河南渑池县西），段煨屯华阴（今陕西华阴），张济屯弘农（在今河南灵宝县西）。牛辅部最强，李傕、郭汜为其部将，又有贾诩为之谋。董卓死后，牛辅被部将杀死，众推李傕、郭汜为首。由于王允善后失计，不赦宥董卓部曲，凉州诸将用贾诩之计杀向长安。李傕、郭汜沿途收兵，又与樊稠、李蒙等会合，有众十余万。公元 192 年六月，凉州兵攻破长安，杀王允等公卿百官及长安人民万余人。公元 194 年，马腾、韩遂攻长安，又适值天旱大饥荒，“谷一斛五十万，豆麦一斛二十万，人相食啖，白骨委积”。公元 195 年，李傕、郭汜争权，在长安城中连月相攻，“死者万数”。当时关中户口有数十万，经过连年攻战，长安城空四十余日，身强的人四处逃散。加之三辅大旱，豆麦一斛二十万，人相食啖，饥困死亡，流离道路。富庶的关中遭凉州兵烧杀抢掠，一片荒残。

董卓和他的凉州部曲将，都是一些杀人不眨眼的魔王。公元 190 年二月，正当祭社时，董卓遣兵至阳城，杀尽祭社男子，掳掠妇女财物，将人头系在车辕上，诡称“攻贼大获”，高呼“万岁”，回到洛阳，“焚烧其头，以妇女与甲兵为婢妾”。董卓俘获了关东兵，用布缠裹，“倒立于地，热膏灌杀之”。董卓在长安，尝至郿坞，公卿百官在长安横门（西门）外送行，董卓杀数百降人助宴，“先断其舌，次斩手足，次凿其眼目，以镬煮之”。王允杀董卓，因为王允是太原人，李傕、郭汜迁怒并州人，将在军中的并州人“男女数百人，皆诛杀之”。董卓及其部将凶残如此。凉州军愈是凶残，愈是加速自身的灭亡。凉州诸将在自相残杀中，樊稠为李傕所杀，郭汜为其部将所杀，张济出关攻穰（今河南邓县）战死，其侄张绣领其众依附刘表。公元 198 年，段煨奉朝命讨灭李傕，董卓的凉州兵团也就随之覆亡。

从公元 189 年八月董卓带兵入洛，到公元 198 年四月李傕覆灭，凉州兵在汉末历史舞台活跃了整十年，给神州大地带来了极大的破坏。洛阳成了一片废墟，长久得不到恢复。公元 196 年，汉献帝从长安回到洛阳，昔日帝京成了一片瓦砾场，“百官披荆棘”，“尚书郎以下，自出采稆，或饥死墙壁间”。关中和中原的经济遭到了空前的破坏，人口死亡数百万。“白骨露于野，千里无鸡鸣”，这就是凉州兵团创造的“奇迹”。东汉时已经用纸，但造纸术还不发达，文化传播的书籍主要还是简策帛书，传播不广，京都所藏，极为珍贵。不知书的凉州兵把珍贵的简策帛书付之一炬，使两汉灿烂文化蒙受了无法弥补的损失。

董卓乱政的根源及其影响　穷凶极恶的董卓和他的凉州兵团在汉末登上历史舞台，给社会带来了一场浩劫，这并不是偶然的，而是东汉腐朽政治的必然产物。

董卓入洛，杀了太后，废了皇帝，另立新君，等于把神圣的皇权打落在地，遭到了士族地主的激烈反对。内有王允之谋，外有袁绍之逼，迫使董卓退出洛阳，最后死于非命。董卓以极其野蛮的手段来对抗朝官士大夫，这恰又加速了他的灭亡。不过东汉朝官却也被董卓及其凉州兵杀灭殆尽。汉献帝回到洛阳，既无文臣，又无武将，成了一个空头皇帝。献帝到了许都以后，来投奔的士族名士也有几个效忠的，例如孔融就是一个，但十分寥寥，而涌到许都来的无论士族或寒族之士，大多是来恭贺权臣曹丞相的。不待曹丕篡权，汉家的国运早已在董卓入京时终结。可以说董卓乱政替曹操集团挟制天子扫清了道路，也就是说董卓扮演了一个改朝换代的清道夫的角色。但他的清除方式却是社会的大破坏和开启了军阀混战，使历史的前进付出了沉重的代价。

董卓之出现于历史舞台，是一个惨重的历史教训。它说明了极度腐朽的专制政权，如果农民战争没有能够推翻它，而又不能用自身的力量来切除政治上的恶性肿瘤，就必然要产生像董卓这样穷凶极恶的军阀来操纵手术刀，那么，社会遭大破坏，也就不可避免。证之以古今中外的军人政变，无一不是产生在极度腐朽的专制政权之下。君权专制制度不除，董卓不死。中国两千多年的封建社会，不知产生了几多董卓。因此，解剖董卓，不只是研究三国史，而且也是解剖中国封建社会专制制度弊病的一个典型事例，是很有意义的。

再回头说凉州兵团，其中也有几个将领归了正途，首先是关东将董承、杨奉脱离出来，在公元 196 年护卫汉献帝东还洛阳。曹操迎献帝都许，改元建安，灭了杨奉。建安五年（公元 200 年），曹操又诛了董承。徐晃跟了曹操，成了曹魏名将。凉州将中郎将段煨屯驻华阴，修农事，不虏略，奉正朔，公元 198 年讨灭了李傕，结束了凉州兵团之患。贾诩在长安为尚书，典选举，护持朝廷，颇尽心力。公元 200 年，他说服张绣归附曹操，张绣立功官渡，贾诩为魏名臣，官至太尉，进爵魏寿乡侯。

还有一支不属于董卓系统的凉州兵，即割据金城（今甘肃兰州）的马腾、韩遂。这支凉州兵是从起义而变质成为军阀队伍的。公元 184 年，在黄巾起义影响下，凉州北地（郡名，治富平，在今宁夏灵武西南）先零羌和枹罕（在今甘肃临夏西北）、河关（在今临夏西）的汉羌人民响应起义，共推湟中义从胡北宫伯玉、李文侯为将军，杀东汉护羌校尉冷征、金城太守陈懿。这支军队后来落入韩遂之手，成为他割据凉州的资本。公元 187 年凉州司马扶风马腾反汉与韩遂联合，巩固了韩遂对凉州的割据。李傕死后，关中成了韩遂、马腾的割据领地，韩遂在凉州，马腾在关中。公元 208 年马腾被曹操征为卫尉，腾子马超领其众。公元 211 年曹操西征关中，破马超、韩遂联军。公元 214 年，马超南走汉中投张鲁，日后归刘备，成为蜀国五虎将之一。韩遂兵败，西走西平（在今青海西宁市）。公元 215 年，韩遂被部将所杀，凉州平定，马、韩凉州兵至此也彻底消亡。由于马、韩凉州兵始终没越出关中，只是割据自守，不似董卓兵团那样凶残，所以活动时间也长久得多。从公元 184 年至 215 年，韩遂割据凉州 32 年。

中原十年大混战

东汉末年的军阀混战，从公元 190 年至 199 年（汉献帝初平元年至建安五年），是十年大混战时期，争战异常激烈。黄河两岸，淮河之北，整个中原大地化为战场，城邑村落变成废墟。

军阀混战的形成　公元 184 年黄巾大起义，“旬日之间，天下响应，京师震动”，起义军喊出了“苍天已死，黄天当立”的口号，把矛头直指东汉政权。由于东汉政府的全力镇压，起义军力量分散，缺乏作战经验，在决战关键时刻起义军领袖张角病死，经过九个月的斗争，黄巾军主力被各个击破。黄巾大起义虽然失败，但它沉重地打击了东汉腐朽政权，也基本上动摇了东汉政权。同时各地的黄巾军仍然坚持斗争，青州、徐州的黄巾军还有众数十万。公元 185 年冀州兴起黑山军，响应的有几十支，大者二三万，小者六七千，总数达百万之众。汉灵帝为了加强对黄巾的镇压，公元 188 年在政治军事上采取了两项影响深远的措施，意料不到地加深了封建割据性，加速了军阀混战的进程。第一项措施，公元 188 年，灵帝采纳刘焉建议，改刺史为州牧。汉承秦制，地方行政为郡县两级，汉武帝加强对地方的控制，划分全国为 13 个州，设置 13 个州刺史。当时刺史只是监察官，委派六百石低级官吏充任。州也不是一级地方行政机构，只是一个监察区。州刺史改为州牧，成为地方最高一级行政机构，有领兵治民之权，州牧为二千石高官。初置三个州牧，派刘焉为益州牧，刘虞为幽州牧，黄琬为豫州牧。州牧的设置是为了加强镇压益州、豫州的农民起义和平定幽州的张纯叛乱。不久。州牧增设，各州牧便成了事实上各霸一方的土皇帝。各郡国守相，也趁机扩张势力。因此，州牧的设置，加速了地方割据势力的发展，军阀混战只差一根导火线来点燃了。第二项措施，灵帝为了加强守护京师的力量，组建了一支新军，在西园成立统帅部，置八校尉，称西园八校尉。宦官蹇硕为上军校尉，统帅全军；袁绍为中军校尉，为副统帅。曹操为八校尉之一的典军校尉，与袁绍结为盟兄弟。宦官掌握新军指挥权，表明了宦官势力的加强，加深了与朝官、外戚的矛盾。所以灵帝一死，双方立即展开了决战，于是有何进召董卓入京之举，点燃军阀混战的导火线被制造了出来。公元 190 年（汉献帝初平元年）正月，东郡太守桥瑁，发起讨伐董卓的战争。他假传京师三公的手谕，草拟讨卓檄文，列数罪恶，布告各州牧郡守，同时起兵。后将军南阳太守袁术、冀州牧韩馥、豫州刺史孔伷、兖州刺史刘岱、河内太守王匡、渤海太守袁绍、陈留太守张邈、东郡太守桥瑁、山阳太守袁遗、济北相鲍信共十路诸侯起兵，各有数万兵马，一致推举袁绍为盟主。十路诸侯都在关东中原，所以史称关东军，又称关东兵起。此外，长沙太守孙坚，率军北上讨董卓。曹操起兵陈留，与诸侯会合，称奋武将军。

关东军盟主袁绍与王匡屯驻河内，张邈、刘岱、鲍信、桥瑁、袁遗、曹操屯驻酸枣，袁术、孙坚屯驻南阳，孔伷屯驻颍川，韩馥屯驻邺城，为袁绍后援。关东军从北、东、南三面摆开了对京师洛阳夹击的态势。北面河内军以袁绍为主，东面酸枣军以张邈为主，南面诸军以袁术为主，孙坚听从袁术号令，为其先锋。关东联军十倍于董卓军，但各路诸侯，同床异梦，每天饮酒宴会，不图进取。曹操孤军深入攻向荥阳，在汴水遭到董卓将徐荣阻击，寡不敌众，大败而回。曹操到酸枣，指陈形势，献计说："袁绍引河内之军，攻占孟津，在洛阳背后切断董卓向西的退路，酸枣诸军，攻取成皋、敖仓，控制轘辕、太谷的险要，深沟高垒，不与董卓决战。袁术率南阳之军，西入武关，据长安。这样一来，董卓就会困死洛阳，一战而定天下。"曹操当时尚有规复汉室之心，所以提出如此建议，并亲冒矢石，奋勇先进。当时能左右局势的袁绍、袁术兄弟，却心怀贰志，只作攻击姿态，逼使董卓西迁，不但不去挽救朝廷的败没，而且企图借董卓之手扫荡汉天子朝廷势力。袁氏兄弟，假讨董卓之名，行割据之实，各路诸侯也坐观形势，扩充势力。董卓从容撤出洛阳，浩劫两京。汉献帝西迁，中原无主，各路诸侯立即展开了火并。首先，刘岱杀桥瑁，夺了东郡。袁绍用计，引诱幽州公孙瓒南下攻击冀州，逼使韩馥让出冀州，袁绍自领冀州牧。作为盟主的袁绍，抢夺别人的地盘，关东军联盟不复存在，中原大地，军阀混战就这样形成了。

逐鹿中原的军阀集团　《后汉书》立传的有九大军阀：董卓、刘虞、公孙瓒、陶谦、袁绍、刘表、刘焉、袁术、吕布。这九大军阀按各自所代表的阶级倾向划分，士族地主集团有五：袁绍、袁术、刘表、刘焉、刘虞；寒族地主集团有四：董卓、公孙瓒、吕布、陶谦。《三国志》立传的军阀较多，除上述九人外，增加了12个军阀人物，立专传的有九人：臧洪、张杨、公孙度、张燕、张绣、张鲁、刘繇；立附传的有五人：李傕、郭汜附董卓传，袁谭、袁尚附袁绍传，张邈附吕布传。此外，未立传的军阀代表人物有韩遂、马腾、张超等，裴松之注作了补充。《三国志》及裴注所增加的15个军阀人物，除刘繇为士族，张燕、张鲁为农民首领外，其余十二人全属寒族地主集团。

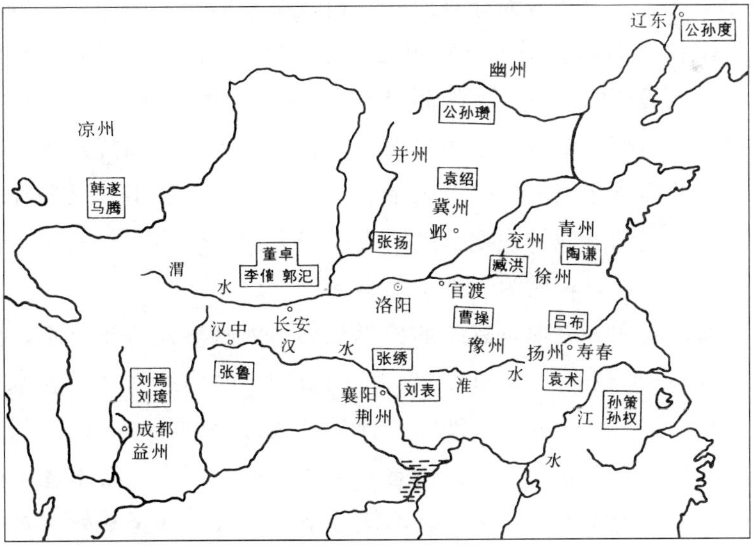

东汉末军阀割据形势图

上述共 24 个军阀代表人物，是就全国范围说的。其中割据周边州郡的有七人：韩遂、马腾、刘焉、张鲁、刘繇、公孙度、刘虞。韩遂、马腾割据雍凉，公元 214 年为曹操所灭，已见前节。刘焉据益州，再传至刘璋，公元 214 年为刘备所并。张鲁据汉中，公元 214 年为曹操所并。刘虞据幽州，公元 193 年被公孙瓒兼并。刘繇据扬州，公元 195 年为袁术所遣孙策讨灭。公孙度据辽东，三传至公孙渊，公元 238 年为曹魏所遣大将司马懿讨灭。这些周边军阀，没有力量参与中原逐鹿，只是趁乱割据地盘，为一方土皇帝。董卓及凉州将已见前述。逐鹿中原的主要有下列九大集团。依由北往南的地域态势，分叙于下。

公孙瓒集团 公孙瓒字伯珪，辽西令支人。本是家世二千石的士族子弟，由于庶出受到世俗冷遇，只得为郡小吏。后公孙瓒从戎，与塞外乌桓力战，积功为奋武将军，封蓟侯。军阀混战之初，公孙瓒手握强兵，从幽州南下，据有冀州大部及青州，与袁绍争衡近十年，公元 199 年（建安四年）春为袁绍所灭。

袁绍集团 袁绍凭借袁氏四世五公的高门，结交豪杰，本人杀宦官，反董卓，又居司隶校尉之显职，被四方英雄目为人杰。公元 190 年，以渤海太守身份起兵讨董卓，声望冠中原，被推为盟主，驻兵河内。公元 191 年农历四月，董卓西去，关东军解体，大混战开始。袁绍不战而得冀州，一时兵力最盛。冀州从事沮授建议袁绍东攻青州，西击黑山，北并公孙瓒，和抚戎狄，据青冀幽并四州之地南向以争天下。公元 199 年，袁绍并灭公孙瓒后，完全达到了他的预期目的。袁绍势力达于鼎盛，他的骄恣及野心也达于顶点，成为天下第一军阀。

袁术集团 袁术是袁绍的异母兄弟，因嫡出而蔑视袁绍，兄弟二人不和。袁术反董卓而出奔荆州鲁阳，时为后将军。袁术志大才疏，本无所作为，长沙太守孙坚领兵北上讨董卓，杀荆州刺史王叡和南阳太守张咨，因借袁术名望而拥为军主，袁术才得以据有南阳。公元 192 年初，袁术使孙坚攻刘表，孙坚战殁。袁术在南阳遭到曹操、刘表夹击不能立足。公元 193 年，袁术转兵东向杀扬州刺史陈温据有淮南。袁术统治暴戾，穷极奢侈，大肆搜刮，弄得民穷财尽，军人乏粮。公元 197 年，袁术称帝于寿春，众叛亲离，又遭吕布、曹操攻击，由是破败。公元 199 年春，袁术穷迫欲北上青州依袁谭，曹操遣刘备及将军朱灵在徐州截击，术不得过，还走寿春，六月病死，部曲星散。

吕布集团 吕布原为并州刺史丁原部将。公元 189 年，何进召丁原入洛阳谋诛宦官。董卓入洛阳后，离间吕布杀丁原，吕布投董卓。公元 192 年，司徒王允联结吕布杀董卓。凉州将李傕、郭汜率董卓残部攻入长安，吕布南出武关投袁术。袁术恶其反复无常，拒而不受。吕布又北投张杨、袁绍。吕布助袁绍攻破黑山军张燕，恃功需索，要求扩大领兵。袁绍畏忌，遣刺客杀吕布，没有成功，吕布走河内依张杨。公元 194 年春，陈留太守张邈与陈宫等谋，迎吕布入主兖州，与曹操相争。公元 195 年农历闰六月，吕布兵败投徐州刘备。次年夏，吕布趁刘备与袁术交兵之际，偷袭刘备根据地下邳（今江苏邳县南），自称徐州牧。吕布与袁术合谋夺取徐州后，两人又反目互相攻战。吕布反复无常，为天下所忌，公元 198 年末被曹操擒杀。

张杨集团 张杨也是丁原部将，与吕布同僚，驻屯河内。河内北依太行山，南濒黄河，西控虎牢关，是中原的战略要地。张杨初依袁绍，袁绍得冀州，使张杨守河内。张杨后投董卓，董卓败亡复依袁绍。公元 198 年，张杨声援吕布，曹操借机把手伸向河内，收买张杨部将杨丑杀张杨，以河内附曹操。张杨另一部将眭固杀杨丑，仍以河内附袁绍。公元 199 年春，袁绍在幽州与公孙瓒进行主力决战，曹操挥兵进河内，杀了眭固，袁曹公开破裂，从而成为官渡之战的导火线。

臧洪集团 臧洪字子源，广陵射阳人，为广陵太守张超功曹。公元 190 年，臧洪说张超起兵讨董卓，张超依从其计，与其兄陈留太守张邈引兵会于酸枣。关东诸侯设坛盟誓，共推臧洪为司仪。臧洪于是升坛操盘歃血为盟，慷慨陈辞，激扬士众，声名远播。袁绍招致臧洪，使洪抚领青州，与公孙瓒所署青州刺史田楷连战二年，为袁绍夺得了青州。袁绍使其子袁谭领青州，徙臧洪为东郡太守。公元 196 年，曹操击败吕布夺回兖州，围张超于陈留。臧洪从袁绍请兵救张超，袁绍不许，曹操于是破杀张超。张超兄张邈南走寿春求救于袁术，半道为其兵所杀。臧洪怒袁绍不救张超，以东郡叛绍。袁绍兴兵攻围年余，破杀臧洪。

陶谦集团　陶谦字恭祖，丹杨人，为诸生，举茂才，历官卢令、幽州刺史，征拜议郎。黄巾起义，朝廷以陶谦为徐州牧。关东兵起，曹操父曹嵩避难琅邪。公元 192 年，曹操据有兖州，迎曹嵩赴兖。曹嵩曾为汉太尉，贪赃财物至巨，有辎重百余辆。陶谦遣都尉张闿将骑士二百护送，闿等贪财物，杀曹嵩取其财，逃奔淮南。这是《三国志·武帝纪》裴松之注引《吴书》的记载。关于曹嵩之死，有几种说法。裴注又引《世语》记载，说陶谦密遣将杀曹嵩。《后汉书·陶谦传》记载，曹嵩为陶谦别将所杀，陶谦实不知情。曹操迁怒于陶谦，在公元 193 年至 194 年全力征讨。曹军攻破彭城、傅阳、取虑、睢陵、夏丘五城，皆屠之。史载，曹操"凡杀男女数万人，鸡犬无余，泗水为之不流"。董卓乱两京时，中原及关中士民多流移徐州，至此遭曹兵蹂躏，大多被杀。徐土残破，陶谦忧死，遗命让州牧于刘备。

张绣集团　张绣武威人，董卓部将张济之族侄。公元 196 年，张济引众出关入荆州攻刘表，在穰城中流矢死。张绣领其众归附刘表，驻屯穰城，抗拒曹操，曹操连年攻绣不能下。官渡之战前夕，张绣从贾诩计，领众归附曹操。官渡之战，张绣力战有功，后从曹操破袁谭于南皮，征乌桓于柳城，功勋卓著。但曹丕以淯水之战（详本书第四章），张绣杀其兄曹昂，数辱张绣，绣自杀。

刘表集团　刘表字景升，山阳高平（在今山东金乡县西）人，汉末名士八俊之一。公元 190 年，荆州刺史王叡被孙坚所杀，刘表代叡为荆州刺史。因袁术在南阳阻断刘表上任，刘表从间道单马入宜城，采纳荆州名士蒯越等人的建议，诱杀宗贼渠魁五十余人，抚用附从的地方势力，"南据江陵，北守襄阳"，据有荆州，与袁术相抗。公元 192 年，刘表与曹操合兵逐走袁术，刘表任镇南将军、荆州牧。公元 198 年，刘表击败遥应曹操的长沙太守张羡，使自己的辖地"南接五岭，北据汉川，地方数千里，带甲十余万"，成了南方最大的割据者。但刘表无戡乱之才，他只想"保江汉间，观天下之变”，不介入逐鹿中原之争。官渡之战，他坐山观虎斗，应袁绍之援而不出兵相救，使得曹操从容不迫统一了北方。

中原十年大混战后的态势 上述九大军阀，加上董卓，则逐鹿中原的共有十大军阀。曹操、刘备、孙权三家，是魏蜀吴三国的创业之主，非等闲军阀，在下一章做专题评述。孙氏在江东发展，未参与中原逐鹿。曹操、刘备争逐中原。刘备在北方根基不厚，又无良辅，两次得徐州，两次失徐州，公元 200 年南依刘表，退出了中原之争。董卓败亡后，争逐中原的主要是五大集团：河北袁绍、公孙瓒，河南曹操、吕布，淮南袁术。张杨、臧洪、陶谦、张绣、刘表，以及张燕、张邈、张超等人，他们并无纵横天下之志，只是在军阀混战的洪流中被动卷入了逐鹿中原之争。公孙瓒、吕布、袁术、刘表等都曾风云一时，鼎盛时都有很大的力量，手下有谋臣武将，但他们都无远略，在争雄中，必然为强者所灭。公孙瓒顽悍乐杀，袁术狂愚而逞，刘表雍容论道，吕布倏此倏彼，见利忘义，为人所忌，他们的失败是注定的。曹操和袁绍是立于群雄之上的两个铁腕人物，他们都有纵横天下之志，都想取代汉室，各有一套图谋远略的规划。袁绍取河北，曹操图河南，两人同床异梦而又紧密携手，共图发展。在中原十年大混战中，两人背靠背，一个向北，一个向南，不受夹击，因此各自取得了节节的胜利。公元 191 年末，公孙瓒南下，其势凶猛，曹操助袁绍击退公孙瓒。公元 192 年，袁术从南阳北进，袁绍助曹操赶袁术出南阳。在袁绍与曹操两人携手共进中，曹操依赖袁绍的扶植而发展，袁绍则结援曹操而无后顾之忧。如果说其他军阀都是单一参与中原逐鹿，而袁绍与曹操两位枭雄则并肩战斗，按人际关系一加一大于二的计算公式，袁曹结盟自然是所向无敌。到了公元 200 年，北方除关陇和辽东两个边隅地区外，八州之地为袁曹两大军事集团所分割。袁绍并河北青、冀、并、幽四州，曹操兼河南司、豫、兖、徐四州。两大集团旗鼓相当，军事上袁强曹弱，政治上曹操“挟天子以令诸侯”，优于袁绍。天无二日，人无二主，袁曹争雄必然地要爆发。这就是官渡之战，详本书第三章，这里从略。

第二章 曹孙刘三家集团的兴起

曹操、刘备、孙权，他们三人是三国时代最杰出的政治家、军事家，人们所熟知的英雄人物。三人相较，各有长短。曹操谋略最优而奸险诈伪，刘备弘毅宽厚而见事迟疑，孙权任才尚计而能屈能伸，都是人间英杰，成为创业之主而鼎峙三分。《三国志》作者陈寿，评曹操第一，称他为“非常之人，超世之杰”；认为刘备第二，“机权干略，不逮魏武”，有汉高祖的气度，是一个英雄；评孙权“有勾践之奇英，人之杰矣”，显然是第三位的人物。三国鼎立的地盘阔狭，可以称量三人的才能大小，应该是曹操第一，孙权第二，刘备第三。曹孙刘三个集团的兴起，与三人的才识、经历有至关重要的关系。知人论世，说三分，很大程度就是评说曹孙刘。

曹操崛起于乱世

曹操生于公元155年，死于公元220年，享年66岁。他20岁时被举为孝廉，初仕郎官，登上政治舞台，想立功封侯，此其本志。公元190年，曹操35岁，陈留起兵讨董卓，在风云突变的汉末乱世中，纵横驰骋 30 年。他“挟天子以令诸侯”，统一了北方，是奠定三国鼎立的第一人物。乱世造就了曹操，培养了他的野心。时人评为“治世之能臣，乱世之奸雄”。

曹操本志　曹操字孟德，一名吉利，小字阿瞒，沛国谯县人。汉谯县，即今安徽北部的亳州市。

曹操出身于宦官集团的大官僚大地主豪强大族。他的祖父曹腾是历事安帝、顺帝、冲帝、质帝、桓帝五朝的大宦官，位至中常侍，桓帝封为费亭侯。曹操父亲曹嵩是曹腾的养子，出自夏侯氏，《曹瞒传》和《世语》都说是夏侯惇的叔父，即曹操与夏侯惇是叔伯兄弟。所以曹氏、夏侯氏两族非常亲密，两姓子弟为曹操起家的骨干。

曹腾是大宦官，恩荫曹嵩仕途一帆风顺，历官司隶校尉、大司农等职。灵帝卖官，曹嵩花了一亿钱买得太尉高官，可见家产之豪富。曹氏家族在汉末做京官和地方官的不只曹嵩一人。曹腾弟曹褒官至颍川太守，褒子曹炽官至侍中、长水校尉。曹炽是曹仁之父。曹腾侄儿曹鼎官至尚书令，另一堂侄官至吴郡太守。这些人都是家财万贯，僮仆上百人。曹鼎侄儿曹洪家财甚至超过曹操，所豢养的家兵达千余人之多。曹氏家族在政治上和经济上都是显赫的大豪强，给曹操的仕途带来顺风，但宦官出身仍属寒门，被官僚士大夫看不起。公元 200 年官渡之战时，袁绍发布的讨操檄文就称曹嵩为“乞丐携养”，诋毁曹操为“赘阉遗丑”。因此曹操不免也有自卑感，这对于曹操所走道路，以及执政都产生了复杂而微妙的影响。

曹操小时就很机灵，爱好飞鹰走狗，放荡不羁，不受礼俗约束。他的叔父看不惯，就在曹嵩面前告曹操的状。曹操知道后，想了一个办法来报复叔父，杜绝后患。有一天，他远远看见叔父走来，便故意把嘴歪到一边，作出难过的模样，装着中风。叔父信以为真，赶忙去找曹嵩，着实让曹嵩吃了一惊。曹嵩见了曹操，却见他安然无恙。曹嵩问：“叔父说你中风了，这么快就好了？”曹操恨恨地回答：“叔父不喜欢我，尽瞎说。”从此，曹嵩再也不听曹操叔父的话了，由此可见曹操的狡诈和权谋。

公元175年，曹操20岁时，被举为孝廉，又被推举为郎，因受父祖荫庇，历任洛阳北部尉、顿丘令、议郎。曹操在洛阳北部尉任上，造“五色棒”悬于四门，有犯禁者，不避豪右，皆棒杀之。曹操曾棒杀夜行的灵帝宠臣小黄门蹇硕的叔父，京师肃然。公元184年，曹操为骑都尉，率军镇压颍川黄巾，以功升任济南相。济南国辖十余县，长吏依附宦官和贵戚，贪赃枉法；民俗迷信，淫祀多达六百余祠，历任长吏都不能禁绝。曹操上任，罢掉了八个县的赃吏，又禁断淫祀，拆毁祠屋，奸宄逃窜，一郡清平。由于触犯权贵，被征还为东郡太守。东郡为京师近郡，乃权贵横行之地。曹操恐致家祸，称疾归乡里。公元188年，灵帝建西园八校尉，曹操又被起用为典军校尉。西园军统帅是上军校尉宦官蹇硕，副统帅是中军校尉袁绍。曹操结纳袁绍，两人结为盟兄弟，谋诛宦官。

公元189年，大将军何进与袁绍谋诛宦官，曹操参决机要。曹操出身于宦官集团却走着反宦官的道路，由此表现了他的不凡。曹操要在政治上崭露头角，必须侧身于世族名士行列，所以他矫情饰志，力争赢得世族地主集团的支持。梁国桥玄、南阳何颙都十分器重他。桥玄官至太尉，称曹操为“命世之才”，并以妻子相托。

公元210年末，曹操曾发布“明志令”，称他青年时期希望天下太平，做一个清官，或归隐于故里，秋夏读书，冬春射猎。后作典军校尉，想为国家讨贼立功，西征韩遂，死后立一墓碑，刻上“汉故征西将军曹侯之墓”，这就是他的本志。从曹操步入仕途的所作所为来看，这是符合实情的。曹操想以个人的努力来立功封侯，洗刷“赘阉遗丑”的污名，成为一个汉家忠臣。由于董卓构难，形势导使曹操走上了另一条道路，这就是逐鹿中原，与敌竞争，称孤道寡，建立曹氏基业。

曹氏、夏侯氏的豪强资本，加之曹操个人的筹策善计，曹氏集团很快在北方乱世中崛起。

陈留起兵　董卓入京，拉拢曹操，任命他做骁骑校尉。曹操拒绝合作，逃出洛阳，到陈留（今河南开封东）去募兵反董卓。

曹操出了虎牢关，路过成皋，到故友吕伯奢家借宿，伯奢不在家，伯奢的五个儿子盛情款待。曹操听见食器声，误认为是谋害他，于是手起剑落杀了吕伯奢全家八口。事后发现唐突，他既后悔又悲伤，然后心一横说："宁我负人，毋人负我。"由此可见曹操的奸雄本色，这两句话，谁听了都会不寒而栗。

陈留郡太守张邈是曹操的密友，陈留人卫兹也出财相助。曹操募得五千兵员，正式建立了自己的武装。当时曹操还可以多招募一些，他害怕树大招风，成为祸根，就自我限制。公元 189 年末，曹操在己吾正式起兵，第一个竖起反董卓的大旗。公元 190 年初，关东兵起，曹操带领这支队伍到酸枣与诸侯相会，被张邈任命为代理奋武将军。

曹操在前往酸枣途中，路过中牟县，该县主簿任峻率自己的宗族、宾客及家兵数百人前来投附。曹操非常高兴，任命他为骑都尉，还把自己的堂妹嫁给了他。济北相鲍信与其弟鲍韬也自愿投效曹操。鲍信对曹操说："你的谋略盖世，找不出第二个人，能统率大众拨乱反正的，也只有你一个人。"曹操听了非常高兴，把鲍氏兄弟视为知己。

公元 190 年春，董卓为了逃避关东军的锋芒，毒死废帝刘辩，大杀袁氏宗亲，然后挟持汉献帝迁都长安。而关东诸侯各怀异志，又畏惧董卓之兵，没有人倡议出击。曹操对诸将说："我们发动义兵诛除暴乱，各路大军已经汇合，诸君还疑虑什么？如果董卓依仗王室，据守洛阳，东向以争天下，尽管他十分残暴，仍可以为害无穷。现在他焚烧宫室，劫迁天子，弄得举国震动，人心惶惶，天怒人怨，这正是消灭他的最好时机，可以一战而安定天下，切不可失去这个机会。"关东诸将不听，曹操率先行动，独力追击，在荥阳汴水岸边与董卓将徐荣交锋，激烈异常，表现了曹操的奋勇。由于寡不敌众，曹操全军覆没，自己也受了箭伤。曹操的大义精神被四处传扬，他虽然打了败仗，名声却响亮起来。

曹操回到酸枣，只见诸将每日饮宴作乐，不图进取，十分气愤，就决定回扬州募兵。扬州刺史陈温、丹阳太守周昕给他很大支持。曹操募得四千多人，开赴龙亢，由于新兵的哗变叛逃，最后只剩下五百多人。恰在这时，曹洪带了家兵千余人来到龙亢，宗族曹邵、侄儿曹休也赶来投效，周昕也陆续送来新兵。这样曹操重新拉起了万余人，第二次北上，曹操不去酸枣，直接到河内，与驻屯那里的关东军盟主袁绍联络。袁绍为了扩张自己的势力，他不西征董卓，却同冀州牧韩馥谋划立幽州牧刘虞为帝，并刻了“虞为天子”的玉印一颗给曹操看，拉拢曹操相助。曹操坚决反对，说：“董卓的罪行，国人尽知。我们会合大众，举起义旗，远近闻风响应，这就是正义产生的号召力量。现在皇帝幼小，被奸臣董卓把持，我们不去救驾，反而废除，这是不义的，将使天下不安。诸君北面，我自西向。”“北面”语含双关。古时皇帝南面而坐，群臣面北朝见。幽州牧刘虞在北方。意思是，你们诸位愿意，去向刘虞称臣。曹操西向，指西讨董卓，迎回献帝。此时的曹操尚有扶危济困之心，身心表率要挽救汉室将倾的大厦。当然曹操也进一步捞取了政治资本。

袁绍不死心，派人劝说曹操归附自己。来人对曹操说：“现在袁公势力正盛，兵力最强，两个儿子成人，天下英雄，有谁是他的对手?”曹操用沉默表示回答，心里十分厌恶，并产生了消灭袁绍的想法。

袁绍又亲自召见曹操，提出一个问题，说：“如果我们讨伐董卓不能成功，那么用什么办法来发展势力呢?”曹操反问袁绍：“你的具体打算是什么?”袁绍回答说：“我南依托黄河，北面占据燕、代，联络乌桓，然后南向以争天下，这样做可以成功了吧?”曹操接着说：“如果单靠山川的险要，占据一块地盘来图发展，是很不够的。我要任用有才能的人打天下，用合乎时宜的办法来引导他们，这样大业一定能成功。”表现了曹操依靠人谋智力取天下的主张，显然胜袁绍一筹。

东征陶谦　董卓西迁，东方诸侯开始了混战。河北、山东的黄巾也乘势而起。曹操力量单薄，无力与各路诸侯相争，于是把矛头指向黄巾军。公元191年，曹操进兵东郡，打败白绕率领的黑山黄巾军，壮大了自己的力量。袁绍推荐曹操为东郡太守，曹操第一次有了自己的地盘。公元192年，曹操又击溃魏郡、内黄等地于毒和眭固率领的两支黑山农民军，接着又进兵兖州，大破青州黄巾军，“受降三十余万，男女百余万口”，并“收其精锐，号为青州兵”。此时，曹操声势大振，自领兖州牧，成为北方的大军阀，与冀州的袁绍、徐州的陶谦在中原鼎足而立。

曹操的基本军事力量是招纳强宗豪右的地主武装。他所依重的亲兵将领如曹洪、曹仁、夏侯惇、许褚都是谯县一带与曹家有宗族、亲戚、同乡关系的大豪强。曹操依靠这些宗亲部曲和豪强家兵，在镇压黄巾过程中不断壮大自己。

公元191年，曹操为东郡太守，荀彧来归，被署为军司马。公元192年，曹操兵临兖州，程昱接受征辟，亦为军司马。曹操出征，荀彧、程昱留守。以后荀彧推荐多人，荀攸、钟繇、董昭、郭嘉等相继投效曹操，形成了强大的智囊团。公元196年，曹操定都许昌，“挟天子以令诸侯”，来投附或征辟的人就更多。华歆、王朗、蒋济、毛玠、何夔、徐奕、陈群、赵俨、袁涣、凉茂、司马朗、梁习、刘晔、贾诩等都是重要谋士。曹操部众，真个是谋臣如雨，猛将如云。当然，曹操初据兖州时，力量还没有这样强大，因而遭到吕布的暗算。

曹操在兖州立脚未久，在192年冬遭到袁术的进攻。

袁术字公路，司空袁逢的嫡子，官至河南尹、虎贲中郎将。董卓进京，任命他为后将军，他离京至南阳，恰好长沙太守孙坚北上反董卓，杀南阳太守张咨，拥立袁术为主，成为关东军讨董卓的南翼。袁绍是袁术的哥哥，因是庶出，袁术看不起他。当袁术据南阳之时，袁绍占有河北青、冀两州。孙坚西讨董卓，袁绍派兵夺了孙坚的豫州，袁术十分生气；袁绍谋立刘虞为帝，袁术反对。这样兄弟反目，成为仇敌。袁术北结公孙瓒打袁绍，而袁绍南连刘表攻击袁术。兖州在南阳和冀州之间，袁绍支持曹操挡住袁术的北进。因此192年冬，二袁与公孙瓒、刘表、曹操、陶谦等军阀形成了大混战的局面。

公孙瓒南下攻冀州袁绍，并任命严纲为冀州刺史，田楷为青州刺史，单经为兖州刺史，派刘备守高唐，单经驻平原，陶谦驻守发干，共同威逼袁绍。袁术进攻兖州，派孙坚攻打驻守襄阳的刘表。

首先，袁绍在公元192年底击败了公孙瓒的主力，迫使他逃回幽州。接着公元193年春，曹操在陈留等地大败袁术，乘胜穷追猛打，逼使袁术退出南阳，向东南跑到淮南。孙坚在襄阳战死，残部追随袁术也到了淮南。袁绍派臧洪与袁谭在青州拒敌田楷，征战两年才把田楷驱逐出境。

曹操打败袁术，解除南面的威胁后，便向东面发展，攻击徐州牧陶谦。徐州北面与青州连接，从东面和东北面对兖州形成半包围的态势，而且居高临下。公孙瓒势力进入青州，所以陶谦与之联合，与曹操为敌。曹操打败袁术，很自然地要向东进攻，扩展势力，固守兖州。

曹操与陶谦还有一桩不共戴天的个人仇怨。公元193年夏，曹操派人到琅邪迎接避难徐州的父亲曹嵩，由于曹嵩家财丰盈，车载二百余辆，在途中被见财起意的陶谦部将杀死，曹操迁怒于陶谦。这一年秋天，曹操兴师问罪，第一次东征陶谦，一鼓作气连下徐州十多座城池，进抵彭城。陶谦领兵前来交战，被曹操的复仇之师打得大败，有上万士兵战死。曹操疯狂杀戮，屠灭了几座县城，总计杀死男女数十万人。当初洛阳、长安一带遭董卓之乱逃到徐州避难的中原人民，这一次在劫难逃，被曹操屠杀。陶谦退保郯城（今山东郯城），青州刺史田楷派刘备等人率兵来救，曹操军队缺粮，暂时退兵。

这次曹操东征，袁绍派大将朱灵率兵相助，力战有功。战斗结束，诸将北还，朱灵留了下来，曹操挖了袁绍的墙脚。

公元194年春，曹操第二次东征徐州，志在必得，来势凶猛，连下五城，一直扫荡到琅邪、东海两郡。陶谦和刘备在郯城阻击，被曹操打败，陶谦打算南逃丹杨。曹军所到之处，仍然大肆杀戮，不少平民百姓无辜被害。曹操的残忍好杀，可以说是他政治上的失策，立即得到报应，兖州后院起火，他不得不退兵，功败垂成，十分可惜。

争夺兖州 曹操第二次东征陶谦，正当节节推进之时，兖州境内发生了反对曹操的叛乱。这场叛乱是陈留太守张邈勾结吕布发动的。

张邈字孟卓，东平寿张人，本是曹操的密友。曹操陈留起兵，实际上是张邈的部将。曹操任兖州牧以后，地位在张邈之上，反而成了张邈的上级，张邈内心很不是滋味。曹操部下陈宫，足智多谋，字公台，东郡人。曹操到东郡后，陈宫追随曹操。曹操任兖州牧，前九江太守陈留名士边让在背后讥刺曹操，曹操借机杀边让，并大杀名士，这正是曹操出身阉丑仇视名门这一自卑心理的潜意识反应。这一事件引起极大震动。陈宫好交结名士，对此反感，他既替自己的前途担忧，又为边让打抱不平。他趁曹操带兵东征，后方空虚的机会，策动张邈之弟张超与张邈谋叛，并劝说张邈迎请寄居河内的吕布来主持兖州政务。吕布是一员虎将，张邈在陈留统治十多年，有深厚的潜在势力。因此他们一起事，便立即得到不少郡县的响应，几天之内，兖州成了吕布的天下。只有荀彧留守的兖州治所鄄城（今山东鄄城）、程昱留守的东郡范县和东阿县还在手里。荀彧将夏侯惇从濮阳调来加强鄄城防守。濮阳是东郡治所，夏侯惇离开后被吕布攻占了。

曹操回救兖州，攻击吕布，展开了兖州争夺战。农历五月，曹操进兵濮阳，两军相持三个月。八月曹操在濮阳大姓田氏的协助下，攻入东门，但巷战不利，败退出城。曹操被冲散，遭到吕布骑兵的截击，但吕布兵丁不认识曹操，就问："曹操在哪里？"曹操急中生智，用马鞭往前一指："那个骑黄马逃跑的人就是！"吕布骑兵信以为真，丢下曹操去追赶骑黄马的人，曹操这才死里逃生，冒着东门的烟火冲突了出来。曹操回到大营为了鼓舞士气，他不顾伤痛，亲自到各营抚慰，表彰有功将士，并鼓励他们做好攻城准备，不停顿地打击吕布。这年夏天兖州发生了旱灾和蝗灾，粮食无收，到处闹饥荒，吕布和曹操两军都缺粮食。九月，吕布退兵山阳（今山东金乡县西北），曹操退兵鄄城，暂时休战。

曹操回到鄄城，袁绍派来说客，表示袁曹两家"连和"，要求曹操把家属送到河北邺城。"连和"是委婉的外交辞令，其实是“归附”的代名词。袁绍名为保护曹操家属实为征取“人质”，曹操理所当然拒绝。

这一年年底，徐州牧陶谦病死，把州牧让给了刘备。第二年，公元195年春，曹操经过一冬休整，发动收复兖州之战。首战败吕布于定陶，接着又败吕布于巨野，杀死吕布大将薛兰。这时传来陶谦病死，刘备领徐州的消息。曹操打算趁刘备立脚未稳之际，先取徐州，再收拾吕布。荀彧不同意，以高祖保关中，光武帝保河内的历史例证，劝导曹操要深固根本，建立根据地。荀彧说：“现在对吕布用兵已取得重大胜利，宜将剩勇追穷寇，一举打败他。如果分兵去攻徐州，兖州有失掉的危险。如果攻不下徐州，将军到哪里去立足呢?”曹操接受了荀彧的意见，全力进攻吕布，吕布连吃败仗，带着残兵败将逃向徐州投靠刘备。曹操分兵收复了兖州的郡县。

张邈跟着吕布逃向徐州，让他的弟弟张超带着家属退保雍丘。八月，曹操兵围雍丘。九月，张邈到淮南去向袁术求救，半道被部下杀死。十二月，曹操攻破雍丘，张超自杀，曹操屠灭了张氏全族。至此，兖州平定，朝廷正式任命曹操为兖州牧。经过与吕布的一番争夺，曹操巩固了这块根据地，成为他逐鹿中原的一个根基。曹操集团就这样形成了。

刘备转战北方

刘备是三国时期杰出的政治家，深为曹操所忌服。东汉末年，群雄割据，四分五裂，天下生灵，肝脑涂地。刘备以一个平民之身，忧天下苍生之不幸，发愿“兴复汉室”，救民于倒悬。虽然他的理想半道夭折，未能实现统一大志，但他充分发挥了自己的智慧和才能，几经危难，坚忍不拔，终于建立了蜀汉政权，为结束东汉末年的军阀混战作出了重要贡献。如果将刘备与曹操、孙权作比较，他经历了更为艰难曲折的道路，可以说是屡仆屡起，九折臂而终成良医。刘备从微贱到发迹，直至建立蜀国，既不像孙权那样有父兄之业相承，也没有像曹操那样有雄厚的政治经济实力而起家。刘备一无所有，只有依靠自己的主观努力，借乱世而成英雄。

结义起兵　刘备字玄德，涿郡涿县（今河北涿县）人。生于公元 161 年，死于公元 223 年，享年 63 岁。

刘备的祖先是西汉景帝之子中山靖王刘胜，所以称“帝室之胄”。但支系疏远，家世没落，至刘备这一代到了织席贩鞋为生的地步。《三国演义》第二十回写刘备身世，有所渲染。刘备见汉献帝，献帝排家谱，刘备乃献帝之叔，世人皆称刘皇叔。献帝还令宗正卿宣读刘备的世次，祖上世代为侯。依代排列，刘备是汉景帝第十八代孙。这一细节是小说家的增益之词，虚构刘备为皇叔，抬高他的正统地位。但刘备与汉献帝同宗，并都是西汉景帝之苗裔，却是事实。据《三国志·先主传》记载，刘备是刘胜之子刘贞的后代。刘贞封涿县陆亭侯。查《史记》《汉书》，刘贞在汉武帝元鼎五年（公元前 112 年）坐酎金失侯，家世衰落。刘备祖父刘雄、父刘弘都曾做过地方小官。刘雄举孝廉，官至东郡范令。刘备祖父以上世次不明。所以刘备初起之时，只是依附军阀征战，先后投靠公孙瓒、陶谦、曹操、袁绍、刘表，转战半生仍无立锥之地，他帝室之胄的出身，并没有给他带来什么凭借。

刘备居室东南角有一颗桑树，高五丈多，枝叶繁茂，远远望去像一个车盖，过往的人都很惊异，认为这家人要出贵人。刘备少年时与同宗小儿做游戏，他坐在桑树底下说：“我将来一定会乘坐羽葆盖车。”意思是说乘坐天子的座车。刘备叔父刘子敬听到了惊骇万分，对刘备说：“你别胡说，这是要杀头的。”

刘备早年丧父，到 15 岁时，才因同宗刘元起的资助陪同刘元起的儿子刘德然读书，拜涿郡大儒卢植为师。刘备不喜欢读书，喜欢玩狗马、听音乐、穿漂亮衣服、交朋结友，青年人都与他交好。与刘备同窗的公孙瓒是关外辽西大汉，好侠义，刘备和他十分投情。公孙瓒年长，刘备称他为大哥。刘备的这些表现不合儒家礼教规范，所以没有得到卢植的品评推荐，黄巾起义之前，只好默默无闻地在乡里。

刘备身高七尺五寸，合今公制 1.73 米，个头只是中上，但他手臂很长，垂下来可以摸到自己的膝盖；耳朵很大，自己可以看见自己的耳朵。这副相貌，被当时的人认为是贵人之象，前途非凡。他平时少言语，待人和善，喜怒不形于色，很有城府。

公元 184 年黄巾起义时，刘备 24 岁。他招兵买马，要趁此机会建功立名，改变贫困地位。《三国演义》写刘备与关羽、张飞桃园结义起兵。桃园结义的情节是小说家的设景虚构，但三人结义是事实，记载于《三国志》。关羽字云长，又字长生，河东解县（今山西临猗县西南）人。他杀人亡命，避难涿郡与刘备结识。张飞字益德（亦作翼德），涿郡人，小关羽数岁。关张二人都有万夫不当之勇，他们二人拜刘备为大哥，三人一起同床共眠，比亲兄弟还亲。刘备招兵，关张二人为左右手。中山富商张世平、苏双慷慨解囊。刘备组织起一支乡勇，追随校尉邹靖镇压黄巾，打仗有功，被任命为安喜县（今河北安国西北）县尉。这是刘备入仕的开始，但并不顺利。郡督邮来县巡察，刘备求见，门官不通报。当时贿赂公行，刘备厌恶这种行为，意料自己将被裁减，于是率领吏卒冲入传舍，把督邮捆吊在树上，狠狠鞭打一顿，弃官而去。不久，大将军何进募兵，刘备投身麾下，因战功为下密县（今山东昌邑县东）县丞，后升迁为高唐县（今山东高唐县东）令。关东诸侯起兵讨伐董卓，刘备也领兵参加。不久被青州黄巾军打败，就投奔幽州军阀、同窗师兄公孙瓒。公孙瓒表请刘备为别部司马，为青州刺史田楷助手，对抗冀州袁绍，不久改任平原相。

刘备由于出身寒微，威名不著，与关羽、张飞结义起兵，转战十年，位不过县令，关张二人却始终不离左右，公孙瓒部将真定人赵云也倾心与刘备相结。由于刘备宽厚待人，能得人死力。他与部属同席而坐，同一锅吃饭。刘备做平原相，平原豪强刘平派刺客来暗杀刘备，刘备不知，以诚挚的待客之礼款待刺客。刺客不忍下手，临别坦然向刘备说明真相，请刘备严加提防。他是这样受人敬爱。

两度为徐州牧　公元 194 年，曹操第二次东征徐州，陶谦向公孙瓒告急，刘备奉命救陶谦，正式脱离了公孙瓒集团。这一年冬，陶谦病死，他的部属共推刘备为徐州牧，刘备再三谦让。下邳人陈登，字元龙，时为广陵太守，颇有才干，他看不起一般的士人武将，但十分敬重刘备。他劝刘备说："我们可以替你集合步骑十万，你用这支军队，进可以辅助天子，安抚百姓，退可以据州自守，这是一个好机会，应该听从我们的主张。"北海相孔融也劝刘备说："今天的事势，人民拥护有才干的人。错过这个机会，后悔莫及。"刘备多年来一直颠沛流离，他何尝不想做州牧。他的谦让是为了争取人心，尤其是需要陈登这样的人来支持。陈登发话，刘备非常高兴地接了官印，出任徐州牧，有了自己的一席之地。

刘备坐领徐州，得到了袁绍和曹操的认可。袁绍对徐州派去的使者说："刘玄德弘雅有信义，现在徐州人士拥戴他，真是一个恰当的人选。"曹操为了稳住兖州东部边境的局势，并利用刘备对抗袁术，对刘备也采取了笼络的策略。公元 196 年，曹操迎献帝都许后，以天子名义拜刘备为镇东将军，封宜城亭侯。刘备的名字，在中原日益显赫起来。

公元 195 年，吕布被曹操击败，东投刘备。刘备违众意收容吕布，在宾主酬答之际，刘备见吕布举止轻浮，言语有失分寸，外表恭敬而内心厌恶，让吕布驻屯在小沛。

淮南袁术不满刘备领徐州牧，发兵来争，并暗中勾结吕布。公元 196 年袁术大军征讨徐州，刘备使张飞守下邳，亲自御敌于盱眙、淮阴。吕布乘虚袭夺徐州，并俘获了刘备的妻子。这一年刘备已 36 岁，好不容易得了徐州这块地盘，突然之间却又丢了。刘备向吕布求和，吕布归还了刘备妻子，反过来让刘备屯驻小沛，吕布自己驻屯下邳，自称徐州牧。刘备在小沛收合散亡，得万余人，军势复振。吕布担心刘备坐大，亲自领兵来攻，刘备大败，连妻子也顾不上，就仓皇投奔许昌曹操去了。

刘备第一次丢失了徐州。

曹操谋士程昱见刘备一派英雄气象，就对曹操说："刘备是一个有雄才大略的人，而且很得人心，他终究不会甘居人下，不如趁早图之。”曹操劝导说：“现在我们需要收揽天下英雄，如果因杀掉一人而失去天下的人心，那就不划算了。”于是曹操厚待刘备，表荐他为豫州牧，还给他补充兵员，还屯小沛，对付吕布。公元198年，刘备再次被吕布打败，曹操亲自东征，擒杀吕布。刘备随曹操还许都，曹操表荐他为左将军，拜关羽为中郎将。

曹操表面礼遇刘备，而内心怀着很深的戒备，用时髦的话说叫内紧外松。刘备很清楚曹操的用心，自觉韬晦，闭门谢客，成天在后院种菜，时刻寻找机会摆脱曹操，另图大业。

枭雄曹操岂能被刘备假象所迷惑，经常派人暗中监视。一次曹操请刘备喝酒，品评天下人物。曹操突然看着刘备说：“当今天下英雄，只有您和我了。袁本初这号子人，是算不上数的。”刘备这时正用筷子夹食，听了曹操的话，心头一惊，手中筷子掉落。正巧天空一声惊雷，刘备接过曹操的话头，装出一副无可奈何的笑容说：“圣人说‘迅雷风烈必变’，这话确实不假。刚才一个响雷，竟如此厉害！”就这样，刘备随机应变轻轻地把刚才的失态掩盖过去了。

公元199年春，献帝丈人、车骑将军董承接受了献帝写在衣带上的密诏，要刘备等杀曹操。刘备慨然应允，与长水校尉种辑、议郎吴硕、将军吴子兰、王子服等人一起谋划。还没来得及采取行动，恰好袁术北上青州与袁谭会合。曹操派人阻击袁术，刘备主动请缨，曹操答应了，派朱灵为副将与刘备一起带兵东进。刘备脱离藩笼，日夜兼程向东奔驰。程昱、郭嘉等人事后才得知消息，赶紧跑来劝阻曹操说：“今天放走刘备，岂不是纵虎归山，变乱很快就会发生。”董昭也来建言说，不可放走刘备。曹操感到后悔，但追赶已经来不及了，只好听天由命。

刘备到达下邳，袁术南逃，不久病死于寿春。曹操下令刘备还军，刘备让朱灵回都，然后以突然袭击方式杀死徐州刺史车胄，宣布衣带诏，公开反曹。刘备驻屯小沛，令关羽守下邳，行使太守之职。徐州郡县纷纷响应，刘备第二次夺得徐州，自称徐州牧，旬日之间聚众得数万人。刘备派孙乾为特使，前往冀州与袁绍连和，共同对付曹操。

曹操得知刘备反叛，立即派司空长史刘岱、中郎将王忠前去讨伐，被刘备打败。刘备对刘岱等人说：“像你们这等角色，即使来百个也奈何我不得，如果曹操亲自来战，我也不怕他。”

这时袁曹已临近官渡之战，曹操亲临官渡备战。刘备就是抓住这个时机反抗曹操，他预料袁绍会大军压境，曹操不敢来亲征，这一次刘备完全失算。袁绍不满刘备首先打出反对曹操的旗号，占了自己之先，假托儿子有病，不肯出兵相助；曹操及其谋士也恰好正确地分析了袁绍不会出兵，于是曹操从官渡前线回军东征。公元 200 年正月，曹操在许都杀董承、王子服等人，政治、军事双管齐下，镇压反对派。刘备没有作好应战准备，听说曹操亲征，军心浮动，一战即溃。刘备弃军投奔青州袁谭，妻子及关羽都被曹操俘虏。

刘备第二次丢失了徐州。

刘备两次得徐州，又两次丢失了徐州，根基不固是一个重要原因，但最重要的是身无良辅，缺少统筹全局的谋臣，只靠关羽、张飞的万人敌是打不了天下的。刘备身边无良辅，不是他德薄才疏，而是先天不足。东汉是经学昌盛的时代，士族垄断了选举，所以汉末谋士多出于士族，武将多出自寒门。刘备是寒族，他在中原能得关羽、张飞，而得不到荀彧、郭嘉这样的谋臣。因此，刘备得了徐州，却不知道怎样来守住它。第一次得徐州，他过高地估计了袁术的势力，把注意力放在了南边，想不到吕布从西边来夺了徐州。第二次刘备夺徐州，时机把握不准，形势估计不足，袁绍见死不救而失败。王夫之批评刘备第一次得徐州，没有打出救驾西京这张政治王牌来巩固自己，而扮演了与袁术、吕布一样的军阀角色，所以遭到失败。刘备第二次夺徐州，如果放在袁曹官渡之战爆发之后，那形势就不知怎么演变了，而且时间只有一月之差。历史不能假设，就不必多说了。

南依刘表　刘备兵败徐州，只身逃往青州。青州刺史袁谭率步骑迎接刘备，并陪同刘备到邺城。袁谭先期派人禀告袁绍，袁绍亲自出城二百里迎接，礼数十分周到。这时袁绍内部，对是否发动官渡之战，展开了辩论。刘备亲见袁绍好谋寡断，志大才小，正好与曹操的多谋善断、心雄智广，形成鲜明对照。刘备又想起了曹操的评断："袁本初这号子人，是算不上数的。"决定找机会脱离袁绍，另图发展。

公元200年农历二月，官渡之战正式开始。袁曹两军在白马、延津展开了两次前哨战，也可以说是官渡之战的序战。袁军连折了两员大将颜良、文丑，袁军震恐而曹军士气倍增。曹军数量不及袁军，而两军的强弱利钝、智谋高下、优劣成败的征候却充分显示出来。刘备更加感到袁军樊笼不可久留了。

关羽在曹操军中受到特别的恩遇，他表示立功报答曹操，然后去找刘备。白马之战关羽诛颜良，曹操立即表奏封关羽为汉寿亭侯，厚加赏赐，想以此留住关羽。但是关羽去意已决，他把曹操赏赐的东西全部封存起来，留下一封告别信，带着兄嫂即刘备妻子径直到袁军中找刘备了。曹操部下报告曹操，要求追击，曹操不同意，他对部下说："关羽是各为其主，不用追了。"刘备与关羽、张飞在袁绍军中得以重新会聚，十分高兴。这时赵云也前来投奔。刘备认为离开袁绍的时机已到，借口到汝南曹操背后开展第二条战线，向袁绍告辞。袁绍欣然同意，给刘备补充资粮，把他放走了。

刘备与关羽、张飞、赵云一行到了汝南，与那里的黄巾军余部龚都等联合，有数千之众。曹操派蔡阳往讨，被刘备斩杀。官渡之战结束后，曹操亲自南征，刘备战败，不得已南奔刘表。刘表闻讯，亲自出襄阳城郊迎，以上宾礼款待刘备，给他补充部众，屯驻新野，替荆州看守北大门，防御曹操。

刘表据荆州，地方数千里，军队有十余万。但他胸无大志，不参与中原逐鹿。官渡之战，袁绍求援，他口头答应，但不发一兵一卒应战，主要的部属劝他投靠曹操，他也不肯，只希望割据一方，保境安民做周文王。在中原纷乱之时，荆州成了一方乐土，关中、华北的数十万难民流入荆州，许多北方士人也避难荆州。山东诸葛亮就卧居荆州襄阳城西隆中十年，静观天下之变。官渡战后，刘表感到形势不利，刘备来奔使他一忧一喜。喜的是有人替他看守荆州北大门，忧的是疑忌刘备终不为人下而无法驾驭，所以外亲内疏，厚待刘备而不重用。公元207年，曹操远征乌桓，担心刘表偷袭许昌，郭嘉担保刘表不会有所动作。果如郭嘉所料，刘备劝刘表进兵许昌，刘表不用其谋。曹操胜利班师，刘表感到荆州即将成为曹操下一个打击目标，深深后悔没有听从刘备的劝告，他对刘备说："没有采用你的计谋，失去了一次大好机会。"刘备宽慰刘表说："现在天下纷争，天天打仗，还会有机会，吸取这次教训，为时不晚。"其实刘备也是无可奈何。

刘表坐观成败，不图进取，好几年刘备没有打仗。有一次，刘备参加刘表召聚的宴会，起身上厕所，发现自己大腿的肌肉都松软了，身体也胖了起来，回到席上不禁一阵心酸，流下泪来。刘表很惊奇，问这是怎么一回事。刘备说："过去我经常南征北战，身不离鞍，腿肉消瘦；现在长期闲居腿肉增多了不少。时光过得真快，岁月蹉跎，而功业不就，是以悲伤。"刘备转战半生，辗转依附于他人，没有自己的地盘，无法扩充实力，四处奔命，寄人篱下，前程渺茫，怎能不伤怀？刘备前思后想，领悟到身边缺乏良辅，打天下必须靠智谋，他决定访求贤才。

襄阳地区有两个很有威望的人物，一个叫庞德公，一个叫司马徽。司马徽外号叫水镜先生。一些有才学的士人，经常聚集在司马徽门下谈古论今，其中诸葛亮、庞统、徐庶三人是佼佼者。

刘备首先寻访司马徽，请教世务，求他帮助。司马徽字德操，他对刘备说："一般书呆子不懂时务，有真才实学的人才是俊杰。我们这里有两个俊杰，一个号卧龙，一个号凤雏。"刘备问卧龙、凤雏是谁，司马徽说："卧龙是诸葛亮，凤雏是庞统。"庞统是庞德公的侄儿。

不久，徐庶投效刘备，也向刘备推荐诸葛亮。刘备让徐庶把诸葛亮请来相见，徐庶说："要见诸葛亮，主公得放下架子亲自去见，不然是请不动的。"于是刘备冒着严冬，三次亲到隆中拜访，终于感动了诸葛亮，答应出山相辅，这就是人们传诵的"三顾茅庐"的故事。

定策隆中　诸葛亮字孔明，琅邪郡阳都县（今山东沂南县）

人。诸葛亮是三国时期杰出的政治家、军事家和外交家，可与曹操、刘备、孙权三个开国之主相提并论。在引导历史走向三分的“人谋”因素中，诸葛亮是一个举足轻重的人。诸葛亮品德高尚，恪守诺言，扶弱抑强，忠于职守，在他身上充分体现了中华民族高尚、智慧、勤劳、勇敢的品格，赢得了世世代代人们的敬仰，成为家喻户晓的历史人物。

诸葛亮生于汉灵帝光和四年（公元 181 年），死于蜀汉后主建兴十二年（公元 234 年），享年 54 岁。他出生的第四年就爆发了黄巾大起义。公元 190 年，诸葛亮 10 岁，关东诸侯起兵讨董卓，天下分裂，战乱不休。因此，诸葛亮生于乱世，长于乱世，父又早死，依随叔父诸葛玄生活。公元 195 年，割据淮南的袁术委署诸葛玄去做豫章太守，豫章郡治在今江西南昌市，诸葛玄到任不久，就被凉州军阀李傕控制的东汉朝廷派来的太守朱皓赶下了台。诸葛玄与刘表是旧交，于是到襄阳去依附刘表，就这样诸葛亮流寓到了荆州。

诸葛亮兄弟三人，他排行第二，哥哥叫诸葛瑾，弟弟叫诸葛均。诸葛亮还有两个姐姐。诸葛玄南走时，诸葛瑾在家看守。公元 200 年，诸葛瑾南下渡江投了孙权，做了东吴大臣。诸葛亮和两姐一弟都随叔父到了荆州。不幸的是诸葛玄两年后病死襄阳①，这时只有 17 岁的诸葛亮挑起了一家人的生活重担。他看到刘表昏庸无能，不是命世之主，于是结庐襄阳城西二十里的隆中山中，隐居待时，这是公元 197 年的事。

诸葛亮自比管仲、乐毅，即治国如管仲，打仗如乐毅。他隐居隆中，广交江南名士，密切注意时局发展，有匡正天下之志。诸葛亮师事庞德公，把自己的二姐嫁给庞德公的儿子庞山民。汉南名士黄承彦，其女有德但貌丑，诸葛亮娶之为妻，流传成为佳话，乡里特制谚语说：“莫学孔明选妇，专爱阿承丑女。”诸葛亮客居荆州，通过婚姻跻身于荆州士族集团，说明他很有心计。诸

---

① 《三国志》亮传裴注引《献帝春秋》，说诸葛玄在豫章遭朱皓攻击，退守西城，被西城民所杀。

葛亮还与流寓的北方士人博陵崔州平，颍川石广元、徐庶，汝南孟公威等人交好。曹操统一北方，流寓荆州的士人纷纷北还。有一天孟公威来辞行，诸葛亮对他们说："中原人才济济，男儿四海为家，施展抱负何必要还乡。"这表明诸葛亮绝不去依托曹操。这一方面是诸葛亮世族出身，受到儒家传统教育的影响，属于拥汉的士人；另一方面他立志救天下苍生，希望投效明主，而曹操讨伐徐州，涂炭百姓，诸葛亮一家就是避祸离乡背井的，因此他绝不去效忠这个奸雄。如果没有机遇，诸葛亮就淡泊以为志，终老黄泉了。恰在这时，刘备三顾草庐，"由是感激，遂许先帝以驱驰"。诸葛亮不辞危难辅佐刘备，把报答知遇之恩和匡救天下的抱负统一起来，从而选择了一条前途多艰的政治道路，这正是诸葛亮的不平凡处。他托身仁德之主刘备帐下，可以纵横驰骋施展他的才华。

从公元197年到207年，诸葛亮隐居隆中整十年。人生乱世，"智能之士思得明君"，诸葛亮纵观天下形势，对近在咫尺的刘备，显然有着多方面的了解。刘备驻屯新野六七年，南来北往的文武人士，没有去依附他，一般凡夫俗子只能看眼前，不识潜龙真面目。曹操、孙权、诸葛亮、鲁肃都视刘备为人中龙，因为他们都是识人的大才。所谓慧眼识英雄，刘备见诸葛亮，恨相见甚晚，情好日密，甚至引起了关羽、张飞的嫉妒。刘备解释说："我得到孔明，好比鱼儿得水，请你们不要多言。"

刘备三顾草庐，第三次在隆中见到诸葛亮，就迫不及待诚恳请教。刘备说："现在王室倾危，奸臣当道，皇上受尽欺凌。我不度德量力，想伸大义于天下，恢复汉朝统治，可是才疏德薄，屡遭失败，至今一事无成。不过，我的壮志还没有减退，还想干一番事业，诚恳地请教先生，我该怎么办？"

刘备的赤诚和坦荡，打动了诸葛亮。针对刘备屡遭挫折的心理，诸葛亮首先分析曹操取胜的原因，主要是人谋，而不是只靠天命或机运。诸葛亮说：

自从董卓入京造乱以来，四方豪杰蜂起，割据一方的人多得数不清。曹操与袁绍相比，名望低，兵力少，但他取得了最后胜利，机运是一个方面，而人谋才是最主要的条件。

按照古代政治家总结的历史经验，要统一天下，须得占有天时、地利、人和这三个条件，三者缺一不可。诸葛亮接着分析天下大势，说：

> 现在曹操拥兵百万，又有“挟天子以令诸侯”的有利地位，确实不可以和他争锋。孙权占据江东，已经历了三代，地势险要，民众归附，有才能的人为他效力。因此，只可以联合孙权，而不可打他的主意。

这话非常明显，北方中原、江东地盘，刘备都不要去问津。刘备转战半生，没有立锥之地，所争方向有问题。刘备力量薄弱，就要避实击虚，从庸主手中夺地盘，而当时荆、益两州，占有地理形胜，恰好又在庸主手中，难道是天意要留给刘备的吗？诸葛亮继续说：

> 荆州这个地区，北有汉水、沔水，利收南海，东连吴越，西通巴蜀，是一个用武的要地。它的主人刘表没能力守住它，这个机会是留给将军的，难道您没有想过吗？益州地势险要，沃野千里，号称天府之国，汉高祖凭借它完成了帝业。但占据益州的刘璋昏庸无能，北面又有张鲁威胁。他虽然拥有益州这块宝地，但却不知道治理国家，安抚百姓。那里有智谋和才能的人，都希望得到一个贤明的君主去统治。

十分明显，诸葛亮指导刘备夺取荆、益，以此为根据地发展帝业。诸葛亮最后总结说：

> 将军您是汉王室的后代，信义播于天下，收揽英雄，思贤如渴。如果能跨有荆、益二州，据险防守，西边和好戎

人，南边安抚越人，外结孙权，内修政理，局势有利，就任命一位名将率荆州之兵向宛、洛进攻，将军率益州之众指向关中。到那时，老百姓没有不送饭送酒欢迎您的。真是这样，将军的事业可成，汉朝也一定会复兴。

诸葛亮在隆中草庐的这一番议论，是回答刘备的提问，所以史称《隆中对》或《草庐对》，又称“隆中对策”或“隆中路线”。诸葛亮对刘备兴复汉室的事业，作了两步规划。第一步，要避实击虚，不失时机夺取荆、益，建立根据地，东联孙吴，北抗曹操，成天下鼎足三分之势。第二步，依靠“人和”与“人谋”，实现统一。所谓“人和”，有三个方面的内容。第一，要总揽英雄，使众士归心若水之归海。第二，内修政理，外和夷越，使人民归附。第三，要结好孙权，抗衡曹操，以待天下之变。总起来说，“隆中路线”就是顺应时势，依靠人谋。

诸葛亮到了刘备军中，见他只有几千人马，无法抗衡曹操的南下。诸葛亮对刘备说：“现在荆州无户籍的流民很多，已经安居乐业。如果只照户籍上的人征税抽兵，扩大队伍，势必引起人心浮动。应先清理户籍，限期让流民自报上籍，然后按旧办法征收，由于户籍增加，自然可以扩大兵员了。”刘备上报刘表依计而行，刘备的军队从几千扩大到几万，迅速壮大起来。这支队伍经过诸葛亮的严格训练，成为刘备开创基业的骨干力量。

许多荆州文武人士，也被网罗进来了，为刘备入蜀准备了人才条件。

刘备有英雄之名，关羽、张飞皆万人敌，诸葛亮韬略盖世，他们的集合，刘备集团就这样兴起了。

孙氏兴起江东

孙权字仲谋，三国时吴国的开国之主。他 19 岁承父兄之业，克平暴乱，历尽险阻，终于创立了吴国。孙权在内政、外交、军事、经济、民族各个方面都有卓越的建树，是三国时期第一流的政治家和外交家。但是，由于孙权所凭借的天时、地利、人和均处劣势，所以他尽管统事 52 年，亦未能统一天下，终是一个偏安之主，被目为“限江自保”的次等英雄。事实上，推进三国鼎立，孙权是至关重要的人物，起了主要作用。三国对峙主线，不是魏蜀对抗，而是魏吴对抗。孙权立国江东，加速了对江南的开发，对后世产生了不可估量的影响。

孙坚仗义 孙权承父兄之业，也就是说孙氏集团的兴起，奠基人是孙权之父孙坚和孙权之兄孙策。孙坚仗义扶持汉室，而使孙氏名声冠江南；孙策创业江东，才使孙权有了承继的基业。孙权父兄三世创业，孙氏集团终于兴起于江东。

孙坚字文台，吴郡富春（今浙江富阳）人。《三国志》记载说孙坚是春秋时兵法家孙武之后，陈寿用的是“盖”字，意思是传说、大概是。可能这是孙氏发迹以后的附会，因孙氏世系无考。现在当地人传说，孙坚之父瓜农出身，民间传说，或许可信。总之孙坚出身最寒微，孙氏基业完全是自身努力创立的，没有任何凭借。孙坚仗义讨董卓，可以说这是孙氏赢得人心的最初根基。

孙坚容貌不凡，性情豁达，喜欢做惊人的举动。孙坚 17 岁时与父外出遇海贼分赃物，孙坚见状，单人只身立于高岗举刀比画，仿佛在指挥官兵围捕海贼。海贼望见，落荒而逃，孙坚穷追斩杀一贼。于是以勇闻名乡里，被吴郡太守召为代理郡尉。接着孙坚招募精勇，镇压了会稽人许昌在勾章（今浙江余姚东南）的起义，历任盐渎、盱眙、下邳等县县丞。公元 184 年黄巾大起义，孙坚召募乡里青年千余人随右中郎将朱儁镇压起义军，孙坚常为先锋，多次建功，升为别部司马。后为车骑将军张温的军事参谋，征讨凉州的韩遂、边章，回到京城洛阳，拜为议郎。公元 187 年，孙坚出任长沙太守，镇压长沙、零陵、桂阳三郡的农民起义，被封为乌程侯。公元 190 年关东兵起，孙坚北上，一路杀荆州刺史王叡、南阳太守张咨，聚众数万。他到鲁阳（今河南鲁山）会见袁术，自动让出南阳，拥戴袁术为主子，袁术依靠孙坚成为河南的大军阀，孙坚靠袁术表荐为破虏将军。孙坚志在讨董卓，他首先攻入洛阳。《三国演义》第五回描写关公温酒斩华雄，这个华雄是董卓手下的一员猛将，他不是被关羽所杀，而是死于孙坚之手。小说家为了塑造关羽的英雄形象，有意张冠李戴。董卓曾经对他的长史刘艾说："关东军的各路首领，一个个都是我的手下败将，不值得畏惧。只有孙坚这个小倔头，颇能用人，要告诉诸将，多加小心。"董卓派李傕来收买孙坚，遭严词拒绝。董卓火烧洛阳西逃，孙坚入洛维修诸帝陵墓，在城南井中获得汉朝传国玺。袁术囚禁孙坚夫人，夺走了传国玺。公元 191 年，袁术与刘表争荆州，孙坚为先锋，连败刘表大将黄祖，黄祖退入襄阳。在进围襄阳时，孙坚轻骑到前沿阵地侦察敌情，被流矢所中，死于湖北岘山，时年 37 岁。

孙坚误投袁术，一代英雄早年陨落。孙氏与刘表及黄祖结下了不共戴天之仇。

小霸王孙策创业江东　孙策字伯符，孙坚长子，一表人才，好笑语，人称孙郎。孙坚死时，孙策只有 17 岁。公元 195 年，孙策 20 岁，领兵征江东，人称"小霸王"。霸王是秦末项羽的称号。项羽力能扛鼎，率领江东八千子弟打天下，英勇无敌，所向披靡。项羽性情爽直而粗暴，果于杀戮，人人闻之胆寒。这些特点孙策都具备了，小霸王之称，当之无愧。

孙坚得人，程普、黄盖、韩当、朱治等都是他的旧部。孙坚死后，其众由孙策堂兄孙贲率领投靠袁术。孙策携母往投舅父丹杨太守吴景。孙策聪明英武，好结交朋友，声名远播。舒县（今安徽舒城）人周瑜与孙策同年，慕名来访，一见如故，两人结为生死之交。孙策到了舒县，在周瑜资助下，招募部曲六七百人。公元 194 年，孙策率众投附占据寿春的袁术，希望从袁术那里讨还父亲的旧部。

孙策在寿春，很受袁术赏识，表荐为怀义校尉。袁术大将乔蕤、张勋都非常敬重孙策。袁术叹息说："如果我袁术有孙策这样的儿子，死也甘心。"但袁术对孙策颇怀戒心，他曾两次让孙策讨敌立功，许诺任孙策为九江太守、庐江太守，但两次都悔约而改授自己的亲信。孙策决心找机会脱离袁术。公元195年，孙策的舅父吴景被扬州刺史刘繇赶出，双方在横江津一带相持不下。孙策趁机对袁术说："我父亲在江东有威望，我想到江南招募，可得三万精兵，帮助舅父打退敌人，再来替主公效劳。"袁术也知道孙策怀恨想离去，他认为刘繇在曲阿，王朗在会稽，孙策未必能成功，就把孙坚旧部将士千余人交给孙策指挥，并表荐孙策为折冲校尉。

袁术放虎归山，孙策如鱼得水。孙策出寿春时只有千余人马，他沿途招募军队，由于纪律严明，行至历阳（今安徽和县），已拥众五六千人。这时周瑜领兵来迎，孙策力量更为壮大，开始向东南进军，攻击扬州刺史刘繇。

刘繇，东莱人，汉宗室后代，兖州刺史刘岱之弟。刘繇任扬州刺史，遭到袁术的逼迫，治所寿春被袁术占领。刘繇就攻占曲阿（今江苏丹阳），赶走袁术任命的太守吴景。刘繇同郡太史慈来投奔他，太史慈出身寒微，虽勇猛有才，但不被重用。刘繇迂腐，不用人才，军队又缺乏训练，因此战斗力不强。而孙策作战英勇，"所向皆破，莫敢当其锋"，又善识人用人。刘繇哪是孙策对手，手下大将张英、樊能战死，太史慈投了孙策，刘繇只好弃军而逃。孙策很快占据了曲阿，夺了丹杨郡，在江南站稳了脚跟。

孙策打仗，总是一马当先。敌方将士一听孙郎来了，大都失魂落魄。小儿啼哭，大人说："孙郎来了。"小儿即不敢啼，威名如此。孙策颁下军令，士兵不得掳掠民间财物，"鸡犬菜茹，一无所犯"，受到百姓欢迎。他还优待刘繇降卒，愿从军的，免除家庭赋税徭役，不愿从军的也不强迫。这样一来，不仅刘繇部众不少投奔孙策，而且四方士众云集，半个月功夫，孙策队伍扩大到两万人，马千余匹，"威震江东，形势转盛"。

当时江东各地，豪强林立，地方宗族部伍，各不统属，主要有吴郡太守许贡、会稽太守王朗，以及地方豪强如乌程邹他、钱铜，吴郡严白虎，前合浦太守王晟及自称吴郡太守驻屯海西的陈瑀等。孙策采取先打弱敌，后打强敌的策略，首先扫荡地方豪强，即先打小敌邹他、钱铜、王晟等，然后拔掉严白虎、陈瑀。三四年间，东灭吴郡太守许贡，降服会稽太守王朗、豫章太守华歆，聚众三万余人，将领除孙坚旧部程普、黄盖、韩当外，又收聚了周瑜、蒋钦、周泰、董袭、凌操等人，谋士有张昭、张纮、秦松等，俨然大家气象。

公元196年，曹操迎帝都许昌，袁术却在淮南自称皇帝。孙策写信与袁术决裂，上表献帝联络曹操。曹操表孙策为讨逆将军、吴侯。孙策讨袁，独力发展，智谋远略超过了父亲孙坚。

东汉末太尉乔玄有两女，皆天姿国色，称大乔、小乔。孙策娶了大乔，周瑜娶了小乔。

公元199年袁术北上依袁谭，曹操派刘备阻击，袁术忧死于寿春，袁术妻子余部往依庐江太守刘勋。孙策用计诱使刘勋进攻上缭割据豪强，然后从背后偷袭皖城，赶走了刘勋。孙策用汝南李术为庐江太守，给兵三千守皖，把俘获的刘勋妻子部曲三万余人迁徙到吴郡，袁术的女儿也被纳入了后宫。刘勋失去了立足之地，北依曹操。其时，曹操正与袁绍对峙，为了笼络孙策，于是把侄女许配给孙策的小弟孙匡，又为其子曹彰娶了孙策叔父孙贲之女，还举荐孙策之弟孙权为茂才。

攻破刘勋之后，孙策为报父仇，也为了向长江上游发展，进讨刘表部将黄祖。黄祖为江夏太守，驻屯沙羡（在今武汉市西南）。公元199年农历十二月八日，孙策率领周瑜、孙权、吕范、程普、黄盖等将佐大举进攻，孙策亲自策马擂鼓，兵士借风放火，弓手千弩齐发，大破黄祖，斩首两万余人，万余人溺水而死，缴获船只六千余艘，其他财物无数，并生俘黄祖妻子亲属七口，黄祖只身逃脱。这次大捷报到许昌，曹操听后，脸色骤变，感叹地说："猘儿难与争锋也。"孙策已稳固地占有江东。

孙策之死　公元200年，袁绍吸引曹操于官渡，袁曹决战，许昌空虚。孙策决定抓住这一大好时机，先放下与刘表的私仇，掉头北上，轻骑袭击许都，挟天子以令诸侯，表现了孙策纵横天下之志。这时陈瑀的堂兄子陈登任广陵太守，治射阳（今江苏宝应东北），他要为陈瑀报仇，积极筹划进攻孙策。孙策也决定借此北征，先灭陈登，然后奇袭许都。孙策行军至丹徒，他喜欢外出射猎，因驰马疾追一头鹿，从骑落在后面，突然遭到事先埋伏的三个刺客的进攻。对方用弓箭近距离射击，孙策奋力射杀一人，自己也受了重伤，另外两人被从骑赶来杀死。这三个刺客是故吴郡太守许贡的宾客，他们为主子报仇，抓住孙策打猎经常单身追猎的特点，打了一场刺客伏击战。刺客的弓箭带毒，伤者用良药后需要静养可治。孙策性急，他养病几日，引镜自照，见面容憔悴，对左右说："堂堂英雄变成了一个丑八怪，还有面目见人吗？"他扔掉镜子，大发脾气，缝合的创伤破裂，当夜就死了。这时孙策只有 26 岁。

可惜，三国乱世又少了一个英雄。

孙策有勇有谋，又善识人用人，他的夭折，是孙吴政权的重大损失。孙策早亡，也是他个人缺点带来的。他年少气盛，心胸狭隘，缺少一点儿容人之量，忌讳名望超过他的人，这就是一个很大的缺点。余姚有个著名学者叫高岱，研习《左传》知名当世，孙策与他讲论，高岱不答，孙策就把他杀了。吴郡太守许贡也是被孙策错杀的人，所以孙策才遭报复。据《江表传》载，吴郡太守许贡曾经给汉献帝打了一个报告，说孙策就像项羽，要召到京师给个高官笼络起来，让他长期在外就难以制服了。这份上奏落在孙策手里，孙策责问许贡，许贡不承认，孙策就绞死了许贡。可以说这是小不忍乱了大谋，导致这位英年将军的悲剧。

孙策临终，把印绶交给了 19 岁的弟弟孙权。孙策对孙权说："举江东之众，决机于两阵之间，与天下争衡，你不如我；举贤任能，各尽其心，以保江东，我不如你。"就这样，建立孙吴政权的重担落在了孙权的肩上。

孙权统事 孙坚有五子，依次为孙策、孙权、孙翊、孙匡、孙朗。孙策、孙翊皆骁勇闻名，而个性轻躁，两人皆死于非命。孙策死后不久，孙翊为部属所杀。孙匡才庸，孙朗庶出。孙氏兄弟，唯有孙权状貌奇伟，方颐大口，目光炯炯有神，被时人认为"骨体不俗，有大贵之表"。孙权生于公元 181 年，死于公元 251 年，享年 71 岁。公元 200 年，孙权统事，在位 52 年，在三国君主中寿年和在位都是最长的。

孙权沉静有谋，15岁为阳羡长，随后以奉义校尉之职领兵从策征讨，参加过讨伐庐江太守刘勋和江夏黄祖的战斗。孙权胸襟豁达，好侠养士，处事果断，深得孙策信任，所以孙策临终以大事相托。孙权对于哥哥的死，极为悲痛，整日涕哭，不能视事。重臣张昭沉着脸对孙权说："孙孝廉，这难道是哭的时候吗？眼前是奸臣虎视眈眈，豺狼当道，在这个时候哀悼亲人，讲究礼仪，岂不是开门揖盗吗？这不能叫做仁爱。"张昭担心政治出现真空，引起涣散，他说毕，强请孙权脱掉孝服，换装上马，出巡各军，使众心有所归。孙权年少威轻，他能否驾驭父兄遗留下来的名臣宿将，站稳江东，面临着严峻的考验。当时孙权面临的问题概括起来主要有三个：名微众寡、山越暴动、地方不服。他连下了几着妙棋，站稳了江东。且看孙权如何动作：

首先，孙权尊礼重臣，团结旧部。孙策临终对张昭等人说："目前中原大乱，以我们吴越之众，依靠长江天险，是可以观成败，求得生存和发展的，你们要尽心辅佐我的弟弟。"东吴将帅程普、吕范、朱然、蒋钦、周泰、陈武、董袭等人，都是孙策聚集留给孙权的宝贵财富。但孙权与旧将"未有君臣之固"，能否威众，将取决于他的措置是否得宜。张昭为文臣领袖，周瑜为武将之魁。孙权待张昭以师傅之礼，而兄事周瑜，又以程普、吕范等为腹心将帅。张昭、周瑜等人认为孙权可以共成大业，真心事奉。张、周心服，这就稳定了全军。

第二着，"招延俊秀，聘求名士"。鲁肃、诸葛瑾等为宾客，众士归附，人心悦服。

第三着，"分部诸将，镇抚山越，讨不从命"。镇抚山越是孙吴立国的一项基本国策，留待本书第六章详说。所谓"讨不从命"，指讨灭庐江太守李术。李术为孙策所署。公元199年，孙策派李术攻杀曹操所署的扬州刺史严象，而得庐江太守。现在李术背叛了孙权，孙权利用袁曹官渡相持，曹操无暇东顾的时机，讨灭李术。孙权的高明之处，在于不单凭武力，他要在道义上和外交上孤立李术，在政治上取得主动权。所以孙权先致信曹操，声称李术攻杀严象是“轻犯汉制”，藐视曹操，把举主孙策的责任推得一干二净，同时给曹操留台阶，计划妙极。孙权声称他要为国讨贼，为严象报仇，并说这是“天下达义”，希望曹操支持，不要援助李术。措词冠冕堂皇，理直气壮，无懈可击。曹操鞭长莫及，乐得顺水推舟，表孙权为讨虏将军，领会稽太守。孙权抓住时机，一举歼灭了李术。

孙权获得朝命，巩固了在江东的地位。国险而民附，贤能为之用，孙权集团在江南不可战胜了。

回溯本章所述，曹操、刘备、孙权三个集团，兴起有先有后。曹操势力最大，形成最早，在公元 195 年形成，根据地为兖州。孙权集团在江东奠基，形成于公元 200 年。刘备集团形成最晚，刘备转战半生无立锥之地，直到公元 207 年仍寄人篱下，由于刘备已在荆州驻屯了六七年，公元 207 年访贤得诸葛亮相辅，文武齐备，曹孙两家均不得小视，虽然还无根据地，而集团势力已经形成。三个集团形成，意味着人才三分，地理分界，孕育了三国鼎立的基本条件。

第三章　官渡之战

官渡之战葬送了天下归一的局势，是三国鼎立形成中的第一个大战役，也是北方曹操与袁绍两大集团之间的一次主力决战。这次决战袁败曹胜，从而奠定了曹操统一北方的基础，对三国历史的发展具有重要意义。设若这次战役袁胜曹败，袁绍完全有能力席卷江南而君临天下，那么三国鼎立的局面也就不会出现了。在军事上，曹操以少胜多，走上了他的巅峰。这次战役如同赤壁之战一样，也是一次群英会。袁曹双方的谋臣武将，云集官渡，斗智决力，波澜壮阔，是一段很精彩的历史风云际会。

袁绍发动官渡之战

官渡，地名，故址在今河南中牟东北，临古官渡水。献帝建安五年（公元 200 年），袁绍与曹操两大集团在官渡进行全力决战，史称官渡之战。今有土垒遗存，称中牟台，又称曹公台。由于这一历史遗存，如今经过整治开发，成为吸引中外游客的人工景点，古战场变成了旅游胜地。

袁绍鹰扬河朔　袁绍字本初，汝南汝阳（今河南商水县西南）人。袁氏是东汉一个显赫的世家大族。袁绍高祖袁安，“章帝时至司徒，生蜀郡太守京，京弟敞为司空；京子汤，太尉；汤四子：长子平；平弟成，左中郎将，并早卒；成弟逢；逢弟隗，皆为公。”（《三国志·袁绍传》）袁汤，桓帝时一人历三公，任司空、司徒、太尉。灵帝时袁逢任司空，袁隗任司徒。袁绍为袁逢之庶子。袁氏家族袁安、袁敞、袁汤、袁逢、袁隗五人经历四代，均居三公之位，故称四世五公，或称四世居三公位。由于官大资深，门生故吏遍天下。东汉倡导经学，以孝治天下标榜，辟举制度，门生故吏靠举主升迁，要对主人尽子弟之孝，所以袁氏势倾天下，贵宠无比。关东兵起，众诸侯推袁绍为盟主。

袁逢嫡妻生子袁术，为袁绍之弟。袁逢兄袁成无子，袁绍过继给袁成，这样袁绍也成了袁氏家族一房的掌门公子。袁绍身高魁伟，一表人才，他又广交朋友，名声盖过了袁术，仕途也一帆风顺。大将军何进出身寒门，他要攀附袁氏，就辟举袁绍做侍御史，迁中军校尉，又兼司隶校尉。董卓入京，与袁绍谋废少帝刘辩，袁绍不赞同，说要与太傅商量。当时袁绍叔叔袁隗任太傅。董卓按剑怒骂说：“大胆小子，天下事难道不都在我手中，你敢拦阻，想试试我董卓的刀锋快不快吗?”袁绍也大怒说：“天下有力量的难道只有你姓董的一人不成?”说罢，举起佩刀夺门而出，当晚逃奔北海。袁绍反对董卓废帝被视为英雄义举。侍中周毖，城门校尉伍琼、议郎何颙都是当时名士，他们替袁绍说话，劝董卓给袁绍加官免罪，结纳袁氏，于是董卓拜袁绍为渤海太守。关东兵起，董卓认为上当，大杀名士，周毖等人遇害，袁氏留京的族人都遇难，一门被杀的有五十余人。袁氏门生故吏，义愤填膺，要为袁氏报仇，因此袁绍的力量迅速壮大起来。

官渡之战以前，中原十年大混战，袁绍一直走上坡路，他在河北发展，没有敌手。

袁绍所领渤海郡属冀州管辖，因此关东起兵，袁绍驻屯河内，粮秣由冀州牧韩馥供应。谋士逢纪对袁绍说：“要建立大业，没有一州作根据，恐怕自身也难保。”袁绍说：“冀州兵强，用武力夺取是不行的。”逢纪说：“公孙瓒雄踞幽州，引诱他南下，韩馥敌不过公孙瓒，然后派一说客，向韩馥分析利害，使他让出冀州牧，难道不是上策吗？”袁绍依计而行，韩馥果然让出冀州牧。袁绍不费一兵一卒，夺了河北最大的冀州。韩馥投奔张邈，害怕袁绍追索，逃到厕所中自杀。

公孙瓒南下，见袁绍夺了冀州，发觉上当，非常震怒，发兵与袁绍交战。公元 191 年，袁绍与公孙瓒两军大战于冀州界桥。界桥在今河北广宗县境，又称袁公桥。公孙瓒步兵三万，骑兵万余人分为左右两翼，步兵居中。袁绍有步兵数万，没有骑兵，军力弱于公孙瓒。袁绍先锋将麹义原是凉州将，作战骁勇，懂得怎样与少数民族的骑兵格斗。公孙瓒喜欢骑白马，他率领的精锐骑兵主要是从乌桓招募的义从，都骑白马，称为“白马义从”。少数民族骑兵，个人作战英勇，但整体配合意识不足。公孙瓒在中军，把精锐的白马义从放在阵中央的步兵前面，两翼各伸展五千骑兵，这是十分难以攻击的坚阵。公孙瓒又是一个善于打硬仗和阵地战的勇将，他没把袁绍的几万步兵看在眼里，产生了骄傲情绪。战斗开始，袁绍命麹义率领八百健儿突前攻击，随后配置一千多强弩弓箭手在麹义左右两边接应。公孙瓒见麹义冲突上来，人数不多，就发出号令，让骑兵两边围攻上去，践踏麹义的步兵。麹义号令停止行进，让步兵把盾牌竖起来以防敌人骑兵冲踏。等到对方骑兵快冲到跟前时，突然大呼杀敌，八百精兵像旋风一样向对方骑兵猛冲上去，两边千余张弓同时射出排箭，敌人前队骑兵中箭落马，反而阻挡了后队的前冲。敌骑兵队形瓦解，麹义有组织地冲击，公孙瓒大败，所署冀州刺史严纲在阵前被杀。袁绍步军随后掩杀，袁绍与大队脱离。

公孙瓒不愧为百战将军，他没有奔逃，而是边战边撤，收合败亡。骑兵机动性强，公孙瓒聚合了两千多人，向袁绍杀了一个回马枪，把袁绍包围起来。这时袁绍身边只有一百多使用大刀的卫士，还有中军帐前的几十张强弩。公孙瓒骑兵四围发箭，矢如雨下，袁绍谋士田丰护卫袁绍，要他躲到墙根下。袁绍深知，此时主将却战，士兵顷刻瓦解。他推开田丰，甚至扔掉头盔，大声说：“大丈夫要在阵前斗死，躲到墙根下能活命吗？”兵士奋勇，齐射乱箭，正在危急时，麴义杀回，公孙瓒退走。

界桥之战，是袁绍一生中最大的冒险，但也赢得了辉煌的胜利。第二年，袁绍又在龙凑大败公孙瓒。公孙瓒退回幽州，杀了幽州牧刘虞，占领了幽州，继续与袁绍对抗。

公元 193 年，冀州的黑山农民起义军在于毒、张燕等人率领下，乘袁绍攻打公孙瓒的机会，四处活跃起来，并一举攻下袁绍的大本营、冀州治所邺城。当时袁绍追击公孙瓒，驻军薄落津。薄落津是在广宗境内的一段漳水。袁绍大会将士庆祝胜利，突然传来邺城被攻破的消息，诸将宾客有家属在邺城的，一个个大惊失色，有的号啕大哭。袁绍面不改色，像没这回事一样，表现了他的大将风度。

攻破邺城的农民军，有一个首领叫陶升，他仰慕袁绍，入城后就把袁绍及冀州将士的家属保护起来，并亲自送还袁绍，袁绍拜陶升为建义中郎将。

公元 193 年元月，袁绍整军攻击黑山军，在朝歌鹿肠山苍岩谷口激战五天，打败黑山军，杀死于毒及其部众万余人。接着袁绍连败左髭丈八、刘石、青牛角、黄龙、左校、郭大贤、李大目、于氐根等部农民军，最后在常山，袁绍军与黑山张燕军大战十余日，双方均受重创，各自退军。

公孙瓒在易京屯田固守，袁绍派兵连年进攻，未能攻下。公元 198 年，袁绍亲率大军攻击公孙瓒，公孙瓒向黑山军求救。公元 199 年，张燕率兵十万，分三路救公孙瓒。公孙瓒与张燕相约，以举火为号夹攻袁绍军，不料约信被袁绍截获。袁绍将计就计，如期举火。公孙瓒领兵出战，被袁绍伏兵大败。公孙瓒退守城内，无援可待，眼见大势已去，杀死姊妹妻子，然后自焚。公孙瓒集团覆灭。

至此，袁绍兼并了冀、青、幽、并四州，和好乌桓，实现了他北阻燕代，南依黄河，居高临下以争天下的规划。袁绍鹰扬河朔，虎视天下，成为当时最强大的军事集团。他以长子袁谭为青州刺史，次子袁熙为幽州刺史，外甥高干为并州刺史，幼子袁尚留在冀州，打算立为嗣子。他以汉朝大将军衔领冀州牧，坐镇邺城，以沮授、审配、逢纪、田丰、荀谌、许攸等人为谋士，以颜良、文丑、张郃、高览等人为将帅，地广兵强。袁绍决计进兵河南，与曹操决一雌雄。他选精兵十万，战马万匹，陈兵黄河北岸，以黎阳为大本营，伺机南下，进攻许都。

袁曹力量对比　袁绍占领河北青、冀、幽、并四州；曹操据有河南司、豫、兖、徐四州，及荆州北部、青州一部。双方地盘相当，实力接近，财力军力袁强曹弱，政治及个人素质，曹操占优。具体分析，双方各有优势与短处，加上其他军阀的背向及谋略得失，力量对比就会转化。试具体比较如下。

财力军力，袁绍地广人众，有明显优势。据《后汉书·郡国志》记载，东汉时河北四州总户数约二百万，人口约八百万；河南四州总户数三百三十九万，人口一千八百万。按汉时户口，曹操占领区要高出袁绍占领区一倍，河南殷富甲于河北。但中原十年大混战，主战场在河南曹操占领区，潼关以东至于陈留、南至颍川，几百里路，不见人家烟火。徐州历经战乱，也十分荒残。曹操占领区的人口耗损，历史记载，十成人口只剩下了一成（《三国志·张绣传》），这虽是夸张，但可窥见荒残景象。河北四州人口以半数计，约四百余万口，河南四州以十分之二计，有三百余万口。或者袁曹占领区，人口大体相当，河北扰乱较小，却比河南殷富。从地理形势看，袁绍据河北居高临下，又与戎狄和亲，无后顾之忧；曹操所占中原，处四战之地，周围军阀环绕，有陷入两线作战的危险。袁绍由于有这一优势，志骄意得，急不可耐地想做皇帝。这时袁术归帝号于袁绍，称颂说："今君拥有四州，民户百万，以强则无与比大，论德则无与比高。曹操欲扶衰拯弱，安能续绝命救已灭乎？"意谓曹操既不能挽救已绝天命的汉室，又不能扭转自己灭亡的命运。袁绍听了好不欢喜，他示意自己的主簿耿包上书劝进，请求袁绍顺天意、从民心、当皇帝。此论一出，袁军僚属一致反对，指斥耿包妄言，袁绍不得已杀耿包解嘲，十分狼狈。这一出闹剧撕下了袁绍"举义兵诛暴乱"的假面具，使他失去了号召力，使许多政治集团转变方向，袁绍则陷于孤立无援的境地，政治上处于劣势。

从个人素质看，袁绍虽也是一个英雄，但他不是曹操的对手，政治谋略逊色一筹。公元196年，汉献帝东归洛阳，袁绍谋士沮授劝他迎立天子以令诸侯，袁绍没有听从，拱手让给了曹操，在政治上就输了一着。然而这是对全局成败有决定性影响的一着，袁绍输了，处处被动；曹操赢了这一着，全盘皆活，处处主动。曹操挟天子以令诸侯，不仅关中附从，而且号令起袁绍来，盛气凌人的袁绍，也不得不听从曹操的摆布，一再上表向朝廷表白忠心。袁绍致书曹操，说许下低湿，应徙都鄄城，以便自己也能打上天子旗号。枭雄曹操当然不做这种傻事，理所当然予以拒绝。袁绍争天子不得，后悔莫及。

公元198年春，曹操南下围张绣于穰，田丰劝袁绍趁机南下袭许，奉迎天子以号令天下，否则“终为人所擒，虽悔无益”。由于当时公孙瓒未灭，袁绍避免两线作战，没有听从，只写了一封恐吓信，曹操慌忙退军，被张绣追击，打了一个败仗。曹操忧心忡忡对荀彧说：“今将讨不义，而力不敌，怎么办?”荀彧回答说：“古代打江山的人靠的是才干，往往由弱变强；不能成大事业的人，也总是由强变弱。刘邦与项羽的成败，就是这样的啊。”接着荀彧从气度、谋略、武功、德义四个方面分析，曹操都胜过袁绍，又有天子为号令，“扶义征伐”，不愁打不败袁绍。

曹操听了荀彧的意见，非常高兴，但他仍不放心，又去问郭嘉。郭嘉更为细致地比较了曹操与袁绍两人的长短，认为曹操在十个方面超过了袁绍：

袁绍讲究繁文缛节，而曹操办事讲求实际，这在实效方法上超过了袁绍，是第一胜。袁绍不尊奉朝廷，曹操拥戴汉献帝，以天子名义号令天下，这在义理上超过了袁绍，是第二胜。汉末法令宽缓，豪强横行，袁绍以宽治宽，政治更加腐败，曹操以猛治宽，抑制兼并，上下整肃，这在行政上超过了袁绍，是第三胜。袁绍表面宽厚，内心狭窄，用人唯亲，曹操外表简易，内心精明，任人唯贤，这在器量上超过了袁绍，是第四胜。袁绍多谋少决，贻误良机，曹操有谋则行，应变无穷，这在谋略上超过了袁绍，是第五胜。袁绍凭借家世资望，故作谦虚收取名誉，投靠他的人多半是徒有虚名的书呆子，而曹操诚心待人，不图虚名，自身节俭作表率，奖励有功的人一点儿也不吝惜，因此忠诚正直而有才学的人都愿效劳，这在品德上超过了袁绍，是第六胜。袁绍怜悯眼前的饥寒之人，而考虑不到更多的饥寒之人，这是妇人见识，曹操往往忽略眼前小事，却能考虑长远的天下大事，这在仁爱上超过了袁绍，是第七胜。袁绍放纵部属，互相争权夺利，曹操管束有方，流言蜚语没有市场，这在明察上超过了袁绍，是第八胜。袁绍分不清是非黑白，曹操奖励正直，惩办奸恶，这在文德上超过袁绍，是第九胜。袁绍不懂用兵，惯于虚张声势，曹操用兵如神，善于以少胜众，这在武德上超过了袁绍，是第十胜。（《三国志·郭嘉传》裴注引《傅子》）

曹操听了郭嘉的十胜分析，心里踏实了，笑着对郭嘉说："我哪有这么高的道行。"郭嘉趁此献计说："现在袁绍正与公孙瓒大战，我们赶紧消灭吕布，要不然，与袁绍对阵，吕布捣鬼，祸害无穷。"曹操改变南征计划，东出一战擒灭了吕布。

荀彧、郭嘉原本是袁绍的谋士，他们见袁绍外宽内忌，不是明主，转而投奔曹操，他们赞扬曹操的才干，难免有夸张的成分，但说话是很有见地的。这一番话还表明了曹操和他的智囊团，早就认清形势，从心理上准备与袁绍决战，树立了必胜的信心。

袁曹二人的智力既有差异，两人争天下的政治路线也迥然不同。本书第二章曾提到袁曹二人初起兵时的一段对话，袁绍凭借的是"力"与"地利"，经过十年血战，袁绍实现了他的"吾南据河，北阻燕代"，也可算得上群雄中的佼佼者。但与曹操相比，只是一个"小器"。袁绍能够战胜韩馥、公孙瓒，而不能战胜曹操，所以不能建立非常的帝王之业。曹操高于袁绍，不仅是个人政治素质，而且更是政治路线。袁绍凭借的地盘和兵力，敌不过曹操的人才和道义。所以诸葛亮说："曹操比于袁绍，则名微而众寡，然操遂能克绍，以弱为强者，非惟天时，抑亦人谋也。"十分精当。官渡之战，袁绍一败涂地，由强转弱，从胜利的顶峰跌落下来，坠入了灭顶的深渊，最重要的原因就是他因胜而骄，一意孤行，以个人之智敌曹操之群士。袁绍谋臣如云，但他不纳田丰之谋，不用沮授之计，既要急于进取，而又贻误战机，一失再失，怎能不败？袁绍能聚人而不能用人，张郃、许攸就是因计不被采纳，愤然阵前倒戈。袁绍逞个人之智，又碰上曹操这样道高一着的对手，他就难逃覆败的命运了。

官渡之战的直接导因　袁曹两个集团在中原十年混战中，为战胜群雄曾携手并肩，划分势力范围，袁绍收河北，曹操图河南，两人随着势力的膨胀而外亲内疏，明争暗斗，两大集团的决战是必然之势。但官渡之战在两大集团都尚未准备充分，尤其是袁绍刚灭公孙瓒，尚未喘息又投入大战，在公元200年爆发，则是双方都未料及的。事情原委，还得从河内张杨说起。

第一章已述及，张杨原是丁原部将，与吕布同僚相好。董卓杀丁原，当时张杨回并州募兵，于是据有河内，在十年混战中与袁绍相联络。公元198年末，曹操擒杀吕布，解除了北进的最大后顾之忧，立即对袁绍摆出了对抗姿态，在公元199年四月进兵河北，略取河内。曹操围吕布，袁绍暗中支持张杨声援。曹操打入张杨内部，指使张杨部将杨丑杀张杨，公开投靠曹操，挑起事端。张杨部将眭固又杀杨丑，明白宣布投归袁绍，并重兵控制河内郡的战略重镇射犬（在今河北武陟县西北）。夏四月，曹操挥师临河，派曹仁、史涣渡河击杀眭固，占领河内郡，打入袁绍的领属区，建立了河北前进基地。袁绍对曹操此举自然十分恼怒，他曾经致书公孙瓒，劝瓒投降，除去嫌隙，而公孙瓒不予理会。于是袁绍奋力灭瓒，当曹操进兵河内时，袁绍也取得了胜利。袁绍凯旋之后，立即宣布兵伐许都，时间约在公元199年五六月间。

袁绍宣布进兵许都，在内部引起了争议。郭图、审配等认为讨伐曹操，易如反掌，“今时不取，后难图也”。沮授认为，袁军讨伐公孙瓒，师出历年，“百姓疲敝，仓库无积”；况且曹操奉迎天子，建都许昌，“今举师南向，于义则违”。为了摆脱政治上的被动局面，同时争取时间，休整士卒，沮授提出“修耕战缓搏败曹”的建议，沮授说：“应当先派使臣向天子报告平灭公孙瓒的捷报，奖励农耕，休息百姓。如果上达天子的言路断绝，再宣布曹操一手遮天的罪恶，然后进兵驻屯黎阳，逐步经营河南，多造舟船，整饬兵器，分路派出精锐骑兵，扰乱曹操统属区，让对方得不到安靖，我方以逸待劳，这样可以稳操胜券。”但是急于称帝的袁绍却听不进去，他要与曹操立决雌雄。他既不顾政治上的被动局面，也不顾士民连年征战的疲劳，更不顾部属的纷争意见，不取稳操胜券的战略，而妄听郭图的“公师徒精勇，将士思奋”的阿谀颂词，走上黩武的道路，以图“早定大业”，在不利的时机发动官渡之战，加深了隐伏的败机。

公元200年（建安五年）二月，袁绍正式南伐，发布讨伐曹操的檄文，其中有一段数列曹操挑动战争的罪恶说：“往年我军北伐，征讨公孙瓒，强敌叛逆，抗拒整一年。曹操趁此机会，暗中与公孙瓒勾结，打着援助我军的旗号，实际想在背后发动突然袭击，所以领兵临近黄河，正在调集舟船渡河，被我方外交人员觉察其阴谋，正赶上公孙瓒被剿灭，才使得曹操把锋芒缩回，阴谋没有得逞。”这道檄文载于《后汉书·袁绍传》。李贤注引《献帝春秋》说：“曹操渡河攻占河内，声言援助袁绍讨伐公孙瓒，实际是要偷袭袁绍大本营根据地邺城。恰好公孙瓒败亡，袁绍也识破了曹操计谋，立即回军，曹操退守敖仓。”这就是说，曹操进兵河内，挑起袁曹公开对立，成为官渡之战的导火线。曹操既占了地利和实利，又企图偷袭袁绍根本，气度狭窄的袁绍被激怒了，贸然发动官渡之战，承担了黩武的罪责。袁曹较量，曹操确实道高一尺，战争还未开始，已在气势和道义上先胜一着。

曹操迎击袁绍的战略部署

曹操处河南四战之地，许都背后站有强大的刘表集团，侧翼有淮南袁术以及江东孙策的潜在威胁，分路设防，机动力量弱于袁绍，他的战略是后发制人。曹操比袁绍提早半年消灭了吕布集团，因而抢先部署拒抗袁绍的战略，进取战略要地河内就是一着妙棋。曹操得手河内以后，沿黄河两岸选择要地设防，并在官渡构筑决战工事，诱敌来攻。袁绍亦深知对手曹操不凡，没有立即进攻，发布进兵许都命令之后，也进行了半年的备战工作，一面休整士卒，一面筹办大举进兵的粮秣。同时双方展开了激烈的外交战。环绕中原的军事集团，面对袁曹冲突，也在重新拨动算盘珠，考虑前途，是投曹，还是附袁。曹操为了争取战争主动，从公元 199 年四月到公元 200 年正月，先后作了如下部署：

一是公元 199 年四月，曹操进兵河内，建立河北前进基地。

二是在六月，派刘备、朱灵东出徐州，截击北上的袁术，不让二袁结合。此着，曹操虽误用了刘备，却截击成功，袁术死，淮南归入曹操领区，消灭了一个后患。

三是在八月，曹操派琅邪相臧霸，引精兵入青州，牵制袁绍，捍卫东方。

四是同月，曹操亲自领兵进据黄河北岸的重镇黎阳（今河南浚县东），留于禁屯河南重要渡口延津（今河南延津北），又令东郡太守刘延在白马（在延津东北，今河南滑县东）布防。

五是在九月，曹操还许，置主力于官渡，筑垒固守。官渡地处鸿沟上游，濒临汴水，是许昌东北门户。袁军直线南下，官渡是两军必争之地。曹军守住官渡，就是“扼其喉而不得进”。所以曹操十二月又返回官渡，亲自坐镇，严阵以待袁军来犯。

六是冬十一月，曹操笼络凉州从事韦端劝说关中诸将附曹操。曹操以钟繇为司隶校尉督关中诸军，又以侍御史卫觊出镇关中，协助钟繇镇抚西方。钟繇至关中，选战马两千匹输官渡。曹操又表刘馥为扬州刺史以镇东南。与此同时，袁绍所派使者四出，到处碰壁。九月，袁绍遣使与南阳张绣连和，贾诩却劝张绣趁此时机投曹操。十一月张绣投曹，进驻官渡前线。袁绍又遣使求助于刘表。刘表只是口头答应，但不出兵，也不援曹。

七是公元 200 年正月，东征刘备。刘备在徐州举起反曹旗帜，宣布献帝衣带诏。刘备认为曹操在官渡不得脱身，他没有集中兵力防御，而是分兵略地。曹操却比刘备更有眼光，他绝不让刘备站稳脚跟，立即亲自东征。他对诸将说：“夫刘备，人杰也，今不击，必为后患。袁绍虽有大志，而见事迟，必不动也。”正如曹操所料，田丰再次指点袁绍进兵，但袁绍却以“子病”为由拒绝，只派轻兵援助刘备。刘备又没有提防曹操，仓促不能应战，再次丢弃徐州逃跑，北投袁绍，关羽降了曹操。可以说曹操没有费吹灰之力就赶跑了刘备，稳定了东方，迅速回军官渡。

如上所述，曹操从公元 199 年四月的渡河之战，到次年正月东征刘备，取得了一连串的胜利，巩固了东、西、南三面，堵塞了袁绍开辟第二战线的漏洞。然后，曹操集中全力于官渡一线，步步设防，阻滞和消耗袁军的战斗力，主力则隐伏于官渡有利地势，以逸待劳与袁军决战。在外交上，曹操着着得手，显示了挟天子以令诸侯的政治优势；而袁绍的失败，说明他政治上已处劣势。在军事上，袁绍丢失了一次难得的夹击机会。政略战略，袁绍都逊人一等，而又刚愎自用。沮授强谏，削夺其军权，分其部为三，使沮授与郭图、淳于琼各典一军，削弱了战斗力。田丰强谏，被袁绍打下牢房，折了一翼。曹操闻田丰不从戎，喜曰：“绍必败矣。”与之对照，曹操内部则上下整肃，曹操对诸将说，袁绍“志大而智小，色厉而胆薄，忌克而少威，兵多而分画不明，将骄而政令不一，土地虽广，粮食虽丰，适足以为吾奉也。”（《三国志·武帝纪》）荀彧更作了具体分析，认为“绍兵虽多而法不整，田丰刚而犯上，许攸贪而不治，审配专而无谋，逢纪果而自用，此数人者，势不相容，必生内变。颜良、文丑，一夫之勇耳，可一战而擒也”（《资治通鉴》卷六十三）。这些预见均为实战所证实，说明曹方做到了知彼知己。

官渡之战的过程和结局

官渡之战从公元 200 年的二月到十月，共历时九个月，分为三个阶段。第一阶段，二至六月，曹军步步退却，在运动中消耗和偷袭袁军，积小胜为大胜，灭敌威风，壮己士气。第二阶段，七至九月，官渡相持。第三阶段，十月乌巢烧粮，奇计破袁。依时间顺序列战争进程于下。

二月，袁绍进军黎阳，曹军收缩河南。袁绍令刘备协助颜良为先锋，渡河围白马。沮授对袁绍说："颜良性情褊狭，虽然作战英勇但不能独当一面。"袁绍没有听进去。

四月，曹操北上解白马之围，用荀攸计，屯兵延津伪装渡河，好像要攻击袁绍的后方，迷惑袁绍大军渡河，使其分兵西向。目的达到后，曹操自引轻骑，集中徐晃、张辽、关羽等骁将，出其不意奔袭白马。关羽斩颜良，袁军溃败。曹操拔出白马之军，迁徙白马百姓沿黄河撤退，丢弃辎重军械，诱袁绍大军渡河来追。

五至六月，袁军渡河至延津。沮授又谏说："颜良败没，曹军反而后退，这种变化，要详细考察。为保万全，大部队应当屯驻在延津，分兵进攻官渡，如果胜利，大军再跟上去，如果不胜，主力可以安全撤退。"袁绍不听。沮授气愤地说："主上骄傲，部属邀功，悠悠黄河，我们还能过河还乡吗!"遂称病辞职。袁绍不许，将沮授降职隶属郭图。

袁绍大将文丑与刘备追击曹军，在延津南白马山中计被斩。颜良、文丑为河北名将，连战皆输，绍军夺气。

与延津之战同时，于禁、乐进又率步骑五千，从延津西渡河奇袭袁军后方，至汲、获嘉两县，焚其堡聚二十余屯。

七至九月，袁绍虽然连战皆北，仍凭其兵力优势，密集推进，与曹操相持于官渡。八月，袁军逼近曹寨，依沙塠为屯，东西数十里，曹军亦分营对垒相持。

袁绍逼近官渡的同时，于七月派刘备迂回曹军后方，与汝南黄巾军联合开辟第二战线。袁绍又"遣使招诱豫州诸郡，诸郡多受其命"。袁军派出的劫粮之军也连连得手。许昌及曹军中人多与袁绍通书。

九月，袁曹两军在官渡展开阵地战，曹军寡不敌众，还营坚守。袁军起土山地道强攻，激战异常。两军"相持百余日，河南人疲困，多畔应绍"。当时曹军粮少，曹操致书荀彧，打算撤军。荀彧回信曹操，以楚汉相争为喻说："当时刘邦与项羽相持于成皋，谁也不肯首先后撤，先撤退的人士气就会低落。”又说：“现在正是用计破敌的时候，不可失去这个机会。”曹操又问贾诩，贾诩说：“主上英明胜过袁绍，勇敢胜过袁绍，用人胜过袁绍，决断胜过袁绍，有这样四个方面胜过袁绍，而相持半年没有决出胜负，就是过于谨慎的缘故。只要下定决心，立刻就会决出胜负。”

曹操派曹仁率领徐晃、史涣等攻破刘备在汝南的策应，还消灭了袁绍断粮道的游击军，使其运输畅通。曹操又用荀攸计，派徐晃等扰乱袁绍后方，烧了袁绍运粮车及其辎重，杀其将韩猛。

十月，两军主力决战。袁绍再次派出淳于琼等带兵万余人押运粮车，屯放在袁绍大营北四十里的乌巢。沮授又一次进谏袁绍说：“我军人数占优势，但勇敢不及敌军；敌军粮食少，物资不如我军。敌军希望快速决战，我军利于持久，拖垮敌军。”沮授还建议派出蒋奇率领一支军队掩护侧翼，保护粮草，以阻止曹军再次偷袭屯粮之所。袁绍对此一概听不进去。谋士许攸向袁绍献计说：“曹操集中全力在官渡，许都空虚，如果分兵攻击许都，迎接天子讨伐曹操，一定活捉曹操。即使打不垮曹操，也使他顾头顾不了尾，终久会打败曹操。”袁绍还是不听，却说大话：“我就是要首先捉拿曹操。”袁绍下令军中，每人带一条三尺绳子，一定活捉曹操。

许攸见他的计谋不被采纳，心中很是不平。正在这时，留守邺城的审配收捕了犯法的许攸家属，恰似火上加油。许攸一怒之下，投奔曹操，告知袁军储粮虚实，劝曹操轻骑烧粮。当时曹军只有一个月的军粮，为打破僵局，曹操决定出奇制胜。他亲率五千骑兵，冒用袁军旗号，月夜偷袭乌巢。天亮时，曹操抵达淳于琼粮营。淳于琼不护粮草，见曹操兵少，欲邀功利，出营迎战。曹军殊死战，淳于琼战败，粮草被焚。

袁绍知道曹操劫粮后，又作了错误的调遣。他不听张郃用重兵救粮的意见，却采纳郭图攻劫曹营的主张。袁绍对其子袁谭说，就算曹操攻破淳于琼军，我这里攻破曹营，看他回到哪里去。张郃与郭图争执起来。张郃说：曹操自引精兵，必能破琼，

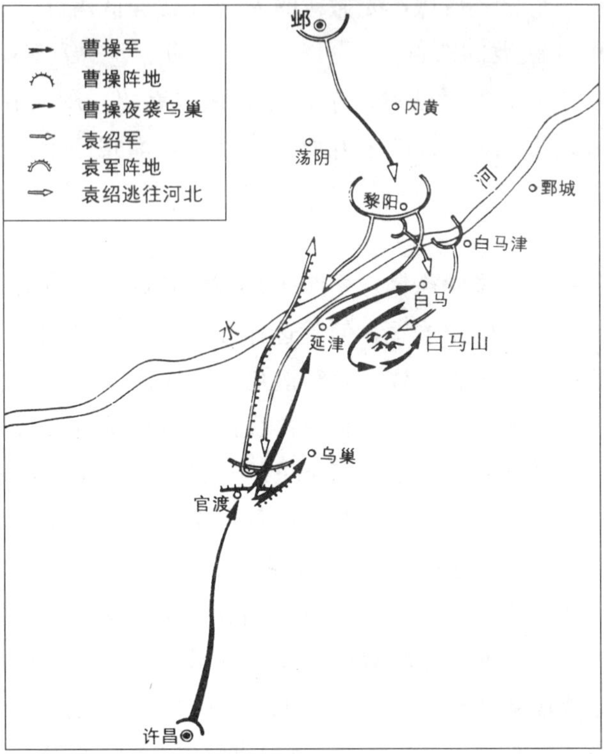

官渡之战形势图

而曹营巩固，我们却攻不下来，大事就完了。但袁绍不听，只用轻军救淳于琼，而令张郃、高览攻曹营，这时曹操已回军夹击袁绍军。郭图出了错误计策，反诬张郃不力战以推脱责任。张郃、高览气愤不过，焚战具，投降曹军。曹军乘势全线出击，袁军大溃。袁绍、袁谭仓皇溃逃，只带了八百骑渡河，沮授及审配二子皆成俘虏。沮授拒降，被曹操所杀。

袁绍官渡惨败，愧对田丰，说："吾不用田丰言，果为所笑。"于是下令杀害田丰。袁绍如此心胸狭窄，一蹶不振，发病吐血，在公元202年（建安七年）五月病死。

官渡之战，曹操以少胜众，以弱胜强，陨落了一代枭雄袁绍。伴随袁绍之死，汉末的统一局势受挫，成就了曹操的事业，加速了他统一北方的步伐。河北智士名将，田丰、沮授、颜良、文丑，成了失败英雄袁绍的殉葬品。张郃、许攸等一批人杰，投附了曹操，壮大了他的势力。官渡之战，还巩固了曹操的政治地位，以及在汉官、曹氏阵营中的声望。曹操走上了他的巅峰。

袁绍失败的原因及其评价

官渡之战，袁绍败退，曹操得胜，有着多方面的原因。前述已指出，曹操在政治战略、外交战略、军事战略各个方面都胜过袁绍。但是，战争是政治、经济、军事、人才、技术各个方面综合力量的较量，既然袁绍在总体上优于曹操，只要河北力量能聚合成一个整体，一致对付曹操，未必就失败。例如田丰提出奇兵战，就是利用河北的整体优势，居高临下四出侵扰曹操统属区，令其疲于奔命，然后寻找战机，出奇制胜。袁绍溃败后，曹操感叹地说："假如袁绍采纳了田丰的计谋，谁胜谁负还是未知数。"再说，胜败乃兵家常事，袁绍官渡战败，并没有达到总崩溃的地步，为什么袁绍一蹶不振，一战而奠定了曹操统一北方的基础，值得人们深思。

长期以来，人们认为袁绍出身世族，代表腐朽大官僚、大地主的利益，遭到人民的反对而失败，但是这一认识与历史事实并不相符。因为在官渡之战的整个过程中，看不出有人心向背所起的决定性因素，作为宦官集团中出来的曹操，并没有获得广泛的人心拥护。袁曹双方主力决战，士卒和粮饷，都是强力征发来的，难说哪一方是正义之师。曹操挟天子以令诸侯，袁绍为扫除隔断王路的奸雄，各执一词。从人心向背来看，历史记载更有利于袁绍。袁绍出身大士族，得天独厚，但他雄踞河北，主要是靠个人奋斗走英雄创业的道路。他谋诛宦官，反董卓为天下倡，界桥之战亲冒矢石，易京灭公孙瓒，这些业绩都显示了他的雄略。袁绍治冀州，政令宽缓，虽然有纵容豪强的一面，也有疾贫扶困的一面。袁尚、袁熙逃入乌桓，河北人民相随逃奔乌桓的有十多万户。郭嘉称"袁绍有恩于民夷"，荀攸也说："袁绍用宽厚收拾人心，如果他的两个儿子（指袁尚、袁谭）团结起来守成家业，那么统一河北就要增加困难。”对照曹操，曹操的政令十分严酷，一般民众并不欢迎。曹操征战，凡遇坚强抵抗，他必以极其野蛮和残酷的手段，整座整座地屠城。官渡之战，他活埋投降袁军士兵八万多人。官渡之战以后，曹操征河北，征并州，多次屠城。曹操打到哪里，哪里残破，这也是曹操不能统一天下的一个主要原因。官渡之战，曹操也危机四伏，虽然取得最后胜利，却也带有几分侥幸。

概括袁绍失败的主要原因，有三个方面。第一，袁绍个人的谋略智计，气质权术，均不是曹操对手。第二，袁绍外宽内忌，刚愎自用，不能容忍人才而取长补短，官渡之战形成了他以个人之智力对曹氏集团之群士，没有不败的道理。第三，袁绍个人心胸狭窄，官渡战败，不思更张，反而变本加厉忌刻人才，杀死田丰，自己气愤而死。袁绍死后，没有良辅襄助二子，袁尚、袁谭互相攻伐，被曹操各个击破。公元 205 年，曹操杀袁谭，公元 206 年灭并州高干，公元 207 年远征三郡乌桓，辽东公孙康杀袁尚、袁熙。袁氏集团彻底覆灭，曹操统一北方。

曹操临阵决机，应变无穷，有白马、延津的运动战，有于禁、乐进、徐晃、史涣等人的出奇不意，有扼守官渡的阵地战，有假冒袁军的乌巢劫粮偷袭战。袁绍不知机变，又不听谋臣善计，只一味在正面突破，而曹操早已严阵以待，所以无功。但是袁绍也不是平庸之辈，他鉴于白马、延津之败，不再分兵，而是密集推进，逼使曹操在官渡打阵地战、消耗战。袁绍如能坚持到底，发挥兵多粮足的优势，与曹操持久相抗，前景未可预料。但他又偏偏性急，不用重兵救援乌巢，护住粮饷，反而驱使全军攻坚，以求速决，用己之短拼敌之长，大为失计。曹操越过袁军大营偷袭乌巢，是死中求活的一着险棋，既是迫不得已下出的险着，也是深知袁绍为人而下出的妙招。

曹操从善如流，得策则行，故所遣将领，皆能如意。袁绍刚愎自用，囚田丰，黜沮授，逼许攸、张郃降敌，这些都暴露了他外宽内忌的弱点。他能聚人而不能用人，减杀了自己的军力。袁绍唯小人郭图之言是听，唯庸将淳于琼是信，结果都坏了大事。

袁绍用人不明，因他忌刻心太重，把奴才、庸才加于人才之上，所以矛盾重重，内部不团结。这一点，古今同然，可以说放之四海而皆准，袁绍失败理所当然。

袁曹相斗，某些方面类似刘、项相争。项羽战河北，刘邦战河南。现在袁绍战河北，曹操战河南。刘项二人结拜为兄弟，两人都曾并肩携手灭秦，而相争天下成仇雠。袁曹二人同典禁军结为兄弟，共同诛宦官、反董卓，两人互为背靠逐鹿中原，而后划河为界决雌雄。刘邦先入关中得地利得正统，政治上占主动，曹操挟天子以令诸侯也占得主动。袁绍之仁与项羽之仁有某些相似，被智者称为妇人之仁。袁绍使审配收治许攸家人犯法，可以说是小不忍则乱大谋，袁绍与曹操交往，不识曹操之奸险，这些都表现了袁绍的妇人之仁。例如曹操征徐州，袁绍遣朱灵等相助，曹操却留下朱灵，挖了袁绍的墙脚。臧洪文武全才，替袁绍定青州，被用为东郡太守，可独当一面。曹操围张超，臧洪原是张超的部属，向袁绍求兵救张超。袁绍为了顾全与曹操的友谊，不允臧洪救张超，逼反了臧洪。袁绍回师南向，争战一年，延误了灭公孙瓒，自毁了一面长城。假如袁绍允许臧洪救张超，袁绍抢在曹操灭吕布之先而统一河北，又不丢失河内，形势对比大不一样。曹操一旦得势，毫不留情，毫不手软。曹操灭吕布，马不停蹄进兵河内，图谋袭邺，要端袁绍老窝，直到这时，袁绍才醒悟，可是为时已晚。对敌斗争，兵不厌诈。曹操对袁绍使用权谋，证明曹操识高一等，胜人一筹；袁绍不醒悟，不识大体，只说明他的妇人之仁，匹夫之雄罢了。

官渡决战，对双方都是时机不宜，但更不利于袁绍。曹操灭吕布，袁绍灭公孙瓒，双方都打完大仗，需要休整。而官渡之战，是双方都未充分休整的连续作战，而且是全力相拼，所以这一战的胜负对任何一方都非同小可，都意味着灭顶之灾。对袁绍更是不利，因为曹操先灭吕布，抢占河内，已做好了迎敌准备，袁绍被动应付，不顾全军疲劳，立即决战，犯了兵家大忌。如果双方都做休整，河北恢复优于河南，因中原十年混战主战场在河南，遭破坏比河北严重。袁绍后方稳固，曹操四周有军阀，只要袁绍大兵压境而不战，以待天下之变，政治上将化被动为主动，曹营内部将会分崩离析。官渡相持，曹营内部许多人暗中给袁绍写投降书，就是一个充分的例证。

说到曹营内部通敌，曹操在打扫官渡之战的战场时，从袁绍的图书案卷中检出了许多许下人士的通敌信，曹操下令一把火烧掉。当时人们纷纷建议立案追查，杀掉通敌分子。曹操力排众议，他说："当绍之强，孤亦不能自保，况他人乎?"一概不究，显示了曹操的大政治家风度。曹操烧通敌密信，不但安定了人心，防止人才损失，而且使写密信的人更加佩服曹操，效忠曹操，拼命释放能量以补过，无形加强了曹操的力量。曹操烧密书，还落得宽弘爱士的好名声，影响四方人才投奔，特别是河北人士的向往。对照袁绍战败，反而杀田丰，表现了袁绍的小器。郭图阿谀出了坏主意，使袁军惨败，袁绍反而重用；张郃、许攸、田丰、沮授，一批忠贞智勇之士，出了好主意，全然不听，反而遭迫害。袁绍如此狭窄，哪是一个大器!

袁绍这种人最易被胜利冲昏头脑。他只看到自己的长处、优势，看不到自己的短处。当时袁强曹弱，但袁绍一方并不占绝对优势。三国时的战役，总是伴随着外交上的纵横捭阖，敌我双方虚虚实实，有时夸大，有时缩小。史载，曹操以一对十，兵不满万，都不符实际。《三国演义》第三十二回"袁曹各起马步兵"，说袁绍起兵三十万，曹操对敌有众二十万。《三国演义》往往夸张，但据史实考察，官渡之战双方兵力，前线后勤一并概算，《三国演义》大体说得差不多。不过《三国演义》说的是双方第一线兵力，确没有这么多。按史籍考察，袁军兵力，整个战区推计有二十余万，投入官渡第一线有十二三万。曹操兵力，约为袁军的三分之二，投入第一线的有七八万。

袁曹官渡决战，双方总动员四五十万众，从公元 199 年五六月发动到公元 200 年十月结束，前后一年半。这是中国历史上一次有声有色的大兵团大规模作战，当时双方精英会聚作斗智斗力的斗争，真是波澜壮阔。袁绍只有相对优势，而战略错误一失再失，打败仗成了必然之势。

袁绍不敌曹操，他失败了。但在官渡之战以前，袁绍却也察纳雅言，尊礼田丰，信用沮授，亲冒矢石，艰苦创业，几经危险而一一越过险滩，实现了雄踞河北的预定计划，成了大军阀。可以说除了曹操，也没有人是袁绍的对手。袁绍发动官渡之战是一次冒进，恰如沮授所说："上盈其志，下务其功，悠悠黄河，吾其不反乎！"曹操赤壁冒进，也犯了袁绍同样的错误，也遭败北，何况袁绍。古往今来，有多少叱咤风云的历史人物在冒进中翻船，不可胜计。战争如此，政治如此，经济如此，商战亦如此。无论古代还是当代，无论中国还是外国，凡冒进者必然听不进反面意见和正确意见，这样的教训史不绝书。袁绍在官渡的败没，只是增添了一个悲壮的例证而已。

袁绍失败，但他鹰扬河朔的业绩为曹操统一北方开辟了道路。袁绍聚集了大批人才，一部分成了他的殉葬品，而大部分转投曹操，可以说袁绍替曹操准备了人才库。至于袁绍发难讨董卓，毫无疑义应当给予高度评价。袁绍仍不失为汉末的一个英雄人物。

第四章　曹操统一北方

曹操文武兼资，御将有方，以弱克强，统一了北方。他清吏治，抑豪强，整齐风俗，使残破的北方日渐恢复，奠定了西晋北方统一南方的物质基础。这些是曹操对历史所作出的杰出贡献。

挟天子以令诸侯

汉献帝刘协是董卓扶植的一个傀儡，有皇帝之名而无皇帝之实。但是皇帝在古代是国家的象征，谁充当他的保护人，谁也就掌握了国家的最高权力，在政治上有发号施令之权。当汉家天子大旗还没有完全倒下的时候，逐鹿中原，一是抢地盘，二是争皇帝。曹操在角逐中，凭借他的智谋和对时机的把握，赢得了“挟天子以令诸侯”的胜利。

遣使长安　公元192年，曹操攻占兖州，治中从事毛玠就提出建议，对曹操说：“现在天下分裂，皇帝西迁，老百姓不能从事生产，饥饿流亡，国家没有一年的粮食储备，百姓得不到安定，这是难以维持长久的。现在袁绍、刘表虽然地广民众，看起来强大，但他们没有长远的考虑和能力，不是建树牢固根基的人，打仗要师出有名，巩固政权要有财力。我们应当奉天子以号令不归附的人，修耕植以储备军资。这样，霸王之业才能成功。”（《三国志・毛玠传》）这一席话有两个中心，即“奉天子以令不臣，修耕植以蓄军资”。尊奉天子以获取正统名分，发展生产以增加粮食、布帛的储备。这是两条极好的建议，立足于并天下取大位的战略思想，受到曹操的嘉奖，于是提升毛玠为幕府功曹。但当时曹操在兖州还立脚未稳，没有力量到长安西迎献帝，他还须等待机会。

曹操本人也懂得作出效忠皇室姿态的政治意义。公元 191 年，曹操刚做东郡太守，皇室刘邈到长安奉表贡献，在献帝面前称赞曹操，曹操知道后非常高兴。公元 192 年，控制朝政的李傕派太傅马日磾、太仆赵岐奉诏抚慰关东，曹操听到消息，亲自带兵到数百里外郊迎。毛玠提出建议，可以说正中曹操下怀，也是英雄所见略同。曹操派王必出使长安，途经河内，被张杨扣留。这时任张杨部属骑都尉的董昭就劝张杨借机结交曹操，并认为袁绍不是曹操的对手，要张杨早自为计。张杨是靠拢袁绍的，他这次还是听了董昭的话，让王必过境。董昭还以曹操的名义给长安的李傕、郭汜等人采办礼品，托王必带去。曹操得知情况，派人给张杨送去犬马金帛，表示感谢。从此兖州与长安的道路被开通，曹操与朝廷之间的使者往来畅通。

王必到了长安，未能受到李傕、郭汜的礼遇。黄门侍郎钟繇对李傕说：“现在群雄并起，各霸一方，只有曹操还心系王室，如果不接受他的效忠，恐怕会有失众望。”李傕等认为有道理，于是改变态度厚待王必，但仍然没有正式任命曹操为兖州牧。

董昭、钟繇两人都是智能之士，他们从曹操遣使西行的行动中，看出曹操是一个英雄，为了给自己日后留一条退路，于是主动帮助曹操。他们两人后来都成为曹操的高级参谋，被委以重任。官渡之战时，钟繇受命镇抚关中，立下大功。在纷乱之世，不但君择臣，臣亦择君。一项善政，一条措施，影响天下人心，有时是十分巨大的。曹操遣使西行就产生了这样的效果。

迎献帝都许　公元 195 年二月，凉州军阀李傕、郭汜互相火并，在长安城内外展开激战。李傕劫了献帝，郭汜扣住公卿，把朝廷君臣作为双方人质。张济为二人调解，献帝和公卿大臣才获释。李傕部将杨奉与凉州军阀反目，他与国戚董承两人护驾东归洛阳，李傕、郭汜联兵来追，在弘农大败杨奉，百官士兵死伤甚众。杨奉连忙召来河东白波军韩暹等人助战，才挡住了李傕、郭汜的追击。杨奉护驾取道河东，经河内，终于在公元196年七月回到洛阳。

献帝路过河内，袁绍谋士沮授向袁绍献计说："我们赶快把献帝接到邺城来，这样就可以挟天子以令诸侯，蓄士马以讨叛逆，谁能抵挡呢？"袁绍的另一谋士郭图反对说："现在英雄并起，各据州郡，正所谓'秦失其鹿，先得者王'。如果把献帝迎到身边，一举一动都要向他请示，听从则权轻，不听为拒命，没有什么好处。"沮授说："迎合天子，符合道义，现在时机正好，错过了一定有人抢先。"袁绍根本听不进沮授的意见，让河内张杨放走了献帝。恰如沮授所说，曹操捷足先登。献帝七月回到洛阳，九月被曹操迎往许昌，袁绍后悔莫及。

董卓西迁，焚烧洛阳，帝京成了一片废墟。献帝与百官已无宫室和官府居住，只能找些柴草，靠着断壁残垣搭帐篷居住。粮食更是奇缺，州郡各拥强兵，无人贡献，群臣饥乏，尚书郎以下官员都得自己外出挖野菜充饥，有的就饿死在墙壁之间，有的被士兵杀死，形势非常危急。几个护驾功臣，韩暹与董承宿卫京师，杨奉驻屯洛阳南的梁县，张杨驻屯河内野王，表面互为犄角，暗中勾心斗角。荀彧力劝曹操迎请献帝，他说："从前晋文公接纳周襄王，诸侯像影子一样跟从；汉高祖东征替义帝举丧，天下归心。现在皇上还旧京，一片荒凉，忠义之士都关心皇帝的命运。如果在这时候迎奉献帝，正是顺从民望。用忠于帝室的行动来镇服各据一方的雄杰，是伟大的策略，要当机立断，及早行动。若行动迟缓，发生变乱，悔之无及。"（《三国志·荀彧传》）这正中曹操心意，他派曹洪领兵西迎献帝。同时曹操利用护驾功臣的矛盾，稳住兵力最强的杨奉，写信给他，表示愿意与他合作，共同辅佐王室，并用粮食接济朝廷。杨奉见信大喜，对诸将说：

"曹操近在许昌，离我们很近，有兵有粮，应该依靠他。"于是，杨奉与诸将连名上表献帝，拜曹操为建德将军，又迁为镇东将军，袭父爵为费亭侯。

这时韩暹自恃护驾有功，专横跋扈，董承极为反感，但又无力对付，于是暗中召曹操入京。曹操喜出望外，立即带兵入洛，朝见献帝，上表请治张杨、韩暹之罪。曹操利用他们的矛盾，分化打击。韩暹自料不是曹操对手，单骑逃出洛阳，投杨奉而去。

曹操总揽朝政，即以献帝名义杀掉侍中壶崇、议郎侯祈、尚书冯硕等三人，而封外戚卫将军董承、辅国将军伏完等十三人为列侯，既排斥异己，又讨好献帝及国戚。但曹操知道，要完全控制献帝，在洛阳他办不到，于是与已经做了朝廷议郎的董昭商议迁都许昌的策略。董昭建言说："杨奉势孤少援，又有勇无谋，只要将军稳住他，派人送上厚礼，并对他说，洛阳没有粮食，暂时把献帝迁到鲁阳去，靠近许昌就粮，他必然不会怀疑。"曹操依计而行，顺利地把献帝迁到许昌。等到杨奉发觉上当，派兵来追，受到曹操伏击，大败而归。十月，曹操亲自带兵，以天子名义讨伐杨奉，杨奉不敌，与韩暹一起南投袁术。杨奉部将徐晃，字公明，投归曹操，后来成为曹操的五虎将之一。

献帝迁都许昌后，任命曹操为大将军，封武平侯。曹操左右部属也得到封赏。荀彧升迁为侍中、代理尚书令。尚书令是政府首脑，从此曹操出外征伐，朝中大政就由荀彧处理。由于曹操自兼"录尚书事"，所以荀彧只为代理尚书令。

曹操掌握了汉献帝，河南洛阳以南大片土地归曹操所有，关中也名义上归附，袁绍后悔极了。他想了一个办法，写信给曹操，要求把献帝迁到甄城。鄄城离冀州很近，以便就近施加影响或抢夺献帝，曹操理所当然拒绝，并且针锋相对反击袁绍。曹操以献帝名义下诏责备袁绍地广兵多只顾树立自己势力，没见他出师勤王，只见他攻城略地兼并别人。诏书提出了限制袁绍活动的要求。袁绍偷鸡不成反丢了一把米，白讨了一场没趣，无奈何只得上书替自己申辩一番。曹操趁势又以献帝名义任命袁绍为太尉，封邺侯。太尉为全国军事首脑，位为三公之一，但在大将军之下。曹操冠冕堂皇提升袁绍，而实际降为自己的下级，袁绍当然也不会答应，上表固辞。他发牢骚说："曹操几次打败仗，差点命都丢了，是我救助了他，现在居然挟天子号令起我来。"当时袁强曹弱，曹操不愿此时与袁绍摊牌，只好把大将军之位让给袁绍，自己就任司空，兼领司隶校尉。司隶校尉掌管京师治安，曹操任此职，就有生杀之权。他派亲兵保卫宫室，实际把献帝看管起来。

修耕植以蓄军资

用兵打仗，粮秣先筹，因此解决粮食问题，是逐鹿中原和巩固政权的经国大计。曹操陈留起兵之后，就经常苦恼粮食问题。他汴水失利，到扬州募兵，因粮食问题，新兵哗变。他东征陶谦，因粮食不足中途退兵。他与吕布争兖州，也一度因粮食不足，只好罢兵自守。这时程昱从自己所辖三县筹得三天军粮，里面还掺有人肉干。曹操到洛阳迎献帝，因粮食吃光，将士们险些饿死，幸亏新郑令杨沛拿出储存的桑葚干来充饥，才渡过危难。许多小军阀只知烧杀抢掠，不知存抚百姓，由于粮食缺乏而瓦解流离，无敌自破。袁绍军在河北，以桑葚为食。袁术在江淮，取食蒲蠃。刘备在广陵，饥饿困败，军吏士卒人相食。要生存就得生产粮食。公元 195 年，公孙瓒被袁绍击败，退守易京，"开置屯田"，得以与袁绍相持数年。地方豪强率宗族自保，也从事耕植。诸葛亮隐居隆中，躬耕自食。公元 192 年，毛玠提出"修耕植，蓄军资"，是社会提出的迫切问题。随后东阿令枣祗组织军民生产，支援了曹操与吕布争夺兖州。但是靠一般手段，且耕且战，或鼓励自耕农民发展生产，都不能解决大规模军需的燃眉之急。只有大规模屯田，密集劳动耕植，才是解决粮食的有效方法。公元 196 年，曹操定都许昌，讨破汝南黄巾，获得数万人口和大量耕牛农具。曹操采纳枣祗与韩浩的建议，在许昌试行屯田，任命枣祗为典农都尉主持其事，当年得谷数百万斛，获得成功。枣祗死后，任峻继任为典农中郎将，在所有州郡例置田官，招募流民，组织生产，推广屯田。其后，吴、蜀两国为了解决军粮，也都进行了屯田。屯田成了三国时期招抚流亡的主要形式。

曹操屯田，作为一项国家恢复经济的重大政策加以执行。曹操在《屯田令》中说："夫定国之术，在于强兵足食。秦人以急农兼天下，孝武以屯田定西域，此先代之良式也。"秦人，指秦孝公用商鞅变法，奖励耕战。孝武，指汉武帝屯田西域。良式，好的榜样。曹操以秦孝公、汉武帝为榜样，用屯田方式"修耕植以蓄军资"，是一个有远见的战略措施。史称，曹操屯田，"征伐四方，无运粮之劳，遂兼灭群贼，克平天下"。后来曹操打败袁绍，追思枣祗之功，下令褒奖。由于枣祗已死，曹操封其子枣处中。由此可见，屯田对曹操事业的兴起和发展起了重要作用。公元 213 年，曹操在淮河两岸地区推广军屯，规模更大，生产效率也比民屯高。邓艾守淮南，用五万士兵在淮河两岸屯田，淮北两万，淮南三万。十二分休，即百分之二十的人轮休守卫，四万人经常耕植，每年生产五百万斛军粮，六七年间，在淮上积粮达三千万斛，可供十万人五年之食。(《三国志·邓艾传》)

南征张绣　东平徐淮

南征张绣　公元 196 年到 199 年，曹操集团在河南发展。公元 198 年灭吕布平徐州，199 年灭袁术并淮南，又降张绣，于是全据河南。曹操在平定徐淮之前，曾数次南征张绣。

曹操定都许下以后，占有河南兖豫两州，四围皆敌手：河北有袁绍，南边有荆州刘表，东边有徐州吕布，东南有淮南袁术，西边关中有马腾、韩遂。曹操分析形势，对四周强敌，采用拉拢分化，先弱后强，集中力量打击一敌，各个击破的方针发展力量。袁绍最强，但北有公孙瓒，也无暇南顾，曹操利用这一形势继续与袁绍保持同盟关系。东边吕布，曹操给刘备补充兵马，驻屯小沛，予以牵制。西边关中，曹操派侍中钟繇为司隶校尉，督关中诸将，以天子名义招抚马腾、韩遂，西边无事。这样，曹操专力南下征讨刘表。

刘表保境安民，本无远略之志，但曹操向北进兵，总担心刘表袭击背后，所以他要先打刘表，稳固后方。公元195年，驻屯弘农的凉州军阀张济因缺粮南下荆州就食，在攻打穰城时被冷箭射死。他的部众由其侄儿张绣率领，张绣接受刘表招抚，驻屯南阳看守荆州的北大门。曹操南下攻刘表，由于张绣挡在前面，曹操实际上就是与张绣作战。

公元197年正月，曹操亲率大军南征，直趋南阳郡治宛城，张绣接战不利，投降曹操。曹操好色，见张绣婶母张济之妻姿色艳美，就纳入军中过宿，张绣由是怨恨，带领本部人马在夜幕掩护下发动突然袭击。曹操措手不及，无法抵挡，靠贴身护卫典韦死战得以脱身，右臂受了箭伤。长子曹昂被乱兵所杀，侄儿曹安民同时遇害。曹操次子曹丕侥幸乘马逃脱，典韦战死。曹操大败而归。这次曹操兵败淯水岸边，史称淯水之难。

公元198年三月，曹操再度起兵亲自南征，将张绣围困在穰城，两月不下。刘表率军救张绣，断曹归路。田丰说袁绍袭击许昌，劫略天子，消息传来，许昌告急，曹操退兵。曹操故意徐行，诱使张绣追击，企图在运动中消灭他。张绣谋士贾诩识破曹操计谋，劝绣不追。张绣不听，率精兵追击，在安众中伏大败。贾诩再对张绣说："赶快整军追击，一定打大胜仗。"张绣将信将疑，收拾散兵再追，果然大胜而回。张绣不解，问贾诩说："我用精兵追退兵，吃了败仗，随后用败兵追胜兵，反而得胜，一一应验了你的预言，是什么道理？"贾诩说："这是明摆着的道理。曹操亲征将军，志在必克。交战方酣，他突然退兵，必定许昌有急。曹操老谋深算，防将军追击，一定亲自断后。将军虽然善战，但不是曹操对手，所以追击必败。曹操打了胜仗，放下了对将军的戒心，一定轻装速回，留诸将断后。而曹操诸将却不是将军对手，所以打了胜仗。"张绣非常折服，从此言听计从。

公元199年冬，袁绍发动官渡之战，派使者联络张绣，并致书贾诩。贾诩却在接待袁绍使者的宴会上公然对使者说："回去替我道谢袁本初，自家兄弟不能相容，怎么能容得下天下的国士呢?”贾诩的这一番言论，杜绝了张绣投袁的去路，并说服张绣投效曹操。张绣大惊说：“袁强曹弱，我和曹操又有深仇大恨，怎么能去投他呢?”贾诩说：“正因袁强曹弱，才是投效曹操的好时机。袁绍势大，只不过想利用我们，并不把我们看在眼里。曹操力弱，正是用人之时，此时投操，必得重用。他有王霸之志，不会计较个人私怨。”张绣听从，率众归操。曹操举行盛大宴会欢迎，与张绣握手言欢，结为儿女亲家，替二十二子曹均娶张绣女为妻。张绣在官渡之战中，奋勇杀敌，立了大功。曹操更是器重贾诩，握着他的手说：“使我的威信能够传扬天下的人，是你的功劳啊。”曹操立即表拜贾诩为执金吾，封都亭侯，遥领冀州牧。河北平定后，曹操自领冀州牧，迁贾诩为太中大夫，使贾诩参决谋议，不离左右。

张绣降曹，死心塌地立功补过。曹操也表示信任，奖励张绣异于诸将。但是张绣内心并不踏实，直感危机四伏，见了曹丕有如芒刺在背。张绣努力作战，又多次宴请曹丕，向他讨好，但是曹丕并不放过他。公元207年，张绣随曹操北征乌桓，曹丕对张绣说：“你杀了我的哥哥曹昂，怎么还有脸面活在人间?”张绣自杀。曹操与曹丕父子，逼杀张绣演了一场双簧。这一历史悲剧，直接责任是奸雄曹操，但贾诩也难逃诱降张绣的责任，他为己谋则善，为人谋则欠妥。作为张绣，他根本不应去投效曹操，这一次听错了意见。一位壮士的冤死，令人叹惋!

东平徐淮　用卑劣手段抄刘备后路夺得徐州的吕布，是一个无行小人。他反复无常，为天下所忌。吕布占了徐州，袁术向他靠近，愿为儿子娶他的女儿。袁术在淮南称帝，派韩胤为使者通告吕布，并迎亲，吕布表示同意。这时，吕布所属沛相陈珪，早就倾心曹操，他要阻挠吕布与袁术结盟，于是劝吕布协同曹操，共图大计。曹操派人送来诏书，他立即改变主意，把已经送在途中的女儿追回，断决与袁术的关系。吕布还把韩胤押送许都正法。

袁术对吕布的出尔反尔，十分愤慨，立即派大将张勋、乔蕤等与杨奉、韩暹等部联合进攻吕布。曹操利用吕袁矛盾，进一步离间。他派奉车都尉王则持诏书、印绶去见吕布，任命吕布为平东将军。曹操写了一封亲笔信给吕布，一面笼络，一面交代让吕布上表效忠朝廷。曹操的意思，是让吕布再一次明确表示与袁术决裂，用自己的誓言来约束自己，以便彻底孤立袁术。吕布不知是离间计，反而大喜，派陈珪之子陈登为使，上表许都，要求朝廷正式任命自己为徐州牧。

陈登到许都表示效忠曹操，曹操非常高兴，任命陈登为广陵太守，暗中作好内应。曹操又把陈珪的俸禄从二千石增为中二千石。临别时，曹操拉着陈登的手深情地说："东边的事情，就托付给你们父子了。"

陈登回到徐州，并没给吕布带回徐州牧的官印。吕布大怒，要杀陈登。吕布说："你父亲劝我与袁术绝亲，现在遭到大军进攻；你到许都没有给我办成事，自家父子却显达了。我这不是被你们出卖了吗？"陈登不慌不忙解释说："我在许都对曹公说：'对待吕将军好比是养虎，要用肉喂饱他才行，不然要吃人。'而曹公却说：'我看吕布是一只鹰，饿了才能利用，饱了就飞走了。'曹公就是这样说的。"陈登的意思是暗示吕布，你要徐州牧，就要像饿鹰一样去打袁术。蠢笨的吕布似乎明白了什么，果真消了气。

如何退敌，陈珪献计说："袁术与杨奉、韩暹没有深交，是可以离间拆散的。"于是吕布写信给杨奉、韩暹说："二位将军保护过皇帝大驾，我也曾杀死董卓，都是朝廷功臣。现在我们应该联合起来攻打称帝的奸贼袁术，怎么反而助纣为虐呢？"吕布答应打败袁术以后，所得军资全部归杨奉、韩暹。这两个小人贪利，掉转矛头与吕布合兵，大败袁术军队，袁术最后剩下残兵败将五千人逃回淮南。袁术经过这一仗，从此一蹶不振。陈珪之谋，就是挑起吕袁大战，让曹操坐收渔人之利。

吕袁火并，曹操的离间计获得成功。公元 197 年九月，曹操在袁术削弱的情况下，大举南下讨袁，袁术不敢恋战，丢下寿春南逃，曹操斩杀袁术留守大将乔蕤等，得胜回许都。

现在河南只剩下吕布一个强敌了。当曹操征讨袁术之时，吕布在徐州扩大地盘，打败刘备。曹操有了进军的口实，于公元198年九月东征吕布。十月，攻下彭城，曹操下令屠城，无辜百姓惨遭杀害。曹操颁布了一条暴虐的军令，叫做“围而后降者不赦”，所以彭城两次遭屠。

吕布退保下邳，广陵太守陈登起兵配合曹操，吕布陷入了重围。吕布派许汜、王楷到淮南向袁术求救，袁术气愤地说：“吕布赖婚毁约，理当失败，有什么脸面来向我求救？”许汜、王楷哀求说：“明公现在不救吕布，唇亡齿寒，吕布一破，明公也朝不保夕。”袁术勉强答应援救吕布，但他无兵可派，只能作声援，于事无补。曹操攻围下邳两月，引泗水灌城，城破，吕布等人束手就擒。

曹操在白门楼上召集文武处置吕布。吕布被押上楼，大声呼叫松绑。曹操笑着说：“缚虎不得不紧啊！”松绑后，吕布向曹操献媚说：“明公忧虑的就是吕布，现我降服了，天下就可平定了。明公率领步兵，让我带领骑兵，横扫天下，还怕不平定吗？”曹操迟疑不决，征询刘备意见。刘备说：“明公想一想丁原、董卓是怎么死的就有主意了。”吕布大骂刘备说：“大耳儿最没信用。”曹操传令把吕布绞死。

曹操处置完吕布，转过头去问同时被俘的吕布的谋士陈宫：“公台平常自以为有智计，今天怎么到了这个地步？”陈宫说：“可惜吕布没听我的计谋，不然的话你怎么能活捉我？”曹操不想杀害陈宫，又问陈宫：“你不想一想你的老母亲吗？”陈宫说：“我听说提倡孝行来治理天下的人是不谋害罪人的父母的，我老母是死是活，完全由你定夺。”曹操又说：“你的老婆和孩子怎么办？”陈宫说：“我听说用仁德统治天下的人，是不会灭人之后的。我的老婆、孩子，她们的命运也操在你手中。”曹操十分惋惜，但最终还是处死了陈宫，他把陈宫母亲奉养起来，又替陈宫嫁了女儿。

吕布被灭，袁术在淮南独木难支。又因骄奢淫逸，府库空虚，士兵散走，众叛亲离。公元199年六月，袁术除去帝号，把玉玺送给袁绍，要求北上青州，往依袁谭。曹操派刘备在徐州阻击，袁术走投无路，在寿春吐血而死。

刘备在徐州阻击袁术后，公布汉献帝的衣带诏，占据徐州反抗曹操。公元 199 年冬，曹操亲征刘备，刘备败走，北投袁绍。就这样，曹操建都许昌后，经过了五年的征战，灭吕布、袁术，降张绣，赶走刘备，平定了徐淮，控制了黄河以南司、豫、兖、徐四州之地，成为隔河与袁绍抗衡的最大军事集团。

横扫河北　远征乌桓

官渡战后，袁绍收缩邺城，曹操打算南征刘表，消除心腹之患。荀彧不同意，他对曹操说："袁绍打了败仗，我们不应当让他休养生息，卷土重来，应彻底平定河北。如果我们大军南征，远涉江汉，万一袁绍从背后偷袭，那对我们就不利了。"曹操认为有道理，把大军部署在黄河岸边，随时准备给袁绍以致命的打击。

横归河北　公元 202 年五月，逃回邺城的袁绍，积郁成疾，吐血而死。袁绍有三子，依次为袁谭、袁熙、袁尚，有一女婿叫高干。袁绍喜欢小儿子袁尚，有意让袁尚继嗣为冀州牧，于是派袁谭去做青州刺史，派袁熙做幽州刺史，高干做并州刺史，留袁尚在身边。沮授谏说："这样安排，一定生出祸乱。"袁绍说："我让诸子各统一州，展示才干。"袁绍在世时，袁谭与袁尚争夺嗣位，拉帮结派，培植党羽，造成了袁氏集团的分裂。审配、逢纪拥护袁尚；辛毗、郭图支持袁谭。两派明争暗斗，只是没有公开化。袁绍一死，矛盾立即公开化。审配传达袁绍遗命，奉袁尚为嗣。袁谭不服，屯兵黎阳，并杀死袁尚亲信逢纪。

公元 202 年九月，曹操利用二袁矛盾，进兵黎阳。袁尚怕黎阳丢失，对邺城不利，出兵相救。曹操打败二袁的联兵，进围邺城。诸将想乘胜攻取，郭嘉认为城坚一时难破，力排众议，进献奇谋。他分析二袁之间的矛盾，认为二袁兄弟各拥重兵，各有谋臣，二人争为冀州牧而互不相容，急则相助，缓则相争，“不如南向荆州摆出征讨刘表的样子，以观其变。一旦有变，然后进兵，可以一战平定。”曹操采纳了郭嘉建议，假装南下，进至西平（今河南西平县西）。不出郭嘉所料，曹操南下，二袁大打出手，袁谭被袁尚击败，困于平原，派辛毗向曹操乞降求救。

曹操狐疑，拿不定主意，召集诸将讨论，多数人主张先打荆州，荀攸主张北进。荀攸认为：“刘表坐保江汉，没有四方之志，不妨慢慢攻取，而河北袁氏势力不可轻视，要趁二袁内讧，一举平定。河北平定了，打荆州就不用费力气了。”曹操还是没有下决心，就问，“袁谭乞降是真心的吗？肯定能打败袁尚吗”？辛毗说：“明公不必问真假，只看一看形势就够了。袁尚包围了袁谭，但无力攻破城池，说明他的力量也衰竭了。只要明公进兵邺城，袁尚就要回救，袁谭肯定追击。袁尚遭两面夹攻，肯定灭亡。当今四方势力，没有强过河北的。只要明公平定了河北，你的实力就可以大大增强，天下都为之震动，何乐而不为呢？”曹操听了，疑团消失，立即下令，挥师北上。

公元 204 年二月，曹操兵围邺城。审配、苏由留守邺城。苏由打算作内应，计谋泄露，出城投奔曹操，告知城中虚实。曹操四面强攻，又引漳水灌城，围困四个月，仍未破城。城中粮食吃完，有一半人饿死。袁尚解平原之围，率主力一万多人回救，被曹操打败，率领残部投奔幽州袁熙。城内见外救无望，军心动摇。审配侄儿审荣开门出降，邺城被攻破，审配等被处死。

接着曹操进攻袁谭，把袁谭包围在南皮。公元 205 年正月，天寒地冻，曹操亲自督战进攻，擂鼓助威，一举破城。袁谭、郭图等被斩杀。曹操乘势进兵幽州，袁熙大将焦触、张南等人投降，袁熙和袁尚逃入乌桓，幽州也落入曹操之手。

并州高干为了避免曹操兵锋，在曹军攻下邺城后，便向曹操表示投降。但是不久又背叛了曹操，打算偷袭邺城，被曹操发觉，派乐进、李典堵击。高干退守壶关（在今山西长治东南）。公元 206 年正月，曹军冒严寒进兵，攻破壶关。高干南逃，取道陕西出武关去依附刘表。当他逃到峣关（在今陕西蓝田东南），被峣关都尉王琰杀死。并州平定。

远征乌桓 袁熙、袁尚率残部逃入乌桓，当时幽、冀吏民追随逃奔者十余万户，成为袁熙、袁尚可能东山再起的凭借。乌桓受袁绍长期笼络，也时常犯边。面对这一形势，曹操是继续北上追穷寇，还是掉头打荆州，军中又发生了争论。诸将认为，袁尚是一个逃亡贼，乌桓又没有信用，如果大军远出，万一刘备与刘表偷袭许昌，会对大局不利。只有谋士郭嘉提出反对意见，他认为袁绍有恩于乌桓，而曹操只是用武力夺得四州，没有恩德于民，如果大军南征，袁尚勾引乌桓入侵河北，恐怕青、冀、幽州又要落入袁氏之手。郭嘉还分析说："刘表是座谈客，自知才能不如刘备，不敢重用，曹操可以放心北征，不必忧虑刘表。"郭嘉的分析是很有道理的。他没有把曹操的暴行说破。官渡之战，曹操坑杀河北降卒八万多人，河北百姓闻曹色变，所以才有十余万户逃入乌桓。曹操横扫河北，破城屠戮，极其残暴。他进攻袁谭，时在三九隆冬，河水积冰，不能行船。曹操征发民夫椎冰，有的人逃役，事后主动自首，曹操仍捕杀不赦免。如果逃入乌桓的十余万户难民，追随袁熙、袁尚返回河北，再呼朋引类，将掀起波澜。这支力量再与乌桓之兵联合起来，决不可小视。曹操也认识到这一点，于是决定先北后南，远征乌桓。

乌桓，也写作乌丸，是居住在我国北方今辽宁西部、内蒙古东部和河北东北部一带的少数民族。东汉末乌桓族强大起来。公元 187 年，中山太守张纯勾结乌桓辽西部大人丘力居扰乱幽州，公孙瓒就是在平定乌桓的战争中兴起的军阀。丘力居死后，他的儿子蹋顿继位，有武略，成了辽东、辽西、右北平三郡乌桓的大头领，史称三郡乌桓，比丘力居时更强大。乌桓仇恨公孙瓒，袁绍利用这一矛盾招抚乌桓，夹击公孙瓒。袁绍打败公孙瓒以后，假借汉献帝名义封蹋顿为乌桓单于，封辽东属国乌桓大人峭王苏仆延为左单于，封右北平乌桓大人汗鲁王乌延为右单于。袁绍死后，三郡乌桓继续为袁氏出力，所以袁尚、袁熙失败后才逃入乌桓，想借三郡乌桓的力量与曹操抗衡。乌桓成了幽冀地方世族官僚及袁氏集团残余势力的集结处。曹操要统一北方，必须进讨乌桓。

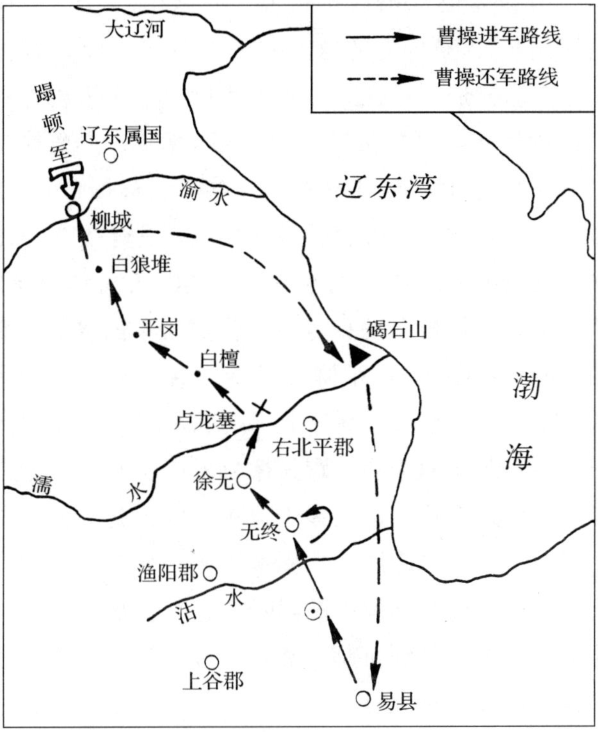

曹操远征乌桓图

远征乌桓不是一件容易的事，运输是一个大问题。曹操组织人力开了两条渠道，一条从呼沱河凿渠入泒水，名平虏渠；一条从泃河口凿渠入潞河，通渤海，名泉州渠。这两条渠修成，既便利了军粮运输，又成了农业灌溉渠。但兴修时，动员了很大的人力。

公元 207 年五月，曹操正式起兵出征乌桓。为了鼓励士气，曹操在二月下《封功臣令》，大封功臣二十余人为列侯，其余将士依次受到封赏。

曹操大军北进到河北易县（今河北雄县西北），郭嘉又献奇计，大军留下辎重，组织精锐轻骑兵，迅速推进。曹操计划取道无终（今天津蓟县），傍海进击乌桓。但大军来到无终后，正赶上连天大雨，大水暴涨，行军困难，而且这条路线有乌桓人设关防守。这样，曹军便被阻滞下来。曹操久仰隐耕于无终徐无山的田畴，派人去请田畴来商议军事。田畴是无终人，很熟悉这里的地形道路。田畴痛恨乌桓侵扰边境，所以很乐意为曹操筹划军事。田畴提出抄小道奇袭乌桓，掩其不备的方略，曹操非常赞成。他下令向后撤退，还在路旁立下木牌，写上“方今暑夏，道路不通，且待秋冬，再行进军”，用以迷惑敌人。曹操将部伍隐蔽前进，上了徐无山，越过卢龙塞（今河北喜峰口），跨过白檀（今河北宽城），经平冈（今河北平泉），千里奔袭乌桓蹋顿所住的柳城（今辽宁朝阳南）。这条路崎岖险阻，已中断了近二百年，只有小路可走，蹋顿根本没有防备。曹操大军前进到白狼堆（今辽宁建平南的布祐图山），距柳城只有二百里路，蹋顿才发现曹军从背后杀来，仓促应战。曹军先锋勇将张辽，前行至凡城（今辽宁朝阳附近）与乌桓遭遇。蹋顿率领的三郡乌桓与袁尚、袁熙的部众，共有数万骑兵，远远多于曹军，因为是突然应战，阵容不整，士气低落，一触即溃，蹋顿被乱兵杀死。曹操大队乘胜追击，到达柳城，汉民及乌桓军民归降者有二十万人。

曹操击溃乌桓，胜利班师。袁尚、袁熙逃往辽东，投靠辽东太守公孙康。诸将主张穷追猛打，一气消灭袁氏兄弟。曹操说：“公孙康平时很害怕袁尚、袁熙，他们的矛盾很深，我们进军，他们必然联合，如果我们退兵，必坐收渔人之利，公孙康将会把二袁的首级献上来。”果不出曹操所料，公孙康怕二袁夺他的地盘，设鸿门宴将袁尚、袁熙杀掉，献首级于曹操。自此，袁氏势力被彻底消灭，三郡乌桓归附曹操。曹操精选乌桓骑兵编队供驱遣，号称“天下名骑”，在以后的征战中所向无敌，建立了很大的战功。

曹操从柳城班师，从大道循渤海回军。曹操登上碣石山（在今秦皇岛附近），鸟瞰大海，心潮起伏如海潮奔腾澎湃，即景赋诗，写下名篇《步出夏门行·观沧海》。诗云：

东临碣石，以观沧海。
水何澹澹，山岛竦峙。
树木丛生，百草丰茂。
秋风萧瑟，洪波涌起。

日月之行，若出其中。
星汉灿烂，若出其里。
幸甚至哉，歌以咏志！

这首诗笔力遒劲，激昂慷慨地抒发了曹操取得胜利之后的满腹豪情。

西并关陇　统一北方

赤壁之战，刘备、孙权结成巩固的联盟，挫败了曹操向南推进的势头。曹操也认识到北方不具备一举征服南方的力量，于是掉转矛头肃清北方边远的割据势力。当时辽东有公孙康集团，地处偏远，斩二袁首级敬献，表示臣服，曹操把他放过一边。关西马腾、韩遂集团，力量强大，关中形胜居高临下，又是进兵汉中、益州的通道，这是必须扫除的。曹操取关陇，南下汉中，窥视益州，可以对孙刘联盟集团取战略迂回包围之势。孙刘联盟集团，也把战略目标瞄向西方，夺取益州，全据长江，成南北对峙。也就是说，赤壁之战后，孙刘集团指向益州，曹操指向关陇，双方都向西推进，看谁能抢先占领战略要地，形成与时间的赛跑。

西并关陇　公元208年，曹操南征荆州。为了稳固后方，他以汉献帝名义征召马腾入许都，表为卫尉，以马腾之子马超统其众，拜偏将军。韩遂与马腾为盟兄弟，两人联手割据关陇三十余年，他们虽然名义归顺朝廷，实际是国中之国，曹操当然不能允许。征马腾入京，就是控制关陇的一着妙棋。但是韩马集团既然名义上归顺朝廷，马腾又受诏入京，曹操去讨伐关陇马韩，就师出无名。当然，曹操自有他的办法，欲加之罪，何患无辞。公元211年春，曹操进兵关中，声言讨伐汉中张鲁。讨汉中，要经过关中，韩马就范，则是曹操效法晋献公伐虢灭虞之计，如果韩马不借道则是公开反叛朝廷，曹操就可以明正讨伐了。韩马集团没有远略，虽然只是乘乱割据的地方军阀，但面临生存抉择，自然不允许曹操兵临关中。韩遂、马超集合关中诸将侯选、程银、杨秋、李堪、成宜、张横、梁兴、马玩等十部人马集结潼关，拦阻曹操入关。曹操派曹仁督军西征，兵临潼关坚壁不出战。公元211年七月，曹操亲临前线。

八月，曹军与关西兵在潼关夹关对阵。关西兵精悍，善使长矛，作战英勇。韩马集重兵要与曹军决战，曹军深沟高垒吸引关西兵的注意力于正面，然后派出徐晃、朱灵等人率领精兵四千人从蒲坂津（今山西永济西）渡过黄河，在黄河西岸（今陕西大荔东）建立滩头阵地。曹操此计是避开关西兵锋芒，绕出侧背，调动敌人在运动中处于被动，削弱关西兵善战的长处，以己之长攻敌之短。曹操大军陆续从侧背渡河，在渭北抢占有利地势，沿河向南用“连车树栅”的办法，建立起活动甬道，输送粮草。曹军绕过马超的阻击防线，马超被迫放弃潼关，收缩到渭南迎击曹军，这样两军夹渭水对峙。

曹操抓住马超急于求战的心理，故意设置疑兵，摆出决战姿态，暗中用舟船在渭水搭浮桥，出敌不意，夜间渡河，结阵于渭南。马超得知曹军渡河，亲自领兵偷营，曹操早有防备，设伏袭击，大败马超。九月，曹军全部渡过渭水，在渭南逼近韩马联军。

韩遂、马超集重兵于第一线，阻击不成，速战不得，连吃败仗，深知不是曹操对手，加之重兵集结，忧虑后防空虚，于是向曹操提出割地求和的要求。曹操的目的就是要拖住韩马联军，使关西军马集结，一举全歼其主力，当然不允求和。如果强攻打阵地战，曹军将要付出沉重代价。曹操采纳了贾诩的离间计，假意许和，要求在阵前与韩遂商谈求和条件。马超、韩遂不知是计，同意阵前商谈。可是见面以后，曹操只是与韩遂叙旧，表现了极大的热情，欢笑话别，只字不提军事。马超远远在旁监视战阵，不知谈话内容。韩遂回营，马超问韩遂，曹操说些什么，和谈条件是什么。韩遂回答不出，引起马超腹疑。接着曹操又用间谍投书，写信给韩遂，又故意在信上涂抹，仿佛是韩遂改动的。信的内容是劝韩遂投降，间谍有意让这封信落在马超手中，更加引起马超的怀疑。这时曹操突然发起总攻。由于韩遂、马超有了隔阂，互相防范，不能并兵形成拳头作战，结果被打得大败。成宜、李堪等被杀，马超、韩遂逃奔凉州，关中大部被曹操占领。这一仗是曹操有名的渭南大捷。

渭南大捷表现了曹操的军事才能，但离间计并不高明。如果韩遂有点警惕，阵前严肃谈判，只讲军事，不讲私谊，那么曹操的离间计就不攻自破。如果马超有点儿头脑，就不会被曹操牵着鼻子跑，不会中离间计，无奈他有勇无谋，所以被曹操、贾诩玩于掌上。渭南大捷以后，曹营诸将仍不明白曹操的用兵方略。他们不理解，曹操既然不在潼关决战，为什么要集重兵在潼关深沟高垒。曹操解释说："我军集结潼关，就是要吸引敌人也把重兵集中在潼关一线，这样渭北河西防务空虚，才便于大军乘虚而入。我军在渭北集结，在渭南扎营，都是一个道理，转移敌人视线，使我军掌握战场主动权。我们假意允和，使他们放松戒备，然后突然袭击，攻其不备，所谓'迅雷不及掩耳'，这就是取胜之道。用兵打仗，千变万化，不能墨守成规。"诸将无不佩服。

渭南大捷后，曹操留夏侯渊镇守关中，大军撤回。公元 213 年，马超纠集羌、胡等部反攻关中，曾一度攻陷汉阳郡治所冀县（在今甘肃甘谷南），杀凉州刺史韦康。不久，韦康部下杨阜、姜叙起兵攻马超，夏侯渊、张郃率步骑来援，冀县城中吏民杀马超妻子，闭门不纳。马超四面受敌，走投无路，率残部投汉中张鲁去了。接着夏侯渊扫荡了陇右残敌，又打败韩遂，韩遂逃入西平（今青海西宁），为部下所杀。公元 214 年，夏侯渊拔掉割据枹罕（今甘肃临夏）的一个小军阀宋建，自此关西为曹操平定。公元 219 年，盘踞河西四郡，即敦煌、酒泉、张掖、武威的军事头目向曹操纳"质"。第二年，曹丕称帝，用兵把河西四郡并入曹魏版图，曹魏西疆达于敦煌。

统一北方 曹操在《秋胡行·登泰华山》的诗中表达了他的治世志向，写下如下诗句："不戚年往，忧世不治。"公元 204 年，曹操攻克邺城，统一北方的大局已定，如何稳定社会秩序，治国理民以清天下的任务提上议事日程。当年曹操发布了《蠲河北租赋令》《收田租令》，稳定新占区，抑制豪强兼并。《收田租令》又称《抑兼并令》，此令兼有这两个方面的内容。稳定了田租，保护自耕农，就可以在一定程度上抑制兼并。令文如下：

> 有国有家者，不患寡而患不均，不患贫而患不安。袁氏之治也，使豪强擅恣，亲戚兼并；下民贫弱，代出租赋，衒鬻家财，不足应命。审配宗族，至乃藏匿罪人，为逋逃主；欲望百姓亲附，甲兵强盛，岂可得邪！其收田租亩四升，户出绢二匹、绵二斤而已，他不得擅兴发。郡国守相明检察之，无令强民有所隐藏，而弱民兼赋也。

东汉末年豪强兼并，大大激化了阶级矛盾。袁绍占领河北，对豪强兼并采取放任态度，使广大贫民更趋贫困化。曹操的令文谴责了袁氏的放任政策，更提到审配家族的不法行为，表达了曹操对豪强大族的不满和痛恨。全文特别规定亩收租谷四升，按户纳绢二匹、绵二斤以代户调，即人头税。这种定额租赋制，随后推行到曹操整个北方占领区，对于舒缓北方农民的负担，恢复生产，都起了一定的作用。

曹操鼓励地方官打击豪强，要求他们不避宗亲。献帝都许昌，曹操任命满宠为许令。曹洪手下有一个宾客多次犯禁令，满宠把他抓起来办罪。曹洪写信求情，满宠不予理睬。曹洪无奈，去找曹操。满宠得知消息，立即杀掉曹洪宾客，曹操不仅没有怪罪，而且高兴地说："当官治事就应当这样。"汝南是袁绍的故乡，门生宾客遍布郡内，大都横行不法。曹操派满宠做汝南太守。满宠到任，募精壮勇士五百人攻克拒命的坞壁二十余座，诱杀了不肯降附的渠帅，共得户二万，兵二千，汝南局势很快平定。

杨沛做长社令，境内曹洪宾客仗势不肯纳赋税，杨沛把他抓来治罪，将其处死。后来曹操用杨沛做邺县令，曹洪、刘勋等人畏惧杨沛威名，赶紧派人通告邺城宗亲及宾客子弟，各自检束，不得为非作歹。杨沛担任邺令数年，社会秩序井然。

朗陵令赵俨、菅县长司马芝、并州刺史梁习、魏郡太守王修，都是严惩豪强的地方能吏。

长期战乱，社会风气变坏，出现了结党营私、诽谤攻讦、挟嫌报复等种种社会问题。公元 205 年九月，曹操下了一道《整齐风俗令》。令文说：“结党营私，是古代圣贤所痛恨的。听说冀州的风俗，父子分裂为两派，互相诽谤。我要整顿社会风气，那些颠倒黑白、造谣中伤的歪风劣俗，必须除掉。”凡改恶从善，给予自新。在《赦袁氏同恶令》中说：“其与袁氏同恶者，与之更始。”又明令，不准报私仇，禁止厚葬。这些措施，不仅整齐风俗，而且也对不法豪强起了一定的抑制作用。

曹操严明法纪，以法治军，以法治民，他还颁布了一系列的军法、民法、惩奖法令。陈寿评价曹操“揽申商之法术，该韩白之奇策”。意思是说，曹操治民用申子、商鞅的法治，用兵具有韩信、白起的奇谋。因此，曹操不仅统一了北方，而且治理巩固了北方，恢复了社会秩序和经济，这就不是袁绍等人所能比拟的了。

曹操的智囊团

智囊主要指参决谋议的骨干谋士。荀彧、荀攸、贾诩、钟繇、程昱、郭嘉、董昭、刘晔、蒋济等九人是曹操的骨干谋士。华歆、王朗、毛玠、何夔、徐奕、陈群、赵俨、袁涣、凉茂、司马朗、梁习等为重要谋士。司马懿是后起之秀。再扩大范围，智囊包括各级行政要员，武将不在智囊范围内。广义智囊，主要以投效曹操曾经为其掾属者为限，总计有 93 人之多①。

① 曹操智囊团人物 93 人如次：荀彧、荀攸、贾诩、戏志才、严象、韦康、袁涣、张范、凉茂、国渊、田畴、王修、邴原、崔琰、毛玠、何夔、徐奕、邢颙、鲍勋、娄圭、许攸、钟繇、华歆、王朗、程昱、郭嘉、董昭、刘晔、蒋济、刘放、刘资、司马朗、梁习、张既、温恢、贾逵、任峻、枣祗、杜畿、郑浑、王粲、卫觊、刘廙、徐干、陈琳、阮瑀、应玚、刘桢、繁钦、路粹、丁仪、丁廙、杨修、桓阶、陈群、陈矫、徐宣、卫臻、卢毓、戴乾、和洽、常林、杨俊、杜袭、赵俨、裴潜、韩暨、崔林、高柔、孙礼、王观、辛毗、杨阜、高堂隆、满宠、田豫、牵招、郭淮、徐邈、胡质、王昶、戴凌、郭湛、薛洪、董蒙、傅异、王选、张承、任藩、傅干、郗虑、侯声、司马懿。

曹操智囊团的形成 公元196年，曹操迎献帝都许为司空，公元208年，曹操为丞相。因此他的掾属或称司空掾，或称丞相掾。曹操的骨干谋士团在官渡之战以前形成，许多人还不识曹操真面目，想依靠曹操兴复汉室，如荀彧就是一个典型代表。官渡之战以后，随着曹操事业的发展，智囊团不断扩大，成为一支庞大的人才队伍，他们直接报效曹操，心中已无汉室，成为曹氏代汉的政治基础。因此，了解曹操的智囊团，很有意义。公元213年，曹操进爵魏公，建立魏国，曹操更加大规模地广植掾属，网罗人才。曹操智囊团，魏国建立以前35人，魏国建立以后有93人。

曹操用多种方法聚集人才，主要有五个方面：

其一，征辟。这是两汉选举的正常途径。袁涣、张范、凉茂、国渊、田畴、邴原、毛玠、徐奕、何夔、邢颙、鲍勋、华歆、王朗、程昱、刘晔、蒋济等，皆征辟署职。

其二，投效。天下纷乱，“智能之士思得明君”，主动投效曹操的都是识高一筹的天下奇才。在官渡之战以前，曹操寡弱之时，荀彧、郭嘉、桓阶、贾诩等人投效，具有典型意义。荀彧、郭嘉二人为天下奇才，他们都从鼎盛的袁绍营垒中出来，更有典型意义。桓阶说服长沙太守张羡反对刘表，贾诩说服张绣投曹操，都在官渡之战相持袁强曹弱之时。他们的深邃洞察力，远远高于时人之上。曹操得到这些智士的效力，怎能不兴旺！

其三，推荐。荀彧知人，他对曹操智囊团的形成有重要作用。荀彧前后所荐，多命世大才，有荀攸、钟繇、陈群、司马懿、郗虑、华歆、王朗、荀悦、杜袭、辛毗、赵俨、戏志才、郭嘉、杜畿，皆一代风流，终为卿相者以十数。

其四，纳降。许攸，袁绍谋士，贪财，绍不能满足，审配又收治其妻子。官渡之战正在难解难分之时，许攸投降曹操，带来袁绍的部署机密，献奇计袭破袁绍军，使曹操赢得了官渡大捷。陈琳，袁绍记室，官渡之役，陈琳为袁绍起草讨操檄文，行文骂及曹操三代，诋辱父祖。曹操破邺得陈琳，爱其才而辟为司空军谋祭酒，军国书檄，多出自陈琳、阮瑀之手。牵招，袁绍从事，绍死从袁尚。尚败，牵招投操，署军谋掾，拜护乌桓校尉，督青徐州郡诸军事，独当一面。曹营中的许多武将如张辽、徐晃、张郃等均招降所得，他们不属智囊团，这里不多说。

其五，强征。曹操征辟阮瑀，瑀逃入山中。曹操派人烧山，得到阮瑀，辟为司空军谋祭酒，与陈琳共管记室。曹操辟司马懿，懿不就征，曹操再辟为文学掾，敕命使者，如果司马懿推辞，就抓起来。强征士人，是古代司空见惯的手法，不为曹操所首创。当然，这是迫不得已的下策。也有的士人以故意拒征来抬高身价，强征，也就半推半就了，司马懿、阮瑀大都属于此等人。

上述五个方面的来源，以征辟、投效、推荐三者为最主要形式。曹操少小机敏，有权术，文武双全，有胆识才略，又挟天子号令诸侯，政治上占了制高点，所以能广招人才。曹操可以用天子名义挖对方的墙脚。例如华歆、王朗本在孙策麾下，曹操以朝廷名义征召，孙策不敢违抗。曹操还利用傀儡皇帝控制拥汉派的朝官和名士。例如孔融，他在政治上反对曹操，但手无寸柄，反为曹操所用。曹操利用孔融的声望，征为将作大匠，迁少府、太中大夫，以安辑人心，曹操力量壮大后，借故诛杀。所以张承说："今曹公挟天子以令天下，虽敌百万之众可也。"

还有两个重要因素。一是曹操用人"唯才是举"，公元 210 年下求贤令，明确提出天下未定，用人唯才，不必求廉。戏志才、郭嘉有不好的名声，杜畿简傲少文，曹操不拘一格信用，终各显名。再是曹操军事上取得一个又一个胜利，智囊团像滚雪球一样越来越大。二是曹操还占地理优势，中原文化发达，"汝、颍固多奇士"，荀彧、荀攸、郭嘉、戏志才、钟繇、杜袭、陈群、赵俨、辛毗等都是颍川智士。曹操在中原取得胜利，也就自然赢得人才优势。

曹操智囊团的功效　曹操智囊团在政治、经济、军事各个方面起了决策作用。

政治作用。主要有两大战略决策。其一是劝曹操迎汉献帝，挟天子以令诸侯。其二是广收名士以临州镇。曹操初临兖州，因言议杀名士边让，激起了陈宫、张邈的叛乱，险些使船翻了个底朝天。曹操吸取教训，为司空、丞相后，以崔琰、毛玠、何夔、徐奕、邢颙、鲍勋、陈群等名士为东西曹掾，典选举，网罗了一大批清正廉洁的名士为掾属。名士累世为地方望族，振臂一呼，士民影从。曹操派智囊名士出宰州郡，入为公卿，利用他们的声望和才干稳定纷乱的政治局势。例如刘备在徐州反曹操，许多郡县动摇。曹操用陈群为酂县令，用何夔为城父令，吏民平静。何夔为乐安太守，到任数月，诸县平定。钟繇、卫觊出镇关中，曹操无西顾之忧。曹操领冀州牧，州治邺城，这是一个战略要地，袁绍长期盘踞的老巢，政治复杂。曹操先后用王朗、董昭、凉茂、国渊、徐奕、鲍勋、王修等重要掾属为魏郡太守。邺城在魏郡，名士为郡守，邺城安堵。曹操掾属半数以上轮流到地方去做州牧、太守、县令、县长、都尉等职，既考验了策士名流的政治才能，又镇抚了吏民，真是一箭双雕。

经济方略。在经济上，曹操智囊团提出了修耕植、兴屯田、储军资、深固根本的战略决策，对曹操事业的成败有重大意义。

军事方略。曹操领兵三十余年，身经数十战，所向无敌，能战，善战。曹操是一个杰出的军事家，但是曹操的胜利，同时也是智囊团的杰作。智囊的作用，第一是制定战略方针，第二是临阵画策。

智囊团替曹操顺应形势制定战略方针，分为三个阶段。第一阶段，官渡之战以前，荀彧与郭嘉定计，先南后北对抗袁绍。公元 197 年，袁绍与曹操书，“其辞悖慢”，曹操震怒，行动失常，恨不得立即与袁绍决战。荀彧、郭嘉冷静地替曹操分析了形势，认为四面皆强敌，若要攻克争天下的袁绍，宜先壮大自己。荀彧提出远交近攻，先弱后强，各个击破，兼并群雄的战略方针。荀彧荐钟繇镇抚关中，是为远交；攻灭近在咫尺的张绣、吕布，是近攻。张、吕较弱，容易攻灭。郭嘉说：“若不首先灭掉吕布，等到袁绍来攻，吕布又为袁绍的盟友，这一来可是天大的祸害。”公元 198 年，曹操攻破张绣，东灭吕布。公元 199 年，又灭袁术。刘备起事徐州，郭嘉、程昱劝曹操迅速扑灭，然后专力对袁绍。

官渡之战以前，曹操四面临敌，但始终没有陷入两线作战，而是一个一个歼灭对手，显示了正确的战略方针的威力。第二阶段，官渡之战以后，荀彧、郭嘉画计，改变战略，先扫河北而后南下，经过了七年的征战，平定了河朔，击败了乌桓，解除了南下的后顾之忧。第三阶段，赤壁战后，曹操避免两线作战而转为战略防御，挑动孙、刘内讧，坐收渔人之利。这一着很奏效，吴、蜀交恶，削弱了力量，曹操摆脱了困境，保持了对吴、蜀的优势，还给曹丕带来了代汉的大好时机。

智囊团临阵画计，使曹操多次避免了惨败，甚至覆灭的危机，最主要的有两次。第一次，公元 194 年，荀彧、程昱临阵应对陈宫、张邈的突然事变，替曹操保住了甄城、范县、东阿三城。这一次如果没有荀、程的应变，曹操失去根本，将遭到吕布、陶谦的夹击，一定会全军覆没。接着袁绍使人说操迁家居邺，袁曹连和。所谓"连和"不过是"投靠"的外交语言。程昱谏劝曹操，岂可"临事而惧"为"韩、彭之事"，打消了曹操连和的念头。第二次，公元 200 年，荀彧、荀攸、贾诩，以及阵前投归曹操的谋士许攸等，共献奇策，赢得官渡大捷。此外，公元 198 年，荀攸、郭嘉画计引泗、沂灌城灭吕布的下邳之战；公元 208 年，荀彧画计南下荆州之战；公元 211 年，贾诩画计离间马超、韩遂的渭水之战；公元 215 年，刘晔画计灭张鲁的汉中之战，都取得了辉煌的胜利。

曹操在兖州，兵微将寡，处四战之地。后迎献帝都许，仍处四面强敌包围之中。曹操如何以兖、豫二州之地抗衡天下十之八九？战略决策的正确与否，无疑是成败的关键。曹操的智囊团皆天下英杰，众智汇聚，所以有经远之略。总括智囊团的战略方针，要点有五：其一，奉天子以令不臣；其二，广收名士以临州镇；其三，修耕植，蓄军资，深固根本；其四，远交近攻，先弱后强，各个击破，兼并群雄；其五，广储掾属，建魏基业。相比之下，袁绍、刘表，虽然军队强大，人口众多，但都缺乏长远的战略考虑，不是曹操对手。袁绍的谋士沮授、郭图也提出挟天子以令诸侯的战略，但袁绍好谋而无断，拱手让给曹操。当然，曹操也犯过错误。如公元 198 年，他不听荀攸间敌之计，去攻张绣，推助了刘表、张绣联合；公元 215 年，不听刘晔、司马懿之言，从汉中乘胜取蜀，未能扩大战果，终失汉中；尤其是公元 208 年，不听贾诩休整固守荆州之计，冒进赤壁，导致天下三分。从一正一反两个方面，曹操深知智囊团的重要。他在公元 207 年下的《封功臣令》中，充分肯定了智囊及武将的功绩。令文说："吾起义兵，诛暴乱，于今十九年，所征必克，岂吾功哉？乃贤士大夫之力也。"曹操评价荀彧说："荀文若谋略高，功劳大，我赶不上他，可以说是我的张子房。"评荀攸说："军师荀攸，辅佐我东征西讨，前前后后的胜仗，都是荀攸出的计谋。"又对太子曹丕说："荀公达（荀攸字）人之师表也，你要十分敬重他。"曹操对程昱、郭嘉都有极高的评价。知人善任，以尽其才，这正是曹操的不平凡处。

曹操对智囊团的驾驭　挟天子以令诸侯，说来容易，做起来很难。董卓、李傕挟天子而败亡，袁绍心有余而力不足，不敢挟天子以令诸侯。因天子之名，万众所仰，不是轻易能挟制的。但曹操成功地挟制了天子，关键是他成功地驾驭了智囊团，使天下英杰不为朝廷出力，而成为曹氏家奴。曹操的驾驭之术，也可以总括为五点。

其一，人尽其才。袁绍能聚人而不能用人，他只是为了名誉，把人才作摆设，"故士之寡能好言者多归之"；曹操聚人是要用人之长，"故天下忠正效实之士咸愿为用"。曹操明确提出，"治平尚德行，有事赏功能"，不拘一格用人才，并能兼容并包。陈群持正，郭嘉不治行检，曹操对两人都喜欢。

其二，诱以官禄。公元 207 年（建安十二年），曹操大封功臣二十余人为列侯，同时又下分租令与诸将掾属及死事之孤，用以酬答众人之劳。公元 208 年，曹操南下荆州，论荆州服从之功，对投靠者封侯十五人。功勋卓著的智囊，受封后还不断增邑。如荀彧，公元 203 年封万岁亭侯，207 年增邑千户，合二千户；荀攸，公元 202 年封陵树亭侯，207 年增邑四百户，合七百户；郭嘉，公元 205 年封洧阳亭侯，207 年增邑八百户，合千户。

增邑之外，还不断下令表彰。但曹操并不滥赏，史称曹操赏罚分明。

其三，笼以权术。曹操具有雄略之主的气质，既有忍人之量，又有残贼之行。魏种在吕布袭击兖州之变中有背叛行为，投了袁绍，后被曹操活捉，曹操惜其才，委任为河内太守。曹操宥释陈琳，宽待张绣，焚烧士大夫与袁绍交通的密信，表现了他容人的政治家风度。曹操待人接物不拘小节，“每与人谈论，戏弄言诵，尽无所隐”，许攸来降，光着脚出迎，用今天的话说，就是平易近人，没有架子。不过这都是表面现象，曹操的哲学是“宁我负人，毋人负我”。陈寿评他“矫情任算”，即装作友善，工于心计。他想要杀的人，必定想办法惩治。《三国志·赵俨传》裴注引《魏略》载，曹操派人搜查袁绍的秘书房，发现阳安令李通没有与袁绍交接，并断定这是赵俨劝说李通的结果。这一条记载说明曹操在当众烧书前，早已录了黑名单。崔琰之死，毛玠之叹，都有人告密，说明曹操组织有特务网，暗中监视百僚。曹操又用联姻的方式笼络智士，如以女安阳公主妻荀彧子荀恽。荀彧立了大功，又是儿女亲家，仅仅表示了对曹操称魏公一点点不满，曹操立即逼迫其自杀，毫不手软。

其四，辟为掾属。此谋出于郭嘉。《三国志·郭嘉传》裴注引《傅子》曰：“河北既平，太祖多辟召青、冀、幽、并知名之士，渐臣使之，以为省事掾属。皆嘉之谋也。”郭嘉未进言之前，曹操早就役使人才为掾属；郭嘉进言后，加快了进程。智囊既为曹操掾属，则有主仆之分，他们不知有国家，但知有曹操。掾属无定员，曹操又无限加以扩大，故队伍庞大。曹操掾属有四个系统。第一，曹操为司空、丞相，开府治事，也就是机关行政掾属。丞相府有长史、司直、主簿、东西曹掾、仓曹掾等。第二，曹操征伐四方，建立了庞大的军谋掾、参军事等。第三，文学掾、记室，相当于秘书处。第四，曹丕为五官中郎将，魏国既建，立有太子，也开府置掾属，可称为太子系统。此外，曹操领冀州牧，又有州牧系统的从吏。曹操的掾属是留给太子的政治遗产，所以父子掾属系统有很大的交叉。例如司马懿，曹操辟为丞相文学掾，转主簿，令与太子游处为舍人，以便“渐臣使之”。《三国志》及裴注各传所载曹操可考的掾属系统包括：行政掾属44人，军事掾属34人，文学书记掾属8人，太子系统掾属5人，其他掾属2人，总计93人。这只是史籍所载可考者的数目，远远不是全部，史籍未载的掾属更不在少数。曹操智囊团中只有两人为汉官。一是荀彧，二是田畴。荀彧为侍中，守尚书令，因其声望高，曹操没有迫使其为掾属；田畴誓死辞封，实际不愿为曹操掾属，拜议郎。

曹操掾属主仆既分，曹操认为可靠可委以方面，则外放宰州郡，召入为公卿，把持汉朝政权，置汉献帝为傀儡。公元213年，魏国既建，曹操一大批掾属名正言顺转为魏国百官：相国钟繇，御史大夫陈群，相国长史蒋济，卫尉程昱，郎中令袁涣，中尉杨俊，将作大匠董昭，吏部郎卢毓，虎贲郎桓阶，黄门郎刘廙，尚书令荀攸，尚书仆射凉茂，尚书崔琰、毛玠、常林、徐奕、何夔、张既、徐遥，侍中刘晔、辛毗、王粲、杜袭、卫觊、和洽，太子舍人刘邵、司马懿等。

曹操通过广辟掾属和称公称王的手段，把丞相府和魏王府组建成魏国的模拟机构，并把它凌驾在宫廷和百官之上。曹操称魏王以后，出入警跸用天子礼。曹丕代汉，顺理成章，条件都已具备。

其五，威以刑杀。孔融以言论罪被灭族，这是杀鸡给猴看。曹操对掾属更是威猛相加。崔琰以腹诽罪被赐死，毛玠以牢骚而下狱。曹操对掾属动辄加杖。何夔“常蓄毒药，誓死无辱”，才幸免于杖。

总起来说，曹操驾驭智囊团的手段，用今天的话来说，就是胡萝卜加大棒。集聚于曹魏的天下英才皆为曹氏家奴，凡表现了个人意志的就会遭杀戮。他们所建言的军国大计，曹操需要的才能说，不想听的不敢说。像程昱这样的老臣，也是战战兢兢，闭门谢客。满朝智士，都是绵羊，所以曹丕顺利地取代了汉朝，这是曹操的成功之处。但智士为奴，聪明才智就不能充分发挥，他们不敢谏诤。例如刘晔本有奇谋善计，还要察言观色提出，曹操、曹丕不采纳，他也不坚持。曹操智囊潜在的能量受到很大的抑制。不愿为奴的命世大才，如诸葛亮、法正、张松、周瑜、鲁肃等，不北走曹，而南奔蜀、吴，于是汉末人才三分，而成鼎立之形。曹操文武兼资而不能完成统一大业，在这个意义上，又是他的悲剧。

曹操的功过是非

毋庸置疑，曹操是三国时代第一号英雄人物。具体说，他的政治生涯可分为青年、中年、晚年三个阶段。

公元 175 年至 189 年，曹操 20 至 35 岁的 15 年为第一阶段。此时是曹操建立功名，欲做汉家忠臣，拼命厕身于世家大族行列的青年时期。

公元 190 年至 209 年，曹操 36 至 55 岁 20 年为第二阶段。这是曹操大有作为的中年时期，在军阀混战中统一了北方，对历史做出了重大贡献。这一时期，尽管曹操打了黄巾，滥杀无辜，犯了许多错误，但他结束了北方的战乱，整个说来这个时期是功大于过。但曹操不听谋臣劝谏，冒险发动赤壁之战，葬送了统一天下的大好形势，这是曹操所犯过失中最大的过错。

公元 210 年至 220 年，曹操 56 至 66 岁最后整十年为第三阶段。曹操赤壁败还，眼见统一无望，于是一步步逼向帝宫，步入他的晚年。

在曹操政治生活的最后十年，尽管他仍鞍马征劳，但已失去了吞天下的锐气。他除了西并关陇尚可称述外，其他征战无功绩可言。曹操得汉中而不敢入川，他多次南征，只是临江而止。秦岭、长江锁住了曹操的脚步，使得英雄无所用其武。一方面是孙、刘已经壮大，地形地利也起了作用，这是客观条件。另一方面，曹操主要精力放在逼宫上，他无暇顾及统一天下，只好限于统一北方而全力完成篡汉的准备，含恨而做周文王，扮演了权奸的角色，这是主观因素。于是曹操恰如时人所评，以“治世之能臣，乱世之奸雄”而垂名汗青。

曹操既是三国时代最杰出的政治家、军事家，同时也是那个时代最阴险毒辣的弄潮儿，奸险诈伪之术，登峰造极。曹操之奸，是指他“挟天子以令诸侯”，史称“托名汉相，其实汉贼”。曹操之“险”，是指他心性险恶，翻脸不认人，如杀吕伯奢一家，逼死荀彧之类。曹操之“诈”，是指他巧设机关，害人之命，饰己之伪，如割发代首，借仓官人头，棒杀宠姬等。曹操之“伪”，是指他说的是一套，做的又是一套，如下《明志令》试探并掩其代汉之奸心。曹操的奸险诈伪，独步当时，空前绝后，所以民间传说、戏剧小说选中曹操做反面教员，这也是他自己写就的历史，怨不得人的。曹操对于故人旧怨，往往以法诛之，而对之垂涕嗟痛，掩人耳目。如此变诈酷虐，别人做不出也想不出，唯曹操能之。

上列曹操奸险诈伪的典型事例，再补充一些情节，以供评说。

荀彧替曹操出谋献策，共事二十余年，亲密无间。荀彧为智囊团领袖，经常与曹操一起讲论治乱之道。荀彧不仅在曹操微时投归，竭诚相辅，屡出奇计渡过危难，而且还给曹操引荐了一大批人才。钟繇比荀彧为颜渊，司马懿推重荀彧是几百年才出现的奇才。曹操也十分倚重荀彧，两人结为儿女亲家。如此特殊关系，只因荀彧对曹操的篡汉行为表示了一点不满，曹操就毫不迟疑地逼荀彧至死。

关于荀彧之死，由于事情隐秘，所以史料记载有许多歧异。《三国志》荀彧本传载，公元212年，曹操讽喻董昭等建言应该给曹操进爵为魏公，加九锡。荀彧表示了不同意见，对董昭说：“曹公原来起兵的目的，是为了辅助朝廷、安定国家，对朝廷怀有忠贞不贰的诚心。君子爱人以德，我们不应当这么做。”这表明了荀彧的拥汉观点，仅仅是一种思想倾向，并无反对的行动，而曹操就“由是心不能平”，顿起杀心。第二年，曹操借出征孙权之机，让荀彧参丞相军事，上表请他出都劳军，实际把荀彧置于下属。以往曹操出征，荀彧留守许都，这次意外使荀彧怀着不安的心情出都。荀彧到了寿春，曹操又不让他到前线濡须去劳军。荀彧恐慌，不知所措，忧郁而死。裴注引《魏氏春秋》则说，曹操赠送点心给荀彧，打开一看是空的，示意一场空，荀彧吞药自杀。裴注引《献帝春秋》曾记载了当时的民间传说。据说伏后与其父伏完书信，指责曹操杀董承，要伏完除掉曹操。荀彧知情不举，后事败露，曹操深恨之，就命荀彧去杀伏后，彧不从，于是自杀。这些说法有一个共同点，就是荀彧死得突然，内情隐秘。荀彧死年才50岁，正当年富力强之时，怎会突然死去？无论是忧郁而死，还是吞药自杀，荀彧被曹操逼死是事实，这算是曹操比较客气的杀人方法。

曹操"挟天子以令诸侯"长达24年，献帝"自都许以来，守位而已，左右侍卫莫非曹氏之人"。国舅董承等人受献帝衣带密诏，诛杀曹操。事情败露，曹操杀董承等，"夷灭三族"，这尚可理解。董承女为皇妃，有身孕，献帝再三求情，曹操仍逼索诛杀，实为残忍。伏后目不忍睹，写信给他父亲屯骑校尉伏完，揭露了曹操"奸逼之状，令密图之"。事情过了十多年，伏完也早死，而曹操居然诛杀伏完宗族数百人，派华歆入宫从夹墙中搜出伏后诛杀。像董妃、伏后，即使有过，废黜而已，杀之已属过分，而罪及宗族数百人，如此暴虐，除董卓外，非曹操莫能为也。

公元210年十二月，曹操下《明志令》是他奸伪艺术的绝妙表演。《明志令》字面表明心迹，忠于汉室，实际上是一纸试探逼宫而又掩其奸心的宣言。"设使国家无有孤，不知当几人称帝，几人称王"，非人臣所宜言。曹操言此，已无人臣之心。用通俗语言说，这叫火力侦察。曹操自称《明志令》是效周公《金縢》之作。但周公《金縢》是誓诸鬼神，而操却要宣誓天下，"此地无银三百两"。曹操让还三县，而条件是授三子为侯。曹操不但不"委捐所典兵众"，还要扩大外援为万安计。《明志令》发布不久，他就在公元211年春正月以世子曹丕为五官中郎将，置官属为副丞相，接着又封诸子为侯。公元212年冬，使董昭建言尊立自己为"魏公"，并割据冀州为王国封邑。公元216年曹操晋爵魏王，车舆服饰用天子排场。对待汉献帝，用重兵监守，各种粗暴态度，无所不用其极。这一切都暴露了曹操的“不逊之志”。

曹操酷虐变诈，“宁我负人，毋人负我”的哲学，不只是表现在杀吕伯奢一件事上。《曹瞒传》记载，一次曹操行军，行经麦田，下令，“士卒不要践踏麦田，犯者死罪”。骑兵一个个下马，小心地走过麦田，曹操故意把自己的马腾入麦田，并让军法官治罪。军法官说，按《春秋》大义，主帅不能治罪。曹操说：“我制定的法令而自己却犯了令，怎么能统帅部下？但我为全军主帅又不能死，请求自我责罚。”曹操割下自己的头发代替砍头。如果说这是为了严肃军令而巧为设计的良苦用心，那么借仓官人头就不能不是残虐。有一次战斗，粮食告乏，曹操找来粮官，让他想办法。粮官说用小斗量米，曹操称赞说“好”。军士不满，发出怨言，曹操又找来粮官说：“借你的人头用一下，不然众心不服。”曹操杀了粮官，发出布告，说：“粮官偷粮，用小斗量米，现在正法。”这样的事例，不只一端。

曹操睡午觉，害怕有人暗算他，他叫来宠姬，对她说：“过一会儿叫醒我。”宠姬见曹操睡得很安详，没有叫他，曹操醒来，把宠姬活活打死，用以树立威严。

曹操还为了一点小事，记恨心头，杀人族家，如杀袁忠、桓邵就是例证。袁忠为沛相，曹操犯法，袁忠打算治罪。桓邵看不起曹操。后来曹操发迹，袁、桓二人远逃交州，曹操派使通过吴国太守士燮引渡，族灭两家。桓邵当众求饶，叩头请罪，曹操还奚落说：“叩头能替死吗?”性残如此。

当然，作为创业者的曹操，不能以个人品性的奸险诈伪来否定他的历史功绩，但可以说明，在封建专制政体下，建树丰功伟业的人往往具有双重性，曹操就是一个两重性人物。其实两重性人物的本质仍是一重性，其本质是藐视黎民，一切为我，暴虐无比。但他们都十分聪明能干，机智权变，高人一等，故能在乱世之中作出一番事业，这就构成了两重性。对历史人物如何作出科学的、公正的评价，时至今日似乎还不具备成熟的方法和条件。运用简单的三七开、四六分方法也不能很好地解决问题，也无济于历史经验的总结。现在暂且采用一种简便办法，试可作一纵横比较。横的比较，是看他的时代性，他在自身所处的时代里，是否做了他人做不到的事；纵的比较，是看他的创造性，他所取得的功业，是否承先启后，在某些方面超越了前人，流风余韵馨及后世。由此在历史函数的坐标上，对每个人的长短高下、功过是非，就能有一个清晰的脉络。以此方法来评价曹操，我们应当充分肯定他统一北方的功绩，比同时代的孙权、刘备成绩要大，而谴责他的奸险诈伪和残忍好杀。曹操正是由于他的奸险诈伪和残忍好杀，未能赢得天下归心，是汉末政治成为三分之局的因素之一，所以曹操是不能和汉高祖、光武帝相提并论的。

第五章　赤壁之战

发生在公元208年的赤壁之战，在中国军事史上是一场以少胜众，以弱克强的典型战例。这场大战的政治意义更大于军事意义，它是曹孙刘三家拉开鼎立序幕的一场大会战，因此是人们喜欢评论的一个热点问题。历史小说《三国演义》用了八个回目（第四十三至第五十回）的巨大篇幅来描写赤壁之战，威武雄壮，精彩动人。这场大会战的特点是“群英会”，经过几十年征战锤炼的三方英杰会聚一堂作决定历史命运的大决斗。结果刘孙联军取得胜利，曹操大败亏输，退回北方，从而定下三分鼎立之局。

曹操备战

公元207年，曹操远征三郡乌桓，消灭了袁氏残余势力，形成了独占中原的局面，已有天下三分之二，处于绝对优势。当时环绕中原还有六大军事集团。北方三大集团：辽东公孙康，雍凉马腾、韩遂，汉中张鲁。南方三大集团：长江上游益州刘璋，中游荆州刘表，下游江东孙权。这六大军事集团中，只有江东孙权有远略，但地处偏远，其余五人都是割据自守的庸主，没有人能与曹操抗衡。天下一统的形势，又一次显露出端倪。长江中游荆州具有极重要的战略地位，伐灭刘表，控制荆襄，早就是曹操多年以来梦寐以求的事。曹操统一北方后，矛头直指荆襄，希望突破长江中游，顺流东下，一鼓荡平东南，则其他几个军事集团就会望风归降。曹操按照这一构想作大规模的战争准备。

公元208年正月，南方孙权移营柴桑，发动了讨伐黄祖的战争，发出了争夺荆州的信号。此时曹操还不能立即南下，他刚刚远征乌桓回来，需要休整，尚未作好政治和军事的准备。

夺取荆州，迫在眉睫，曹操、孙权、刘备都在和时间赛跑。孙权虽然抢了先，但他的力量一口吞不下荆州；刘表尚存，刘备夺取荆州的条件还没有成熟；曹操力量正盛，机会更多地还在他手中。于是曹操全面地行动起来。

公元208年正月，曹操下令在邺城玄武苑内开凿了玄武池，训练水军。同时，又命张辽、于禁、乐进各统一军，加紧操练步骑。为了消除侧翼的西顾之忧，曹操派张既到关中招抚马腾，以天子名义征马腾入朝做卫尉，授马腾长子马超为偏将军。张既时为议郎，曾经随钟繇在关中参议军事，与地方官很熟悉，又有智谋。张既大事声张，召凉州二千石以上高官迎请马腾入朝。马腾不得已带家属入都面君，曹操把他安置在邺城，控制了马腾。

为了加强对朝廷的控制，六月，曹操上表汉献帝，罢除了三公官即太尉、司徒、司空，重新设置丞相、御史大夫，曹操自己任丞相，总揽朝政。为了钳制舆论，排除异己，消除后患，曹操在朝廷上层整齐风俗，以破浮华狡狯之徒的名义，搞了一场以诛杀孔融为目标的政治运动，进一步树立个人的专断权威，稳固后方。

孔融字文举，鲁（今山东曲阜）人。他是孔子第二十代孙，父孔宙，任泰山郡都尉。孔融天资聪慧，十余岁年少知名。当时河南尹李膺名高天下，士人受到李膺接见，立刻身价百倍，称为登龙门。李膺给门房有令，不是至亲友好，来人造访不得通报。有一次李膺大会宾客，只有十余岁的孔融也想去赴宴，一睹李膺风采。门房不让他进门，孔融说："我家和李大人世世代代友好，我远道而来，岂能不进门?”门房只好通报给李膺。李膺召见，问孔融：“公子的父祖与我家祖上有过什么交往?”孔融说：“我的远祖孔子和你的祖上李老君，同德比义互相为师友，我们孔李两家难道不是世代相交?”众宾客齐声赞妙，都夸孔融是个神童，李膺也请他入座。随后太中大夫陈炜到来，大家给他讲了刚才的故事，陈炜说：“人往往小时聪明，长大了未必是奇才。”孔融应声回答：“看起来陈大夫小时一定无比聪明。”陈炜无言以对，李膺大笑，对孔融说：“小公子长大，一定是国家栋梁之材。”

又过了几年，孔融长到16岁。第二次党锢之祸兴起，朝廷通缉山阳张俭。张俭与孔融哥哥孔褒是朋友，亡命相投，恰好孔褒不在，只有孔融在家。张俭见他年小，露出为难之色，不肯相告原因，就告辞要走。孔融心知张俭有难处，就对他说：“我现在是主人，你就留下吧。”后来事情泄露，郡吏以窝藏要犯罪把孔融、孔褒抓起来治罪。孔融说：“窝藏罪犯由我承担。”孔褒说：“张俭是来投靠我的应当我承担。”他们的母亲说：“家事由长者承担，应该追究我。”孔氏一门争死，郡吏不知判谁有罪，上书朝廷，最后定孔褒有罪。从此孔融名声大振。

公元194年，孔融38岁，出任北海相。有一个幕僚叫左丞祖劝孔融在袁绍与曹操之间选择一个作靠山。孔融认为人格受到污辱，杀了左丞祖。他既不投袁，也不附曹，一心拥汉。黄巾围城，箭头都射到了公堂，孔融依然端坐读经书。这些行动使孔融获得很大的虚名，世家大族和名士都视孔融为领袖。但是孔融志大才疏，既无行政干才，也不会打仗。当了两年北海相，在兵荒马乱中被动挨打。袁谭攻北海，孔融战败，老婆孩子都当了俘虏。这时曹操迎献帝都许，需要借重孔融的名声招揽人才，曹操征辟孔融为将作大匠，后迁少府。孔融也打算借助曹操之力削平群雄，兴复汉室，两人一度有过良好的合作。孔融为建安文学之魁，曾在一些文章和诗歌中赞颂过曹操。

随着曹操实力的增强，篡汉意图日益明显，孔融与曹操的矛盾就潜滋暗长起来。孔融无权无兵，就用语言讽刺挖苦曹操，发泄胸中的不平。孔融曾将平原人祢衡（字正平）推荐给曹操，祢衡多次当众讥刺曹操。曹操把祢衡送给刘表，刘表又转送黄祖，黄祖杀了祢衡，这是借刀杀人。

公元204年八月，曹操攻克邺城，其子曹丕见袁熙妻子甄氏有国色，爱慕不已，曹操便替儿子迎娶甄氏。孔融知道后就写信给曹操表示“祝贺”，信中说：“武王伐纣，以妲己赐周公。”历史记载，武王伐纣，斩妲己之头示众，没听说以妲己赐周公。曹操不解，还以为孔融博学，替他找了根据。曹操回都问孔融，典出何书，想不到孔融却回答说：“用今天的事情去揣度古人，想来应该如此。”曹操受了一场戏弄，十分不平，但表面不动声色。

北方连年征战，粮食歉收。为了节粮，曹操下令禁酒，孔融一再反对，语言颇多讥刺。

曹操封“武平侯”，武平属陈郡，离许都三百里。孔融上表《宜准古王畿之制》，主张“千里之内，不以封建诸侯”，言外之意，曹操封邑在王畿之内是不合古制的。孔融目的以侈谈古制来限制曹操势力的膨胀，尊崇献帝。曹操哪里会听这一套，只因孔融名重，表面优容。拥汉派的一些朝官士大夫，明里暗中以孔融为领袖。

光禄大夫郗虑是曹操的心腹，秉承旨意上表奏免了孔融官职。曹操让军谋祭酒路粹代笔写信给孔融，劝他和郗虑和好，而故意在信中表露杀机。信中说：

> 孤为人臣，进不能风化海内，退不能建德和人，然抚养战士，杀身为国，破浮华狡猾之徒，计有余矣。

孔融回信曹操，表示接受劝解，与郗虑“修好如初”，并感谢曹操的“苦言至意，终身诵之”。一年以后，孔融起复为太中大夫。曹操准备南征，孔融却在孙权使者面前诽谤曹操，要曹操修文德以使南人归服。春风得意的曹操，这时不能忍耐了。他指使郗虑和路粹两人罗织罪状，说孔融在北海“招令徒众，欲规不轨”，自称大圣之后，要做帝王，其言曰：“有天下者，何必卯金刀。”卯金刀指繁体“劉”字，意谓孔融要取代刘氏为帝。于是给孔融定下“大逆不道，宜极重诛”的罪名，处死弃市。

孔融有一男一女两个孩子，男孩时年9岁，女孩7岁。公差逮捕孔融时，两个孩子正在下棋，端坐不动。旁边的人问道：“父亲被抓，为何无动于衷?”两个小孩回答：“哪有巢毁而卵不破的道理。”曹操知道了，见孔融孩子如此聪明，于是下令斩草除根。两个小孩临刑，面不改色，镇定自若，旁边的人看了，无不为之叹息。

曹操倾国远征，害怕孔融扰乱后方，必欲杀之而后快。公元194年，曹操在兖州杀边让，激起了张邈、陈宫之变。曹操吸取教训，颁布了《宣示孔融罪状令》，称孔融为浮华狡狯之徒，说孔融宣称子女与父母之间没有什么亲情，败伦乱理，早就该杀，要人们不要受他“虚名”的蒙蔽，用以缓和社会舆论。孔融至孝，忠于汉室，反对曹操谋篡。而曹操杀孔融，偏以不忠不孝之名加给孔融，以强权颠倒是非，混淆黑白，以忠为奸，杀鸡吓猴，给拥汉派势力以沉重打击，警告世人必须跟着曹丞相走。这一次没有激起事变，表明曹操已牢牢控制了朝廷和舆论。

曹操六月杀孔融，七月宣布正式南征。

刘琮出降

这次曹操南征，不同以往出兵。他想借统一北方的声威，大举南伐，一鼓荡平江南，在政治和军事上都作了充分动员。曹操调集三十万大军，用于一个方向，成为曹操用兵史上的高峰，终三国之世，这也是最多的一次用兵。出兵三十万，加上后勤支援，在当时北方残破的情况下，已经是全国总动员，既显示了曹操的权威，也表现了曹操的骄矜。如此大规模的用兵，一定会引起朝野震动，有一番争论。曹操杀孔融，用暴力镇压反对派，把不同意见压制下去了。

公元253年，吴国太傅诸葛恪发动淮南之役，出兵二十万，遭到朝野反对，诸葛恪著论解释，论及曹操这次用兵。诸葛恪说：

> 近者刘景升在荆州，有众十万，财谷如山，不及曹操尚微，与之力竞，坐观其强大，吞灭诸袁。北方都定之后，操率三十万众来向荆州，当时虽有智者，不能复为画计，于是景升儿子，交臂请降，遂为囚虏。（《三国志·诸葛恪传》）

诸葛恪与群臣辩论，引证当代历史，说法必然可靠，说明曹操南下荆州，用众三十万。诸葛恪分析曹操兵不血刃下荆州，也完全是事实。

刘表有两个儿子，长子刘琦，次子刘琮。按宗法惯例，刘琦为世子应为继承人。起初，刘琦很得刘表喜欢，他的外貌、举止都像刘表，儒雅敦厚，与刘备、诸葛亮都很友好。次子刘琮，结纳刘表后妻蔡氏，刘琮娶蔡氏之侄女为妻。刘表宠爱蔡氏，蔡氏就常在枕边吹风，刘表日益疏远刘琦。同时蔡氏之弟蔡瑁掌握行政实权，与刘表的外甥张允勾结，拥护刘琮。张允掌握了荆州水军。在这种情况下，刘琦深感自身危险，求教于诸葛亮，诸葛亮多次回避不答。有一天，刘琦在楼上设宴款待诸葛亮，让人扛走楼梯。刘琦对诸葛亮说："今天我们在楼上，上不着天，下不着地，话从你口中出来，进入我的耳朵，这样可以出一个主意了吧！"诸葛亮见刘琦诚心请教，于是说："君不见申生在内而危，重耳居外而安吗？"（《三国志·诸葛亮传》）申生是春秋时晋国献公的太子，献公宠爱骊姬，骊姬谗毁申生，申生被迫自杀。重耳是申生之弟，见机出逃在外，周游列国，献公死后，他回国夺取君位，是为晋文公，成为春秋五霸之一。诸葛亮借历史故事，暗示刘琦早日离开是非之地，到外面去占据一块地盘，图谋发展。这时江夏太守黄祖被孙权讨灭，刘琦便要求出镇江夏，离开襄阳到了夏口。诸葛亮的主意也是替刘备联络刘琦。荆州诸将，大部投靠刘琮。

曹操离都时，问计于荀彧。荀彧说："现在中原地区已经平定，刘表知道自己的处境而加强戒备。你可将大部队公开向宛城、叶县一带运动，而暗中从小道派出一支轻装的精兵，快速推进，就可以打刘表一个措手不及。”曹操依计而行，自己率领轻装奇袭荆州。

再说刘表，他喜欢刘琮，又不忍割舍刘琦，优柔寡断，家庭纠纷已使他焦头烂额。现在又面临孙权与曹操的夹攻，忧心成疾。当曹操正式出兵南下，刘表受惊惶恐，八月病死。临终时，刘琦回来探视，被蔡瑁、张允拒之门外，只能流泪离去。刘表死后，诸将奉刘琮继任荆州牧，蔡氏掌握实权。

这时曹操已兵临新野，谋士蒯越、韩嵩、东曹掾傅巽等都劝刘琮归顺曹操。傅巽说：“曹公以天子名义征讨，抵抗就是叛逆。公子刚刚继位，内部又不稳，也无力抵抗。即使重用刘备，也未必能对抗曹操。如果刘备打退了曹操，那他就要成为荆州的主人了。两相权衡，还是投效曹操，归命朝廷为上策。”刘琮和蔡氏没有别的办法，也就同意投降，而且对刘备封锁消息，怕他反对。

刘表临终，曾托孤刘备辅佐。刘备从新野移屯樊城，与襄阳只有一水之隔。由于消息不通，曹操大军到了宛城，这才发觉，也不见刘琮会议军事，觉得奇怪，特派亲信去襄阳问讯情况。刘琮再不敢隐瞒，派宋忠向刘备说明情况，荆州已决定归顺朝廷。刘备听了十分气愤，对宋忠说：“你们办事太荒唐，等到大祸临头才来告我，这不是太过分了吗?”说罢抽出刀来就要砍宋忠，但又觉得不值，喝令宋忠说：“砍了你的头，也不解我心头之恨，别污秽了我的宝刀，快给我滚罢!”

诸葛亮劝刘备夺取襄阳，阻击曹操。刘备觉得自己的力量挡不住曹操，又落下乘人之危夺取同宗的不义名声。所以他路过襄阳，派人要刘琮答话，刘琮不敢见面。刘备拜扫刘表之墓，涕泣离去。刘备这样做，是用信义号召荆州士民归服自己。刘琮左右及荆州士民，果然纷纷追随刘备。义阳人魏延率部曲数百人效命马前。行到当阳，追随刘备的民众有十余万，辎重几千辆，一天只能走十几里路。有人向刘备建议说：“主公应该快速去保江陵，现在大众慢行，如果曹兵追到，拿什么来对敌?”刘备说：“成就大事以人为根本，如今在危险之中，大众希望我保护，只能同甘苦共命运，怎么能够抛弃呢?”东晋习凿齿写三国历史，对刘备爱护民众的举动极为叹赏。他说：“刘备愈是在艰难的关头信义愈是鲜明，即使冒险也不肯背弃道义。他终于成就了大业，不是应当的吗?”

曹操听说刘备逃向江陵，那里是荆州的水军基地和军资基地，害怕被刘备占有。他亲自率领精骑五千，日夜兼程追击，一天奔驰三百里。在当阳长坂，曹操追上刘备，刘备仓皇应战，又要保护民众，顾头顾不了尾，一战全军覆没。刘备的妻及子都失散了，只与诸葛亮等数十骑脱身逃走。张飞断后，拆断长坂桥，自己立马横矛在桥头，两眼瞪圆，对追来的曹兵大喝说：“我就是张益德，哪个不怕死的敢来同我决一死战!”曹军早已听说张飞勇猛无比，又不知虚实，担心张飞身后有埋伏，迟疑不敢前进，刘备等人这才逃脱。

长坂之战，刘备丢失全部辎重和本部兵马，两个女儿被曹纯活捉。刘备甘夫人及子刘禅，小字阿斗，在赵云的奋力保护下才得脱险。徐庶母亲被曹操抓走，刘备只得放走徐庶，让他去投归曹操救母。

刘备没有兵马，只好放弃走江陵，折向东南往汉水方向撤退，恰好与从水道南下的关羽水军会合，渡过汉水，赶往夏口与刘琦会合。二刘会合，保留了荆州残部，有众二万。

刘备东走，曹操没有追击，他按预定计划南进江陵。占领江陵后，下令荆州吏民，与之更始。接着，派深孚众望的零陵人刘巴持天子节钺，渡过长江招纳长沙、零陵和桂阳三郡。又委派京兆人金旋为武陵太守。这样，荆州七郡有六郡落入曹操手中，只有邻接江东的江夏郡尚未占有。

曹操论功行赏，封蒯越、韩嵩等 15 人为列侯。蒯越，字异度，刘表主要谋士。韩嵩，字德高，荆州名士。官渡之战时，两人都曾劝刘表投靠曹操，曹操恨相见之晚，当即任命蒯越为光禄勋，韩嵩为大鸿胪。曹操又请韩嵩品评荆州士人，凡韩嵩推荐的一律任用。傅巽劝说刘琮归降有功，赐爵关内侯。

如何安排刘琮，曹操耍了一个花招。他任命刘琮为青州刺史，刘琮请求留在荆州，表示谦让。曹操顺势改授刘琮为清职谏议大夫，下令褒扬，称赞刘琮效法窦融归顺。就这样，刘琮败坏家业，以一州之地换了一顶毫无实权的乌纱帽。

曹操南下荆州，旬日之间，兵不血刃取得一州之地，收揽本州以及外地避难荆州的大批人才，大大增强了实力。这一仗打得非常漂亮，曹操的用兵方略，可概括为四个方面。其一，稳定后方，进行了政治总动员。曹操罢三公官，恢复丞相建制，并亲领丞相，总揽朝政，杀孔融，整肃内部，征辟马腾入侍，拜卫尉。这一系列举措，都是大举南下的政治总动员。其二，军事上作了全国总动员，出兵三十万，占有绝对优势。其三，战前夸张宣传，先声夺人，从心理上瓦解敌方斗志，刘表被吓死，荆州内部分崩离析。其四，作周密战略部署，间行轻进，曹操自为先锋，攻敌不备。此外，从荆州方面看，无能的刘琮和荆州统治集团的内部矛盾给曹操帮了大忙。刘琦、刘琮兄弟不协，刘备遭忌，成了三股势力。刘琮手下的蒯越、韩嵩、傅巽等一大帮人，各为自己打算，牺牲刘琮谋取私利。这一切就是曹操兵不血刃下荆州的有利条件。

孙刘结盟

曹操不费力气占有荆州，使形势急转，发生巨变。曹操威震天下，达到了他事业的顶点。益州牧刘璋，主动归顺，派来使者，表示归命朝廷，接受征兵，交纳赋税。另一方面，刘备重新陷入绝境，又没了立足之地。江东孙权深切地感到了生存的威胁。面对这一新形势，曹操如何决策，内部展开了一场辩论。

曹操的随军主要谋士贾诩、程昱担心孙刘结盟。贾诩提出建议，在政治上发展荆州战役的声威，阻止孙刘结盟，徐图进取，恢复荆州经济，成为前进基地，要不了几年或可统一江东。贾诩说：“明公先前破灭袁氏，现在又取得荆州，威名大振，士马精强，如果利用荆州的物资，供应军队，安抚百姓，那么不用打仗江东就会归服。”程昱更明确地提出了警告，他说：“孙权在位不久，威名不显著。曹公无敌于天下，又取得了荆州，江东震动。孙权有智有谋，但不能独立抵抗曹公。刘备有英名，又有关羽、张飞万人之敌的猛将，孙权一定会支持刘备共同对付我们。如果出现了这种情况，孙刘结盟，那就难解难分，胜负很难说了。”

但是，曹操已沉浸在胜利中不能自拔，他听不进贾诩、程昱的逆耳之言。诸将寡谋，更看不起败军的刘备。曹操与诸将都认为孙权不敢对抗，一定会杀了刘备来投降，如同公孙康取袁熙、袁尚首级一样。曹操决心已定，下令水陆俱进，造成浩浩荡荡的进军声势，并给孙权下了一道夸张声势的战书：“近者奉辞伐罪，旄麾南指，刘琮束手，今治水军八十万众，方与将军会猎于吴。”曹操的意思是说，他是奉天子之命讨伐叛逆，大军南下，刘琮已经投降，你孙权何去何从，早作选择，是否要与我统带的八十万水军作一番较量呢？曹操先声夺人，一副志骄意得之气溢于言表。这是在向孙权逼降，用现代外交辞令，曹操的这封信，是给孙权的最后通牒。楚汉相争时，韩信攻下赵国，用李左车之计，给燕王臧荼写了一封恐吓信，臧荼就投降了。曹操南下荆州，也凭的是一纸战书，吓死刘表，逼降刘琮。既有历史在前，又有硕果在今，于是曹操志骄意满，如法炮制，想不战而下江东。臧荼匹夫之勇，刘表、刘琮怯懦庸才，怎能与虎视天下的孙权相比。正由于“孙权新在位，未为海内所惮”，所以曹操看不在眼里，认为天下大势已定，不顾将士疲乏，不顾后勤短缺，冒进赤壁，在不知对手深浅的情况下，打了一场必败的错误战争。表面看是孙刘联军打败了曹操，而实际是曹操发动赤壁之战推动了孙刘结盟，替诸葛亮的隆中路线创造了条件，这是曹操没有想到的。

江东柴桑行营，孙氏集团是如何反应的呢？原来孙氏集团的既定方针是据长江之险与曹操抗衡。早在公元 200 年，鲁肃过江，就建议孙权，“进伐刘表，竟长江所极，据而有之，然后建号帝王，以图天下”。甘宁投吴，亦有此说，曰：“南荆之地，至尊当早规之，不可后操。”又说：“西据楚关，大势弥广，即可渐规巴蜀。”周瑜更是主张“据襄阳以蹙操，北方可图”。所以诸葛亮发表了“隆中对”，提出东联孙吴，北拒曹操的三分策略，与孙权集团的战略方针大相径庭，加上刘表与孙权有不共戴天之仇，所以孙权是要吞并荆州，而不是联合荆州。刘备寄人篱下，无立锥之地，没有联吴资本。所以赤壁之战前，隆中路线只不过是刘备集团的“单相思”，当时并没有出现孙、刘结盟的政治气候。曹操的紧逼，这一形势发生了改观。第一个敏感的就是江东的鲁肃。

公元 208 年八月，曹操大军南下，刘表病死，鲁肃就对孙权说：“荆州同我们接壤，江山险固，沃野万里，是建立帝王之业的资本。现在曹操南下，刘表已死，二子不和，军中诸将各怀异心。刘备是天下英雄，与曹操对立，依附于刘表。请主公允许我以吊丧为名到荆州打探虚实。如果刘备与刘表部众同心协力，上下一致，我们就同荆州结为同盟，共同抗拒曹操。如果荆州内部离心离德，我们就可相机图灭。”孙权采纳鲁肃建议，派他去荆州。鲁肃到了夏口，已听到刘琮投降的消息，他估计刘备一定向江陵撤退，于是日夜兼程赶路，在当阳长坂相遇，刘备已全军覆没。鲁肃问刘备：“现在打算到哪里去？”刘备回答说：“苍梧太守吴巨是我的老朋友，打算去投靠他。”鲁肃说：“吴巨是个凡夫俗子，又地处偏远，他自身难保，怎能去依靠他？我们孙权将军，聪明仁惠，敬贤礼士，江东英雄都归附他，现据有六郡之地，兵精粮足，可以成大事。我替刘将军考虑，最好与孙将军联合，共图大业。”鲁肃又对诸葛亮说：“我和尊兄诸葛子瑜是好朋友。”诸葛子瑜名瑾，字子瑜，是诸葛亮的胞兄，这时在孙权身边任长史。鲁肃之意，邀诸葛亮为刘备使者，过江与孙权结盟。鲁肃的建议正与刘备、诸葛亮的隆中对策吻合，孙刘结盟，共抗曹操。刘备十分高兴，于是与关羽水军会合，撤向夏口，并进驻樊口，与孙权靠拢。刘备派诸葛亮随鲁肃过江，到柴桑见孙权。

诸葛亮到柴桑，孙权众臣以张昭、秦松为首，一片主和声，只有鲁肃主战。孙权徘徊犹豫，拿不定主意。诸葛亮欲擒故纵，劝孙权投降以刺激他的决心。诸葛亮说：“曹操已破荆州，威震四海，眼看就要兵临江东。将军估量一下自己的能力，如果能够抵敌曹操，早下决心，一刀两断；如果不能抵抗，也要趁早投降，要不然，大祸就要临头了。”孙权很不高兴反唇相讥：“那么刘豫州（刘备官拜豫州牧，此为对刘备的尊称）为什么不投降曹操呢?”诸葛亮说：“楚汉相争时，田横只不过是齐国的一个壮士，尚且宁死不肯向汉高帝称臣。刘豫州乃是大汉宗室之后，英才盖世，天下英雄都十分敬仰他，虽然事业不成功，这是天意，力量不够，怎能拜伏在曹操脚下称臣呢?”这时孙权年仅 26 岁，血气方刚，听了诸葛亮的话，勃然大怒，说：“你别小看我！我岂能拿全吴之地，十万之众，拱手送给别人，低头称臣！我决心已定，与刘豫州联合抗曹，只是刘豫州已打了败仗，还有力量吗?”诸葛亮针对孙权的疑虑，分析了双方强弱形势。诸葛亮说：

> 刘豫州虽然在长坂战败，但还有关羽、刘琦两部有水陆精锐部队两万多人。曹军远来疲惫，已成强弩之末，连一层薄绸也穿不透了。而且北方士众不习水战，荆州军民迫于兵势，并没有真心归服。如果将军能够派猛将统兵数万，与刘豫州同心协力，一定可以大破曹军。

孙权听了诸葛亮的分析，十分高兴，决定召开军事会议，统一认识。

诸葛亮还对孙权说：“曹操打了败仗，一定退守北方，到那时，荆、吴的势力增强，鼎足而立的局面就形成了。成败的机会，就在今天啊!”

诸葛亮“受任于败军之际，奉命于危难之间”，在刘备已无立身之地的情况下，却要说服孙权全力抗曹，用江东之众打败曹操，而荆州却要归刘备。诸葛亮的话十分明白，他以荆州使者身分与孙权谈判，要孙权承认刘备是荆州的主人，这样才能形成鼎足之势，这任务是十分艰巨的。诸葛亮抓住曹操东进，孙权不肯投降这一大好时机，用激将法煽起孙权的抗曹决心，完成了签订鼎足三分的双边同盟，表现了诸葛亮的大智大勇。《三国演义》

第四十三回写诸葛亮舌战群儒，就是依据这一史实演义的，成功地再现了诸葛亮的风采。

紧接着孙权召开军事会议，统一认识。鲁肃劝孙权召回周瑜共商大计。当时周瑜奉使在鄱阳。以长史张昭为首的文臣被曹操虚张声势的战书吓破了胆，纷纷主张投降。张昭说："曹操像豺狼猛虎一样，挟天子以令四方，直接对抗，事更不顺。将军依靠的是长江天险，现在曹操占有荆州，水陆俱下，我们丧失了依凭天险的优势，在力量众寡悬殊的情况下，只有投降才是上策。"孙权一度又动摇了。鲁肃对孙权说："众人所论，全为自己打算。为什么这样说呢？我鲁肃可以投降曹操，照样可以当官食俸禄；但将军却不可投降，如果将军投降，曹操怎么安置你呢？希望将军早日定下大计，不要听众人之议。"孙权感慨地对鲁肃说："你的一席话说到我的心坎上，莫非是上天特把你派来帮助我的吗？"周瑜到来，更是坚决主战。周瑜详细分析了敌情，他对孙权说：

> 曹操南下，后方不稳，马腾、韩遂是他的后患；曹操用北方的骑兵到江南来在水上与我们较量，是舍长就短；再说现在是十月寒冬，曹军供应不足，不能持久；还有北方士卒不服水土，一定生疾病。这几个忌讳，曹操都犯了，要打败曹操，就在今天啊。

孙权听了统兵大将周瑜这一番有理有据的分析，坚定了抗曹的信心，非常激动，当即拔出宝剑，砍去奏案的一角，厉声说：

> 曹操老贼早就想篡汉自立，只是害怕袁绍、袁术、吕布、刘表和我罢了。现在二袁等人都被消灭，只有我还在。今天我与老贼势不两立，文武官员谁还敢再说投降的话，就同这奏案一样。

当晚周瑜又去找孙权密谈，主动请缨抗击曹操，分析曹操的军情，对孙权说：

主张投降的人，只看到曹操书信上说的有水陆军八十万，就吓破了胆，不去调查虚实，他们的主张不值得讨论。据我的实际考察，曹操从北方带来的军队，不过十五六万人，而且已经疲惫不堪；所得刘表的部众，充其量七八万人，尚且还抱有疑惧心理。曹操带着疲劳的军队，裹胁着三心二意的降卒，数量虽然超过我军，但没有什么可怕的。给我精兵五万，就足可以打败曹操，请主公放心。

周瑜请战，要求领兵五万破敌，他对曹操军情的分析是可信的。曹操所带北方之兵三十万，留守荆州约占半数，所以是十五六万，加上荆州新附之众七八万，曹操用于第一线的兵力二十余万。加上后勤支援，即北兵三十万与十余万荆州之众，总计四十余万。

孙权对周瑜说："公瑾，你的分析与我的意见正相合。张昭、秦松等人贪生怕死，只顾自己。只有你与鲁子敬两人主战，合我的心意，真是上天派你们两人来辅助我。五万兵一下子难以调集，兵贵神速，现在有三万精兵待命，船粮齐备，你率领为前锋，我随后率大军作后盾。"当即任命周瑜为右都督，全军统帅，老将程普为左都督，全军副帅，鲁肃为参军，助画方略。东吴猛将吕蒙、黄盖、周泰、甘宁、凌统、吕范等，各统本部，皆隶周瑜调遣。

驻军樊口的刘备，得知曹操大军顺流而东，心中非常焦急，天天派人在江边巡逻，盼望孙权援军西上。一日，周瑜战船溯江而来，巡兵飞报刘备。刘备喜出望外，立即派人慰劳，邀请周瑜上岸会谈。周瑜说："军务在身，不可离开岗位。刘豫州若能屈驾到船上一谈，非常欢迎。"刘备对关羽、张飞说："周瑜摆架子，现在是我们求救于江东，为了同盟，我就走一趟吧。"

刘备乘坐一艘小船去拜见周瑜，向周瑜表示了敬意。刘备说："孙刘联盟抗曹，是最好的策谋。周将军带了多少兵马?"周瑜说："三万人。"刘备说："可惜少了一点。"周瑜说："这已经足够了，请刘豫州听我的捷报吧。"刘备敬服周瑜的胆气，但还有疑虑，不大相信三万人能打败曹操。他留了一手，只让关羽、张飞带两千人协同周瑜作战，两万荆州兵掌握在自己手里。周瑜也不想刘备分功，并不在意。

赤壁战后，孙权率十万大军攻合肥，但他只给周瑜三万兵，也是留了一手。当时东吴诸将所领本部兵马，一般数百人，多者两千人，周瑜本部兵只有两千。临阵却敌，委任大督，诸将听其节制。夷陵之战，陆逊统兵五万，这就是较多的了。孙权自统大军，以防尾大不掉。所以联军方面的总兵力，江东之众十余万，刘备荆州之兵两万，共计十五六万，约占曹操兵力之半。联军第一线为周瑜，刘备在樊口为第二线，孙权在柴桑为第三线。联军布置了纵深防线。就这样，孙刘结盟打破了曹操不战而下江东的美梦，一场决定历史命运的南北方大会战拉开了序幕。

火烧乌林

公元 208 年十月，曹操与周瑜率领的孙刘联军在赤壁相遇。赤壁在今湖北蒲圻长江南岸，与北岸乌林相对。

曹操顺流东下，水陆并进，夹岸而行，也占有长江天堑。但是曹操水军是刚刚归附的荆州水军，它原本就不是孙吴水军的对手。北方士兵不习惯乘船，夹岸推进，已经染上疾病。周瑜利用水上优势，夺得序战胜利，灭敌威风，壮己士气。史称周瑜西上，与曹操"初一交战，操军不利，引次江北"（《资治通鉴》卷六二）。由于联军在内线作战，曹军不敢屯军江南，收缩在北岸乌林与南岸赤壁联军隔江相峙。为了训练北方士卒习惯乘船，曹操下令把战船用铁链首尾连接起来，以减轻船身的摇晃，并形成水寨，防止敌军偷袭。北方士兵走在连接的船上，如履平地。但这样一来，使船舰丧失了机动性，被联军先锋大将黄盖探知，向周瑜提出了火攻的建议。为了麻痹曹操，周瑜让黄盖秘密写投降信献给曹操。投降书说：

我黄盖在江东深受孙氏厚恩，担任将帅，理应效命。但天下大势归一统，用江东六郡的兵力来抗拒中原百万之众，众寡不敌，全天下的人都看得很清楚。江东的将帅，无论智愚，都认识到不能对抗。只有周瑜、鲁肃褊狭浅薄，不明大势。现在我黄盖归顺曹公，真心实意。周瑜所领的军队，是容易打败的。等到双方交战之日，我愿利用先锋的便利，相机行事，以效命曹公。

曹操收到投降书，本来怀疑黄盖有诈，但看到信中所讲合情合理，东吴将领一派主和的声音似乎还响在耳边，便深信不疑。于是曹操与送信人约定黄盖来投降的时间和信号。

到了约降之日，黄盖带领十只大战船，船上装满干草，又浸上油液，外面用布幕遮裹起来，插上旗号，然后在大船后面拴上机动小舟。这一天，东南风吹得很急，船到江心，张起船帆，战船飞快向北驶去。快到曹军水寨，黄盖命兵士一齐大喊："黄盖投降来了。"曹军都走出船舱观望。这时黄盖让军士放起火来，然后跳上小船退走。十只战船，一齐燃烧起来，火借风势，风助火威，顷刻之间，火船接靠曹军水寨，大火很快淹没了曹军水寨，不久又蔓延到岸上营寨。曹军大乱，孙刘联军乘势猛扑过来。曹军本是疲惫之卒，遭到这突然的攻击，大火漫天，完全丧失了抵抗能力，被杀得尸横遍野，全军溃散。

在战斗中，黄盖翻身落水，被吴军救起，混乱中不知是黄盖，被放置在厕所中。当时天寒，黄盖落水，全身透湿，很快冰冻，全身僵直，奄奄待毙。这时韩当路过，黄盖拼命喊叫一声，韩当听得是黄盖呼唤，连忙脱衣包裹，黄盖才得救生还。由此可见当时战况之激烈。

在寒风烟火中，曹操带领残兵败将，匆忙从陆路经华容（今湖北监利东北）逃向江陵。途中泥泞，战马士兵陷入泥泞中，死亡无数。曹操派兵收束柴草填路，艰难前进，士兵争先恐后，互相践踏。联军紧紧追击，曹军一路败逃，狼狈不堪。

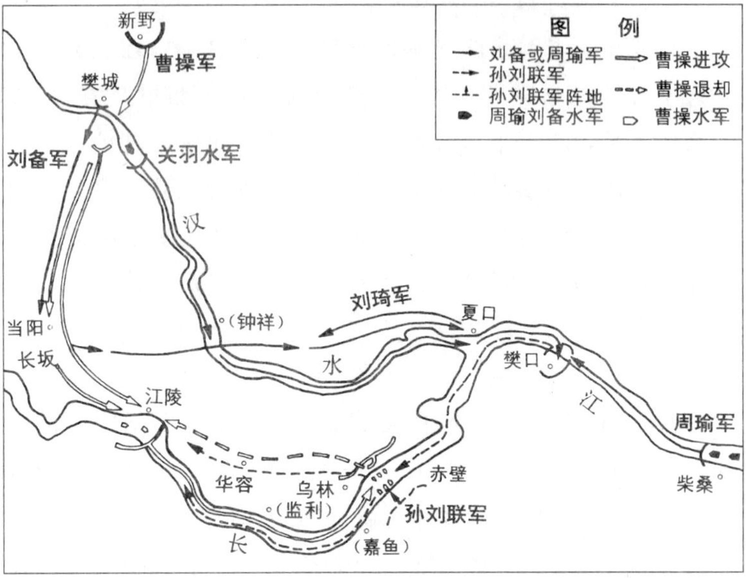

赤壁之战形势图

曹操吃了败仗，头脑冷静下来，立刻显现出他的睿智与政治远略。他预料孙权将进军合肥，令骑将张憙领兵驰援。曹操深恐都城不稳，留下征南将军曹仁、横野将军徐晃守江陵，折冲将军乐进守襄阳，自己率军迅速退回北方。曹操深深痛悔，他顿足长叹，呼喊着郭嘉的表字说："如果郭奉孝还活着，我不会打败仗。哀哉奉孝！痛哉奉孝！惜哉奉孝！"

赤壁之战，将双方主谋人物作一下年龄对比，是很有意思的。曹操 54 岁，周瑜 34 岁，鲁肃 37 岁。签订孙刘结盟的两位主要人物，诸葛亮 27 岁，孙权 26 岁。赤壁之战不仅是以少胜众，而且是后生战胜前辈。后来的夷陵之战，也是后生战胜前辈。当时刘备 62 岁，陆逊 40 岁。三国时风云人物，闪光的年华都在中青年时代，曹操本人建立功业最辉煌的时期也正是他的中年。

孙刘联军主将周瑜虽年轻资浅，但他智谋深广，心胸开阔，谦虚宽厚，善于团结长幼，也是取得胜利的原因。周瑜团结程普的故事十分感人。程普字德谋，右北平土垠（今河北丰润东）人，是东吴三朝元老宿将。他早年随孙坚南征北战，是孙坚的左右手；后来佐孙策渡江，忠心耿耿而又作战英勇。孙策攻打祖郎，陷入重围，程普与一骑，向敌人疾呼冲杀，救出孙策。他佐孙权镇抚山越，从征江夏黄祖，多立战功。他年龄高，资格老，战功卓著，全军将领尊称他为“程公”，有极高的威信。孙权用程普为副统帅佐周瑜，他心中很不服气，用语言讥刺，不服调度，找岔子，闹矛盾，差点坏了大事。周瑜以大局为重，“折节容下”，十分尊重程普，并虚心向程普请教。周瑜以豁达的心胸感动了老将，两人十分亲近起来。程普改变态度，也尊重周瑜，还时常对人说：“和周公瑾交朋友，如同饮美酒一样，不知不觉让人陶醉。”这一来，新老结合，发挥各自的长处，全军团结如一人，大大增强了联军的战斗力。

结局和影响

赤壁之战，曹操败北，给人们留下了许多思考。惯能以少胜众的曹操，为什么在优势情况下打了败仗？胜败乃兵家之常，为什么曹操一战败北，再不涉足江汉，形成鼎立局面？这是一个问题的两个方面，用一句话来说，为什么赤壁之战拉开了鼎立的序幕？我们不妨从分析双方的战略得失入手，找到它的答案。

从曹操方面来看，冒进赤壁，谋略失算。曹操发动赤壁之战，是他一鼓荡平江南总战略思考的组成部分。荆州虽然不战而得，数十万大军的奔袭，是需要强大的后勤支持的。刘表保境安民，在军阀连年混战形势下，荆州是一方乐土，深得民心。刘琦是正宗代表，荆州士众迫于兵势，并未心服。在这种情况下，曹操应该听取贾诩和程昱的建议，缓进东南，阻止孙刘结盟。曹操急于东进，早在公元207年春二月发布的《丁酉令》上就按捺不住地显露出来。令文说：“天下虽未悉定，吾当要与贤士大夫共定之……其促定功行封。”一个“促”字表现了曹操的紧迫感。他大封功臣二十余人为列侯，其余各以次受封，又抚恤死事之孤，是预演着开国大典的帝王之礼，收买人心，鼓励军心。当然，曹操“要与贤士大夫共定之”，早日完成统一大业是无可非议的，是正义的事业。但是，曹操和袁绍一样，由于他篡汉之心的过早萌动使他急于求成，冒险发动赤壁之战，葬送了统一的大好形势，这就无可讳言了。

诸葛亮和周瑜分析曹军必败，其因有四：第一，北土未安，操有后患；第二，不习水土，必生疾病；第三，战线太长，供应不济；第四，北方步卒，不习水战。曹军的这些败因，都不是根本性的。曹操之败，失在于“急”，如果多作休整，这些不足都可克服。由于急于东进，也就是冒进赤壁，具体说在战略上犯下以下四个错误，赤壁战败，也就不足为奇了。

其一，不知彼己，低估对手，推动了孙刘结盟。曹操给孙权下战书，虚张声势，吓倒了庸人，但对于刘备、孙权、诸葛亮、鲁肃、周瑜这一班纵横天下的人物，适得其反，恰好给孙刘结盟添加了催化剂，这是曹操的最大失策。

其二，器量狭窄，骄傲轻狂。曹操南下，益州牧刘璋接连派遣三批使臣向曹操致敬。第一第二两次，曹操厚礼相待。第三次刘璋派了张肃之弟张松使曹，这时曹操已得荆州，打败刘备，就目中无人，不礼遇张松。张松转身投效刘备，回到成都后诽谤曹操，称誉刘备，劝刘璋结纳刘备抗御曹操。东晋习凿齿对此评论说：“从前齐桓公骄傲，有九个诸侯背叛了齐国，曹操自高自大而导致了天下三分，这是把几十年的辛劳在一眨眼之间毁掉，真是可惜啊！”（《三国志·刘二牧传》裴注引）

其三，不听劝谏，刚愎自用。曹操在艰难环境时能听得进谋士意见，当机立断，用兵如神。但他本性权诈机变，认为荆州到手，“天下已定”，就听不进谋士意见了。王夫之评论说：“曹操自诩任用天下的智力，靠的是权术而不是道义。要权术，听与不听，决定于主观，合心意的就听，不合心意的就不听，这样一来，他不能采纳的好意见就多了。”（《读通鉴论》卷九）曹操赤壁之败，正是如此。他在大好形势下重蹈了袁绍的覆辙，走上了恃众欺寡、恃强凌弱的失败之路。

其四，受阻大江，以短击长。曹操所领北兵，不习水战，退屯江北，扎营乌林，隔江与孙刘联军相持，被动挨打。孙刘联军占有水上优势，恰似当年曹操在官渡占有地利一样。设若曹操发挥自己地广兵多的优势，分路出击，令淮南之众指向京口，再令长沙之众迂回孙权后方，使联军首尾不能相顾，或许战局是另一番模样。

再看联军方面，孙刘结盟，产生一加一大于二，甚至大于三、大于四的效应。政治上刘备奉有衣带诏讨“贼”，是人们心目中的正统所在。曹操打出的旗号是“奉辞伐罪”，联军则以牙还牙，揭露曹操“托名汉相，其实汉贼”，在政治上压倒曹操，师出有名。在军事上，孙刘联盟，联军既战于境外，又处于内线。联军主力是江东士众，所以赤壁大战，实质是孙曹主力决战。对孙权来说是外线作战，赤壁在国境之外，对联盟来说又在内线。孙刘以小敌大，以寡敌众，若待敌深入，战于境内，必定人心惶惶，军队望风瓦解，刘备兵败长坂，就是这一情况。周瑜迎敌于境外，表示了胜利的信心，而又置敌军于内线，使其孤军深入，后勤远离。联军供应线短，水上交通便利，军资充足，不怕持久。这与官渡之战比较，曹操地位正好相反。官渡之战，曹操在内线，袁绍在外线；赤壁之战，联军内线，曹操外线。官渡之战，袁绍军供应充足，利于持久，曹操军供应困乏，宜于速决；赤壁之战又颠倒过来，曹操兵多供应不足，处于袁绍的地位而无袁绍的物资实力，不能持久，联军在内线有江东后援。所以王夫之说，联军“愈守则兵愈增，粮愈足，而人气愈壮”，即使没有火攻，“持之数月，而操亦为官渡之绍矣”。可以说，曹操发动赤壁之战，天时地利都处于不利境地。孙权正是洞察了这一切，所以委屈联合刘备，在战略上就具有以下四个方面的优势：

其一，联合刘备，既战于境外，又处于内线，掌握战场主动权，已如上述。其二，联合刘备，占据长江中游战略要地。刘备重兵所驻夏口是保卫江东的西疆门户，具有极重要的战略地位。孙刘联盟，周瑜才可长驱上溯，阻敌于赤壁一带。其三，争取序战胜利，夺回天堑。其四，联合刘备，构成纵深防线，大军留为机动。赤壁战后，周瑜长驱西上争江陵，刘备率荆州之众平定江南诸郡，孙权指向合肥。

综合上述联军的战略，无一不是孙刘联盟造成的优势。所以孙权说："除了刘豫州没有人能够与我联合抵抗曹操。"诸葛亮也说："只要荆吴联合共力，一定能打败曹操。"可以说大政治家所见容易形成共识，只有相对平衡才能共济患难。于是孙权让步与刘备平等结盟，同意鼎立，这既是赤壁之战联军胜利的基础，也是赤壁之战拉开鼎立序幕的原因。

此外，我们从三方人才智谋上来看，曹操远征，智囊人物分散；而孙刘结盟，人才荟萃一时。诸葛亮、周瑜、鲁肃、刘备、孙权等人智力结合起来的总和大于赤壁的曹操。孙刘联盟，固然有曹操之逼，但洞察形势，决策妙算还靠自己主观判断。决定联盟的中心人物是孙权，他表现出了超人的智慧与气度。王夫之归功于诸葛亮与鲁肃，这也没有错，没有诸葛亮与鲁肃的推动与策划，也就没有孙刘结盟。总之，孙刘结盟才演出了历史三分的杰作，才有用兵如神的曹操败北。对此王夫之的总结很富有哲理，试引述如下：

> 在汉末群雄斗争中，曹操挟天子以令诸侯，四面的敌人都不是他的对手，根本原因就是群雄自相诛灭，不能团结。吕布反复无常，忽彼忽此，遭到大家的嫉恨；袁术、袁绍兄弟分离；袁绍又与公孙瓒对立；袁谭、袁尚同室操戈；韩遂、马超互相怀疑；刘表交好袁绍却又坐山观虎斗。这都是群雄互相诛灭，给曹操以取胜的机会。结果，只剩下孙权、刘备两家，如果他们自寻干戈，也必将自我崩溃为曹操所灭。鲁肃和诸葛亮结交定计，合力抗曹，同曹操争存亡，在当时是最好的办法。（引文意译，见《读通鉴论》卷九）

王夫之的总结，说理深透，符合实际。袁曹官渡相持，刘备策应于徐州，袁绍借口小儿有病不救，结果被曹操各个击破。刘备不等袁曹两军咬紧胶着之时发难，宣布衣带诏，声讨曹操，用意是抢在袁绍之先树立扶义的大旗，争取政治主动权；袁绍不救刘备，是借曹操之手打击刘备，自信自己乘曹操之疲，独家也能稳操胜券。袁绍、刘备各自打着小算盘，忘了大局，是一叶障目不见泰山。孙权十分高明，从全局棋盘中首先考虑生存，所以能在刘备惨败下伸出援助之手，答应打败曹操，荆州归刘的条件，携手联盟，演出赤壁之战的生动活剧。可以说，孙权是推进三国鼎立最关键的人物。

第六章　孙权立国江南

孙权承父兄之业，尊礼英贤，抚纳豪右，镇抚山越，立足江东；继而诛黄祖，走曹操，出濡须，战合肥，北面争衡；又能忍勾践之辱，称臣于魏，袭关羽，败刘备，于是据有荆、扬、交三州之地，立国江南，与魏、蜀鼎峙而立，在历史上占有重要的一页。

亲贤贵士

公元200年，19岁的孙权，从其兄孙策手中接过江东之众，面临着动荡不安的险恶形势。孙权在张昭、周瑜的尽心辅佐下，团结旧部，招延俊秀，讨不从命，站稳了脚跟。但是，当时孙吴所辖只有会稽、吴、丹阳、豫章、庐陵、庐江六郡之地，偏在江东一隅，而且深山险阻之地，宗部林立，没有完全服从，孙权要保有江东并向前发展，任务是十分艰巨的。“业非积德之基，邦无磐石之固”（《三国志·孙策传》），孙权要走的路，正远方长。

一个纵横天下的英雄，善于识人和用人是成功的两个最基本条件。曹操、孙权、刘备都善识人而又能用人，故能为一世之杰。若将孙权与曹操、刘备相比较，在用人上孙权兼曹刘之长而避其短，显得更善于识人、用人和培养人才。曹操用人，权谋巧伪，独步当时。但曹操性多疑忌，“持法峻刻”，像忠心耿耿的程昱、贾诩、刘晔等许多智士，都十分谨小慎微，未能充分发挥其才能。刘备思贤若渴，宽仁待士，但后期刚愎自用，用人唯亲，所以蜀将多不睦，坏了许多大事。孙权亦工于权术，但不似曹操之险诈；孙权也宽仁，但不效刘备之用人唯亲。

《三国志·吕范传》记载了一个生动的事例，很有教益。孙权15岁做阳羡长时，手下有一个功曹叫周谷，他工于迎逢，善造假账欺瞒上司，多支钱财供孙权的私求，很得孙权欢心。吕范主管财计，孙权每有所求，他都一一记载下来向孙策报告，惹得孙权很生气。但到孙权统事时，却反过来重用吕范而罢黜了周谷。更为难得的是，孙权不袒护宗族。孙皎是孙权叔父孙静之子，战功卓著，为征虏将军，督夏口，因酒醉侵侮甘宁，孙权知道后，写亲笔信责备孙皎。孙权语重心长地说：“甘宁性情粗鲁，却是一个真正的男子汉，我非常亲爱他，绝不是个人私情。我亲爱的人，你却憎恨，违背我的心意，怎么能够长久呢？希望你谦虚宽厚，得人死力保卫国家，切不可盛气凌人。”言词恳切和以大局为重的利害深虑，打动了孙皎。孙皎上疏检讨，并主动与甘宁和好，消除了矛盾。对比诸葛亮不分是非地和稀泥，不是高明得多吗！

下面我们具体概括孙权的用人策略，以供评说。

首先，孙权用人，求其所长，弃其所短，不求全责备。他曾与陆逊书，从容谈论周瑜、鲁肃、吕蒙以及陆逊等人的功绩和长短得失，很有雅量。孙权在信中明确提出“不求备于一人”的用人原则。孙权认为鲁肃有两长一短，但一短不足以损其两长。吕蒙少时，果敢有胆气，而学问不足，孙权劝其读书，后来学问大长，筹略奇至可与周瑜比肩。其他诸将如甘宁、潘璋两人骁勇忠勤而粗猛好杀，潘璋更是奢侈骄逸而屡犯法禁，孙权惜其才而原其短，两人感知遇之恩而效死力，立了无数战功。孙权所用丞相，如顾雍、陆逊，都具有王佐之才。孙权遣使曹魏的外交人才，如徐详、赵咨，都堪任专对，不辱君命。

其二，孙权从多方面破格起用人才，并能用人以专，信而不疑。他“纳鲁肃于凡品”，“拔吕蒙于行阵”，“识潘濬于系虏”，深为臣下所折服。吕蒙粗疏而又身微，孙权劝他学文读书，智慧大增，成长为一员儒将。这说明孙权用人，授之以方，扶之使长，很得人心。孙权用人以专，信而不疑，也十分感人。周瑜赤壁建功，引起曹操与刘备的忌惮，两人说周瑜坏话，孙权不为所动。曹操写信给孙权，说赤壁之战，因军中有疾病，是他自己烧船撤退，“横使周瑜虚获此名”。刘备到京口见孙权，挑拨离间，说周瑜“文武筹略，万人之英”，“恐不久为人臣”。孙权信任依旧。周瑜死后，孙权流涕说：“公瑾有王佐之资，今忽短命，孤何赖哉!”刘备东伐，诸葛瑾在南郡，有人告发他与刘备交通，孙权处之泰然，把信转给了诸葛瑾。孙权对人说：“孤与子瑜有生死不易之誓，子瑜之不负孤，犹孤之不负子瑜也。”陆逊镇西陵，孙权委以结和吴蜀的重任，刻了一个自己的印章交给他。孙权每次给诸葛亮和刘禅的书信，都要陆逊过目删定，然后盖印发出。

其三，孙权深得用人之法，君臣和谐，结之以情。孙权与群僚相处，礼仪随便，常与群臣喝酒行令，调笑取乐，充满哥们儿义气，而又有节制分寸。他对文武重臣，待张昭以师傅之礼而兄事周瑜。张昭是孙策敬重的大臣，临终托为辅臣。他容貌矜严，性刚辞厉，不苟言笑，常与孙权冲突。最为严重的一次，是公孙渊遣使称臣，张昭认为有诈，反对孙权结纳，孙权不听，派张弥、许晏带兵万人入辽东，封公孙渊为燕王。果然如张昭所料，公孙渊杀吴使张弥、许晏，劫掠吴国兵船，“自明于魏”。张昭因孙权不采纳自己的意见，称病不朝。事后证明孙权错了，张昭对了，孙权后悔，多次派人慰问张昭，请他上朝，张昭固执不起，孙权亲自去请，张昭仍然闭门不出。孙权没有办法，放了一把火恐吓张昭，谁知张昭把门关得更紧。孙权只好让人灭火，站在门外久等。这时张昭的儿子们才强拉老头子出门，孙权与张昭共坐一辆车回朝，并作深刻检讨，才算了事。像这样的君臣关系是前无古人，后无来者的。难怪赤壁之战，周瑜对曹操所遣说客蒋干说："大丈夫处世，碰上知己的明主，既有君臣之义，又有骨肉之恩，言听计从，同甘共苦，即使苏秦、张仪转世，郦食其复出，也不能说动我万一，难道老兄还能动我的心吗?"一席效忠之言，使得蒋干佩服得五体投地，话到口边被噎回去了。

对于战功卓著的将领，孙权不只是封邑赏赐，而且更重视给予政治礼遇，使之光耀于人前。赤壁战后，鲁肃归来，孙权大请诸将相迎，并亲自下马接待。孙权问鲁肃，这等礼节，是否够气派。鲁肃回答说："这还不够。鲁肃要的是至尊统一四海，总括九州，完成帝业，以朝廷安车征召鲁肃，那才是最高的荣耀。"鲁肃的回答，语惊四座，君臣大笑，一片和乐。吕蒙平定荆州，孙权在公安大会，庆贺胜利，当众赠给吕蒙步骑鼓吹，会后用兵马导从，选虎威将军官属为仪仗，前后鼓吹，光耀于路。陆逊击退曹休魏兵，孙权召见，假黄钺，亲自执鞭相迎，礼遇之高，达于极限。贺齐征讨，立功还郡，孙权亲自出郡迎接，作乐舞象，以示隆重。孙权又赐给贺齐軿车骏马，让贺齐罢骑就车，贺齐推辞不敢，孙权让左右扶贺齐上车，令仪仗导从。孙权目送着贺齐坐车远去，离开百余步才转身起行，并对左右说："一个人做事，应当努力建功，不然得不到这样的殊荣。"这可以说是一语道破天机。

孙权亲贤贵士，懂得尊重他们，调解矛盾，也要保护他们的自尊。公元 196 年，孙权在宣城被山越所困，短兵相接，身陷重围，敌人的刀剑砍中了孙权的马鞍。情势万分危急。周泰死命冲突，身受 12 处大伤，才保护孙权死里逃生。事隔 18 年，公元 213 年孙曹濡须之战，孙权用周泰为濡须督，东吴名将朱然、徐盛为泰部将，心中不服。孙权不动声色，为诸将举行宴会，他亲自给周泰敬酒，让周泰脱下衣服，亮出累累创伤，一一讲述每一疤痕的战斗事迹。君臣二人一问一答，说到动情处，孙权拉住周泰的臂膀，泣不成声。孙权当即把自己用的头巾和车盖赏赐给周泰。宴会结束，孙权奏军乐，在一片肃穆的鼓角声中，让周泰作前导，诸将簇拥，散出宴会场。孙权动之以情，使诸将和睦，朱然、徐盛心悦诚服。假如孙权简单地陈说周泰功绩，用以表明自己的决断正确，朱然、徐盛一定不会心服。孙权摆酒设宴，在和睦、轻松的气氛中，巧妙地处理矛盾，任何一方都不受伤害，真是一个调解纠纷，驾驭部下的能手。

孙权对文武大臣的生活起居，生老病死极为重视。吕蒙等人生病，孙权派医送药，为之减膳。张昭、顾雍、朱然、吕范等的丧礼，孙权亲临吊慰，素服举哀。周瑜、鲁肃、吕蒙、甘宁、凌统等虎将死后，孙权为之痛惜，流涕哀伤，厚待家属。凌统死后，留下两个孤儿，孙权养于宫中，待之如同亲子。每宴宾客，孙权叫他们来会客，夸奖说："此吾虎子也。"又延请师傅，令其修文习武，长成还其父兵。孙权如此对待诸将，孙吴臣工，自然乐于效命了。

在孙权"亲贤贵士，纳奇录异"（《三国志·鲁肃传》）的推诚用人政策下，远近奇士，争相效命，使得孙吴人才济济，虽逊于曹魏，却远远超过了蜀汉。虞翻，曹操征之不去。甘宁，蜀将，冒难来投。由孙权举拔的文武大臣如银汉星光，灿烂夺目。顾雍、诸葛瑾、步骘、严畯、阚泽、薛综、士燮、鲁肃、吕蒙、周泰、凌统、徐盛、潘璋、丁奉、朱然、吕范、朱桓、陆逊、陆抗、吕岱、周鲂、钟离牧、潘濬、陆凯、是仪、胡综、陆绩、诸葛恪等，都得到了效命的机会，各尽其能。父兄孙坚、孙策留下的功臣宿将有程普、黄盖、韩当、蒋钦、陈武、董袭、朱治、张昭、张纮、太史慈、周瑜、虞翻、贺齐、全琮等，亦倾心折服，辅弼孙权。纵观江东才俊，近四分之三为孙权所简拔。如此众多的人才，效命孙权，他怎能不据有江东！所以王夫之说："蜀汉之义正，魏之势强，吴介其间，皆不敌也，而角立不相下，吴有人焉，足与诸葛颉颃，魏得士虽多，无有及之者也。"（《读通鉴论》卷一〇）

扶植部曲

公元200年，孙权统事，着手建立吴国。《吴主传》有如下一段记载："待张昭以师傅之礼，而周瑜、程普、吕范等为将率，招延俊秀，聘求名士，鲁肃、诸葛瑾等始为宾客。分部诸将，镇抚山越，讨不从命。”这段话概括起来是两项基本国策：一是扶植部曲，二是镇抚山越。这里先说扶植部曲，具体措施如下。

其一，抚纳豪右，扩大立国基础。东汉末年，“天下大乱，豪杰并起”，当此时，“家家欲为帝王，人人欲为公侯”，地方豪强组织的私兵部曲，遍地林立。有宗兵，有部党，有亲兵、义从，有召募。宗兵以宗室亲族为主体，部党以乡里附从为主体，亲兵、义从以宾客或豪侠少年为主体，召募以流民或强附的平民为主体。江东地区，平原山谷的汉族聚居区，林立豪强部曲；山岭地区遍布山越宗部。强大的宗部势力与豪强势力，既是孙氏集团立足江东的主要障碍，又是孙氏集团的立国基础。孙坚起自寒微，在江东社会基础不厚，孙策渡江大开杀戒，尽诛江南名豪，为立足江东铺平道路。吴郡太守许贡就是孙策所杀的地方豪强之一。许贡幼子与宾客复仇，刺杀了孙策，给孙权敲了警钟，要站稳脚跟，须取得地方豪强的支持。在战乱之中，江东大族也希望有一个强大的军事集团来保护他们的利益，孙氏势力在江东的迅速发展成了他们的理想人物。此外从江北流移到江南的外籍部曲希望在江东建立根基，一方面竭诚拥护孙氏，另方面也希望与江东土著豪强和平共处。孙氏一方面要保护土著豪强，一方面要发展外来部曲在江东立足，扩大统治基础，这样扶植部曲就成为必然的施政措施了。据《三国志·吴书》所立专传人物，将孙氏宗室除外，共59人。北方立传人物31人，其中徐州9人：张昭、诸葛瑾、步骘、张纮、严畯、鲁肃、徐盛、吕岱、诸葛恪；豫州6人：程秉、薛综、吕蒙、吕范、胡综、楼玄；青州5人：刘繇（子刘基仕吴）、太史慈、是仪、刘惇、滕胤；幽州2人：程普、韩当；兖州2人：潘璋、濮阳兴；司州1人：赵达；扬州江北6人：周瑜、蒋钦、周泰、陈武、丁奉、王蕃。南方立传人物28人，其中荆州仅2人：黄盖、潘濬；益州1人：甘宁；交州1人：士燮；扬州江东24人，其中吴郡14人：顾雍、陆逊、陆绩、陆瑁、陆凯、朱桓、朱据、张温、凌统、吾粲、全琮、周鲂、韦曜、华覈；会稽8人：阚泽、虞翻、贺齐、贺邵、钟离牧、董袭、骆统、吴范；丹阳2人：朱治、朱然。上述59人可分为三个系统：一是江东大族，如吴郡吴县之顾、陆、朱、张四姓，钱塘之全氏，阳羡之周氏，丹阳之朱氏，会稽之虞氏、贺氏。二是北方南渡大族，有张昭、张纮、诸葛瑾、步骘、周瑜、鲁肃、严畯、程秉、薛综、胡综等人。三是追随孙氏的南北庶族将领，如吕蒙、吕范、程普、黄盖、韩当、周泰、陈武、董袭、甘宁、凌统、徐盛、潘璋、丁奉等人。孙氏立国初期，南渡世族及部曲将占主导地位，他们希望有一个前程和立足点，富有进取性。鲁肃南渡时就对宗族徒附说，北方混乱，江南富庶，可以避害，你们"肯相随俱至乐土，以观时变乎"？其属三百人随鲁肃南渡。三国鼎立形成后，江东大族日益占了主导地位。孙权为了取得三个系统的人物的支持，用领兵与镇抚山越的办法，大力扶植部曲，这就是孙吴部曲迅速发展的根本原因。换句话说，为了共同的政治经济利益，江东大族与江北世族、孙氏部曲联合起来组成了江东政权，外御强敌，内抚山越。孙氏江东政权的这一性质，在陆凯的上疏中说得十分清楚。陆凯说："先帝外仗顾、陆、朱、张，内近胡综、薛综，是以庶绩雍熙，邦内清肃。"

其二，授兵奉邑制与复客制。授兵、奉邑、复客是孙吴部曲领兵制的三个环节，这是新形势下的宗族领主制。孙权统事，命张昭与孙邵、滕胤、郑礼等人，"采周、汉，撰定朝仪"。周代分封诸侯，汉代中央集权郡县制。江东林立的豪强宗部，是事实上半割据状态的封建部曲，宗主与部曲之间有很强的人身依附关系。孙权承认这一现实，给予诸将授兵、奉邑、赐复客，既不同于周代的分封，又不是汉代的中央集权，是杂糅周汉制度的混合体，姑名之宗族领主制。也可以说是孙氏政权结纳豪右在政治经济上的一种分利。

授兵制，又称给兵。《吴书》中有大量记载。如吴奋拜将，封侯、授兵，周瑜拜将授兵，程普、陈武、蒋钦、周泰、太史慈、董袭、甘宁、徐盛、朱然、吕范、朱桓、陆绩等传都记载了拜将授兵的事例。一般四五百，最多两千人，宗室将领授兵多于异姓将，多至三千人。东吴将领只要拜将或封侯，都可授兵，父死子继，兄终弟及，世袭领兵。

奉邑制，是伴随授兵所划定的军赋食邑。如孙皎拜护军校尉，领众两千，赐沙羡、云杜、南新市、竟陵为奉邑，自置长吏。孙韶为将军，食曲阿、丹徒二县，自置长吏。奉邑与封爵采邑不同。采邑是分封的私邑，奉邑属国有，只是租税供军赋。领兵将领无奉邑者，往往兼太守、县令，以地方租赋供军食。功多者，既为太守、县令，又赐奉邑。

复客制，此是政府赐给有功将领的私属。他们对国家不出租役，所以称为复客。《吕蒙传》载，孙权嘉蒙功多，“别赐寻阳屯田六百户，官属三十人”。吕蒙死，又赐“守冢三百家，复田五十顷”。《蒋钦传》载，钦死，“以芜湖民二百户，田二百顷，给钦妻子”。《潘璋传》载，潘璋死，赐“复客五十家”。

其三，联姻结缘。授兵制、奉邑制、复客制，在政治经济上保护了豪右的利益，孙权认为还不够，还在思想感情上建立密切的关系，就是用联姻手段来巩固世族的联盟。在封建社会，婚姻从来就是一种政治行为。孙权要把孙氏皇族与江北世族、江东大族三方拉在一起，荣辱与共，联姻是一种很好的手段。

孙权的宠妃步夫人，是江北世族步骘的同族，她给孙权生了两女，长曰鲁班，小名大虎，次曰鲁育，小名小虎。鲁班先嫁周瑜长子周循，周循死后改嫁江东钱塘的大族全综。鲁育，前配朱据，后嫁刘纂。周瑜有两男一女，女配太子孙登，男循尚公主鲁班，可以说是亲上加亲。孙策有三女，皆由孙权择婿。一女嫁丞相顾雍之子顾邵，一女嫁名门陆逊，一女嫁朱治次子朱纪。顾、陆两姓是吴郡大族，朱治是丹阳大姓。这种以婚姻关系的拉拢，以血缘为纽带，有力地把江东、江北、皇权之间的利益与关系焊接起来，有利于孙吴政权的巩固，也有利于世家部曲势力的发展。如《朱治传》就记载说：“公族子弟及吴四姓多出仕郡，郡吏常以千数。”

综上所述，孙权立国江东，起自寒微，没有什么凭借，他依靠江北、江东的大族支持打天下，所以采取了与北方曹操相反的政策，大力扶植部曲发展。曹操统一北方，挟天子以令诸侯，抑制部曲发展，世家豪族的私兵部曲被统编在国家控制的士籍或屯田民中。江南世族发展方兴未艾，江东大族，也可以说是在孙权扶植下才壮大起来的。孙氏政权施行的封授领兵制度，使江南部曲人数迅速膨胀，发展成为一个且耕且战的兵户阶层，为两晋南北朝江南世族庄园的发展铺平了道路，对历史产生了深远的影响。

镇抚山越

镇抚山越，是一个民族政策问题。孙吴全盛时据有荆、扬、交三州之地。少数民族，荆州西部有武陵蛮，交州有南越，扬州有山越。武陵蛮和南越处在孙吴的边远地区，山越处在腹心地带，即孙吴统治中心扬州。山越遍布于扬州各郡山岭地区，人口居扬州之半，因此如何镇抚山越是立国的头等大事，孙权用了5年时间才大体稳定了局势，直接影响了全据长江的战略方针。公元200年至205年，孙权全力镇抚山越，无法在曹操用兵河北时抽出手来争夺荆州。因此，镇抚山越与三国鼎立也有着密切的关系。

孙权镇抚山越的措施 山越以农耕为主，“白首于林莽”，不入平地，不进市邑，不对长吏，不输租赋。汉末大量逃避赋役与避罪的汉民，即所谓“逋亡”、“宿恶”，大都逃入山区与山越结合，推举宗帅，恃险自守，抗拒向政府交纳租赋和服徭役。所谓山越，就是居于深山的越人，他们是秦汉时大量内迁的半汉化越人的后裔，还带有浓厚的氏族制遗俗与封建性相结合的社会组织，形成同一宗族、同一乡里聚居的习惯。他们以“宗”为组织骨干，故称宗部，部曲称宗伍，首领称宗帅。山越宗部与“逋亡”、“宿恶”结合，往往有数千数万之众。他们为了张大声势，接受曹操所给予的印绶。如鄱阳彭绮、尤突，丹阳费栈，就接受曹操所封印绶，众数万。福建境内的宗部，如洪明、洪进、苑御、吴免、华当等五人，“率各万户”，吴五、邹临各有六千户。

因此，山越割据，成为孙权的心腹大患，又欲驱略其民补兵垦田，所以自始至终贯彻了一条强征压服的路线，而不是招抚。高压征服的具体措施，主要有以下几项。

其一，分割郡县。孙吴不断设置新郡，目的就是“立郡县以镇山越”。分割郡县，用能征惯战的高级将领担任郡守县令，将山越分割征讨。如黄盖“凡守九县，所在平定”。贺齐讨丹阳郡黟、歙二县山越，孙权分歙县为始新、新定、黎阳、休阳和歙五县，加黟县共六县，置新都郡，以贺齐为太守。孙权黄武五年（公元 226 年）所立东安郡就是分割丹阳、吴、会稽三郡险要地设置的，黄武七年罢置。江东五郡，经孙权、孙亮、孙皓相继分割，共置十四郡，即丹阳、吴、会稽、吴兴、新都、东阳、临海、建安、豫章、鄱阳、临川、安成、庐陵、庐陵南部。郡县增多，分割山越，便于控制。

其二，分部诸将镇抚。孙权趁北方多事之秋，于公元 200 年到 207 年，集中全力镇抚山越，能征惯战之将，下到郡县作太守、县令，分片包干剿抚。计《吴书》所载，孙吴征讨山越的将领有 40 人之多。诸将兼任郡守或县令县长，以便安置被驱略的山越人“强者为兵，羸者补户”。陆逊、骆统、诸葛恪等人，在他们征讨山越的疏令中都明确地说，取其精锐，扩充部伍。据《三国志・吴书》贺齐、周瑜、陆逊、张昭、凌统、全琮、诸葛恪、顾雍、钟离牧诸传记载，孙吴征讨山越，斩杀两万余人，俘获、诱纳的强者，被编为部曲为兵的有十五六万人。以一兵一户计，山越人被编为兵户的前后十余万户。诸将征讨所得，孙权就承认征讨者据为部曲。难怪孙吴大大小小的将领都去征讨山越，这可以说是利益均沾。也不难看出，孙权镇抚山越与扶植部曲这两项基本国策，实为一体。

其三，围困山越，驱赶下山。孙吴镇抚山越采取高压政策，前期与后期手段略有不同。前期以贺齐为代表，主要用驱赶、杀掳的办法，“拣其精健为兵，次为县户”。如公元 208 年，贺齐讨丹阳黟、歙二县山越，凡斩首七千；公元 216 年，贺齐与陆逊讨鄱阳尤突，“斩首数千”。后期以诸葛恪为代表，主要用围困、招诱，威恩并施的办法，驱赶山越人下山。公元 234 年，诸葛恪自荐讨山越，孙权以恪为丹阳太守，至公元 237 年，三年得甲士四万，“恪自领万人，余分给诸将”。诸葛恪的办法是长期包围山越，不与交锋，等到谷稼将熟，纵兵芟刈庄稼，使无遗种。旧粮吃完，新粮不收，于是山越民饥穷，老幼相携而出。在围困的同时，诸葛恪出布告招抚，山越人下山，不允许捉拿办罪。臼阳县长胡伉将出降的山越中曾下山为恶的人抓获缚送丹阳，诸葛恪将胡伉以违反军法罪斩首，而释放被抓的山越。诸葛恪用此办法向山越民表示，政府无恶意，只是要他们下山而已，于是山越民纷纷下山。诸葛恪的围逼招降，比起贺齐等人的征讨杀掠是轻一等的压迫，但宗旨则是一样，就是要驱使山越人强者为兵，弱者补户。结果是诸葛恪的围逼招降比所有将领的征讨收效都大。

孙权镇抚山越的影响与意义　孙吴的高压掠夺政策，给山越人民带来深重的苦难，激起山越人民不断反抗。他们凭借深山险阻，经常揭竿而起，攻没郡县，杀掠官吏豪强。据林惠详《中国民族史》的统计，山越反抗孙吴政权的斗争，地域范围先后有六十余县，遍及江东各郡。反抗首领称“帅”的有 12 人，称“名”而无衔的 23 人，不出名的首领有 10 人。鄱阳彭绮自称将军，众数万。山越的反抗常常牵制了孙吴问鼎中原的力量。公元 203 年，孙权西征黄祖，“破其舟军，惟城未克”，由于“山寇复动”，只好功亏一篑，还军讨山越。公元 207 年和 208 年，孙权行营柴桑，又两次征黄祖，虽然力征歼灭了黄祖，仍然由于山越的牵制，而未能动摇荆州。所以陈寿评曰：“山越好为叛乱，难安易动，是以孙权不遑外御，卑词魏氏。”吴蜀重新结盟，孙权令吴国使臣张温对诸葛亮解释说：“若山越都除，便欲大构于丕。”这也说明讨服山越是孙吴内政的头等大事。孙权迟至公元 229 年才正式称帝，这时山越问题才算基本解决，国内政治较稳固，孙吴力量增强。

三国时期，周边民族分别与魏、蜀、吴三国政权发生关系，由于三国具体环境不同，民族政策有很大的区别。曹魏在北方，国境线长，民族问题最复杂。从东到西，国境内有乌桓、匈奴、氐、羌；塞外有鲜卑及东夷、西域诸民族。乌桓、匈奴、氐、羌还有一部分散居塞外。曹魏对国境内的乌桓、匈奴、氐、羌采取先征服，而后迁徙分散，调其租赋，征其兵役的政策，可称之为强制同化政策。对塞外鲜卑实行分化怀柔和招诱内附的政策，历史上称为羁縻政策。曹魏对东夷、西域各部族政权主要用赐与贡的经济外交手段使之宾服，在鞭长莫及之地也辅之以征讨迁徙。公元 246 年，幽州刺史毋丘俭征高句丽，就移其降民数百家于荥阳。曹魏施行强制同化的民族政策，征调其兵役租赋增强国力，效果立竿见影。这一政策是曹操在统一北方的过程中制定并付诸实践的。其后田豫、梁习、牵招等人在推行中也获得了很大的成功。消极后果是曹操招诱内徙于关中、并州的各族人口过多，关中几乎过半是氐、羌，奠定了西晋时北方民族大混战的基础，这是曹操所始料不及的。

蜀汉的民族政策早在立国之前就确定了和抚的方针，即“西和诸戎，南抚夷越”。诸葛亮制定的民族政策是针对蜀汉的地理环境和民族地区经济文化条件提出的。蜀汉的统治中心在四川盆地，四周都是险峻的山地，居住着许多民族，两汉时总称西南夷。巴蜀以西以北为西夷，主要为氐、羌；以南即今云贵地区和川西南西昌地区为南夷，有青羌、叟、嶲僚、濮等多种民族，史称南中。汉武帝开通西南夷，虽然设置郡县，终因交通不便，汉文化难以深入夷人村寨，所以大体是依其“故俗治”（《史记·平准书》）。诸葛亮平定南中，不留汉人做基层官，不留汉兵防夷人，实质是仿汉武帝的依其故俗治，笼络少数民族上层人物赐以王侯之印，使其归附，调其财赋，征其兵役。从阶级观点来看，蜀国民族政策最平和，但从历史发展来看，不利于民族融合，直到明清改土归流，西南夷才真正渗透了汉文化，促进了这一地区的进步。但在三国时期蜀国弱小的情况下，诸葛亮的和抚政策也是最明智的。

孙吴政权以江东六郡之地，以当中原百万之众，兵源不足，劳力缺乏，而山越占人口之半，在这种背景下，孙吴驱掠山越人下山，强制编入部曲和户籍，也是必然之势。孙吴的高压民族政策，带来政局不稳，尤其是孙权执政之初，全力镇抚山越，丧失了夺取荆州的最佳时机，以至孙刘结盟，改变了全据长江的立国路线，这也是迫不得已。从民族本身的客观情况来看，山越已是半汉化的民族，所以孙吴将汉民族政策和生活习俗直接施之于山越也就有了现实基础。从历史发展来看，最有利于民族融合。正由于山越已经半汉化，所以他们接受汉族豪族地主和曹魏的挑动，孙吴的民族高压政策也就带有阶级压迫的内容。扫荡山越强宗，如尤突、彭绮辈，可以说是讨逆平叛，因此随着孙吴国势的发展和统治的巩固，山越反抗的事件和规模也就日渐减少和减弱。从史籍记载来看，山越之名始见于《后汉书》，到了《旧唐书》只偶有提及。《三国志》《晋书》《南史》等书记载较多，而《三国志》记载最为突出。这说明魏晋南北朝是江南汉越民族大融合时期，而孙吴的民族政策将汉越人强制统一编户，给大融合奠定了政治基础。山越人从山上被驱赶到平地，宣告了他们原先分散、闭塞、隔绝于世、老死林莽这一落后保守生活习俗的结束，客观上有利于山越民族的进步、进化。山越人强者为兵，弱者补户，使社会组织与汉族一体化，十分有利于语言习俗的交流，不仅加速了民族融合，而且两族混一杂居，有利于生产技术交流，共同推进对江南地区的经济开发。通过与魏、蜀两国民族政策的比较，可以看出，三国时期，魏蜀吴三国施行的不同民族政策，都符合自己的国情，各自采取了正确的方法。三国鼎立，生存竞争的严峻形势逼使各国统治者都要施行成功的民族政策。在这个意义上，孙吴的镇抚山越，是适合于当时环境的成功的政策，也是应当肯定的。

江淮抗曹

魏、吴两国之间的军事角逐，主战场在江淮之间的淮南地区，以合肥为中心展开。

合肥形胜 合肥地处江淮平原的中心，是淮南重镇，背靠中原，前横大江，是长江下游中段的江北重镇。长江从鄱阳湖迂曲北流，再折曲东流入海，因此长江下游分为江东、江西地区。合肥在江西，孙策创业江东立都在京口（今江苏镇江），孙权定都建业（今南京），在江东长江南岸。合肥处在上游，建业、京口都在下游。魏吴对抗，合肥的战略地位极为重要，东可迫建业，西可胁武昌，广阔的平原，有利于发挥曹魏的骑兵优势。赤壁战后，刘备在江陵，北向襄阳，孙权在京口，以江北扬州为重镇北指徐州。而合肥在江西，从侧翼保卫了徐州，把战线南移靠近长江天险。终三国鼎立，孙吴兵锋始终未达徐州之郊，合肥据点起了重要作用。

合肥原本是淝水和施水相合的意思，《水经注》载："盖夏水暴涨，施合于肥，故曰合肥也。"早在春秋时期，这里就是吴楚两国争夺的战略要地。两汉时期，合肥为九江郡治，在西汉已经是淮南大镇，为江淮物资集散地。东汉末袁术据淮南，合肥残破。曹操灭袁术，能吏刘馥治淮南，刘馥招抚流亡，治州城，兴水利，办学校，数年之间恩化大行，合肥又恢复为淮南重镇，储粮筑城为战守备。

曹魏巩固北方，沿吴蜀之边，设置三大军事重镇与吴蜀对抗。这三镇是，东为合肥，中为襄阳，西为祁山。而合肥直接威胁孙吴都城建业，犹如一把利刃直插心腹。孙吴方面集全力来争，孙权多次亲临前线，定欲拔之而后快。合肥如此重要，曹操也两次进兵淮南，这里成了魏吴对峙最激烈的战场。

孙曹大战合肥 公元 211 年，孙权就从京口徙治秣陵，次年改名建业。孙权采纳吕蒙建议，在江西长江北岸濡须水入江两岸修筑坞堡，这就是三国时著名的濡须坞（在今安徽无为县），既是孙权建立江北防线的重要据点，又是进攻合肥的前哨基地。濡须坞，在孙曹对抗中起了重要作用。孙权攻不下合肥，曹操拔不掉濡须。

公元 212 年，曹操征陇右班师，已无西顾之忧，决定用兵淮南进攻濡须。出兵前，曹操命阮瑀致书孙权，劝其归顺朝廷。书信说：

> 我几年前已经在谯县制造了大批舟船，训练水军，目的你是清楚的。你不要认为我势少力乏，不能远征，想划江据守，以求平安，这很难办到。你想用水军扼守长江险要，使王师不能渡江，这是打错了算盘。长江虽然宽广，但东西战线很长，是难以守卫的。你如果抗击刘备，用行动来表示归附，我将永远委托你治理江南广大地方，给你高位和重爵。这样，你享其荣华，我得到不劳兵锋之利，双方受益，难道不好吗？（《文选》卷四二）

孙权没有屈服曹操的压力，临江扼守。但这封信为后来孙权称臣曹魏，袭夺荆州开了方便之门，留了活口，它的影响是不可低估的。

公元213年正月，曹操率领号称四十万的大军攻破孙权江西营，俘获都督公孙阳。孙权带领七万大军来迎战，曹军水兵攻水上孙吴阵地，渡到一个沙洲上，被孙权包围，丧师数千人。曹操受挫，坚壁不出。孙权亲自坐船挑战，观看曹军大营。曹操令弓弩手放箭，万箭齐发矢如雨下，不多时孙权军船上就射满了箭，船体倾斜，快要翻船。孙权把战船掉过头来，以另一面受箭，箭均船平，乃鼓乐齐鸣而返。《三国演义》写诸葛亮草船借箭，即取材于此。孙权的胆略和勇气，使得曹操非常佩服，不禁感叹："生子当如孙仲谋。"

两军相持了一个多月，二三月雨水转多。孙权写信给曹操说："春水方生，公宜速退。"意思是说，春天一来，水势高涨，气候转暖，便于东吴水军作战，还是早日退去为好。孙权在另一页信纸上还写下"足下不死，孤不得安"两句话，算是给了曹操一个台阶。曹操对诸将说："孙权没有欺骗我。"于是退兵，四月回到邺城。

曹操退兵，担心孙权掳掠淮南百姓，下令迁徙淮南民内迁，引起恐慌。结果江北十多万户害怕内移为屯田民，纷纷渡江归了孙权，长江西面一带便成了一片空地。

公元214年五月，曹操用兵羌、胡，西征入关，孙权率军攻皖（在今安徽潜山）。皖城为合肥的南边外围据点，曹操派庐江太守朱光屯皖，大开稻田屯垦，这对孙权的江北防线不利。孙权亲征攻皖，合肥张辽来救，行至半道，皖城已破，张辽退回。此役，孙权俘获了庐江太守朱光。

公元215年八月，曹操进兵汉中，他预料孙权必攻合肥，留下密计派护军薛悌送到合肥，信封上写“贼至乃发”四个字。孙权大军十万来攻合肥，合肥守军只有七千人，形势紧迫。合肥守将张辽、李典、乐进三人与薛悌一起打开信封，曹操的指令如下：

> 若孙权至者，张李将军出战，乐将军守，护军勿得与战。

张辽勇略高于李、乐二将，但张辽是吕布旧将归曹，而李典、乐进是曹操旧将，两人不服张辽。曹操派护军薛悌节制，临阵拆信，大敌当前，便于团结对敌，给张辽留下应变余地。曹操不让薛悌参战，示意主力守城。当时李典、乐进、薛悌不明曹操的意思，果然是张辽首先领悟。张辽说：“曹公的意思，让我们趁敌人未合围时，即主动出击，挫其锐气，以安众心，才能坚守。”张辽怕李典不服调度，就又说，如果大家对曹公的信理解的不同，还有疑虑，我愿意一个人出战。李典见张辽如此顾全大局，深为感动，慨然赞同说：“这是国家大事，我怎能以个人成见忘掉公事呢？今日之事，我听将军指挥。”曹军将士，万众一心。当夜，张辽挑选八百壮士，杀牛宰羊饱餐一顿，只等天亮出城与吴军决一死战。

第二天一早，张辽与李典突然出战，张辽一马当先，大喊着自己的名字冲入敌阵，连斩孙权两员战将，直至孙权麾下。孙权措手不及，大惊失色，诸将也不知如何是好，便向高处撤退，以戟自守。张辽直呼孙权下山决战，孙权不敢动。后来见张辽人数不多，吴兵团团围上来，张辽左冲右突，杀出复又杀入，一直战到中午，大挫孙权士气，而后突围而去。此战大长合肥守军士气，于是“众心乃安，诸将咸服”。

孙权围攻合肥十余日不下，军中生了疾病，只得引军撤退。吴军大部队撤退到合肥东北逍遥津南岸，孙权及一部分军队还留在北岸，没有料到张辽追击，再一次受到突然打击。在短兵相接中，已来不及召回逍遥津南岸吴军，在慌乱中陈武战死，宋谦、徐盛败走。吕蒙、蒋钦、凌统、甘宁、潘璋拼死抵挡也没能阻挡住张辽的冲锋。凌统率三百亲兵保卫孙权逃奔到桥头，见一丈多长的桥板已拆掉，孙权情急，用鞭猛抽战马，才跃过河去，差点丢了性命。凌统受重伤，泅水渡过南岸，三百亲兵全部战死。张辽立功被曹操升任为征东将军。

公元216年冬，曹操再次南征孙权，路过合肥，巡视张辽打败孙权的地方，赞叹了好一阵，给张辽增加了军队。第二年正月，曹操进兵到居巢（今安徽巢县东北），二月进攻濡须。孙权在濡须口筑城拒守，以吕蒙为都督，在城上设强弩万张。当时甘宁为前锋，乘曹操前营扎寨未稳之时，率领敢死队一百多人乘夜突袭曹军，取得初战胜利。孙权高兴地说：“曹孟德有张辽，我有甘兴霸，可以说旗鼓相当了。”双方对峙，都难一时取胜。孙权遣使求和，曹操北还，留下伏波将军夏侯惇等屯驻居巢，孙权留平虏将军周泰守护濡须，双方形成了对峙的局面。

孙权建立江北防线 孙策评论孙权，决机于两阵之间，不是他的长处。事实证明，孙权确实短于临阵突敌，他经常率十万大军出征而战功不著，直接影响他争天下的进程。孙权临阵指挥的对曹战役，集中在争合肥，战淮南，有时深入敌境达数百里，但败多胜少，举其较大的战役就有11次。除攻克皖城一役外，有10次均未取得胜利。排列如下：

公元209年，赤壁战后，孙权乘胜率十万之众围合肥，攻百余日不能下。

公元213年，孙权与曹操相拒于濡须坞，曹操破孙权江西营，获都督公孙阳。

公元 214 年，孙权征皖城，克之，获庐江太守朱光及参军董和，男女数万口。

公元 215 年，孙权以十万之师围合肥，被张辽七千守军击退，津桥遇险，差点当了俘虏，这是孙权一生中最严重的个人危机。

公元 216 年至 217 年，曹操再度进军濡须，孙权退走。

公元 219 年，孙权围合肥，无功返。

公元 226 年，孙权趁魏文帝曹丕之死，征江夏，围石阳，不克而还。

公元 229 年，孙权乘陆逊夹石之战大败曹休的声威，扬声出江北而潜西酉阳，魏将满宠为之备，权退还。

公元 230 年，满宠筑合肥新城，孙权攻围，不克而还。

公元 233 年，孙权再征合肥新城，败还。

公元 234 年，孙权三围合肥新城，又败还。

孙权倾注全力于淮南，六攻合肥不下，两次濡须之战被阻击不前。以上十一战，孙权十败一胜。既然疆场不胜，孙权为什么还要屡攻合肥，鏖兵淮南呢？这有一个战略考虑，那就是孙权在长江北岸建立一条江北防线，不让曹魏势力突进至长江岸边，这样长江天堑才不为敌我共有。公元 225 年冬，魏文帝曹丕率十万大军至广陵，见长江波涛汹涌，不由得望江而叹："嗟乎！固天所以隔南北也。"又说："魏虽有武骑千群，无所用也。"只好掉头北还。吴魏淮南争夺战，孙权虽败多胜少，但稳稳占据了沿江战略要点，领有江西合肥以南地区，筑起了江北防线。孙权在江北建立了庐江郡和蕲春郡。庐江郡治皖城，在今安徽潜山县；蕲春郡治蕲春，在今湖北蕲春西南长江北岸。

孙权为了减轻曹操对淮南江北孙吴占区的压力，确保江北防线的建立，所以在赤壁战后，为了树操之敌，借荆州给刘备。也可以说，孙权借荆州是为了建立江北防线而付出的代价。当孙权攻围合肥不下，而蜀国关羽在荆州得志，孙权感到了西边的威胁，于是掉转矛头西指荆州，从更大范围建立长江防御体系，吴蜀争荆州之战，就不可避免地要发生了。

袭夺荆州

公元215年，孙权、刘备中分荆州，鲁肃为荆州督，吴蜀保持友好的联盟关系，曹操陷入两线作战，东西首尾不相顾，是吴蜀两国取得发展的好时机。刘备北进汉中，孙权争合肥。东线孙权的战略目标是把江东的防线推进到淮水一线，取寿春，图徐州。关羽北上襄阳，策应东西。如果孙刘两家坚持这一战略，三路北伐，或许三国鼎立将不在历史上占有一章。可惜鲁肃于公元217年病故，吕蒙为荆州督，形势急转，联盟裂痕迅速扩展，很快达到破裂边缘。

关羽守荆州，一介武夫，刚愎自用，不懂外交。孙权欲与关羽联姻，巩固同盟，要娶关羽之女为儿媳，关羽说："虎女岂能嫁犬子。"幸亏鲁肃调解，大事化小，小事化了。吕蒙镇荆州，上陈擒关羽之策，他认为孙吴取了徐州也守不住，还不如取荆州，全据长江，形势益张。刘备在汉中得势，孙权在合肥受挫，关羽又得志荆襄，孙权感到西强东弱，于是接受吕蒙献计，改变战略，矛头西指，密谋袭夺荆州。

关羽威震荆襄 公元219年七月，刘备在汉中称王，下令驻守荆州的关羽向驻守襄樊的曹仁进攻，又令驻守宜都的孟达从秭归北上攻上庸，与汉中东出的刘封会合。公元218年，南阳吏民因赋役过重，在宛城守将侯音率领下反抗曹操。曹仁率兵镇压，公元219年正月攻破宛城，大肆杀戮，平定了骚乱。但是人心浮动，余波未静，这给关羽的北伐创造了条件。

曹操征张鲁，原马超旧部勇将庞德投降曹操，曹操派他到襄阳协助曹仁，又派徐晃驻宛城。关羽北上，曹操又派于禁率军支援。曹仁让于禁和庞德等七军人马屯驻在樊城以北，与襄阳、樊城形成犄角之势。

八月连降大雨，汉水暴涨，溢出堤外，平地水深数丈。于禁等七军被水淹没，避于高岗之上，关羽乘船猛攻，于禁投降。庞德死战，专找关羽对阵，曾一箭射中关羽前额。他常骑一匹白马出战，关羽军都称之为白马将军。提起他，人人为之变色。在这场战斗开始时，军中有人议论他不会与关羽尽力作战。因为当时马超在蜀汉成为五虎将之一，庞德堂兄庞柔也在刘备处任职。庞德听到议论发誓说："我受国家厚恩，义在效死疆场，今天不是我杀死关羽，就是关羽杀死我！"果然他在战斗中英勇无比，不幸乘船向樊城撤退时，船翻落水被擒。关羽劝他投降，他坚决不肯，大骂关羽，从容赴死。曹操得知于禁投降，庞德战死的消息，慨叹良久说："我信用于禁三十年，没想到临危处难，他反不如庞德！"曹操下令抚慰庞德家属，封他的两个儿子为列侯。

关羽乘胜猛攻樊城，城墙在洪水冲击下不断崩坍，随时可能被攻破。关羽为了扩大战果，尽调江陵守城之兵北上，把襄阳也围困起来。这时许都以南不少地方响应关羽，梁、郏、陆浑一带的地方势力公开反抗曹操，接受关羽印信旗号，一时间造成了关羽"威震华夏"的声势。曹操所置荆州刺史胡修、南乡太守傅芳，都投降了关羽。曹操曾一度打算迁都洛阳或黄河以北，避开关羽锋芒。曹仁与诸将准备放弃樊城撤退，江南太守满宠反对，他说："山水来得快去得也快，我们不必惊慌。我军如果退出樊城，不是丢一座城，而是黄河以南大片土地不保，将军应当坚守。"曹仁身感责任重大，于是一面沉白马祭河，祈祷洪水早日消退，一面激励将士决心与城共存亡，这才稳定了军心。

孙权偷袭荆州　正当襄、樊战斗激烈之时，曹操丞相府军司马司马懿与西曹掾蒋济进言曹操说："刘备与孙权表面亲近而实际疏远，关羽得志，孙权一定不愿意。我们派人劝说孙权，从背后打击关羽，答应事成之后，大江以南土地封给他。这样樊城之围自然解除。"曹操采纳这一建议，一面派使者去见孙权，一面命徐晃驰援，曹操也统率大军前进到摩陂（在今河南郏县东南），就近指挥。

孙权见了曹操使者，十分高兴，立即回了一封密信，表示称藩效命，希望曹操允许他讨伐关羽立功报效。孙权要求曹操为他保守机密，以防关羽有备。

孙权偷袭荆州，曹操非常高兴，但是否替孙权保密，曹操拿不定主意，众谋士产生分歧，绝大多数人主张保密。司空祭酒董昭力排众议，他对曹操说："用兵打仗，讲究权谋，怎样合算怎样做。我们表面答应孙权保密，而暗中把消息报告给关羽和襄、樊守城将士。关羽相信，立即解围，去和孙权算账，我们坐收渔人之利。替孙权保密，他独得好处，这不是好计策。再说，我军被围困在襄、樊，日夜盼救兵，替孙权保密，他们不知就里，万一坚守不住，岂不是因小失大。关羽这人争强好胜，他自以为公安、江陵防守坚固不会轻易撤退。在这种情况下，应将内情泄露，以鼓舞士气，这才对我们有利。"曹操认为有理，命徐晃将信用箭射入樊城，同时也射入关羽营中。在樊城被困的曹军将士，得知消息，果然勇气倍增，坚定了守城的决心。关羽得到消息，将信将疑，不肯立即撤退。不久传来消息，江陵失守。曹军徐晃反攻，关羽无心恋战，打了败仗，这才撤军回到江陵，为时已晚。

孙权谋取荆州，早就作了规划。公元 217 年吕蒙为荆州督，就向孙权献策说："东方西方虽是一家，但关羽实为熊虎，不可不防备。如果我们夺回荆州，让征虏将军孙皎守南郡，潘璋守白帝，蒋钦率领一万水军机动，我吕蒙领兵去占襄阳，这样的话，我们何必怕曹操，又何必去依赖关羽?"孙权非常赞同，只是等待时机。

关羽一向惧惮吕蒙，留有戒心。他北攻襄阳，留下一半军士守江陵。吕蒙看出了门道，为了麻痹关羽，他称病回建业，推荐当时尚未知名的陆逊代替自己。孙权任命陆逊为偏将军、右都督代吕蒙。

陆逊来到陆口，立即写信给关羽，恭维备至，大灌迷魂汤。信中说："樊城一仗，于禁被俘，远近无不佩服将军的功勋，足可以流芳百世。但曹操十分狡猾，他不甘心失败，还会增兵来战。希望将军不要骄傲轻敌，多方面考虑方略，以获全胜。我是一个书生，没能力担当重任，幸而同将军为邻，只是心直口快说说我的意见，不一定合适，敬请将军多加指教。"关羽得信，十分得意，他没把陆逊看在眼里，再不防备，调江陵守军增援前线，后方成了一座空城。

这时，吕蒙率军为前锋，孙权自统大军继后。吕蒙为了瞒过荆州巡江的哨兵，他把兵船装扮成商船，兵士穿上白衣扮作商人，昼夜西上。遇到关羽所置江边巡哨，全部俘获，一直到兵临城下，荆州守军才发觉。蜀汉南郡太守麋芳守江陵，将军士仁守公安，两人与关羽不睦，于是不战而降吕蒙。陆逊别取宜都、秭归、枝江、夷道等城，还屯夷陵，守住峡口，以防刘备出蜀。吕蒙入江陵，厚待荆州将士家属，严令军中秋毫无犯。这一攻心战取得了实效，一传十，十传百，瓦解了关羽的斗志。关羽回军，还没到达江陵，已经散去大半。关羽势孤，向西退守麦城（今湖北当阳东南）。关羽遣使到上庸向刘封呼救，刘封与孟达闹矛盾，两人顾不上救关羽。关羽在麦城被吴将潘璋围困。关羽突围，西至漳乡（今湖北当阳西），被吴军活捉。

公元 219 年十二月，孙权斩杀关羽父子，将首级献给曹操，曹操按照诸侯王的隆重礼仪安葬关羽在洛阳。曹操这样做是把刘备的仇恨转移到孙权身上，继续挑动吴蜀相斗。

孙权夺回荆州，将势力延伸到了三峡以东、长江以南广大地区。夷陵之战，刘备败走，孙权巩固了对荆州的统治，三国地理均势形成，三国的疆域从此奠定，三国鼎立的局面正式形成。

灵活外交

三国时期的外交与军事一样，惊心动魄，风云变幻，波澜起伏，气象万千。

如果说孙权在军事上是第二流的，那他在政治和外交上无疑是一流的。在外交上，孙权比曹操、刘备、诸葛亮都要略高一筹。孙权在不失安吴原则的前提下，奉行灵活外交策略，在每一个历史关头，都做出了惊人的选择，一步步导向三国鼎立，使处在长江下游的孙吴立于不败之地，不负孙策所托，是一个有魄力、有远见的杰出政治家和外交家。

孙权灵活外交，表现在以下三个方面。

第一，修正立国路线，借荆州给刘备，树操之敌，屏蔽东吴。当曹操南下荆州，在当阳长坂打败刘备，迫刘备奔吴之时，刘备其众零落，计穷虑极，不被人看重，孙权却认为“非刘豫州莫可以当曹操者”，采纳了鲁肃和诸葛亮的建议，毅然与刘备结盟，在赤壁打败曹操。更表现孙权的果敢决策，是他在赤壁战后借荆州给刘备，使曹操大吃一惊。

孙权原本的立国路线是全据长江，进伐刘表，西取巴蜀，而联刘抗曹则意味着修正立国路线，谋求鼎足三分，这是在新形势下的一种以退为进的策略。孙权全据长江的前提是“北方多务”，而现在曹操已统一北方，志在吞吴，应时变化，修正立国路线，正是识时务的俊杰。孙权联刘，资以土地，这是向弱者做出的让步，没有卓识明睿的战略眼光，是难以做到的，这正是孙权的不平凡处。

孙权的睿智来源于他的好学，善于总结历史经验。他劝吕蒙读书，尤其是读《史记》《汉书》《东观汉记》等三部著作，表现了孙权对于历史的重视。现实斗争、历史斗争等经验，孙权熟记于心，所以周瑜、吕范等大臣都不能乱其心，移其志。

第二，不失时机袭杀关羽，夺回荆州，全据长江形胜。赤壁战后，孙权借荆州给刘备，为的是树操之敌，屏蔽江东，赢得时间，建立江北防线。当刘备主力陷入汉中与曹操鏖战时，孙权不惜同盟破裂而袭杀关羽，夺回荆州，建立完整的长江防线，基本实现了全据长江的立国路线，这一果断决策完全出乎刘备、诸葛亮预料之外，显示了孙权卓越的才智。刘备入川，孙权就招回其妹孙夫人，为讨回荆州埋下伏笔。刘备取得益州，孙权只索讨江南三郡，极有分寸。相形之下，刘备、关羽不识大体，不作丝毫让步，兵戎相见，给了孙权以口实，直斥刘备为“猾虏”，即无赖。两相对照，刘备道义和手腕均输孙权一等。

第三，称臣于曹魏，避免两线作战，这更是一个果敢行动。公元 217 年，孙权就派都尉徐详向曹操请和，再约婚姻，做夺取荆州的准备。公元 196 年，孙策平定江东，孙曹联姻。曹操把其弟的女儿许配给孙策之弟孙匡，又为其子曹彰娶孙策叔父之子孙贲的女儿。公元200年，袁曹官渡相持，孙策阴谋袭许，丝毫不以婚姻为念。虽然此事由于孙策遇刺未果，但显示出孙氏集团以婚姻为手段，掩盖其图谋，给孙曹之间的关系投下了阴影。曹操控制对方的最拿手策略是征质。公元202年，曹操下书孙权，要求遣子入侍，孙权果断拒绝。所以公元217年的徐详请婚，曹操没有表现热情，但孙权并不止步。公元219年，关羽北伐，威震荆襄，孙权认为时机已到，上书曹操称臣、劝进，要求讨伐关羽立功报效。司马懿、蒋济、董昭等纷纷向曹操建言，许割江南给孙权以挑动吴蜀相斗，以使曹魏摆脱东西两线作战的困境。孙权已经袭杀关羽，得了荆州，由于吴蜀交战状态还没有结束，所以孙权继续向曹丕称臣，主动释放关羽俘获的于禁，接受曹丕敕封的吴王称号，以殊礼待魏使邢贞。曹丕求索雀头香、大贝、明珠、象牙、犀角、玳瑁、孔雀、翡翠、斗鸭、长鸣鸡，孙权都一一贡纳。东吴大臣都深以为耻，徐盛等涕泣横流，认为曹丕求索过甚，吴不应受封。孙权以昔日沛公受项羽封为汉王为喻，劝导群臣审时度势，放眼未来。又说曹丕所求，如同瓦石粪土，没有什么舍不得的。

孙权称臣曹魏，不是消极的，而是积极的进取，麻痹曹魏，使吴国赢得时间与蜀国决战。为了达此目的，孙权使出了高超的外交手腕。于禁的护军浩周被俘在荆州，孙权放还时还特意拉拢。浩周回洛阳后以阖门百口担保孙权诚心效顺。公元222年一月吴蜀夷陵之战正在相持，曹丕遣使邢贞使吴，让浩周随行，给孙权带去口信征质，封孙登为万户侯。显然曹丕是乘孙权之危，征质又是真金火炼的考验，孙权拒绝将遭到魏蜀夹击，答应则受制于人，到了进退维谷的境地。但孙权自有他的妙策。他在浩周面前感动得“流涕沾襟”，临别时又“指天为誓”。孙权托浩周在魏文帝曹丕面前美言，推说孙登年幼，不懂礼节，上书辞封，稍长即送子入质，还说要宗室孙长绪伴送，派大臣张昭为傅。又托浩周为红娘，在曹魏宗室，或在夏侯氏中为孙登择媳。孙权的表演惟妙惟肖，使浩周深信不疑，魏文帝曹丕也被蒙混一时。浩周一走，孙权立即宣布孙登为太子，以此来杜绝曹丕征质。公元222年六七月，吴蜀夷陵之战进入了决战，孙权为了稳住曹丕，又遣使上书，卑辞谢罪，表示十二月送质子入魏。九月曹丕遣侍中辛毗、尚书桓阶使吴征质，随即派出三路大军征吴。这时吴蜀战争业已结束，孙权有恃无恐，临江把守，曹丕只好望江兴叹！

质子之争，终于以干戈相向告一段落，但它为孙权赢得了时间，保证了夷陵之战的胜利。孙权发动的荆州之战，前后三年，全力对蜀，未受两线夹击，反而使刘备征吴还要北防曹魏，这是孙权在外交上的最大成功。而三国外交，其特点就是围绕荆州归属的军事争夺。荆州归吴，三国鼎立的地理均势最后形成。我们可以毫不夸张地说，诸葛亮隆中路线规划的三分蓝图只是一个剧目的脚本，导演三分戏成功演出的不是诸葛亮，而是孙权。

外交，它为实现各自的政治目的服务，尤其是着重于对现实的形势服务。三国外交，特指三国形成时期的外交，起于公元208年刘孙结盟，止于公元229年吴蜀订立中分天下的盟约，前后22年。它成功地使“人谋”规划的鼎足三分变成了现实，它以历史走了曲折的道路而大放异彩，是我国古代列国外交史上的一枝奇葩。在三方外交斗争中涌现了一大批优秀的外交家，孙权奉行的灵活外交路线，在三方争斗中掌握了主动权，他无疑是三国时代外交家中最杰出的代表。

曹操、刘备都是一流的政治家，他们有魄力，有智慧，在三方斗争中化被动为主动，打出了不少的好牌。曹操挟天子以令诸侯，奉行强权外交，征质，臣服，继之以军事征服，这一路线在赤壁之战失灵，推动孙刘结盟，使自己陷入两线作战，东奔西突，被动挨打。曹操在与刘备争夺汉中失败后，改变了策略，允许孙权去夺取荆州，挑动吴蜀火并，由进攻转为防御，这一手取得了预期效果，孤立了蜀国，削弱了吴国，从此，曹魏摆脱了困境，保持了优势。刘备以光复汉室为己任，打着正统旗号，奉行僵化的外交路线，与孙权寸土必争，结果丢掉荆州，又遭夷陵之败，蜀国元气大伤，军事失败，外交也失败。但是刘备在困境时也表现了智勇兼备的外交才能。公元211年一月，刘备身入虎穴，到京口去向孙权求借荆州，对于局势的分析就了如指掌，好似战场用奇兵，走棋出奇着，死中求活，得其所愿，表现了他的大智大勇。随后，刘备阻挡孙权伐蜀，权谋也运用得十分高超。先是推说新居诸郡，“未可兴动”，拒绝与孙权合作伐蜀；接着又以自己与刘璋的同宗为辞，代璋请罪，阻止孙权独力西进。刘备进退有节，有理有据，有实有虚，孙吴君臣，无可奈何。但是曹操在赤壁不能料孙刘之谋，刘备在汉中不能防吕蒙偷袭，输了大略，逊于孙权一筹，亏了大业，这教训是十分深刻的。究其根源，孙权的成功，一方面是个人的智勇，另一方面是奉行了灵活外交路线，按形势区分敌友，不僵化，不死板，这是极有价值的经验。古往今来，在外交斗争中，没有永久的敌人，也没有永久的朋友，孙权的外交路线也提供了一个范例。

但是外交仍然是有原则的，那就是审时度势，发挥主观能动性去争取自身的生存与最大利益。这一原则也制约着三国外交。三国外交的主旋律是孙刘联盟阻挡曹操的统一，以成鼎立之势，而后观天下之变。所谓“鼎立”就是保持三方的力量均势，这可称之为均衡外交。吴蜀小国，连体相依，所以金戈铁马之后，仍能握手言和。魏吴联盟只是短暂的互相利用，因为小国与大国结盟是不平等的依附，随时都有被吞灭的危险。孙权附魏，称臣纳贡，坐卧不宁，这种联盟是不能持久的。这说明，外交的灵活有一定的限度，它不是“人谋”可以任意设计的，最终要受到形势的制约。高超的外交艺术能因势利导，取得胜利。孙权在复杂的三国外交中，能做到审时度势，老谋深算，既讲策略，又讲权谋，重实惠，不图虚名，只要对吴国有利，能伸、能屈、能强、能弱、能高、能辱，附魏联蜀，左右逢源。“屈身忍辱”，是孙权在外交上的最精彩表演，这和刘备的逞强任气，形成了鲜明的对比。胜利者却是孙权。

定都建业

今江苏省南京市为九朝故都，即吴、东晋、宋、齐、梁、陈、南唐、明初、太平天国。而第一个将王朝定都南京的就是孙权，他取名建业，东晋改称建康，明初称为南京，太平天国称为天京。

南京是一座古邑，历史悠久。公元前473年，越王勾践灭吴后，在秦淮河以南筑城，后人称为后越城，这是南京最早的古城。公元前333年，楚威王灭越，在石头山北置邑，取名“金陵”，孙权改称石头城。石头山今名清凉山。公元前221年，秦统一六国，改金陵邑为秣陵县。

孙策平定江东，定都于吴（今苏州市），孙权迁到京口（今镇江市），在今南京以东。吴与京口，两地位置太东偏，又无险可守，若有警急，赴救为难。吴尚书张纮建议置都秣陵。诸葛亮出使东吴，观睹秣陵形胜，慨然称赞说：“钟山龙盘，石城虎踞，帝王之宅也。”刘备去京口亦劝孙权定都秣陵。孙权说：“智者意同”，于是在公元212年，改秣陵为建业，取义在此建立家业，定立为国都。公元221年，孙权西上争荆州，一度迁都鄂城，改名武昌。公元229年孙权称帝，吴蜀通好，还都建业。

建业城北依覆舟山和玄武湖，南近秦淮河，东枕钟山西麓，西靠冶城山。地形险要，易守难攻，的确是江南最理想的天子之都。孙权定都后，进行了大规模的城市建设。他最初在金陵旧址上修建石头城，随后在城东扩建建业城，仿东汉洛阳城规模，周长二十里。城内有华丽的宫城，沿秦淮河两岸是商业区和居民住宅区，有七里多长。为了便利水军行动和水上运输，公元211年，凿城西开沟入秦淮，通吴越运船。建业成为水上交通发达的商业城和军港，是孙吴的政治、经济、军事和文化中心，为尔后各朝定都打下了基础。

孙权定都南京，宣告江南政权成立，对长江流域，以及广大东南地区的经济开发，具有划时代的意义，对历史产生深远的影响。关于开辟江南的经济意义，本书留在后面第十一章详述，这里先说政治意义。

孙权立国江南，安抚了南移的北人，促进了越汉、蛮汉人民的大融合，意义深远。东汉末，中原大乱，荆扬二州相对安定，

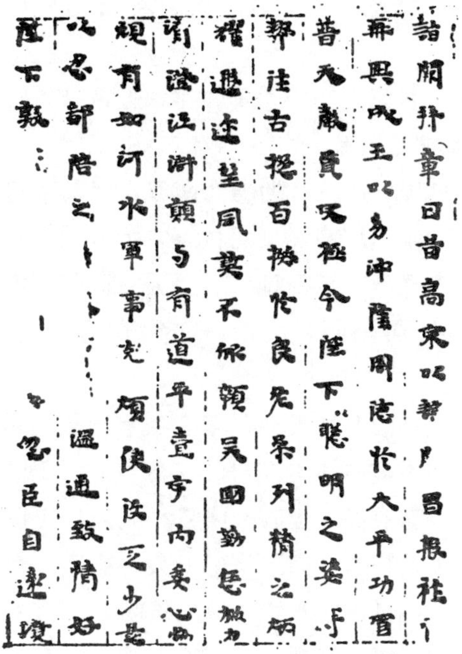

《三国志》书影（东晋写本残卷）

北人南移，带来中原先进文化与耕作技术，这是江南经济得以飞跃发展的先决条件。南下的北方人口都是质量较高的一部分，这是战乱的客观条件所决定的。愚钝无能的人大多就地待死，只有远见卓识而又富于冒险精神的人才能远徙。例如董卓入京，颍川名士荀彧就对乡亲父老说，颍川四战之地，常为兵家所必争，赶快外走，后来果然被凉州兵所掠杀。临淮鲁肃南下时也有类似的情况。江南地广人稀，物产丰富，被中原士大夫视为避乱的“乐土”。孙权立国江南，给这些举族南迁的流民提供了保护。依《三国志》的记载，东汉末的北人南移，是整个社会的大迁移，南下人口如潮水般汹涌。主要有以下五种方式：

其一，士大夫举宗避难南迁。前举鲁肃南渡是其例。士大夫南迁，不仅举宗而走，往往带动许多人依附。

其二，逐鹿中原失败的军阀南下，带有大量部曲和裹胁的男女人口。

其三，流民南下。这是底层劳动人民的大量南迁，也就是难民潮的南下，无法统计。史载，关中之民流入荆州的就有十万余户。

其四，战争掳掠。如公元 199 年，孙策破皖，掳掠袁术残部“百工及鼓吹部曲三万余人”。

其五，曹魏民逃避政苛刑酷而南渡，以及叛将南投，主要有两次。公元 213 年，淮南民反对内迁，庐江、九江、蕲春、广陵等郡户十余万东渡江，江西地空。公元 255 年，魏淮南镇将毋丘俭、文钦起兵反司马师，兵败，文钦降吴，淮南余众数万口来奔。

上列北人南移的五种类型，多有数字记载，累计已达一百四五十万人口，差不多占江南人口的三分之一，十分惊人，南下的人口，有士兵，有农民，也有文武将相人才，所以说是整个社会的大迁移。孙吴政权对江南经济的开发，南下的北人是最重要的一支生力军，他们做出了不可磨灭的贡献。

江南土著居民，过半数是山越和蛮夷。山越主要分布在扬州各郡，荆州西部有武陵蛮，交州有南越。孙权采取强迫山越和蛮夷下山的同化政策，客观上加速了越汉与蛮汉人民的融合。

以上两个方面，安置南移的北人与推进越汉、蛮汉人的融合，可以说是三国鼎立的对峙战争推动了江南经济的开发，它通过孙吴政权的组织而实现，这就是孙权定都南京，立国江南的重大政治意义。

晚年昏聩

孙权的晚年和他的前期相比，判若两人，可以说历史上有两个孙权。

好大喜功　登上皇帝宝座后，孙权的猜忌之性和自以为是的恶习，逐渐暴露。首先表现出来的就是好大喜功，违众加封辽东公孙渊，使吴国遭受惨重损失。嘉禾元年（公元 232 年），割据辽东的公孙渊向吴称臣。孙权大喜，为之大赦天下，并派太常张弥、执金吾许晏、将军贺达等将兵万人，携金银珠宝去授公孙渊为燕王，并赐九锡。满朝文武以张昭、顾雍为首，纷纷进谏，认为公孙渊乃反复小人，不可轻信，孙权固执不听。张昭力谏，孙权竟拔刀在手，要杀张昭。后来，公孙渊斩杀吴国大臣，倒向魏国。孙权受骗后，不思自己不听规劝之过，反而迁怒于公孙渊，要发兵征讨，被群臣劝止。

宠信奸佞 孙权即位后猜疑心加重，设置校事、察战两职，监视文武官员。吕壹为中书校事时，滥相纠举，使“无罪无辜，横受大刑”，而孙权却十分宠信他。丞相顾雍无故被举罪，遭到软禁；江夏太守刁嘉被诬陷，几乎受诛。太子孙登屡次劝谏，孙权不听。大将军陆逊见吕壹“窃弄权柄，擅作威福”，无人可禁止，与太常潘浚“同心忧之，言至流涕”（《三国志·陆逊传》）。骠骑将军步骘多次上书，揭露吕壹罪行，希望孙权改变“虽有大臣，复不信任”的状况，信用顾雍、陆逊、潘浚等忠贞股肱之臣（《三国志·步骘传》），而孙权置若罔闻。潘浚见孙权如此不听忠言，意想借宴会袭杀吕壹。孙权宠信奸人吕壹的程度，致使东吴群臣无法忍受。后来吕壹虽因陷害左将军朱据，事情败露被杀，但校事之官仍然不废。

吕壹被处死后，孙权也引咎自责，承认过失，还派中书郎袁礼去向大臣们征求对时政的意见，但大臣们不再畅所欲言了。诸葛瑾、步骘、朱然、吕岱推说不掌民事，缄口不言。而陆逊、潘浚“怀执危怖，有不自安之心”，也不愿说什么。孙权得知，下诏责备他们，替自己辩护。孙权后期的刚愎自用和日益发展的猜忌心，使东吴前期那种君臣和睦、上下同心的局面一去不复返了。

废立太子，举国中分 公元221年，孙权为吴王，即立长子孙登为王太子。称帝后，又以登为皇太子。孙登不幸于赤乌五年（公元242年）夭亡。其时次子孙虑早亡，便立第三子孙和为皇太子，以第四子孙霸为鲁王。孙权偏宠鲁王，使他与太子同居一宫，享受同等礼遇。后因大臣上言，“以为太子、国王上下有序，礼秩宜异”（《三国志·孙和传》裴注引殷基《通语》）。于是，孙权使二子分宫，各置僚属。

孙霸觊觎太子之位，便拉帮结党，发展势力。骠骑将军步骘、终南将军吕岱、大司马全琮、左将军吕据、中书令孙弘等阴附鲁王，潜毁太子。丞相陆逊、大将军诸葛恪、太常顾谭、骠骑将军朱据、会稽太守滕胤、大都督施绩、尚书丁密等奉礼而行，尊事太子。中朝外朝官僚将军大臣举国中分，形成拥嫡和拥庶两派。孙霸谋夺太子位的野心日益暴露，陆逊、顾谭及太子太傅吾粲等拥嫡派数陈嫡庶之义，理不可夺。而孙权听信拥庶派全寄、杨竺的谗言，流放顾谭，诛杀吾粲。

残杀忠良，国势衰微 由于皇太子之位的斗争愈演愈烈，孙权看到“子弟不睦，臣下分部，将有袁氏之败”，十分担心。赤乌九年（公元 246 年），孙权不分是非曲直，幽闭太子孙和。拥嫡派朱据、屈晃、陈正、陈象等人上书固谏不止，孙权大怒，“族诛正、象、据，晃牵入殿，杖一百”（《三国志·孙和传》）。陆逊因数次上书陈述嫡庶之分，孙权也派宦官去指责，致使陆逊忧愤成疾而死。赤乌十三年（公元 250 年），孙权废除太子孙和，群臣纷纷劝谏。孙权又诛杀或流放进谏的朝臣大将数十人，“众咸冤之”。同时，他又下令孙霸自杀，并且以结党诬陷孙和的罪名，诛杀了拥庶的全寄、吴安、孙奇、杨竺等人。这一事件，使得吴国一大批文臣武将先后遭到贬官、流放或诛杀。从此，国势衰微，一蹶不振。

废除孙和后，孙权立少子孙亮为太子。不到两年，孙权就患病死了，享年 71 岁。孙亮即位，年仅 10 岁。

孙权的历史地位

评价孙权的历史地位，主要讨论两个问题，即如何看待他立国江东，以及他为什么不能统一华夏。历来认为孙权是一个“保江东，观存败”，满足于“限江自保”的偏安之主，是一个次等的英雄，这是不符历史实际的。三国鼎立，南北对峙的主线是魏吴而不是魏蜀。旧时史家，以及《三国演义》历史小说，受正统思想局限，突出魏蜀对峙，把吴国放在配角地位，把孙权放在刘备之后，这个案应按历史本来面目把它翻过来。

孙权从一个涉世未深的青年，19 岁就继承父兄之业，在艰难环境中成长为一名卓越而老练的政治家，杰出而能干的外交谋略家，在内政、外交、军事、经济各个方面都有卓越的建树，不仅是三国时期第一流的政治家，而且在中国历史发展的长河中，也是屈指可数有作为的帝王之一。推进三国鼎立，孙权是至关重要的人物，起了主要作用。孙权聪明仁智，冠盖当世；举贤任能，胜于曹刘；雄略征伐，稍逊魏武；立国江南，功著千秋。孙权之所以不能统一天下，并非是“保江东，观成败”，而是“保江东，图王业”，未达目的。诸葛亮就说，孙权不是一个“志望已满”、“利在鼎足”的人，而是“智力不侔，故限江自保”。又说：“权之不能越江，犹魏贼之不能渡汉，非力有余而利不取也。”诸葛亮的分析是很有道理的，下面再作具体阐述。孙权不能统一天下，举其大端，有以下六个方面的原因。

其一，孙权所处天时、地利、人和均为劣势，不足以灭蜀并魏。所谓天时、地利、人和三个因素是相互影响的，三者又各包含两个方面。天时含政治凭借和事会机运，地利含形胜险要与人物殷阜，人和含得贤才与人心归服。魏谋臣刘晔说，孙权虽有雄才，故汉骠骑将军南昌侯耳，官轻势卑。这就是说孙权政治凭借不厚，没有曹操挟天子以令诸侯之势，也没有刘备帝室之胄的正统之义，只能后发制人，在曹刘争相称帝的时候，把自己夺取天下的雄心深藏不露，以便充分利用曹刘敌对的空隙，朝秦暮楚，讨取便宜。东吴地利有长江之险，此为一长；但地处低下而仰攻蜀魏，又是一短。中国传统文化在中原，人众物盛，而又居高临下，所以历代南北对峙，基本上是北方战胜南方。孙权虽得江东才俊，而山越屡叛，人和也只得了一半。等到孙权镇抚了山越，挥兵西进之时，曹操已南下，使得他未能在北方多务之时竞长江，所以丧失了机运。因而陈寿说：“山越好为叛乱，难安易动，是以孙权不遑外御，卑辞魏氏。”

其二，东吴名将过早凋零。东吴开国的文臣武将，约四十人全部在孙权生前早早谢世。周瑜、鲁肃、吕蒙三位大将，文武兼资，他们制定了东吴政权的立国方针，偏偏最早辞世。东吴十二员虎将程普、黄盖、韩当、蒋钦、周泰、陈武、董袭、甘宁、陵统、徐盛、潘璋、丁奉，有十人凋落在孙权称帝之前。孙策的突然早夭，几乎使孙氏集团瓦解。孙权的大批谋臣骁将的过早谢世，使得东吴争雄天下的实力大大衰落。曹魏地广，人才众多，一辈辈成长。吴蜀地狭，贤才非唯本土所产，因汉末乱世分之于四方，因此大批凋零后，人才难继。可以说，这是蜀与吴相继灭亡于北的重要原因。

其三，争夺荆州，吴虽得实利，但也削弱了同盟，增强了曹魏，从逐鹿中原角度看，可以说是战略失策。曹魏占天下三分之二，吴蜀合力相抗，尚且不敌，而又自相残杀，大大削弱了抗衡力量。假如关羽得志荆襄之时，孙刘合力前进，刘备率益州之众出秦川，孙权率江东之众全力指向合肥、徐州，东西万里全线出击，彼此呼应，乘锐助势，蚕食魏境，中原震动，人心思变，前途不可预料。孙权忌惮关羽，战略转向，虽一时得志，却成就了曹氏篡汉，三国鼎立遂成不易之局。夷陵战后，魏强、蜀弱、吴孤。此后吴蜀虽重新结好，也频频东西相应出击曹魏，终于因力弱而又各存异心，都希望对方替自己火中取栗，所以吴蜀的北伐以失败而告终。

其四，孙权短于临阵突敌，战功不著，直接影响他争天下的进程。孙权亲临战阵所指挥的战役，多次失败，有的是在绝对优势情况下失败，说明孙权应变将略，不是他的长处，这也是帝业不成的一个重要原因。纵观中国历史，凡是在乱世活动中的开国之主，无不善驭戎机。孙权虽也胆气豪壮，可惜所遇对手道高一尺，孙权无所施其巧，在决机两阵之间把不住时机，因而建功不著，大业难就。

其五，孙权称帝，晚年昏聩。大凡帝王都好大喜功，且多疑忌，晚年尤甚。公元 229 年，孙权 48 岁称尊号，即皇帝位，从此，东吴政权从顶峰走向衰败，孙权从明智走向昏聩，甚至暴虐。孙权称帝建都武昌，是一种前进的姿态；称帝后建都建业，实际意味着限江自保。孙权不听劝谏，封辽东公孙渊为燕王，派重兵护送辽东使者，致使贺达等一万将士没入辽东。晚年的孙权更是忠奸不分，设校事官、察战官，大搞特务统治，信用佞臣吕壹等残害忠良。特别是孙权宠爱鲁王孙霸，无端废太子和，造成大臣各有彼此，举国分裂。孙权逼死陆逊，杀害吾粲、朱据等肱股大臣，使吴国政治出现了空前的危机，朝臣人人自危，边将外叛，种下了亡国之祸，何谈统一。

其六，曹魏重点防吴，孙权无隙可乘，不能建奇功。魏文帝曹丕三次大举伐吴，两次临江，虽无功而还，其战略计划先吴后蜀，十分明显。公元 234 年，吴蜀联合北伐，魏明帝西守东进，他亲自出征孙权，孙权闻风而退。在曹魏严密设防下，无论孙权，还是陆逊，出师皆无功，更不用说其他诸将。

综上所述，孙权不能统一天下，因受历史条件局限，有着多种原因，并非志存偏安。曹操、刘备、孙权都没能完成统一大业，而是各自创立了鼎足三分的国家。汉末群雄纷争，只有他们建成了功业，都是那个时代的一流英雄。如将三人作比较，恰如他们建国的区域大小一样，孙权应是居于第二位的人物，他的功绩逊于曹操，大于刘备。

第七章　刘备兴建蜀汉

三国鼎立，蜀汉最弱小，但蜀国道义最正。刘备堂堂正正竖起“誓讨国贼，兴复汉室”的旗帜，对抗曹操“挟天子以令诸侯”，迫使他做“周文王”，产生了不可低估的政治影响。曹刘对立，这正是三国鼎立形成的时代脉搏。刘备就曾对庞统说：“今指与吾为水火者，曹操也，操以急，吾以宽；操以暴，吾以仁；操以谲，吾以忠；每与操反，事乃可成耳。”（《三国志·庞统传》）从这一段话中，可知刘备立身处事，有意识地与曹操作对，免不了有矫饰之情，即也有虚伪狡诈的一面。但总体上说，刘备与曹操确属不同类型而相对立的人物。这是他们两人的不同社会经历所铸成的不同类型。曹操出身于大宦官，从小受到的是尔虞我诈的熏陶，工于心计。他涉世之后，就在上层社会中角逐，乱世给他的聪明才智提供了用武之地。曹操要以人臣身分从刘姓手中夺取政权，他不得不把奸诈艺术推向顶峰，从而成为东汉末期第一流权奸。刘备出身于破产的贵族家庭，沦落在社会下层，深知民间疾苦。同时刘备并未忘怀他是帝室血统，少小立志要干一番事业。刘备生于公元 161 年，6 岁时就发生了第一次党锢之祸。刘备目睹世事的黑暗，凄怆汉室的倾颓，痛恨“奸臣窃命”，“欲伸大义于天下”，但手无尺寸之柄。没有凭借，只能修身养性，以道德信义号召天下，唤醒正义，战胜邪恶。刘备与关羽、张飞，“寝则同床，恩若兄弟”，与赵云“同床眠卧”，三顾茅庐请诸葛亮，送徐庶北还尽孝，这不仅表现了刘备的思贤若渴，也表现了他的宽仁信义，更表现了他的政治城府，下面的小故事或可说明一些问题。

刘备入蜀，与刘璋在涪城相会，刘备与刘璋从事张裕互相开玩笑取乐。张裕满嘴胡须，刘备没有胡须。刘备调侃说：“我家乡涿县，特多毛姓，东西南北都姓毛，涿县县令说：诸毛都环绕涿县居住吗?”涿与浊谐音，涿溷形似，寓意粪池，即诸毛绕粪池而居。张裕口快，应声反唇相讥，说：“从前有一个人先在上党潞县当县令，后来调到涿县当县令。他退休回家，朋友给他家写信，尊称他为潞县令，没有包括涿县，尊称他为涿县令又包括不了潞县令，这位朋友也难了半天，就称呼这位县大人为‘潞涿君’。”潞与露谐音，光秃秃的意思。刘备讥张裕为“诸毛绕涿”，张裕反讥刘备为“潞涿”，以子之矛攻子之盾。刘备认为张裕没给他面子，怀恨在心，当了皇帝后找借口杀张裕，诸葛亮出面营救，刘备不允，说：“芳兰生门，不得不锄。”刘备的雅量到哪里去了？“政治无诚实可言”，在这个故事中体现得淋漓尽致。孙权骂刘备为“猾虏”，指刘备是一个狡诈之徒，也不能说没有一些道理。刘备借荆州不还，遭了现世报。他有汉高帝之志而没能完成高帝之业，看来这也是有原因的。

东借荆州

赤壁之战，在军事上是孙曹决战，而政治上是曹刘决战。曹孙刘三方的史料记载，对于这次战役的主客形势基本一致，是很明确的。曹方史料，《三国志·武帝纪》说“公（曹操）至赤壁，与备战，不利。备遂有荆州江南诸郡。”蜀方史料，《先主传》记载说：“先主（刘备）遣诸葛亮自结于孙权，权遣周瑜、程普等水军数万，与先主并力，与曹公战于赤壁。”吴国史料，《吴主传》记载说："瑜（周瑜）、普（程普）为左右督，各领万人，与备俱进，遇于赤壁，大破曹公军。"陈寿写三国史，并称为《三国志》，说明他分别把曹孙刘三方史料综核后，按国别史的写法以存真，因此有"与备战"、"并力"、"与备俱进"的不同说法，而正是这不同的记载，更加明确地反映了赤壁之战的主客形势，三方皆承认曹刘之战。因为诸葛亮渡江与孙权谈判，是以鼎足之形为先决条件的，也就是说要孙权承认刘备是荆州的主人，打败曹操，荆州归刘备。刘备是向孙权同盟借兵抗拒曹操的，而且赤壁也在荆州境内，所以曹方说是"与备战"，孙刘结盟，则称"并力"、"俱进"。鼎立之形，也是鲁肃的主张，孙权采纳了。鲁肃从全局态势出发，认为江东之众，不能独力抗拒曹操，极力主张孙刘结盟。周瑜不这样看，他梦寐以求的是全据长江，不承认刘备是荆州的主人，认为江东之众可以独立对抗曹操。所以赤壁之战，周瑜不让刘备全力参战，刘备也乐得保存实力，只派关羽、张飞带领两千人协助周瑜作战。赤壁战后，周瑜独力西上争江陵，而让刘备去收拾江南四郡。周瑜攻下南郡，不交给刘备，他要作为西进巴蜀的基地，同时隔断刘备与曹操的接触，以便控制刘备，只让他当一个配角。这样刘备只占有荆州江南四郡：武陵、零陵、长沙、桂阳。周瑜允许刘备驻屯公安。

荆州七郡，江北有南阳、南郡、江夏三郡。赤壁之战时，江夏尚在刘备手中，周瑜西进，刘备把它让了出来。江夏郡的北部被曹操占领，南阳、南郡在曹军手中。曹操北还，留曹仁、徐晃镇守江陵，周瑜乘战胜之威，率兵数万攻打江陵，与曹仁展开大战。江陵城池坚固，粮食充足，曹仁英勇善战，周瑜几次攻坚均未破城。有一次周瑜到前沿视察，被流矢射伤右胁，伏鞍还营。曹仁乘势叫阵，多次向吴军挑战。周瑜忍着伤痛，巡视各营，激励将士，稳住了军心。曹仁见周瑜防卫森严，也领兵退入城中，闭门坚守。周瑜无力正面突破，采纳了甘宁的计策，西上攻取夷陵，因此，江陵成了一座孤悬的城池，曹仁坚守了一年多，不得不放弃北撤，把战略重镇收缩到襄樊。这样，南郡为孙曹共有，北部重镇襄樊曹操占领，南部重镇江陵周瑜占领。吴军经过如此艰苦得来的江陵，自然不肯轻易给刘备。孙权署周瑜为南郡太守，程普为江夏太守，吕范为彭泽太守，吕蒙为当阳令。江东的精兵强将驻屯在沿江中游一带，随时待命。

刘备攻占江南四郡后，表举刘琦为荆州刺史，这是很高明的策略，既收揽荆州人心，也使得孙权无话可说，真是一箭双雕。不久刘琦病死，孙权表举刘备为荆州牧，刘备表举孙权为徐州牧，显然这是一种互相承认，同时暗示势力划分，荆州归刘备，徐州归孙权。北上抗曹，孙权的方向应是徐州。但周瑜并不把江陵交给刘备。

刘备领荆州牧后，以诸葛亮为军师中郎将，使督零陵、桂阳、长沙三郡，调其赋税，以充军实。刘备有了立足之地，荆州士众依归者日益增多。像庞统、黄忠、马良、马谡、蒋琬、费祎、董允、陈震等人，都先后投归刘备，后来成为蜀汉政权的中坚人物。刘备声名远播，庐江雷绪率部曲数万口归服，给孙权以很大震动。孙权为了加固同盟，把妹妹嫁给刘备。婚姻外交是孙权的惯用伎俩。为了政治大局，刘备认可了这门亲事。

公元 211 年初，刘备为了摆脱被周瑜锁困的处境，他以大无畏的勇敢精神，闯入虎穴，到京口去向孙权借荆州。诸葛亮苦劝刘备不要东行，认为冒险太大。刘备认为，孙权在合肥作战，接连失利，孙吴要在长江北岸建立防线，还须借重自己牵制曹操，“故决意不疑”，料定东行有惊无险，以探亲为名，打点去东吴。

诸葛亮担心，周瑜等要设置陷阱，还真是这样。周瑜上书孙权说：“刘备是一个英雄，又有关羽、张飞这样的熊虎之将为辅，不会长久屈人之下。最好把刘备软禁在东吴，给他高官、宫室，多置美女玩好，让他无话可说，用这个办法把刘备与关、张分开，各处一方。这样我周瑜就可指挥关、张效命疆场，可以完成大业。如果割让土地给刘备，让他们三个人在一起，就像蛟龙得到云雨一样，不会安心在池中了。”吕范也上书孙权，让他扣留刘备。孙权询问鲁肃意见，鲁肃不赞同，他对孙权说：“周瑜、吕范的计谋切不可行。孙将军虽然英明武略，但曹操力量太强大，应当把荆州借给刘备，多一个曹操的敌人，也是给自己多一个朋友，这才是上策。”孙权再三权衡，感到不好驾驭刘备，如果扣留刘备引起内战，曹操南下如何抵敌？他采纳了鲁肃的建议，厚待刘备，决定把荆州借给刘备，把祸水引向荆州。这一消息传到北方，曹操正在写字，大吃一惊，脸面变色，毛笔掉落于地。可见，借荆州给刘备，确是一着妙棋，以至于政治经验丰富的曹操也惊慌失措起来。

鲁肃最早建言孙权夺取荆州，控制长江，这也是孙权集团坚定不移的战略基点。由于形势变化，鲁肃劝孙权借出荆州，表面上是后退了一步，从全局战略看实际是前进了。占领荆州符合孙权集团的最大利益，但在江东之众不能独立抗击曹操的形势下，借出荆州也是符合孙权集团的最大利益。曹刘水火不容，而刘备又是一个英雄，因此借出荆州必然要分散曹操的注意力，减轻东吴的压力。这一全局战略，曹操、刘备、孙权、鲁肃、诸葛亮都看得很清楚。周瑜、吕范等人不识大体，全局战略逊人一筹。由此可见，江东诸将当然是周瑜一般的见识。所以刘备东行，仍然是走钢丝，并不是万全的计谋，当时也是出于无奈。数年以后，刘备与庞统谈论此事，还心有余悸地说：“我当时处境艰难，为了生存和发展，只有硬着头皮东行。”刘备对左右的人也说：“孙车骑身长腿短，一副凌人架势，我再不想见他。”看来刘备东行，是流了几身冷汗的。俗话说：“不入虎穴，焉得虎子。”刘备的冒险，带来了丰硕的成果，孙权答应把用江东健儿的生命和鲜血换来的江陵借给刘备。孙权兑现了结盟的诺言，承认刘备为荆州的主人，鼎立形势初见端倪，所以曹操才大惊失色。

但是，周瑜并不执行孙权对刘备的许诺，他生出一计，整顿军马西取益州，这样南郡作为后勤基地，暂时不给刘备，刘备也无话可说。好像天意在安排三分似的，周瑜不幸病逝巴丘，孙权的西征只好作罢。接着鲁肃接替周瑜为荆州都督，鲁肃践约，把南郡给了刘备。所谓刘备借荆州，实际上是借南郡江陵。刘备打的旗号是北进襄阳，而骨子里却是等待时机西取巴蜀。

刘备借得荆州，取得鼎足的权利，他就希望继续扩展势力，实现隆中路线所确定的目标，跨有荆、益，事业的开拓出现了前所未有的转机。但孙权是“借”荆州给刘备，还保留了所有权，目的是实现全据长江，前据襄阳争衡中原。因此荆州成为孙刘两家又联合又争夺的契机，彼此战略不能相容，矛盾在暗中潜伏。曹操也看出了这一点，在赤壁尝到了孙刘联盟的苦头，于是转而挑拨孙刘，企图分化和瓦解这一联盟。

公元 209 年，也就是赤壁战后的第二年，曹操派九江人蒋干前往江陵，游说周瑜北向。蒋干字子翼，能言善辩，是江淮间的知名人物，与周瑜又是旧交。蒋干拜访，周瑜知道他的来意，抢先封住蒋干的嘴巴，迎面对蒋干说：“子翼，你远来辛苦，大概是无事不登门，替曹操做说客的吧？”蒋干没想到老朋友如此单刀直入，开不得口，只好说：“哪里哪里，我们是同乡，特来对你的赤壁大捷贺喜的，怎么还没进门就下逐客令？”周瑜哈哈大笑说：“我和老哥开个玩笑，我想老哥断不会替曹孟德做卑贱的说客。”于是叙说阔别，设宴赋诗，只谈友情与家常，绝不谈军国大事。周瑜隆重款待了蒋干三天，请他参观军械府库，显示自己的尊荣与江东的实力。周瑜对蒋干说：“大丈夫处世碰上知遇的明主，外托君臣之义，内结骨肉之恩，言听计从，祸福与共，在这种情况下，即使苏秦、张仪再生，郦食其复出，也不可能说得动我，这哪是老哥所能办得到的呢？”蒋干听了，无言以对，只得回去报告曹操，称赞周瑜器度不凡，识大体，不是功名利禄能够离间的，曹操听了，也只能默默不作声。

但曹操并不死心，他又生一计，写信给孙权，说赤壁之战，因北兵有疾病，是他曹操“烧船自退，让周瑜获得了虚名”，用以贬低周瑜，挑拨江东的君臣关系。

公元 211 年，曹操命文章高手阮瑀写信给孙权，信中叙旧，提到孙曹之间的姻亲关系，应该加深感情。赤壁之战，受人挑拨，彼此忘怀。曹操希望孙权内去张昭，外击刘备，恢复友好关系，这样曹操承认孙权拥有大江以南的全部土地。

与此同时，曹操又让阮瑀代笔写信给刘备，说是推心置腹叙述交情，还给诸葛亮送去五斤丁香。曹操这样做，目的只有一个，就是瓦解孙刘联盟。由于形势所逼，孙权需要巩固长江北岸防务，进军淮南；刘备要站稳脚跟，取得生存空间，所以孙刘联盟进入蜜月。孙权借地给刘备，打破了曹操挑拨离间的幻想。曹操虽然没有达到瓦解联盟的目的，但他极为重视孙刘联盟，不再重蹈赤壁之战的覆辙，无疑是明智的。

西取巴蜀

巴蜀，即巴郡、蜀郡，为今四川及云贵地区，土地肥沃，物产丰富，有“天府之国”的称誉。公元188年，汉宗室刘焉出任益州牧。刘焉见天下将乱志在割据益州，所以他带了很多亲戚故旧入蜀，同时又把由南阳和长安一带进入益州的流民收编成军队，号称“东州兵”，作为基本骨干，用以对抗益州土著地主集团。刘焉为了树立自己的威信，他找岔子杀了益州豪强王咸、李权等十余人，激起了犍为太守任岐和豪强土著贾龙的武装反抗。结果，刘焉取得了胜利，站稳了脚跟。但客籍地主与益州土著地主之间，矛盾仍然十分尖锐。

公元194年，刘焉病死，其子刘璋继任益州牧。刘璋“性宽柔无威略”，豪强肆恣，小民怨愤。刘璋也不能用贤，别驾张松、军议校尉法正等智能之士，思得明君，他们投向了刘备的怀抱。

公元208年，曹操南下荆州，刘璋不断派出使者向曹操表示归附。张松是第三批使者，他到荆州庆贺曹操的胜利。由于张松是个矮子，貌不惊人，曹操没有礼遇他。曹操丞相府主簿杨修是一个博学之士，他早听说张松很有才学，想一睹张松风采，接待了他。杨修初见时也有轻视之意。在谈吐间，张松不俗，杨修敬重起来。杨修把曹操写的《孙子兵法注》拿给张松看。张松在宴会上边吃边看，过目不忘，宴会席散，张松也看完了兵书，他合上书，一字不差地背诵下来，使得杨修更加刮目相看。杨修向曹操赞誉张松的才学，曹操仍不肯录用。张松一气之下去见刘备，受到热情款待。张松回到益州，竭力劝刘璋拒绝曹操而结纳刘备。曹操从赤壁败还，刘璋正式断绝了曹操的往来。不久，刘备阻拦了孙权伐蜀，刘璋更为感激。张松趁势劝刘璋延请刘备入蜀北伐张鲁。刘璋问谁能出使荆州，张松推荐密友法正、孟达两人。两人到荆州，与刘备一见如故，并定下君臣之分。法正向刘备报告了益州虚实，府库钱粮，人马兵器等情报，还画了益州地图献给了刘备。刘备让法正回益州复命，把孟达留了下来。后来刘备入蜀，委派孟达任宜都太守。

法正回到成都，与张松两人倾心相结，密谋迎接刘备入蜀。公元 211 年，张松借曹操进兵关中的时机，劝刘璋派法正迎请刘备入川，巩固益州防卫。刘璋采纳了张松的建议，派法正领兵四千迎请刘备。益州主簿黄权谏阻，认为刘备入蜀，将要造成益州累卵之危。刘璋不听，把黄权贬出成都为广汉长。益州从事王累直陈刘璋“引狼入室”，把自己倒吊在州府门口，以死谏诤，刘璋还是不听。法正到了荆州，见刘备军容整肃，劝说刘备趁机占据益州，建立基业。庞统也劝刘备。刘备十分高兴，以庞统为军师，亲自领兵数万，向益州进发。荆州重镇，为后勤基地，留下诸葛亮主持政务，关羽、张飞、赵云等大将也留守荆州待命。

刘备入蜀，刘璋带兵迎接，两人相会于涪城（今四川绵阳）。庞统劝刘备在宴会时擒拿刘璋，可以不用争战交锋，垂手得一州。刘备认为这样太失道义，断然拒绝。庞统又献上中下三策。上策是出其不意轻进取成都；中策是诈称还救孙权，向刘璋借兵借粮，刘璋不借，名正言顺讨伐；下策是退还白帝城，引荆州之援，徐图进取。刘备取中策，等待时机。他与刘璋欢宴百余日，带兵北上攻张鲁。刘璋给刘备荆州军补充了许多物资，又派大将杨怀、高沛统领白水军隶属刘备指挥。刘备到达葭萌关（在今广元西南）停兵不前，在川北一带“厚树恩德，以结众心”，培植根基。

公元 212 年十月，曹操进兵江北，与孙权战濡须，刘备认为实施夺取益州的时机到来，于是给刘璋写信，要求回师荆州。信中说：“曹操征吴，孙权危在旦夕，我与孙将军唇齿相依。还有，乐进与关羽相拒，荆州兵力微弱，如果不回师救援，一旦荆州失守，益州危害更大。汉中张鲁不过是自守之贼，不足担忧。”信中向刘璋借兵一万，以及相应军资粮草。刘璋很不高兴，但又无可奈何，打折扣借兵四千，粮草军资给半数。刘备借此动员全军，宣布刘璋不义，薄待同盟，决定进兵成都。十二月从葭萌关还军攻刘璋。

这时，为刘备内应的张松，不知刘备借口东行是用计，他写信给刘备说：“如今大事垂手可成，为何放过这机会远走呢?”信还没发，被张松的哥哥广汉太守张肃发现，张肃向刘璋告密，刘璋诛杀了张松，并发下公文，敕令各关口加强戒备，不再听命于刘备。刘备探知消息，抢先召见白水关杨怀、高沛二将，指责他们待客无礼，立即军法处斩。这样，刘备不战进了白水关，收编了蜀军，长驱南下，占据了涪城。

刘璋组织力量在绵竹一带阻击刘备，两军相持一年多。蜀军吴懿、李严、费观等相继率部投降，刘备军势更盛，但一时不能决战胜利，蜀将刘璝、冷苞、张任、邓贤等，进行顽强抵抗。公元214年五月，刘备攻围雒城（今四川广汉），军师庞统不幸被流矢所中身死，刘备失去了一只臂膀。接着刘备兵围成都。这时，诸葛亮与张飞、赵云率荆州援军赶到，两军会师成都，刘璋投降，刘备取得了益州。公元214年六月，刘备攻打成都，许诺城破之日，府库财物，任由自取。刘备进入成都，钱粮宝货都被士兵抢光了，得了一座空城，十分忧心。刘备咨问刘巴，刘巴说，赶快铸造一枚值百钱的新币，定出物价，令各官府部门收购物资。刘备采纳了这一建议，数月之后，府库重新充实起来。益州安定以后，许多人主张把成都城内外的土地房屋分配给诸将。赵云提出反对意见，他认为现在国贼祸乱汉室，切不可追求安乐，等到天下安定，诸将各回本土，安家立业。现在应该把土地房屋归还给本土人民，让他们安居乐业，然后征调赋税。这样既能得民心，又能满足财政军备的需要。赵云这番话很有政治远见，刘备采纳了，把土地房屋归还了益州土著士民，着手蜀汉政权的建设。

刘备入蜀，自称益州牧。追随刘备的文臣武将，以荆州人士为核心，他们反客为主，成为蜀汉政权的中坚。诸葛亮、关羽、张飞、赵云、麋竺、简雍、黄忠、魏延、马良、马谡等都委以重任，诸葛亮为军师。刘璋旧部董和、黄权、李严、吴懿、费观，土著法正、张裔、彭羕等均给以显爵。这样，刘备的荆州集团、刘璋的东州集团、蜀中土著豪强，三者取得了相对的平衡，蜀汉初建形成了一片欣欣向荣的气象。用今天的话说，刘备很重视统一战线的建设。黄权曾经反对刘璋迎请刘备，又在广汉坚守抗击刘备，刘备非但不追究，还任命黄权为偏将军。刘巴，字子初，荆州零陵人，一直不与刘备合作。刘备征讨荆州江南诸郡，刘巴替曹操招降长沙、零陵、桂阳三郡。诸葛亮写信招他，他不听从，辗转流寓入蜀投效刘璋。刘备围成都，专门下达一条军令："谁敢谋害刘巴，诛灭三族。"成都攻破，刘巴谢罪，刘备也委以重任。

刘备通过兼顾各方的人事安排，缓和了主客之间的矛盾，蜀汉政权初步稳定下来，只是刘备尚未称王称帝罢了。

南争江南

孙权得知刘备取得益州，气愤地对左右说："这个狡猾的强盗，欺诈到我的头上了。"这时孙权攻克淮南皖城，曹操举十万之众与孙权相争，无功退回。孙权巩固了江北防线，决定西进，与刘备交涉荆州。

公元 210 年，周瑜整众想西取益州，不幸病逝巴丘。接着鲁肃主事，借南郡给刘备。孙权自认为有恩于刘备，于公元 211 年遣使通告刘备，联合西取巴蜀。这是一个难题。刘备若答应孙权的要求，自己将为前部，孙权必定顺势取回荆州，岂不前功尽弃。荆州主簿殷观给刘备出了一个好主意，解脱了困境。这主意就是刘备在口头上答应与孙权合兵取巴蜀，同时借口荆州新定，内部不稳，时机还不成熟，孙权是不敢越过荆州孤军征蜀的。但孙权也不示弱，立即提上议事日程，他派孙瑜率领大军西进，驻屯到夏口。孙权致书刘备说："张鲁称王汉中，替曹操作耳目，图谋夺取益州。刘璋不能自守，如果让曹操取得蜀地，那么荆州就危险了。我打算先攻取刘璋，再进讨张鲁，让长江一线首尾相连，即有十个曹操也不怕。"刘备当然不答应，回答说："益州地险民富，刘璋虽然暗弱，但还是有能力守卫。张鲁两面讨好，并不效忠于曹操。现在用兵蜀汉，转运万里，未必能取胜。万一失利，曹操趁机南下，该怎么办？我们同盟之间，不要自相攻打。"孙瑜率水军西上，刘备不准过境。他派关羽守江陵，张飞屯秭归，诸葛亮守南郡公安，刘备亲自坐镇孱陵。孙权不得已召还了孙瑜。这是公元211年正月间发生的事件。同年八月，曹操西征关中马超、韩遂，马韩失败，韩遂西走，马超南奔张鲁。刘璋听说刘备阻挡孙权西进，十分感激，于是采纳张松建议，请刘备入蜀。刘备援助同宗，北讨张鲁，孙权也无话可说。孙权心中不平，遣使迎接妹子刘备夫人归吴。孙夫人携刘备之子刘禅还吴，企图为人质。张飞、赵云勒兵截江，夺回了阿斗。孙刘矛盾已展开了暗中斗争。三年后，刘备用武力夺了益州，孙权怎能不愤怒。

公元215年五月，孙权派诸葛瑾向刘备索求荆州江南三郡，刘备不许，说："我正要进兵凉州，等凉州平定后，我把荆州全部还给江东。"孙权说："这是赖账，用空话拖延时间。"孙权先礼后兵，决定用武力夺取。他为了师出有名，先派出江南三郡的地方行政长官。关羽不承认，全部驱赶出境。孙权随后进兵，派吕蒙为都督，发兵两万夺取江南三郡。吕蒙致书三郡长官，陈说道理，分析利害，长沙、桂阳两郡不战投降，零陵郡太守郝普，字子太，坚守不降。这时刘备亲率五万大军出蜀，坐镇公安，派关羽统兵南下益阳与吕蒙争江南三郡。孙权也进驻陆口指挥，派鲁肃领兵一万敌住关羽，并急召吕蒙放弃零陵还军支援鲁肃。吕蒙不肯放弃零陵，急中生智，他要在一夜之间夺取。吕蒙不宣布撤军，而是下达战斗动员令，令全军作好攻城准备，同时他找来郝普的好友邓玄之入城劝降。吕蒙对邓玄之说："郝子太想做一个忠义之士，精神可嘉，但是他不识时务。现在左将军刘备陷在汉中，关羽驻屯在南郡，我方至尊孙权亲统大军在后。我明日就要攻城，刘备、关羽哪能救得了零陵。你是郝子太的老友，劝说他不要固执，想一想百岁老母的命运，不要城破之后，绑赴法场。”郝普信以为真，感到外救无望，开门出降。吕蒙立即发令攻城军队开赴益阳。这时，吕蒙才把孙权给他的撤军书信展给郝普看，郝普才知刘备在公安，关羽在益阳，后悔得只想往地缝里钻。

鲁肃在益阳与关羽对阵，他从同盟大局出发，写信给关羽会谈。关羽要鲁肃前往，鲁肃慨然允诺。东吴诸将恐生不测，阻止鲁肃。鲁肃说：“今天的事，应当开导关羽和平解决。刘备对不起江东，是非鲜明，料想关羽不会胡来。”《三国演义》第六十六回写关羽单刀赴会，恰好作了一个颠倒，用以刻画关羽的勇武，把鲁肃写成了一个懦夫。其实益阳会谈，鲁肃才是铮铮一男子，挽救了同盟。

鲁肃责备关羽，江东借荆州给刘备，现在只是索讨江南三郡也不给，于理为亏。关羽说：“乌林鏖战，左将军亲临战阵，共同努力破敌，我们也不是平白无故得的荆州，为何来讨取？”鲁肃说：“话不能这样说。当时刘豫州兵败长坂，没剩下几个人，走投无路，打算远逃，哪里还想到有荆州？我主孙权同情刘备，借兵借地让他有个资本，想不到刘备损害道义，破坏交情。现在他得了西川，还想赖住荆州，即使是一个平常人也不这样做，何况是一个要干大事业的人呢？鲁肃听说，贪而无厌的人，一定要遭祸。你关将军身负重任，不用大义扶持刘备，反而要用弱小的军力来争斗，既没理，又无力，后果是不堪设想的。”一席话说得关羽无言以对。

鹬蚌相争，渔人得利。刘备五月率军下公安，曹操七月兵进汉中，蜀中一日数十惊。刘备害怕益州有失，与孙权求和。鲁肃力主和议。孙刘双方以湘水为界中分荆州，长沙、桂阳、江夏三郡属江东；南郡、零陵、武陵三郡属刘备。孙权做出让步，将零陵郡归还刘备。

孙刘联盟，为了共同抗御强敌曹操。但两家的利害冲突，矛盾不可调和。眼看就要打大仗，由于曹操兵进汉中，又迫使两家握手言和。曹操夺取汉中以后，分兵攻下益州巴郡，而刘备又远在公安，所以成都一日数十惊，纷纷传言曹兵来了。诸葛亮镇守成都，以造谣罪诛杀惊变的带头人，也制止不了人心的浮动。曹操谋士司马懿进言说："刘备用诈力夺取了刘璋的益州，蜀人还未心服，他又远在荆州。现在我们占有汉中，益州震动，如果进兵，必定瓦解。"主簿刘晔也说："现在乘胜进兵，定能取蜀。如果迟迟不动，等到蜀民安定，据险守要，就难攻打了。"这时曹操却犯了迟疑的错误，他冒进赤壁战败，仍心有余悸，于是自我解嘲地说："人心不足，得陇望蜀。"他拒绝了谋士的建议，留夏侯渊与张郃守汉中，大军撤回。当然曹操并非不想得蜀，他顾虑后方不稳，怕进兵逼使孙刘更紧结盟，刘备回西川，孙权犯淮南，与其孙刘结盟，不如挑动孙刘相攻，于是缓进益州。曹操的顾虑也是有道理的，但是曹操仍然没有把握好时机。孙刘未动干戈，他兵进汉中，失之于早；既然占了汉中，不长驱入蜀，又失之于怯。结果孙刘两家还是携起手来，刘备掉头回川，孙权兵进合肥。

从全局看，刘备用武力争江南三郡是失策的，丧失了争汉中的最好时机，后来费尽力气，只得其地而不得其民。蜀人廖立就提出批评，他对蒋琬说："当年先帝不取汉中，跑去与吴人争夺江南三郡，最终还是把三郡割给吴人，白白地浪费兵力，无功而还。丢失汉中，使夏侯渊、张郃深入巴郡，差点丢失整个益州。后来又去争汉中，导致关羽失荆州，片甲不存，接着上庸又丢失，损失了半个天下。"廖立的批评是相当精彩的。刘备争江南三郡，腹背受敌，假如不是孙权让步，益州肯定不保。当然孙权也不是发善心，他从全局考虑，如果刘备丧失益州，一定迁怒于吴，将荆州之众全力攻吴，曹操乘机南下，那就是孙权腹背受敌了。孙权见好就收，得了江南长沙、桂阳两郡，让刘备返回西川去牵制曹操。孙权的战略灵活多了。

吴蜀矛盾暂时冻结起来，但它没有消失，它还将在适当时候更激烈、更有力地爆发出来。

北定汉中

汉中郡在今陕南，古属益州，郡治南郑，即今汉中市。汉中四围环山，中间汉水穿过，形成一个小盆地，土地肥沃，物产丰富，是曹操与刘备必争的战略要地。汉中是益州的北大门，进可攻关中，退可守益州。曹操得汉中，可使益州无险可守，形成对刘备的直接威胁。汉中是双方前进的桥头堡，对于刘备来说，更是生死攸关的战略要地。

割据汉中的是"五斗米道"头领张鲁。"五斗米道"与"太平道"一样，都是原始道教，在汉末传播，组织农民起义。"五斗米道"的创始人是张鲁的祖父张陵，后世称张天师。信教的人要出五斗米为入教经费，因此称"五斗米道"。公元 184 年，张角利用"太平道"组织黄巾军起义。这时张陵已死，其子张衡为"五斗米道"道长，他在汉中率教徒起义与黄巾军呼应。张衡死后，张鲁继承基业。张鲁在割据境内交通要道设"义舍"，供给过往教徒酒食，不用付钱，吃饱为止，"民夷便乐之"。刘焉出镇益州，笼络张鲁，封他为镇民中郎将，领汉宁太守。张鲁成了一个合法的封建割据者。

汉中封闭，人才不广，张鲁势单力弱，他要摆脱刘璋的控制，与益州交恶。由于刘璋懦弱，才使得张鲁在汉中延命三十余年。所以曹操进军，没费多大力气就攻取了汉中。张鲁不想抵抗，他的弟弟张卫不肯，率众在阳平关坚守。曹操久攻不下，打算退军，张鲁却封府库，逃出南郑。公元 215 年十一月，张鲁投降曹操，拜镇南将军，封阆中侯。

公元 218 年，益州经过数年休整，士马精强。法正建言刘备北定汉中。法正说：

曹操一举攻克张鲁，兵进汉中，但没有一鼓作气图取巴蜀，只留下夏侯渊、张郃。两人的才能谋略，敌不过我方将帅，如果发兵征讨，一定能取胜。占有汉中，广种粮谷，积蓄力量，等待机会，进可讨灭曹操，中兴汉室；退一步说，可以蚕食雍凉，扩大地盘；最低的收获，占据汉中要塞，巩固益州与敌人长期相持。这是上天留下的好机会，切不可错过。（《三国志·法正传》）

刘备得益州，深深感谢法正的辅佐，任命法正为蜀郡太守、扬武将军，外掌成都京畿治安，内为谋主，言听计从。法正建言北定汉中，正合刘备心意。于是刘备亲率诸将往讨，以法正为谋主，张飞为先锋。诸葛亮留镇成都，主持政务，供给军资。曹操闻讯，也坐镇长安，调兵遣将。曹刘汉中之战，正式展开。

刘备分遣将军吴兰、雷铜进入武都为侧翼，两将全军覆没。刘备大军屯驻阳平关，夏侯渊凭险据守，争战一年多，刘备才渡过沔水，沿山步步推进。公元219年春，进逼定军山。定军山在今陕西勉县东南，地势险要，是汉中西面的门户，如果丢失，汉中不保。夏侯渊亲临战阵，借山势建起坚固营垒，在营垒四周围起鹿角栅栏，自认为固若金汤，坚守不出，与蜀军打阵地战。

夏侯渊字妙才，是夏侯惇的族弟，曹军中有名的骁将。夏侯渊在关西败马超、擒宋建，荡平关右，名声很大。曹操称赞他“虎步关右，所向无前”，所以选拔他为汉中督。但夏侯渊有勇无谋，留下张郃为助手。刘备先锋将是老将黄忠。黄忠字汉升，南阳人，曾任刘表中郎将。曹操得荆州，拜黄忠为裨将军，辅助长沙太字韩玄。刘备定荆州江南四郡，攻下长沙，收了黄忠。刘备入蜀，黄忠常为先锋，经常身先士卒，陷阵登城，勇冠三军。刘备得蜀，封黄忠为讨虏将军，并派黄忠争定军山。夏侯渊、黄忠两员虎将相斗，这场战斗异常激烈。

蜀军围困定军山，刘备用法正计谋，步步为营，四面紧逼，又出没无常，声东击西。在一个漆黑夜晚，蜀兵偷近曹军营寨，放火烧鹿角，夏侯渊分兵补修鹿角，张郃在东面，自己挡在南面。刘备集中兵力攻击东面，张郃支撑不住，夏侯渊分南面之兵援助张郃。黄忠率精锐攻击夏侯渊，夏侯渊不敌，临阵战死。蜀军夺了定军山。刘备升任黄忠为征西将军。

曹操留夏侯渊镇汉中，也担心他逞勇寡谋，要出大事。曹操留张郃为辅，又告诫夏侯渊不要蛮干恃勇。夏侯渊没有领悟曹操的劝诫，果然在定军山逞勇败亡。幸亏张郃智勇双全，他沉稳地收拾散卒，退守阳平关，抚慰将士，固守待援，阻挡了刘备的乘胜推进。

曹操在长安得知夏侯渊战死，大为震惊，亲自督军从长安出斜谷，直奔阳平关前线。刘备一方是得胜之军，曹操一方投入了生力军，数量也多于蜀军。刘备对诸将说："我军已得汉中，曹操亲自来争，也无能为力，汉中必然归我所有。"曹军后勤线太长，千里转输不能持久。刘备抓住曹军的弱点，坚守险要，不与曹操主力决战，还派黄忠、赵云抄劫曹军粮道。一日曹军运粮来至北山，黄忠领兵劫粮，赵云为后援。中途赵云与曹操大军遭遇，且战且退回到营垒。敌众我寡，赵云下令大开寨门，偃旗息鼓，令弓弩手埋伏寨外壕中。曹军逼近寨门，见蜀军不守寨墙，不鸣金鼓，赵云一人匹马单枪立于门外，疑有伏兵，不敢进攻，传令退兵。赵云见势，挺枪招展，壕中弓弩齐发，擂鼓震天，虚张声势，曹军不知虚实，惊慌逃走。这是赵云情急生智使出的真正"空城计"，吓退了曹兵。第二天，刘备率大军来到赵云营寨，察看战场，细问士兵战斗经过，动情地称赞赵云说："子龙一身都是胆也。"

曹操在阳平关与刘备相持了一个多月，军中粮食供应匮乏，不少士兵开了小差。曹操欲战不得，欲退不能，举棋不定。无意中曹操下达军队口令为"鸡肋"，全军将士不知其意。主簿杨修却整理行装，做好撤退的准备。大家惊问他为何如此。杨修说："魏王下达口令为'鸡肋'，这意思就是比喻汉中为鸡肋，丢了可惜，吃起来又没有多少肉。很明显，魏王就要退兵了。"没几天，曹操下达了撤军命令，放弃了汉中，回到长安。

杨修识破曹操口令机密，还把它宣扬出来，曹操十分恼怒。后来杨修交结曹植，卷入曹操立嗣之争，曹丕太子地位巩固以后，曹操疏远曹植，惩治朋党，诛杀了杨修。

曹操退出汉中，他把汉中西面的武都、阴平二郡氐人五万余落迁入关中。武都、阴平两郡屏蔽汉中，后来诸葛亮北伐，果然夺了武都、阴平两郡。早在公元 215 年，曹操攻占汉中，他就做了两手准备，预料刘备全力争汉中，把汉中之民迁到关中。因此刘备攻取汉中，只是一块空地，不能在短时间建成进攻曹魏的前沿基地。诸葛亮北伐每每苦于粮饷跟不上，只好令军士屯田汉中，费了很大力气，收效甚微。曹操的战略眼光，确实高人一筹。

刘备与曹操在汉中相持，为了牵制曹操的力量，命关羽北伐襄阳。刘备取得汉中之战的胜利，关羽在襄阳也频频告捷。曹操退兵，刘备扩大战果，派刘封从汉中东出进攻上庸（今湖北竹山西南），又命令驻守宜都的孟达从秭归北上，攻取房陵（今湖北房县）。刘、孟两军在上庸会师。如果关羽攻下襄阳，则汉中、上庸、襄阳将连成一线。蜀军北伐，汉中之兵出关中，襄阳之兵指宛、洛，上庸之兵可以两边策应，还可从武关攻入关中，与汉中之兵成钳形之势攻取长安。因此，上庸在三分鼎立的态势下，是一重要军事基地。刘备定汉中，取上庸，军事胜利达于顶峰。

公元 219 年七月，刘备在汉中自称汉中王。

刘备取汉中，还得力于孙权在东线发动的合肥之战。公元 217 年冬，曹操兵出淮南，刘备趁此时机北上汉中。如果没有孙权在东方吸引和牵制曹军主力，刘备非但难以争汉中，甚至益州都难以确保。反过来，如果没有刘备在西线打击曹操，孙权在东线也难以巩固江北防线。西线的汉中之战与东线的合肥之战，虽然远隔数千里，恰恰是孙刘同盟协同的战斗，兵多将广的曹操，一忽儿往东，一忽儿赶西，东跑西颠，顾东顾不了西，疲于奔命，被动挨打。孙刘联盟从公元 208 年的赤壁之战，到公元 219 年的汉中之战与合肥之战，十年同盟，生龙活虎，而强敌曹操只是来回招架。至此，曹操的席卷四海，一统天下的理想，彻底化为了泡影。

刘备集团的迅速发展，孙权很不高兴。荆州在吴国上流，关羽得势，使孙权有腹背受敌之感。孙权不愿夹在两大国之间做一个配角，又由于他在合肥受挫，想把曹操势力引向刘备，于是掉转矛头来争荆州。曹操陷于两线作战的苦头，总想离间吴蜀。孙曹出于各自的利益，走到了交叉点上。曹操利用孙曹联姻的微妙关系，互相拉起手来。孙刘两家的荆州争夺，就在刘备高奏凯歌声中，重又暗暗地拉开了序幕。

白帝托孤

刘备在汉中称王，被胜利冲昏了头脑，他和诸葛亮忙于规划两路北伐的战略，缺乏对全局的分析。孙刘结盟，公元208年的联兵抗曹和公元215年的中分荆州，孙权两次退让是着眼于全局的以退为进，刘备与诸葛亮都错误地视为软弱。至于逞强好胜的关羽，更没把孙权看在眼里，他北伐襄樊，擅自调用孙权在长沙的储粮。关羽作茧自缚，他已腹背受敌，可是仍贪恋眼前的胜利不肯撤离，而且错误地把留守江陵的部队也调集前线，使后方江陵成了一座空城。公元219年十二月，吕蒙袭荆州，关羽全军覆没，父子被杀，蜀汉受到惨重损失。

公元221年，太傅许靖、安汉将军糜竺、军师将军诸葛亮、太常赖恭、光禄勋黄柱、少府王谋等上表劝进。表文说：

> 曹丕篡弑，倾覆汉室，窃据神器，迫害忠良，酷烈无道，人神共忿，怀念刘氏。现在上无天子，人心惶惶。群臣士民前后联名上书有八百多人，希望汉中王早登大位，满足四方的人心所望。

刘备经过一番谦虚辞让，四月初六日，祭天即皇帝位，重建汉朝，建元章武。刘备即位，激励士气，振旅东出，企图重新夺回荆州。孙权得知刘备即位，把都城从建业西迁到鄂县，改名武昌（即今湖北鄂城县），寓意武运昌盛。孙权都城西移，加强荆州战备。

公元221年七月，刘备自将八万军征吴，孙权求和，刘备不许。公元222年闰六月，吴将陆逊大破刘备于夷陵，蜀军只有千余人逃回。蜀汉连遭大败，元气大丧。刘备无颜回成都见蜀中父老，驻跸白帝城。刘备忧忿成疾，于公元223年四月病逝于白帝城永安宫，终年63岁。诸葛亮受遗命辅后主，改元建兴。

刘备病重，召丞相诸葛亮、尚书令李严嘱以后事。刘备对诸葛亮说："丞相才能十倍于曹丕，一定能安定国家，完成大业。如果嗣子可以辅佐，你就辅佐成业；如果不可造就，丞相可以取代。"诸葛亮痛哭失声，拜伏于地，对刘备说："臣敢不尽心竭力，效忠贞之节，以死报效陛下。"刘备又写下手书，告诫后主刘禅说："人活到五十岁就不算短命，我已活了六十多岁，死了没有什么遗憾，只是非常挂念你们兄弟，有些放心不下。你要努力上进，不要以为小恶就不在意，也不要以为小善就不去做。只有加强品德和才干的修养，才能使人心服。你要勤奋读书，《汉书》《礼记》《诸子》《六韬》《商君书》，既能增长人的智慧，又可锻炼人的意志。听说丞相已把《申子》《韩非子》《管子》《六韬》等书抄写一遍，要认真学习，多多请教。"刘禅有庶弟两人，刘备即位后封为王。刘永为鲁王，刘理为梁王。刘备把两王叫到床前，谆谆教诲，说："我死之后，你们兄弟，要像父亲一样对待丞相。"对李严，刘备遗命加官中护军，统内外军事，留镇永安。白帝为三峡上游峡口，形势险要，刘备改名永安，由李严镇守，以防御东吴。

诸葛亮等扶刘备灵柩回到成都，五月安葬在南郊。

刘禅即皇帝位，时年17岁，政事无分大小，都裁决于诸葛亮。从此，诸葛亮全面肩负了蜀汉的治国重任。

刘备的历史贡献

刘备的一生，可分为三个阶段。从公元184年镇压黄巾起家到公元207年三顾草庐得诸葛亮相辅，为第一阶段，逐鹿中原，屡仆屡起而战斗不息。公元 208 年赤壁之战到 221 年夏四月即皇帝位，为第二阶段，执行隆中路线，事业发展，成天下三分鼎足之形。公元 221 年七月伐吴到公元 223 年四月病逝永安宫，为第三阶段，伐吴失败，晚景悲凉，成为三国时代最令人叹息的悲剧英雄。

刘备对于历史的贡献，主要有两个方面。一是他为救世所作的努力，建立蜀汉而成就英雄的业绩，二是他的悲剧结局所捍卫的道与义给予历史的影响。

刘备起自微贱，没有什么凭借，完全靠他不屈不挠的主观努力，打出一片天下。西晋历史家陈寿倾心折服，喻之为高祖。陈寿在《三国志·先主传》中用了许多特写之笔，来点画刘备是天定的皇位继承人。如：刘备相貌非凡，“垂手下膝，顾自见其耳”；刘备的神奇有自然征兆，“屋舍东南有一颗长着车盖形的大桑树，征兆贵人出世”。这和《史记·高祖本纪》写刘邦的笔法一样，无非是在刘备的头上加上一道五彩光环。这是古人在探索微贱英雄人物时的一种普遍认识，既是历史局限性，也是史家倾注的一种感情。陈寿把刘备与曹操进行对比，明显地是褒扬刘备而贬抑曹操。《三国志·武帝纪》写曹操身世说他“莫能审其生出本末”，与刘备出身“汉景帝子中山靖王胜之后”也形成鲜明对照。曹操“少机警，有权术，而任侠放荡，不治行业，故世人未之奇也”；刘备“少语言，善下人，喜怒不形于色，好交结豪侠，年少争附之”。事实上，“任侠放荡”与“交结豪侠”是一样行为，但品格有高下。曹操放荡无节，被世人看不起；刘备豪爽有城府，被目为英雄。在逐鹿中原中，曹操“所过多所残戮”；而刘备所居，人心归附。但是刘备才干不如曹操，“机权干略，不逮魏武，是以基宇亦狭”。陈寿一褒一贬的对比写法和评论，说明这位西晋史家很看重历史人物的道德信义对于历史的影响。我们说刘备的悲剧最令人叹息，原因也正是如此。

刘备的政治品格，有别于汉末所有军阀，确实具有救世济民的用心，许多方面值得肯定。举其大要有以下三点：

其一，兴复汉室，终生为之奋斗，百折不挠。东汉政权，极其腐败。如果刘备以帝室之胄来光复这个腐败的政汉，那当然不值得肯定。刘备与诸葛亮论及两汉政治，认为"亲贤臣，远小人"是西汉"所以兴隆"的原因；反之，"亲小人，远贤臣"，是东汉"所以倾颓"的原因。每论及此，刘备"未尝不叹息痛恨于恒、灵也"，说明刘备"兴复汉室"，不是维护东汉的腐败政治，而是维护统一，要恢复西汉的盛世政治。所以他临终托孤，对诸葛亮说，嗣子可辅则辅，如不可辅君可自取，把政权毫无保留地交给一个贤能之臣来治理，在中国封建皇帝中是没有先例的，也无后来者。诸葛亮感念刘备的托孤和效法刘备的精神，所以他安定国内以后，亲自主持北伐，北驻汉中，鞠躬尽瘁，死而后已。后世人民颂扬刘备和诸葛亮，并不是颂扬他们维护正统的思想，而是颂扬他们百折不挠的奋斗精神。

其二，知人善任，尽其器能。刘备领益州牧后，以宽宏的器量，做了积极的人事安排，长期追随刘备的有功之臣、刘璋的旧部、益州的知名人士、曾经反对过自己的仇人，刘备都做了恰当的安排，调动了各个方面的积极因素，使新建的蜀汉呈现一片兴旺气象。刘备拔魏延为汉中督，用李恢安抚南中，临终托国诸葛亮，都说明了他的识人卓见和用人气度。

其三，恭谦下士，抚爱百姓。刘备以其一生坎坷十分注意争取士心民心的归附。他招揽英雄以致于三顾草庐，他取得益州后，有人建议把成都城中的屋舍及城外的园田桑地分赐诸将，刘备采纳了赵云的建议，田宅皆归还原主，令人民安居乐业。

以上三点是刘备独具的政治气质，也是他成功地建立蜀汉的根本原因。刘备数十年颠沛流离，关羽、张飞、赵云都紧紧追随，得人死力。但是，刘备作为一个封建政治家也并非完美无缺。他执行隆中路线，夺取荆州、益州，本质上就是运用权谋，"伐人之国以为乐"，却又要不露权谋手段，讲求宋襄公式的仁义，失去最好的战机。夷陵之战，更是一次不可救药的失误。刘备用人唯亲，蜀将多不睦，如既用孟达取上庸，又用刘封去监军，造成二将不睦，对关羽坐视不救。马超、赵云都未尽其才。这与上文所说刘备知人善任，尽其器能并不矛盾，封建时代的专制体制使任何一个开明之主都具有两面性。刘备，包括诸葛亮都不例外。至于刘备以言语不逊诛杀张裕，和曹操杀边让、杀孔融没有两样。刘备身上由于有这些弱点，而失去了“问罪曹氏之津”，令人感慨。但是，大节上刘备与曹操是两种类型的人物，刘备的宽仁信义影响历史，远及后世，这是没有疑义的。

第八章　夷陵之战

夷陵之战，是吴蜀争夺荆州，从大局说是曹孙刘三方争夺荆州的最后一个回合。此役吴胜蜀败，形成了三分的地理均势，正式确立了三国鼎立的局面。同时也是拉开了北方统一南方斗争的序幕，因为夷陵战后，蜀弱吴孤，两国俱受损伤，北方的绝对优势从此确立。这两个方面是夷陵之战对于历史的重大影响。此外，吴将陆逊，在夷陵之战中，创造了在势均力敌的情况下，打了一场大规模的歼灭战，丰富了中国军事史的内容。长期以来，学术界研究夷陵之战，牵强附会地论证以少胜众，以弱胜强，甚不得要领，附带辨正。

荆州形势

在以刀枪剑箭戟为兵器作战的古代，地理形势是天然的重武器。城防设施，主要是屯粮、挖壕、筑墙。益州四面高山，长江天堑，就是天然的高墙深池。荆州处在东西南北的中心和要冲上，又恰是长江天堑的中流，所以荆州的地理位置在南北对峙中，成为兵家必争之地。南方北伐中原，荆州是最佳位置的前进基地。北方南下统一江南，不突破荆州，无法攻占长江下游地区。所以顾祖禹说："盖江陵之得失，南北之分合判焉，东西之强弱系焉，此有识者所必争也。"（《读史方舆纪要》卷七八）所以，袁术据淮南，首先就是争荆州，孙坚为之丧身襄阳。曹操挟献帝都许昌以后，连年进攻荆州，因北方未平而未得手。诸葛亮的隆中路线是跨有荆、益，他说："荆州北据汉沔，利尽南海，东连吴会，西通巴蜀，此用武之国。"鲁肃说，荆州"外带江汉，内阻山陵，有金城之固，沃野万里，士民殷富，若据而有之，此帝王之资也"。总之，曹孙刘三方，谁占领荆州，谁就在实力上可以得到很大地增强。曹操占领荆州，逼降孙权以统一天下；孙权占领荆州，要全据长江与曹操抗衡；对于刘备来说，荆州是立身之地，借此而居以待天下之变。荆州成了曹孙刘三家逐鹿中原的要冲，它的归属将影响历史步伐的节奏。

曹操、孙权、刘备都有统一天下之志，所以他们各自的战略方针有一个共同点，就是都把夺取荆州列为首要的战略目标。三国形成时期的军事、外交斗争，可以说是曹孙刘三方对荆州的争夺。三方战略正是由于有争夺荆州这一共同点而互不相容。公元 208 年到 219 年的十年之间，荆州三易其主，进行了五个回合的争夺。公元 208 年，曹操南下，兵不血刃下荆州，荆州易主，是三方争夺荆州的第一个回合。紧接着赤壁之战是曹孙刘三方争夺荆州的第二个回合。曹操南下，全据荆州，赤壁之战，孙刘联手瓜分了荆州，拉开了三分鼎立的序幕。曹操占有南郡和江夏郡北部，以襄阳为重镇，阻止联军北上。孙权占据南郡和江夏郡南部，全据长江形胜，打通了西进益州的大道。江陵、夏口两大重镇都在孙权之手。刘备据有江南四郡，有了立足之地，但被锁困江南，绝不甘心。孙权夹在曹刘中间，江陵、夏口、沿江一线，无法据守。曹操败北，公元 213 年再次兴师四十万南下，进军濡须与孙权交战，表明了曹操的强大势力。与曹操争天下的刘备和孙权，仍均不能单独与曹操相抗。为了求生存与发展，孙权作出了明智的选择，把江陵借给刘备，联盟抗曹，唇齿相依，形势使然。公元 214 年至 215 年，曹操西向关中，压力减轻，吴蜀矛盾骤起，两家中分荆州，是第三个回合的斗争。公元 219 年，关羽北伐威震荆襄，孙权在合肥受挫，感到西强东弱，掉头与曹操联手，偷袭荆州，杀关羽，是第四个回合的斗争。此役之后，联盟破裂，孙刘两家敌对，曹丕趁此称帝篡汉。孙权破坏同盟，心惊胆战。他为了抵御刘备复仇，避免两线作战，向曹魏称臣。刘备为了夺回荆州，发动夷陵之战，这是争荆州的第五个回合，也是最后一个回合。

荆州争夺的五个回合，有三个回合发生在联盟内部，而且一次比一次升级，最终以吴胜蜀败荆州归吴而结束。设若夷陵之战，刘备取胜，局势难以预料。如果还是鼎足三分，则荆州争夺仍不会结束。不达均势，则不停止。

弱国结盟对抗强国，目的是求得力量的均势以便生存和发展，因此，联盟内部也要力量相对均势，这是联盟条件。赤壁战后，刘备被周瑜屏隔在窄小的江南四郡之地，在联盟中处于依附地位，与刘备的实力不符，这是刘备不能接受的，因此刘备要身入虎穴亲自去京口向孙权求借南郡。公元 214 年，刘备得益州，势力壮大，荆州居吴国上流，孙权感到自己相对削弱，因而向刘备索讨江南三郡。中分荆州，孙权退出强夺的零陵，只得到长沙、桂阳两郡，心中实在不平。对刘备来说，他认为中分荆州，等于用长沙、桂阳两郡换了孙权的南郡，问题已经解决，从而放松了警惕。公元 219 年，刘备北定汉中，东收上庸，关羽又威震荆襄，势力迅猛发展，再次打破东西均势，孙权震恐而偷袭荆州，这也是必然之势。曹操改变策略，放松压力，挑动吴蜀相仇，许割江南地与孙权，创造了孙权放胆进攻的条件。荆州孤悬于外，中隔崇山峻岭，关羽既无智士相辅，又无良将为副，加上“刚而自矜”，在曹吴两军夹击之下，自然土崩瓦解。设若孟达留守宜都未出上庸，或可入援。赵云远在江州，未留为关羽之副。刘备、诸葛亮的麻痹，对于荆州之失，不能辞其责咎。当然直接责任在关羽，无庸讳言。

刘备东出

公元 221 年刘备称帝后倾巢伐吴，既在意料之中，又在意料之外。孙权一方在意料之中，所以孙权卑辞厚礼向曹丕称臣，君臣上下一心备战。曹魏一方，没有做好应变准备，以曹丕为首在意料之外。蜀国内部，也有激烈争论，诸葛亮、赵云反对东出，刘备、张飞决心复仇。赵云说："国贼是曹操，非孙权。只要先灭了魏国，那么吴国自然归服。曹操虽然死了，他的儿子曹丕篡国，要趁现在人心思汉，及早图取关中，占据黄河、渭水上游形胜以讨伐凶逆，关东义士一定会带着粮食，乘着快马来迎我们。不应当把魏国放到一边，选择与吴国作战。战端一开，那就不是一时半时可以了结的。"孙权背盟，袭夺荆州，已经是敌人，但要分清主次。孙权求和，让诸葛瑾写信给刘备，劝刘备要分清轻重大小。诸葛瑾说："陛下以关羽之亲何如先帝？荆州大小孰与海内？都是仇敌，两相比较，谁先谁后，不是很容易分清吗？"诸葛瑾的话，与赵云所谏，大体一致。诸葛亮的劝谏，《三国志》没有记载下来，但在《法正传》记载的诸葛亮议论，说明诸葛亮是反对东征的。由此可见，蜀汉群臣都是反对东征的，但都未能阻止刘备东征，看来刘备是一意孤行。旧臣中，张飞由于结义恩重，忿恚不平，起了推波助澜的作用。他整日酗酒，拿士兵部下出气，在刘备出兵前夕，被部将张达、范强杀死，取了首级，顺着长江飞流而下去投奔孙权。张飞之死，使刘备旧仇添新恨，谁也不能阻挡他的东出了。

三国时期的三大战役，官渡之战、赤壁之战、夷陵之战，都是影响全局的大战役。在三大战役中，赤壁之战规模最大，官渡之战其次，夷陵之战略与官渡相当。但决战时间，夷陵之战最长，官渡之战其次，赤壁之战最短。官渡之战，历时九个月，赤壁之战，历时三个月，夷陵之战，跨了两年，从蜀章武元年（公元 221 年）七月到蜀章武二年（公元 222 年）八月，历时十五个月[①]。由此可见，这一战役的激烈与残酷。刘备是倾国远征，孙权是全力保卫，吴蜀两国拼尽全力作主力决战。自古以来，自相残杀，超过敌对争逐，夷陵之战是一个典型例证。

---

① 蜀章武二年闰六月，故从章武元年七月至章武二年八月，其间有十五个月。

公元 221 年七月，刘备东出。八月，孙权遣使称臣于曹魏，卑辞奉表章，并送于禁等还魏。群臣向曹丕称贺，谋臣刘晔独发异论，他建议魏国趁吴蜀相攻，联蜀灭吴。由于曹丕只是一个中庸之才，满足于登基称帝，不采纳刘晔的谋划。

刘晔断定，刘备一定会大举伐吴，在他意料之中，所以对全局有洞若观火的明晰，他的谋划极为卓越，也可以说是抓住了最后一次统一的时机。曹操虽为盖世之雄，由于吴、蜀两国联合，有急相救，无法统一天下。现在吴蜀相残，正可以先灭其一，再灭其二，各个击破。曹丕按兵不动，大出刘备之意外。刘备东出，要分兵防魏，从而削弱了力量。

双方兵力

蜀方兵力及部署　蜀国兵力，不过十五六万，四方守境，最大集中也就十万左右。刘备亲征，也正是倾巢出动，总计约十万，赵云统兵二万驻江州为后援，入峡蜀军约八万。这在《吴主传》、《刘晔传》裴注引《傅子》、《文帝纪》裴注引《魏书》中有记载。

此外，朱然、韩当、陆逊等传都有吴兵大破刘备，斩首万计的记载。综上各史料，可知刘备入峡水陆总计八万人，全部被歼。“刘备奔走，仅以身免”，也说明全军覆没。

蜀军部署以白帝城为大本营，沿三峡推进，前锋兵力四万余人。蜀将冯习为大督，张南为先锋，吴班、陈式统水军，黄权、辅匡、赵融、廖淳、傅彤等各为别督。黄权总督江北诸军，重点防魏，也是掩护江南诸军的侧翼。从巫山至秭归，重点在江北；秭归以下，重点在江南。江北战线，刘备所统中军，突进到马鞍山（在今湖北宜昌西北）。宜昌，当时称夷陵。江南战线，先锋张南突进至夷道（在今湖北宜都）。吴军，陆逊所统大军，屯于夷陵，孙桓驻守夷道。蜀军部署沿三峡成一字长蛇阵，从白帝城算起至夷道，缘山逶迤长达七百里。

吴方兵力及部署 《陆逊传》记载，陆逊督兵五万人，这指的仅仅是第一线兵力。孙吴部署有诸葛瑾屯公安的第二线，孙权屯武昌的第三线，总兵力显然超过蜀军，最保守的估计也有十五六万。孙权用兵，总是自统大众，这既是孙权持重的表现，也是他“性多嫌忌”的反映，不肯弄险。孙权每次领兵作战，都是十万或七八万。他偷袭荆州，兵不血刃而兼荆州之众，力量大大增强，所统后援当在十万以上。陆逊领众五万已多于当年的周瑜，一方面说明孙权对夷陵之战的重视，同时也是此时力量大增的缘故。陆逊有强大后援，因此他所统五万，可以集中用于一点一线，始终保持优势。

《资治通鉴》记载，刘备遣将军吴班、冯习攻破权将李异、刘阿等于巫，“进兵秭归，兵四万余人”。司马光所言，或有据，或为推断。刘备所统入峡蜀军八万，因沿途留守，集中推进的兵力只有四万余人，这个推断符合实际。陆逊收缩战线，迎敌于秭归以东，近在咫尺的夷道被困，陆逊不分兵救援，他相信孙桓据坚城留守有余，所以集中兵力，在第一线压倒蜀军。刘备从秭归继续推进，渡江建行营于猇亭，布前锋于夷道，置黄权于江北，连营数百里护卫后方，所统中军的机动兵力不足四万，少于陆逊之兵。当然刘备也懂得集中兵力的意义，所以把水军也拉到陆上集中，由此可见蜀兵寡少，刘备捉襟见肘。

夷陵之战，吴强蜀弱 从总体国力来看，关羽丧师，荆州之众七八万人，尽为孙吴所并。陆逊进兵西陵，破秭归、建平及巫，“前后斩获招纳，凡数万计”。由于关羽丧师，蜀将孟达及上庸太守申耽降魏，丧师至少又在万人以上。孙权偷袭荆州，蜀汉猝不及防，不仅国土丧失近半，荆州人物兵众全部丧失，国力大大削弱。刘备倾国远征，只有一州之众，故兵力不足，只能使用在一个方向上。黄权建议，由他领水军，顺流长驱直入荆州，刘备由陆上推进，由于兵力不足，没有实施。

刘备所用之将，多为川将，经历战阵较少，不是吴将对手。蜀国的五虎将，关羽、张飞、黄忠、马超、赵云无一人在阵，关、张、马、黄皆亡。蜀汉谋臣，法正已亡，诸葛亮监国，刘备东出，无良弼在旁。因此，刘备连营七百里，犯兵家之忌，也无人指出。

吴国方面，国力盛于蜀汉，兵力多于蜀汉，已述于前。再看领兵之将，大大超出蜀汉。不仅陆逊多智，而且所统多是功臣宿将。徐盛、韩当、潘璋、朱然、宋谦、鲜于丹等都是身经百战可独当一面的老将。徐盛、朱然多谋，潘璋骁勇。崭露头角的青年将领，如孙桓，25 岁，能得士众心，他驻防夷道，牵制了蜀军的前锋，反攻后奋勇向前，断蜀军归路打阻击战，迫使刘备“逾山越险，仅乃得免”。刘备忿恚叹息说：“我当初到京口，桓尚小儿，而今迫孤乃至此也。”归师勿迫，乃兵家之忌，孙桓初生牛犊，敢断刘备归师，足见吴兵作战骁勇。论兵论将，孙吴之师强于蜀汉。

但是，蜀军也有一定优势。首先是复仇之师，哀兵必胜，讨伐孙权背义袭盟，全军同仇敌忾，有一股不可阻挡的锐气。其次，刘备刚登皇帝大位，将士受封受赏，正是立功报效之时，加之刘备亲征，将士激动，士气旺盛。其三，人心向背，蜀汉占有优势。刘备在荆州长达十七八年，荆州士民，追随刘备，从之如云，蜀汉政权，荆州人士居当路要冲。孙吴政权中的荆州人士，只有黄盖、潘濬二人而已。蜀将大督冯习、前部张南，都是荆州人，他们为收复故土而战，也必效死力。夷陵之战，他们都以马革裹尸还。其四，三峡地区及武陵，都是少数民族聚居区，孙吴的民族高压政策使他们仇吴亲蜀。其五，蜀军居高临下，又善于山地战，占有地利。初战时，蜀军集中，数量上也占有优势。但蜀军的这些优势，没有充分发挥，被陆逊的战略大撤退所避开，很快丧失了。蜀军的初战胜利，只是破吴边将，未遇孙权主力。当蜀军推进至夷陵时已成强弩之末，受阻于坚城之下，陷入了进退维谷的境地。这时，初战时的强弱众寡，全都易位，吴军掌握了主动权。

再看，吴军虽强，却有弱点。政治上，刘备已称帝，打着兴汉的正统旗号，具有很大的号召力，何况又是讨伐背盟叛逆者，加之荆州的民心向背，吴军处于被动。其次，陆逊资望较浅，不为功臣宿将所服，若处理不当，有分崩之势。第三，曹魏坐山观虎斗，若吴军战败或疲惫，将乘势夹攻收渔人之利。陆逊十分明白，吴军只能打胜仗，不能打败仗。如果蜀军突破夷陵防线，不仅荆州动摇，而且曹魏必然趁火打劫。所以他上书孙权说：“夷陵要害，国之关限，虽为易得，亦复易失。失之非徒损一郡之地，荆州可忧。今日争之，当令必谐。”为此，陆逊初战，十分谨慎。他为了避蜀军锋芒，大胆地作了战略退却。可是诸将不明政治形势，求战心切，不听调动，欲与蜀军硬拼，几乎偾事。可惜刘备寡谋，未能抓住战机，利用吴军弱点，采纳黄权善计，作迅猛推进。随着相持阶段来临，吴军掌握了主动，刘备或作相持，或见好就收，也不至于惨败，输光老本。假如刘备临高守险，长期相持，局势必然有变。再拖几个月，曹魏就会出兵，孙权不作让步，只有死路一条。如果法正不死，蜀军恐不致放过吴军弱点的。

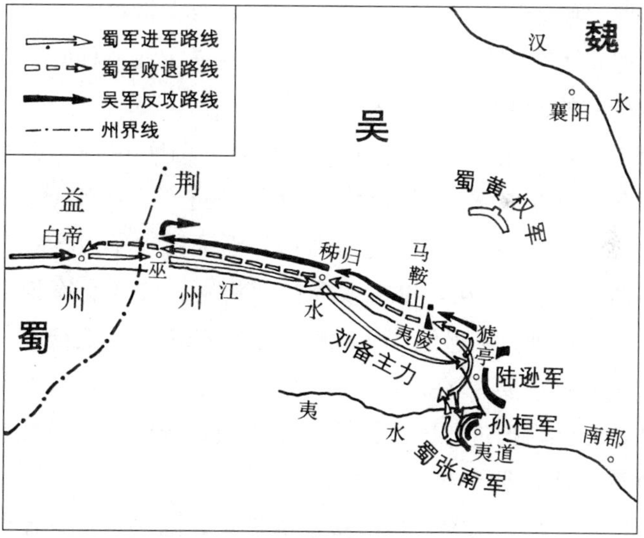

夷陵之战形势图

综合上述，就吴蜀双方之长短而言，可以说是势均力敌，双方都有胜机和败着，这一形势决定了此役双方谁都不可能取得速战速决的胜利，所以拖了十五个月。这一场持久的斗智斗力的大战役，谁能坚持到最后，谁的谋略优，谁就能取得胜利。刘备谋短而又未能坚持到最后，两条都输了，遭到惨败，这是在情理之中的。

战役过程

夷陵之战的过程，可分为三个阶段：

第一阶段，公元 221 年七月至十二月，蜀军进攻，吴军防守。七月，蜀军发起进攻，吴班、陈式率水军，冯习、张南统陆军，水陆齐进，军队密集，攻破吴军前沿重镇巫县，长驱直入秭归。八月，孙权称臣于曹魏，受封为吴王。吴将抚边将军、宜都太守陆逊统兵五万西上迎敌。所统诸将：徐盛，建武将军、庐江太守；潘璋，振威将军、固陵太守；韩当，偏将军、永昌太守；朱然，昭武将军、江陵督；孙桓，安东中郎将；骆统，建忠中郎将；宋谦、鲜于丹，原吕蒙属将。孙吴集四方精英于一线，兵精将猛，遏止了蜀军的进攻。刘备统大军继进，驻屯秭归。双方都在作大战前的部署，沉寂了数月。

第二阶段，公元 222 年正月至六月，两军相持于夷陵。二月，刘备亲自指挥蜀军发起第二阶段的进攻。将军黄权谏曰："吴人悍战，又水军顺流，进易退难，臣请为先驱以尝寇，陛下宜为后镇。"刘备不从，以黄权为镇北将军，督江北军拒陆逊于夷陵，并防魏师。陆逊继续作战略后撤，分散蜀军之势，并在运动中伺机歼敌。吴军在后撤中歼灭蜀军五营，重兵屯于夷陵坚壁。刘备在江南推进，因前锋受阻于夷道，遂将大军屯驻于夷道北之猇亭。刘备欲诱吴军主力决战，令吴班率数千人在平地立营，另伏兵八千于山谷，吴诸将皆欲进击，陆逊以军法制约，坚守不出。刘备见机关已被识破，引伏兵从山谷中出，撤水军于岸上结营，从巫县、秭归至夷陵，连营树栅四五百里。刘备的这一部署，欲固守已得的峡谷高地，持久以待时变，顾不得犯兵家之忌。刘备出此险着，他低估了对手陆逊。

第三阶段，公元 222 年闰六月至八月，吴军反攻，经过三次围攻战，全歼入峡蜀军八万，大获全胜。第一战，陆逊用火攻，并以密集的优势兵力在夷道猇亭打破蜀军前锋，阵斩张南。朱然、韩当、骆统等大将参加了这一战役，与孙桓守城部队配合，夹击蜀军。第二战是涿乡歼灭战，包围刘备所统中军。朱然等乘夷道战胜之威，直插蜀军之后，切断蜀军归路。刘备慌忙撤军，吴军潘璋等猛将紧紧咬住追击，围歼蜀军江南主力于涿乡（在江北夷陵以西）。第三战是马鞍山之战，刘备率残部与黄权江北军靠拢，升马鞍山据高守险，陆逊督诸将四面围攻，蜀军土崩瓦解。刘备退入秭归，欲收合残部。陆逊哪里肯让刘备喘息，孙桓插入夔道断刘备归路。刘备闻讯，逾山越险，弃军而逃。刘备命驿人烧军资铙铠断后，仅得入白帝城。就这样，蜀军全军覆没，舟船器械，一时略尽。吴将李异、刘阿等直追至白帝城，屯兵于江南。徐盛、潘璋、宋谦等争欲乘胜取蜀，陆逊、朱然、骆统等认为，吴军应撤回防魏。这时赵云已率江州之众入援白帝。八月，吴军班师，夷陵之战结束。孙权改夷陵为西陵。

吴军获得夷陵大捷，除总的形势有利于吴军之外，陆逊优秀的指挥艺术是取得胜利的直接保证。这次战役体现陆逊的战略思想，有以下几个方面。

第一，避敌锋芒，果断地作战略退却，创造战机，乘敌之疲。陆逊节节后退，把三峡险地让与刘备，示敌以弱，诸将不解，以为陆逊胆怯，各怀愤恨。陆逊晓谕诸将说："刘备统兵东下，士气正盛，何况居高临下，据守险要，难以攻击，即使攻克，也不能保证一一取胜，万一不利，损害全局，不是一战之得失。现在要紧的是鼓励将士，广施计谋，等待机会。如果是在平原旷野，不可避免要发生遭遇战。现在刘备缘山行军，无法展开，自个疲劳于木石之间，那时再打疲困之敌也不迟啊。"蜀军深入三峡五六百里，拉长战线，分散了兵力，在进攻中受到削弱，士气衰损。反之，吴军退避三舍却蓄积了士气。战略退却，进一步改变了吴蜀强弱的对比，在临阵第一线，蜀军也成了劣势。

第二，善于把握战机，运用火攻歼敌。刘备初入三峡，欲乘锐集中优势兵力以求速决，打破吴军，突入荆州。但陆逊大步后撤，不仅分散蜀军之势，而且迫使蜀军屯兵于坚城峻危之地，欲进不能，欲退不得。刘备也是一个久经沙场而又老谋深算的军事家和政治家，他改变策略以守险持久来等待时变。因两军持久不决，曹军必乘其后，这对吴军不利。陆逊要赶在曹魏出兵之前打败蜀军，因此，他必须抓紧战机速决。如果说战争的第一阶段是刘备以求速决，那么，现在却颠倒过来，两军相持以后，吴军要求速决，而刘备未作善计坚持最后，让陆逊抓住闰六月暑热时机反攻。这时蜀军水陆都集于林荫，又有东南风入峡，便于火攻。陆逊先以小股部队试攻，见蜀军反应无防火准备，抓紧战机全线出击，分割包围，大获全胜。

第三，坚定不移地集中优势兵力用于主攻方向，力争打歼灭战。孙桓被蜀兵围困于夷道，向陆逊求救。陆逊为了捕捉战机保持高度机动而按兵不动。果然，刘备受阻于坚城，久攻不下，士气大损。陆逊知彼知己，知孙桓可恃，才如此部署。即使刘备攻下夷道，也将付出重大代价，而陆逊所统夷陵之众则乘其弊而击之，亦必能获胜。

刘备之败，还在于他不能“观变出奇”。刘备若采纳黄权建议，命大将统众冒险顺流直下荆州，打乱吴军部署，事难逆料，陆逊也忧虑此着。再看，刘备犯兵家之忌连营树栅四五百里，只要防卫有方，也并非必然失败，正如孙桓犯兵家之忌，追迫刘备归师，并未必败。因为刘备沿三峡一条直线部署，不在平原旷野，而是沿山峡居高临下布防，构成一条坚强的纵深防线，吴军要动摇这条防线谈何容易。刘备之失，不仅在于他不能“观变出奇”，疏忽防吴火攻，而且还在于他亲冒矢石居于第一线，把主力暴露在敌人的视线之下。假定刘备把大本营放在秭归，自统大军为后继，这种依险连营数百里的纵深防线未必有失。由于刘备亲临前线，不仅把主力置于险地，而且实际成了大军的绊脚石。天子亲征而深入险地，本身就是一种轻率行动，哪有不败的道理。

当然，刘备亲临前敌，可以起到激励士气、动员民众的政治效果，马良策动武陵蛮夷叛吴就是明证。可惜，刘备没有派出一支正规军去支援，蛮夷乌合之众，很快被吴军讨平，蜀国反倒把一个马良赔进去了，得不偿失。

63 岁的刘备，惨败于 29 岁的陆逊之手，还差点成了 25 岁的孙桓的俘虏，惭愧、悔恨交加，不久就病死了。此役，蜀国元气大伤，基本决定了隆中路线的夭折，从而刘备也成了一个富有悲剧色彩的英雄人物。

战后影响

夷陵之战，蜀国继关羽失荆州之后再遭重创，隆中路线可以说已成泡影。刘备应不应该东征，不仅当时魏蜀吴三方有着尖锐的对立，而且后世学术界争论了近两千年，直到现在仍然没有统一的看法。再把这个问题作一番追究，很有意义，它可以给一个人的行动决策提供历史经验教训，给以无限的启迪。

西晋陆机在总结历史经验的《辨亡论》中说，刘备是“志报关羽之败，图收湘西之地”，这话很有见地。意思是说，刘备以替关羽报仇为名，目的是收回荆州，可以说两者兼而有之。这是一个利害问题，并非简单的面子问题。

刘宋历史学家裴松之着重从正统名分驳斥诸葛瑾，认为刘备应该东出，他说：

> 刘备立国益州，以荆州为蕃篱，关羽扬威下沔、汉，志在消灭曹魏，他虽然不一定能达到目的，但声威远震，可以牵制曹魏。孙权暗藏祸心，帮助魏国除去祸害，这是在抵制勤王之师，替曹氏篡汉创造条件，兴复汉室，到此为止。由此看来，义旗所指，首先应当是讨伐孙权。诸葛瑾用大义责备刘备，强词夺理，也能找点儿理由。再说刘备与关羽，亲如手足，关羽被害，断了刘备臂膀，愤痛填膺，岂能是说几句空话就能平复心理的呀？（《三国志·诸葛瑾传》裴注评语意译）

裴松之的这段议论，极为精彩。孙权背盟，夺人之地，已属过分，而杀关羽父子，天理难容，这哪里还有一点儿同盟情义。孙权借荆州给刘备显示了大度，刘备争江南三郡，未免小气。因此，孙权袭夺荆州，可以理解，刘备一方也可以说是贪而弃义，咎由自取。但孙权夺了荆州还不算，又深入蜀境，杀关羽，献首级于曹操，大概也是利令智昏，未计后果。如果孙权还存有同盟之心，处理荆州战后决不会如此霸道，不给刘备留一点儿余地。

裴松之所驳，是针对诸葛瑾。而诸葛瑾的立论与诸葛亮、赵云的劝谏是大同小异，所以也不能说诸葛瑾是强词夺理。以今天的眼光来评判，裴松之的论点，立足于理与义；诸葛瑾的论点，立足于形与势，双方各有所偏。陆机最为平允，兼论理义与形势，这就是刘备骑在虎背，不得不东出的道理。因为，蜀国失去荆州，不仅丧失了北伐曹魏的一个重要基地，而且还丧失了一个重要的物资供应基地，益州虽然险塞，但蜀汉政权坐困益州，“处孤绝之地”，只是坐等待毙。所以刘备东出，不仅仅是显示用武有余，而是要夺回荆州，所以才孤注一掷，成为临终遗恨。

历史事件也和许多事物一样，有着两面性。夷陵之战，本是刘备发动的一场复仇吞吴之战，它破坏了隆中路线的孙刘联盟。孙权破坏于前，刘备加剧于后，两国作了拼死角斗，似乎联盟已彻底毁灭。但恰恰又是夷陵之战造成了三分的地理均势，巩固了吴蜀联盟。首先，夷陵战后，蜀弱吴孤，曹魏的优势得到增强，随之对吴的压力增大，迫使孙权回到联蜀的立场主动求和。夷陵战后，刘备眼见收回荆州无望，也回到了现实的立场。孙权遣使求和，刘备允许，亦派使报命，为两国恢复联盟铺平道路。第二，夷陵之战，吴得荆州，稳固了上流门户，不再担心西边的威胁，可以专力对魏，促使孙吴下决心与魏决裂。第三，夷陵之战，蜀国惨败，国力削弱，比任何时候都更需要寻求盟友。于是吴蜀联盟很快恢复。

吴蜀两国，经过生死相拼后，又握手言和，这是形势使然。汉家十三州土地，魏得其九州，占天下十分之六七，吴得三州，蜀得一州，吴蜀两国相加只占天下十分之三四。天下户口，魏占十分之八，吴蜀两国共占十分之二。三国之中，吴蜀无法单独与魏抗衡，两国唇齿相依，谁也离不开谁。夷陵之战，吴得荆州，蜀国小弱而四塞险固，东西形成了地理均势。吴蜀联盟，减少曹魏优势，形成南北均势。曹魏虽大，既不能专力对蜀，也不能全力对吴，势力分散，西守祁山，东固合肥，南镇襄阳，立于守势以恢复经济，吴蜀得以喘息共存。也就是说，夷陵之战最后解决了荆州的归属，形成了三分的地理均势，才正式确立了三分鼎立之局。

下编　三国对峙归一统

【说明】本卷文集下编“三国对峙归一统”，以《三国十二帝》为基础，与华文版《三国史》后三章合并而成。《三国十二帝》全称《三分的挽歌——话说三国十二帝》，以“人”为中心评说三国历史，思考三国帝王功过，修养精彩的人生。三国时期在我国历史上非常短暂，但却影响着后世直至今天。可以说三国历史是一幅波澜壮阔的改朝换代风云画卷，它给人们带来深深的思考，启迪着人们的智慧。尤其是《三国演义》所带给人们的影响之深，范围之广，超出了任何一部史书以及文学作品。三国时期，曹操、孙权、刘备，乃至诸葛亮都有统一华夏的恢弘志气。因此，三国的历史向人们诉说了分裂只是短暂的，中华民族统一的趋势是任何力量都阻挡不了的。但曹、孙、刘三方都未能统一天下，他们都为司马氏的统一作了驱除，三国十二帝共谱了一曲三分的挽歌。曹操、孙权、刘备三个创业之主已见于上编，下编删略。《三国十二帝·导言》附编于书后。

第一章　吴蜀联手抗曹

公元208年的赤壁之战，只是奠定了三分鼎立之形，拉开了序幕；公元221年至222年的夷陵之战，形成了三分的地理均势，才正式确立了三分鼎立之局；但最终完成三分鼎立，还应以公元229年吴蜀订立中分天下盟约为标志。公元228年，诸葛亮北伐，专力对魏。这时孙权才完全解除了戒心，于次年称帝，蜀汉遣使称贺，承认了孙权的立国地位，并订立了中分天下的盟约。三方称帝，政治上也达到了均势。三国进入了对峙局面。

吴蜀通好

夷陵战后，孙权一面遣使向刘备求和，一面仍与曹魏相通，采取骑墙态度，脚踏两只船。公元223年四月，刘备死于永安，孙权派立信都尉冯熙使蜀，吊刘备之丧。但是孙权并未真心与蜀国通好，他派冯熙使蜀，主要任务是打探虚实，察看蜀汉政权是否稳固。这时南中诸郡，听到刘备驾崩的消息，同时反叛。高定反于越嶲，朱褒叛于牂牁，雍闿在建宁建号，孙权一律给予承认，又为之声援。他封刘璋之子刘阐为益州刺史，驻在交州和益州交界的地方，准备随时入蜀。刘备夺取益州后，迁刘璋到南郡公安，尽归其财物以及原有的振武将军印。孙权夺荆州后，封刘璋为益州牧，以分裂蜀汉政权。当时两国交兵，无可厚非，现在孙权既通使于蜀，又做这样的小动作，理应受到谴责。由于刘璋已死，孙权又搬出了他的儿子。南中危急，诸葛亮留镇成都处理大事，顾不上征讨。都护李严一连写了六封信劝谕雍闿，由于有吴国撑腰，雍闿不听。永昌郡五官掾吕凯与郡丞王伉两人同心协力，激励士民，坚守永昌孤郡，对抗雍闿，才使南中事态没有扩大。吕凯字季平，永昌人。王伉，蜀郡人。永昌在滇西，今云南保山县。吕凯在永昌有很高威望，所以能在孤立无援的情况下坚持了三年。公元 225 年，诸葛亮南征，表荐吕凯为云南太守，封阳迁亭侯，表荐王伉为永昌太守，亦封亭侯。

三国鼎立图

诸葛亮稳定政局后，想派一位能干的大使通吴团结好孙权，没有找到适合的人选。这时邓芝请见，他对诸葛亮说："现今主上幼弱，又刚登大位，应派遣大使到吴，重申盟好。"诸葛亮说："我考虑很久，没找到合适的人，今天找到了。"邓芝问："选定谁人出使？"诸葛亮说："远在天边，近在眼前，就是邓使君啊。"邓芝字伯苗，义阳新野人，入蜀官至广汉太守，故诸葛亮称为

“使君”。这时邓芝任尚书，后官至将军，封侯。其为人清廉，死时，家无余财。

邓芝到了吴国，孙权徘徊不定，拖延时间，不见邓芝。邓芝上表求见，他剖析利害，对孙权说：“臣今天来到吴国，也是为吴国考虑，并不只是为了蜀国。”孙权动了心，召见邓芝，也袒露胸怀，诚恳地说：“我实在愿意和蜀国和好，但是担心蜀国君主幼弱，国家又小，被魏国乘虚而入，不能保全，所以犹豫再三。”

邓芝说：“吴蜀两国联合有四州之地，大王一世之英雄，诸葛亮为当今豪杰。蜀国有重山险要的坚固，吴国有三江环绕的险阻，集合二长，唇齿相依，进可兼天下，退可鼎足而立，这是自然之理。大王如果今天送人质去魏国，魏国必定是得寸进尺要大王入朝，退一步也要求吴国太子上殿侍奉。若果不听从号令，魏国就有了讨伐的借口，蜀国也一定顺流而下，适可而进，这样一来，江南之地不再归大王所有了。”

孙权沉默一阵，对邓芝说：“你说得很好。”于是派辅义中郎将张温使蜀。

张温字惠恕，吴郡吴县（今江苏苏州）人，为江南名士，很有才学。孙权派他为大使，寄以厚望。孙权对张温说：“我担心诸葛亮不理解我与曹氏通好的缘由，特劳驾你去做解释。只要吴国山越稳定，吴国就发兵进攻曹丕。外交辞令，由你随机应对。”张温使蜀，称赞诸葛亮为良辅，表示吴国愿与蜀国一起平定宇内，全心全意合作。蜀国也很尊重张温，两国关系进一步密切起来。

孙权断绝了与曹魏的联系。

蜀国再次派邓芝使吴通好。孙权对邓芝说：“如果天下太平，两国君主分地而治，不也很快乐吗？”邓芝回答：“天无二日，地无二王。假如兼并了魏国，大王还未识天命，那时候两国君主将各自修养德性，臣子各尽其主，将军各自提棰击鼓，战争刚刚开始罢了。”

孙权听后，哈哈大笑说：“你竟是这样地诚实啊！”

邓芝的回答十分突兀，似乎与欢好的气氛不协调。但细想起来，人各为其主，讲的又是大实话，孙权不由得笑起来。

邓芝使吴，重新修好两国，使命重大，孙权尚有疑虑，邓芝以诚恳打动。他陈说利害，站在吴国立场，设身处地为孙权剖析，吴国无蜀，将陷入称臣曹魏的困境，唤起孙权的自尊。赤壁之战，诸葛亮使吴，也是激发孙权的自尊。邓芝的说辞与当年诸葛亮的说辞有异曲同工之妙。邓芝再使，回答孙权，诚恳坦率，使孙权看到了蜀国结盟的诚意，所以非常高兴。孙权大笑着对邓芝说："先生的坦诚，竟是这样的直白。"孙权又致书诸葛亮说："和好二国，功在邓芝。"给予了很高的评价。

从此，吴蜀两国，遣使往来不绝。

公元229年四月，孙权在武昌南郊正式即皇帝位，布告天下，并遣使通告蜀国。这事引起蜀汉群臣的不满。诸葛亮说："孙权早就想称帝。为了免于孤立，我们对这件事不能过分计较。如果现在公开断交，引起吴国的仇恨，我们不能只是高谈阔论，必然要移兵东伐，两国争战，曹魏得利，这不是上策。有人说孙权利用同盟鼎足江东，没有北进中原的志向，这话似是而非。为什么这样说呢？孙权智力有限，只好限江自保，他不能越过长江，如同曹魏不能南渡汉水一样，不是力量有余而不取。即使是孙权无所作为，只要与我国通好，我们北伐，至少没有东顾之忧，曹魏的军队也不会全力向西，这是有利于国家的大事，意义重大。孙权的僭越罪行，不宜声张。"诸葛亮这一席话有理有据，说服了群臣，统一了认识，与称帝的孙权继续通好。

六月，蜀国派卫尉陈震使吴，祝贺孙权践位。诸葛亮为了陈震这次使命的顺利，特地致书诸葛瑾说："孝起（陈震字）是忠厚长者，他最可贵的品德是致力于两国和好。"陈震也大肆宣传，称自己为"同心讨贼"而出使东吴。两国在庆典中经过磋商，订立了中分天下的军事同盟。豫、青、徐、幽属吴，并、凉、冀、兖属蜀，其司州之土，以函谷关为界。盟约表示，自订盟之后，吴蜀两国"戮力一心，同讨魏贼。若有害汉，则吴伐之；若有害吴，则汉伐之。各守分土，无相侵犯"。为了严肃慎重，订盟举行祭告天地的仪式。陈震完成使命，回到蜀国，封城阳亭侯。

陈震使吴，两国关系重新进入蜜月，两国释嫌，边境平安。诸葛亮一心北伐，孙权于九月还都建业，政治重心东移，吴国再次经营淮南。两国多次配合伐魏，但是，中线沉寂，在荆州没有北上襄樊的重兵，蜀出祁山，吴攻合肥，东西悬隔千里，虽有呼应，但构不成强大的威胁力量。曹魏在吴蜀联盟的打击下，应付东西两线作战，也无余力从中路襄阳南下。南北于是形成对峙状态长达三十余年。

吴蜀结盟，是刘孙联盟的破镜重圆，虽然未能达到唇齿相依的亲密程度，但两国始终维持友好关系，没有再起摩擦。孙权愈到晚年，愈重视同蜀国的结盟。费祎多次使吴，孙权十分注意联络感情。孙权对费祎说："您品德高尚，一定会执掌蜀国大政，恐怕不能多来吴国了。"临别，孙权把手中常执的宝刀赠给费祎。费祎十分感动，他对孙权表示"臣虽闇弱，终不负东顾"。后来费祎执政，吴蜀两国继续发展了友好关系。

公元234年，诸葛亮病死，吴国担心曹魏攻蜀，增加巴丘守兵万人，一欲以为救援，二欲从事分割。蜀国立即采取相应措施，也增加永安守兵，"以防非常"。事过不久，蜀国右中郎将宗预使吴，孙权问宗预说："东吴与西蜀，欢好如一家，听说西蜀增加了白帝城的守兵，这是为了什么？"宗预回答说："臣认为东吴既然增加了巴丘的守兵，西蜀自然要增兵白帝，这是形势使然，彼此心照不宣，不必问了吧。"孙权喜欢宗预的坦率，大笑起来，十分敬重这位蜀国使臣。几年后宗预再次使吴，孙权拉着他的手说："您奉命连结两国之好，我们两人都上了年纪，恐怕不能再相见了。"孙权送宗预大珠一斛。宗预领会孙权之意，要他为两国友好奔走效力。宗预对孙权说："蜀国虽然偏远小弱，但与东吴相邻，互相信赖，吴国不可以没有蜀国，蜀国不可以没有吴国，就像君臣相依一样，请陛下多多保重。"宗预又说："我也年老多病，恐怕再见不到陛下了。"这些谈话，感情真挚，双方都坦率地表达了两国交好的利益与需要。孙权的真诚是为子孙谋利益，宗预的真诚是蜀国需要联盟而生存。吴蜀只有联盟才能保持南北均势，所以在夷陵之战金戈铁马之后，又化干戈为玉帛，出现了两国欢好绵长的局面。在这个意义上，夷陵之战，不仅宣告了三国鼎立的正式到来，而且拉开了吴蜀通好，形成南北对峙的序幕。

三国对峙　各方战略

三国对峙，最激烈的战斗发生在魏明帝时期，蜀国有诸葛亮的六出祁山，吴国有孙权的三征合肥。三国对峙，各方战略，都为了本国的利益而形成了一套成熟的基本策略，演出了生动的活剧。吴蜀联手进攻，曹魏在两线作战中力争主动。魏明帝曹叡、蜀相诸葛亮、吴主孙权是这一时期的历史主角。

曹魏战略，西守东攻　曹魏自曹操汉中败还以后，奉行的基本战略是西守东攻，先灭吴，后灭蜀。公元 220 年，吴蜀发动夷陵之战，侍中刘晔向魏文帝曹丕建言与蜀并力灭吴，明确地表明了曹魏谋臣先吴后蜀的战略步骤。曹丕就统一的战略问题，曾问计于贾诩。贾诩没有正面回答，他主张先文后武，恢复经济，与吴蜀相持，等待形势转化。从曹丕发动的攻吴之战来看，仍是贯彻先吴后蜀的战略。魏明帝曹叡即位后，仍是重点防吴。公元 229 年，在诸葛亮兴师北伐的情况下，曹叡咨问司马懿："二虏宜讨，何者为先?"司马懿明确回答用水陆两路大举伐吴。曹叡完全赞同司马懿的意见，还把司马懿从防蜀的前线关中调屯于宛以御吴。公元 234 年，吴蜀联兵攻魏，魏明帝曹叡御驾亲征孙权，而敕令司马懿在关中不与蜀军接战，坚壁相持。这一战略符合当时形势，吴强蜀弱，吴近蜀远，吴虽有长江之险，不如蜀国崇山之固，所以攻击战略是先吴后蜀，防御重点在东线。具体部署如次。

前沿重镇，进可攻，退可守，驻重兵防守，这是点的部署，有三大重镇，即南镇襄阳，西固祁山，东守合肥。祁山防蜀，襄阳、合肥两镇防吴。由于合肥直冲吴国心腹建业上流，又是重点中的重点，历来镇守的将领皆为曹魏名将。

点、线、面的防御密切相连。曹魏把荆、扬、徐、豫四州划为一个联防的作战区，与吴国对抗。东西第一道防线，由西向东重镇为襄阳、江夏郡治安陆、西阳、合肥、居巢、广陵。襄阳南下攻吴江陵，安陆对吴夏口，合肥对吴皖城。西阳东西接应，居巢与合肥为犄角，直下吴国濡须口。夏口，即今湖北武汉，是吴江防之咽喉，濡须口在今安徽无为县南，是吴国江防之核心。曹魏第二道防线为南阳、豫州治所安城、扬州治所寿春。第二道防线与第一道防线构成三条南北纵深防线。由西向东，第一条为襄阳，向南阳、许昌纵深；第二条为江夏郡治安陆，向豫州治所安城纵深；第三条. 为合肥，向寿春纵深，徐州为后援。防区大，兵力厚，点线纵深，主次明确，名将守险，成为坚不可摧的防线。

【说明】 曹魏防吴体系为两道防线，三条纵深。第一道防线六镇：襄阳、安陆、西阳、合肥、居巢、广陵。第二道防线三镇：南阳、安城、寿春，即三条纵深的后卫军镇。其中襄阳、合肥为前沿两大重镇，与孙吴江陵、皖城对峙。

从公元 222 年夷陵之战结束起，到公元 262 年司马昭大举伐蜀止，前后 40 年，为三国对峙时期，曹魏始终贯彻防御战略，在沿边以逸待劳，消耗吴蜀，取得了极大的成功。曹魏在相持时期的几次南征，都旨在显示武力，试探进攻，或见好就收，或知难而退。公元 222 年，魏文帝曹丕怒孙权不入质子，发动三路大军征吴，征东大将军曹休督张辽、臧霸出洞口，大将军曹仁出濡须，大将军曹真督张郃、徐晃围南郡。曹休在洞口打败吴将吕曹丕又两次南征，实际是巡视江淮防线，耀武长江而已。公元230年，魏大司马曹真建言征蜀，九月，四路并出，众三十万。司马懿治汉水向西城，张郃出子午谷，曹真出斜谷，郭淮出建威，时逢大雨绵延三十余日不止，魏明帝下诏退军。实际这也只是一次扬威的行动。

曹魏的防御战略，不是消极应战，而是积极备战。曹魏在广大防区之内大开屯田，广储资粮，训练士马。江淮防区第一线淮南置有重兵，因此在淮河两岸推广军屯。江淮防区第二线，以许昌、汝南一带为重点，推广民屯。在与蜀国邻接的关中槐里、陈仓，以及凉州的上邽等地，也广置屯田。曹魏的军事防御区，农业、水利都有较快的恢复。随着时间的推移，曹魏优势日益明显。到三国后期，曹魏常备兵员有五十万，吴蜀两国合并军力仅及曹魏之半。北方统一南方的形势不可逆转。

吴国战略，构筑江防体系　鉴于曹魏之强，吴国战略也是立足于防御，伺机进攻。所以吴魏相持时期的双方攻战，多数战役都是在长江防线上进行拉锯战，少数几次的深入作战，也如同足球场上的反击战术一样，抓住机会向前突进，机会丧失又立即收缩回到自己半场固守。曹魏固守襄阳和合肥，吴国固守长江。

长江，古称江水，三国时两名并称，中国古代的南北对峙，就靠长江天堑作屏障。中国古代军事家，在长江巨流上或攻或守，演出过不少威武雄壮的战争活剧，但成功地构建江防体系，取得最大成功的，无疑是孙权。三国鼎立，南北对峙半个多世纪，吴国的长江防御体系起了巨大的作用。

夷陵之战，孙权夺回荆州，西入三峡，实现了全据长江的战略。吴蜀通好后，吴国无西顾之忧，孙权称帝，从武昌移都建业，把防御重点放在下游。长江从鄱阳湖折而向北，然后又东向入海，于是在长江下游形成江东、江西的地界。建业在江东。淮南合肥在江西。曹魏占有淮南，以合肥为重镇，如同刺向孙吴腹心的一把尖刀。孙权要固有腹心，必须在江西建立一条护卫长江的江北防线。赤壁战后，孙权全力经营江北防线。夺回荆州后，向西延伸到夷陵，形成长江整体防线。

孙吴的长江防线，西起三峡，东到长江口，东西绵延两千余里，有战船数千艘，水陆兵近二十万。上游荆州督从三峡到夏口一段常备兵七八万，夏口以东，建业以西的中游地段，以江北防线为前沿护固长江，常备兵十万以上。建业以东，以京口为重镇。

吴国的江防体系是积极的防御，战略上以长江为依托，对曹魏的进攻取守势，立足于固防；战术上主动出击，顽强地在江北建立前沿阵地，伺机进攻。布防上，也是点、线、面密切配合，形成进可攻，退可守的坚固防线。

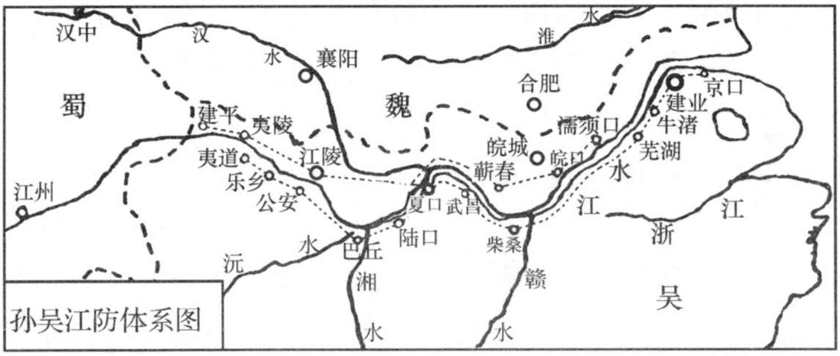

孙吴江防体系图

【说明】 孙吴江防体系以长江天堑为依托，陆上夹长江两道防线，江北七镇、江南十二镇。江北防线中江陵、皖城是两大前沿重镇，与曹魏襄阳、合肥对峙。

点，是指沿江的军事重镇。由西向东，在两千余里的长江两岸，大的军事重镇有 19 座。江北 7 座，是建平（今四川巫山县）、夷陵（湖北宜昌）、江陵（湖北江陵）、蕲春（在今湖北蕲春西南长江北岸）、皖口（今安徽安庆）、皖城（今安徽潜山）、濡须口（今安徽无为东南）。江南 12 座，是夷道（今湖北宜都）、乐乡（湖北松枝东北）、公安（湖北公安西北）、巴丘（今湖南岳阳）、陆口（湖北蒲圻）、夏口（湖北武汉）、武昌（湖北鄂县）、柴桑（今江西九江）、芜湖、牛渚（今安徽当涂北）、建业（江苏南京）、京口（江苏镇江）。沿江重镇三分之二在江南，这是自然的情势。最主要的重镇，江北为江陵，护长江中游，濡须口，护长江下游；江南为夏口、建业、京口。重兵设防的是江陵和濡须口，这也是曹魏南下进攻的两大目标，反之，是孙权北进的江北前沿基地。

皖口西北的皖城，既是孙权江北防线的陆上重镇，也是吴国北伐曹魏的前沿基地，庐江郡治所设此。皖城，西有蕲春，东有濡须，三点一线，是吴国防御曹魏淮南之敌的江北防线，与江南的武昌、柴桑、鄱阳、芜湖形成纵深。江防体系的纵深，江北基地具有举足轻重的战略地位。西起江陵，东到濡须，孙吴在江北推进，数十里乃至几百里，沿江形成一道护江的陆上军事带，这一纵深，有力地增强了江防系统的稳定性。曹魏南下，吴方首先在江北地面接战，容易洞察敌人意图，便于江上运动。有利则进，无利则退。也就是说，吴国的江防体系，江北陆战为第一线，江上水军为第二线。江南腹地，只是后勤支援。一旦长江被突破，江南就无法战守了。

为了协调千里防线，把诸多的点连接起来成为整体防线，孙权在重点设防的基础上，分段联防。负责某一段的将领，有权节制段内各点守备将士，或协调支援，或集中御敌。大体上，夷陵督，负责三峡段，为江陵督左翼。江陵督负责夷陵以东至蒲圻。蒲圻督负责蒲圻至武昌。濡须督负责江北防线。芜湖督负责建业以西至皖口。丹阳督负责建业以东至海口。如公元 216 年，贺齐拜安东将军，出镇江上，督扶州（建业西）以上至皖。公元 219 年，吕范拜建威将军，领丹阳太守，治建业，督扶州以下至海。这种分段防务，随着时间与战局变化，不断调整。如陆逊死后，诸葛恪代陆逊督荆州，孙权分武昌为两部，以吕岱督右部，自武昌上至蒲圻。

孙权建立的江防体系，挡住了曹魏南下江南，镇住了魏文帝的临江脚步，有力地维护了三国鼎立的局面，使孙吴政权屹立江南，促进了江南的开发。

蜀国战略，蚕食雍凉　诸葛亮出师的汉中基地是一个地形险要的盆地。这里物产丰富，交通四达，进可“蚕食雍、凉，广拓境土”，退可“固守要害，为持久之计”，是蜀汉的北大门。汉中在关中正南，中间横着一道秦岭。从汉中北出秦岭，兵下秦川可夺取关中，这是汉高祖因之以成帝业的出兵方向。从汉中西出经武兴（陕西略阳），向西北迂回祁山可断陇右。从汉中东出可直向宛、洛，或循汉水南下攻襄阳，或迂回武关取长安。但从汉中东出，被广袤的豫鄂山地所阻，道路险远，必须占领西城（陕西安康）、上庸（湖北竹山）、房陵（湖北房县）等汉水中上游的名城重镇作为前进的基地。蜀国丢失了荆州，又丧失了上庸，东出汉中的通道被阻塞，北伐取胜也就没有了可能。

从汉中北入关中，跨越秦岭，主要有三条谷道，由西向东为褒斜道、傥骆道、子午道。东道子午道最险远，有六百六十里的高山险谷。这条通道，南段叫午谷，北段叫子谷。子谷谷口在长安之南，所以子午道虽然险远，但可出其不意，直插长安。中道傥骆道最近，谷长四百二十里。蜀军出中道，可陈兵武功，对长安的威胁也很大。西道褒斜道较为宽坦，有四百七十里的山谷。南段叫褒谷，谷起褒城，在汉中郡治南郑北面。北段叫斜谷，谷口在陕西眉县西南三十里。褒斜道中段有一条西出折而向北的支道叫箕谷，往北经散关即达陈仓。蜀军出褒斜道，前据雍眉，可屏断陇右。从总的地理形胜来看，关中有八百里秦川，陈仓在川原之西，长安在川原之东，东西距离五百余里，回旋余地大；而汉中只是一个狭小的盆地，三条通道如车辐之聚于车毂。因此，由北向南攻，可诸道并出，居高临下会聚汉中，任何一条通道都无被截断之虞，曹魏的几次攻蜀都是诸道并进。反之，由汉中北伐，三条通道呈辐射状，诸道并进，出谷后因分散在秦川东西川原上不易集中，而且诸葛亮北伐的东道全线在魏境，因此，诸葛亮北出秦岭只能走中道或西道。公元228年正月，诸葛亮在汉中誓师，发动了第一次北伐。出征前，诸葛亮召开军事会议，讨论进兵策略。当时的汉中督、先锋大将魏延建议，自己领兵万人由子午谷直抵长安，诸葛亮率大军出斜谷，趋长安会师，这样可一举平定长安以西。魏延的根据是，曹魏长安守将夏侯楙是魏明帝之婿，胆怯而无谋。他率精兵五千，负粮兵五千，循子午谷十日可达长安，突然进攻，夏侯楙必然弃城而逃。曹魏发兵来争要二十天时间，诸葛亮大军也可赶到。但诸葛亮认为这样做有危险，决定稳扎稳打出陇右，先取凉州，次取关中。于是诸葛亮声东击西，扬言由斜谷取眉，而实际西出祁山，想一举夺取陇右。诸葛亮只派赵云、邓芝率领少量人马据守褒斜道中段的岔口箕谷，作为掩护大军的侧翼。此役由于马谡失街亭，蜀军败还。

诸葛亮不用魏延之策，表明蜀国战略，以弱抗强，不敢深入，而是蚕食雍凉，在边地打消耗战。蜀国丧失了仅有的一次出奇制胜的机会，此后的北伐也都劳而无功，蜀国疲困，加速了灭亡。

三方战略的得失 三国对峙，吴蜀夹攻曹魏。吴军争淮南，兵指合肥，蜀军蚕食雍凉，兵指祁山，东西悬隔数千里，起不到急迫的呼应作用。吴国控制荆州，不北出襄阳，蜀兵不直入关中，两国不靠拢作战，名为联盟，貌合神离，自私打算，战略失策，形成弱国与强国打消耗战，曹魏应对两线作犹有余力，吴蜀反被拖垮，蜀国最弱，疲困最甚。

吴魏争淮南

三国对峙，主战场在东线，即魏吴对峙是三国鼎立的主线，而魏吴对峙的主战场却在淮南。淮南争夺，大战役都是围绕合肥而展开。本书上编第六章评述了孙权赤壁战后在江淮抗曹，六次攻合肥不下，前三次是孙权与曹操的对抗，后三次是孙权在对峙时期的北进，尽管孙权拼尽全力，合肥仍牢牢地掌握在曹魏手中。孙权死后，诸葛恪辅政，倾全国之力发动淮南大战，仍不能得手。由此可见合肥在魏吴对峙中的战略地位。

下面着重评述三国对峙时期孙权在位时吴魏争淮南的几次大战役。孙亮嗣位，诸葛恪用兵淮南，吴军惨败，将在第六章评述。

石亭之战 公元 228 年，孙权为了配合诸葛亮的第一次北伐，在淮南发动了石亭之战。此战孙权事前作了周密部署。吴国鄱阳太守周鲂献计，由他致信曹魏大司马曹休诈称投降，引诱曹休南下迎接，在运动中消灭曹魏有生力量。曹休时为扬州牧，驻屯寿春。周鲂在江南，他诈称策动地方旧族名帅一起北投，向曹休索讨将军、侯印各五十枚，郎将印一百枚，校尉、都尉印各二百枚，用以奖励起事的各魁帅头领。为了把假戏演得像真的一样，孙权多次下诏书谴责周鲂，周鲂在郡衙门落发谢罪，把这些消息传到北方。然后周鲂写了亲笔信，派亲信董岑、邵南北上投书。曹休得信，上表魏文帝，要求带兵深入吴境，接应周鲂。魏尚书蒋济认为有诈，上疏文帝分析利害。前将军满宠镇守西阳，也上疏反对，认为曹休不懂用兵，深入险地，背靠大湖，易进难退。满宠他的疏奏还未上报，石亭之战已经发动。

魏文帝批准曹休计划，同时也作了两手准备，预先提防周鲂欺诈。魏文帝下令三路进兵，曹休南下合肥向皖城，满宠领豫州之众南下夏口，司马懿从宛城南下江陵，牵制吴国上游之兵。随后魏文帝又任命豫州刺史贾逵入援曹休，督满宠、朱灵等东进，敕令与曹休合兵后南下。曹休建功心切，率十万大军深入。八月，孙权亲到皖城坐镇，令陆逊为大都督，统兵九万迎敌。陆逊自领中军，令朱桓、全琮为左右翼，三道并进，迎战曹休于石亭（今安徽桐城西南）。桐城东北夹石地势险要，为曹休退归的必经之路。朱桓建言，他率本部直插敌后夺据夹石，断敌归路。陆逊不从，集中兵力三道并进。曹休自恃兵多，越过夹石，前进至石亭设伏与吴兵交战。陆逊早有算计，三路包抄，驱赶曹休伏兵使之反被包围，曹休大败。退至夹石，归路已为吴兵所断。适值贾逵援兵赶到，救出曹休，辎重尽失，死亡万计。但是吴兵无力扩大战果，只好班师凯旋。

曹休战败，气愤身亡，满宠领扬州牧。满宠预料孙权不北上合肥，必西争西阳。西阳在合肥正西（今河南光山西南），孙权如占领西阳，可以在夏口江北正面推进几百里。满宠暗中为备。孙权果然乘石亭之战的声威，在公元229年西取西阳。孙权声东击西，扬声北上，主力实际西出，但发现满宠有备，无功退还。

孙权三围合肥新城 满宠巡视合肥旧城，南临江湖，北远寿春，利于吴军进攻，不利魏军解围。公元230年，他在合肥旧城西三十里的险要地势上另筑新城。护军将军蒋济不同意，认为这是魏军无敌自退，示人以弱。满宠认为示敌以弱，使敌骄堕，符合《孙子兵法》，并请示魏明帝，获得批准。同年孙权来攻新城，不克而还。公元 233 年，孙权派将军全琮征六安牵制魏军，并屏断豫州之敌东援，自率大军再攻合肥新城。这时新城已坚固，又离水较远，孙权逗留二十多天不敢下船。满宠料定孙权要撤军，在撤退前将“上岸耀兵、以示有余”，暗中伏步骑六千袭击吴军。孙权果然上岸，遭满宠伏兵突袭，伤亡数百退走。

公元 234 年，吴蜀联合大举攻魏，诸葛亮由斜谷北进关中，孙权在东边北上，东西相应。吴兵三路北进：西路陆逊、诸葛瑾向襄阳；东路孙韶、张承向广陵、淮阳；孙权自率中路军为主力，三围合肥新城。魏明帝曹叡亲征，未至寿春，孙权退走。

公元 241 年吴将全琮略淮南，诸葛恪攻六安，朱然围樊城，诸葛瑾攻柤中。孙吴四路北上，东路全琮为主力，决芍陂，意图仍是争淮南。魏征东将军王凌、扬州刺史孙礼全力迎战全琮，全琮败走。西边策应的吴军，也被司马懿击败。这次战役是孙权在位时期吴国最后一次大举北伐。

纵观吴魏争淮南，魏守吴攻，而结局是吴兵多败，双方稳守各自战线不越雷池一步。吴国战略，企图夺取淮南，把战略防御推进到淮水，由于国力有限，始终不能达目的。曹魏休兵息民，稳守淮南，常以数千之众留守合肥，疲劳吴兵十万之众，以此战术消耗江南。曹操和魏文帝多次南下临江，也限于国力打不破孙权的江防体系，退而以防守战略蓄养国力。这就是吴魏对峙，将作战地区长期限制在淮南一隅互相拉锯的历史原因。

诸葛亮北伐

蜀汉君臣的政治路线是混一天下，“光复汉室，还于旧都”。诸葛亮经过几年的励精图治，蜀国出现了“田畴辟，仓廪实，器械利，蓄积饶”的富强局面，还训练了一支近二十万人的精兵。吴蜀联盟也得到了恢复和巩固，北伐条件，万事俱备，只欠“天下有变”这一东风。公元227年，魏文帝曹丕病死，子曹叡即位，史称魏明帝。消息传到蜀国，诸葛亮认为北伐时机已到，率诸军北驻汉中，准备大举北伐。临行诸葛亮上《出师表》陈述出师北伐的意义和目的。他说：“现在南方已经平定，兵甲已经充足，应当奖率三军，北定中原，铲除奸凶，兴复汉室，还于旧都。”他在表中恳切地劝说后主刘禅认清蜀汉所处的险恶环境，奋发图强，不要妄自菲薄，满足于暂时的安定。要吸取前汉兴隆，后汉衰败的历史教训，亲贤臣，远小人，信用郭攸之、费祎、董允、向宠、张裔、蒋琬等一批贤才，搞好内政，广开言路，执法公平。这道表文表现了诸葛亮的忠诚，身在军中，心忧朝廷。同时也表现了诸葛亮的必胜信心，他以完成天下一统的大业为己任，要求后主责其成效。按照“隆中路线”规划的战略，诸葛亮北伐应兵向秦川，须有荆州之兵攻向宛、洛呼应。由于荆州已失，诸葛亮只能单向出兵，不是直出秦川，而是绕出陇右，形成弱蜀与强魏打边界战，所以连战皆北，以星落五丈原而告终，成了千古遗恨。

从公元228年至234年，七年之中，诸葛亮五次伐魏，可以说是连年动众而屡出无功，导致蜀国兵疲民困。对此，应如何来作评价呢？诸葛亮为什么屡出无功，又如何吸取诸葛亮北伐的历史教训呢？

六出祁山　诸葛亮五次伐魏，一次御敌，共进行了六次战争。由于第一次出兵的主攻方向是陇山之西的天水祁山（在今甘肃礼县东北），故讲说三国史的说书人称诸葛亮为“六出祁山”，《资治通鉴纪事本末》称为“诸葛亮出师”。

诸葛亮出师的汉中基地是一个地形险要的盆地。这里物产丰富，交通四达，进可“蚕食雍、凉，广拓境土”，退可“固守要害，为持久之计”，是蜀汉的北大门。汉中在关中正南，中间横着一道秦岭。从汉中北出秦岭，兵下秦川可夺取关中，这是汉高祖因之以成帝业的出兵方向。从汉中西出经武兴（陕西略阳），向西北迂回祁山可断陇右。从汉中东出可直向宛、洛，或循汉水南下攻襄阳，或迂回武关取长安。但从汉中东出，被广袤的豫鄂

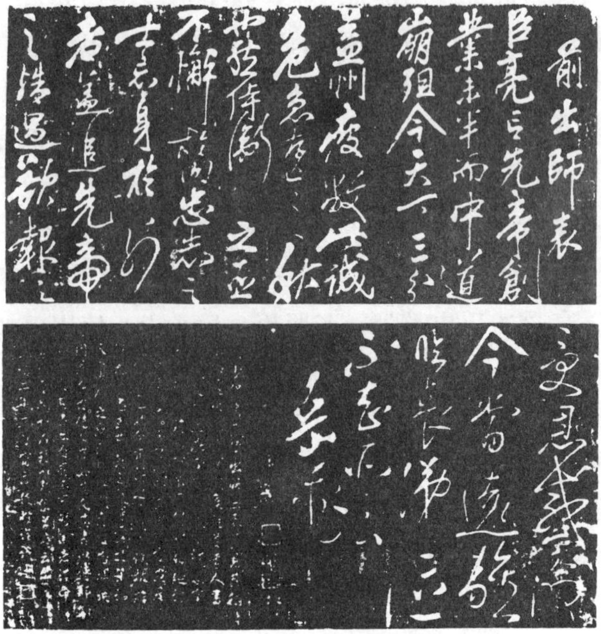

岳飞书《出师表》石刻拓片

山地所阻，道路险远，必须占领西城（陕西安康）、上庸（湖北竹山）、房陵（湖北房县）等汉水中上游的名城重镇作为前进的基地。刘备和诸葛亮很重视上庸基地的建立。公元 219 年刘备得汉中伊始，立即命令宜都太守孟达从秭归北上，命副军中郎将刘封从汉中东出，两路夹击上庸。魏将申耽、申仪兄弟降蜀。刘备加申耽征北将军，领上庸太守，以申耽弟申仪为建信将军，领西城太守，刘封、孟达共守房陵。按隆中路线出兵，荆州之兵北向宛、洛，益州之众出秦川，则上庸之师可居中策应，但事势的发展违背了诸葛亮的神机妙算。刘封、孟达两将大搞摩擦，所以关羽荆州败北向上庸求援，二人竟坐视不救。结果荆州丢失，孟达及申氏兄弟投魏，刘封败回成都，蜀汉丧失了上庸基地。诸葛亮北伐，从汉中东出的道路即被阻塞。

从汉中北入关中，跨越秦岭，主要有三条谷道，由西向东为褒斜道、傥骆道、子午道。东道子午道最险远，有六百六十里的高山险谷。这条通道，南段叫午谷，北段叫子谷。子谷谷口在长安之南。所以子午道虽然险远，但可出其不意，直插长安。中道傥骆道最近，谷长四百二十里。蜀军出中道，可陈兵武功，对长安的威胁也很大。西道褒斜道较为宽坦，有四百七十里的山谷。南段叫褒谷，谷起褒城，在汉中郡治南郑北面。北段叫斜谷，谷口在陕西眉县西南三十里。褒斜道中段有一条西出折而向北的支道叫箕谷，往北经散关即达陈仓。蜀军出褒斜道，前据雍眉，可屏断陇右。从总的地理形胜来看，关中有八百里秦川，陈仓在川原之西，长安在川原之东，东西距离五百余里，回旋余地大；而汉中只是一个狭小的盆地，三条通道如车辐之聚于车毂。因此，由北向南攻，可诸道并出，居高临下会聚汉中，任何一条通道都无被截断之虞。曹魏的几次攻蜀都是诸道并进。反之，由汉中北伐，三条通道呈辐射状，诸道并进，出谷后因分散在秦川东西川原上不易集中，而且诸葛亮北伐的东道全线在魏境。因此，诸葛亮北出秦岭只能走中道或西道。公元 227 年，诸葛亮北驻汉中，经过一年的临战准备，又争取了魏新城太守孟达归蜀，可借以牵制曹魏河南军。新城即房陵。诸葛亮认为出师时机已到，于公元 228 年正月誓师攻魏，发动了第一次北伐战争。

出征前，诸葛亮召开军事会议，讨论进兵策略。当时的汉中督、先锋大将魏延建议，自己领兵万人由子午谷直抵长安，诸葛亮率大军出斜谷，趋长安会师。这样可一举平定长安以西。魏延的根据是，曹魏长安守将夏侯楙是魏明帝之婿，胆怯而无谋，他率精兵五千，负粮兵五千，循子午谷十日可达长安，突然进攻，夏侯楙必然弃城而逃。曹魏发兵来争要二十天时间，诸葛亮大军也可赶到。但诸葛亮认为这样做有危险，决定稳扎稳打出陇右，先取凉州，次取关中。于是诸葛亮声东击西，扬言由斜谷取眉，而实际西出祁山，想一举夺取陇右。诸葛亮只派赵云、邓芝率领少量人马据守褒斜道中段的岔口箕谷，作为掩护大军的侧翼。

曹魏方面，全力伐吴，认为刘备死后，蜀汉“数岁寂然无声，是以略无备预”，关中、陇右防务空虚。诸葛亮出师，队伍整肃，号令严明，兵力集中，声势浩大，曹魏朝野恐惧，陇右、祁山更是一片慌乱。魏南安、天水、安定三郡叛魏降蜀，蜀国顺利地进至天水地区。

但是，诸葛亮攻占祁山后，蜀军受到阻滞。魏陇西太守游楚坚守，雍州刺史郭淮保据上邽。陇西郡治襄武，在今甘肃陇西东。上邽，即今甘肃天水。诸葛亮坐镇西县为后援，西县在天水西南。诸葛亮命先锋魏延攻上邽，以参军马谡率军渡过渭水据守街亭战略要地。于是魏蜀两军在街亭发生了一场争夺陇右的激战。

由关中入陇要翻越大陇山和六盘山，主要有两条大道。一条由长安沿泾河西上经甘肃平凉翻六盘山入陇，南下庄浪可达街亭，这条道路比较迂远。再一条从长安沿渭水西上，经雍（陕西凤翔）、陇县翻越陇坻直下街亭，这是最近便的一条大道，魏将张郃率步骑五万西救祁山正是从这条道路而来。街亭即两汉之略阳古城，在今甘肃秦安东北九十里的陇城镇，是古代通往关中、天水、安定、金城的总路口。街亭地势险要，古城坐落在一条狭长的川地上，南北两山夹川对峡，川原宽约一至四里不等，略阳川水由东向西流贯其间。古城南托南山，北临河水，控扼着东西南北的交通。蜀军据守街亭，就可以阻断魏军入陇西，如果失去街亭就不能在渭水北立足。马谡违背诸葛亮节度，“依阻南山，不下据城”，张郃断绝汲水路口，使蜀军饥渴，乘其疲困而击，大败马谡，夺了街亭。据守箕谷的赵云、邓芝，因兵少被魏大将曹真击败。诸葛亮第一次北伐以失败而告终。

诸葛亮退还汉中，挥泪斩马谡。他上表承担过失，自贬三等，降为右将军，仍代行丞相事务。秋七八月，孙权在淮南石亭大败曹休，关中魏兵东调，诸葛亮在十二月第二次出师，北出散关，围陈仓。诸葛亮再次上表，陈述北伐意义，习惯上称《后出师表》。诸葛亮在表文中列举曹操、刘备在创业过程中的胜败事实，说明战争总是有胜有负，不能以一战之失而不敢北伐。诸葛亮分析形势说，“汉贼不两立，王业不偏安”，若蜀汉不伐魏，曹魏则要灭蜀，与其坐等灭亡，还不如主动北伐。诸葛亮表示，他要力争取胜，尽最大努力，那就是“鞠躬尽力，死而后已”，格调有些低沉，不像第一次北伐的上表那样充满信心。但诸葛亮决不坐等待亡，要尽人事。这一次由于是仓促出征，而魏将郝昭留守陈仓，早有准备，据城坚守，以千余精兵抗拒数万蜀军。诸葛亮围城二十余日，粮尽而还，斩魏追将王双。

公元229年春，诸葛亮第三次出师，派将军陈式西出阳平关，攻取魏武都、阴平二郡。武都郡治在今甘肃成县西北，阴平郡治在甘肃文县西北。曹魏的这两个边郡突入在蜀汉境内，正挡在益州通往汉中的大道之侧，诸葛亮全力以争，夺取二郡屏蔽汉中、益州。曹魏救二郡，鞭长莫及。公元219年曹操退出汉中时就知二郡不能守，迁其民氐人五万余落于扶风、天水界。所以诸葛亮这次出师是一次小胜。

公元230年九月，魏大司马曹真三路伐蜀，指向汉中。诸葛亮命李严从江州率军两万入援汉中，自己亲率大军屯驻成固迎敌。正巧大雨连降三十余日，阻滞了魏军的行进，魏明帝下令退兵。魏延西入羌中击败郭淮于阳溪（在今甘肃渭源北），得胜而还。

公元231年，诸葛亮第四次出师。这是趁魏军无功退还之机，再出祁山。魏明帝命司马懿代曹真为大将军，督张郃、郭淮等迎击蜀军。魏蜀两军相持于上邽，蜀军运粮不继，退还汉中，张郃追击，在木门（天水西南）中伏毙命。

诸葛亮鉴于连年出师无功，决心进行更加充分的准备，然后大举北伐。诸葛亮屯驻十二万大军在汉中，实行“十二更下，在者八万”的轮换制度，兼顾兵农。诸葛亮还改革了阵图、战法，创连弩箭，又作木牛、流马运送军粮，还在斜谷建立邸阁预先屯粮。经过近三年的准备，于公元234年二月，诸葛亮率十余万大军由斜谷大入，直指眉、雍，约吴同攻，东西呼应。四月，蜀军至眉，军于渭水之南原。司马懿已先期渡渭，也在南原背水为垒，短兵相持，阻止蜀兵渡渭。司马懿坚壁不出，以待蜀军粮尽退还时追击。诸葛亮也下定决心，持久相抗，“分兵屯田，为久驻之基”。两军相持百余日，司马懿仍是不出。诸葛亮派人送一套女人的衣服给司马懿，想用羞辱的办法激怒他出战，魏军诸将果然沉不住气，纷纷请战。司马懿向魏明帝请示，魏明帝派卫尉辛毗为军师，到前线节制司马懿。蜀将姜维说："辛毗一来，魏军更不出战了。"诸葛亮说："司马懿本来就不想战，他为了搪塞诸将，向魏明帝请战。将在外君命有所不受，他想打仗，自己可以做主，何必千里去请战？"司马懿与诸葛亮彼此了解，正是棋逢对手，各打各的。

八月，东线吴军已被魏军击退，诸葛亮因积劳成疾，加上东线传来的坏消息，一病不起。成都后主知道后，派李福去探望，并询问国家大计。李福告辞回返，几天后又折回前线。诸葛亮对李福说："我知道你返回的意思，是要问后事，蒋琬可以接替。"李福又问蒋琬之后，诸葛亮说费祎接替。李福再问，诸葛亮不作回答。李福走后没几天，诸葛亮怀着遗恨，病逝在关中五丈原军营中，终年54岁。

诸葛亮死后，蜀军诸将发生意见分歧。魏延认为他的资格与才能应当接替诸葛亮统率全军，继续北伐。诸葛亮临终安排姜维、杨仪、费祎等秘不发丧，整顿退军。魏延势孤，公然脱离大队，抢先回汉中，沿路阻塞关口，要强行夺军。杨仪等撤退，司马懿追赶，前有魏延阻塞，后有司马懿追击，蜀军一度陷入险恶形势。杨仪等按既定部署，等到司马懿追近，做出反击的样子，司马懿怕遭诸葛亮的暗算，重蹈张郃覆辙，不敢再追。于是蜀军从容退入斜谷，才讣告发丧。这件事民间传为笑谈，说："死诸葛吓走生仲达。"仲达是司马懿的字。司马懿听到后，自我解嘲地说："我只能料生，不能料死。"

魏延断路，杨仪派马岱紧紧咬住魏延，在南谷口追上魏延。蜀将何平面对魏延大呼说："丞相身亡，尸骨未寒，你们父子胆敢造反？"魏延所领士兵一哄而散。魏延父子奔逃汉中，马岱追斩二人。可惜魏延一代名将，由于与杨仪闹个人意气，又怨恨诸葛亮压抑自己，出此下策，想置蜀军于困境以逼杀杨仪，搬起石头砸了自己的脚。魏延以叛国罪被族诛，成为千古奇冤。

蜀军退回汉中，诸葛亮出师北伐曹魏的战争，至此结束。

北伐失败原因　诸葛亮北伐，未建奇功，在当世就引起了人们的争论。吴国大鸿胪张俨所作《默记》，在《述佐篇》中就记载了两种看法。支持北伐者认为，诸葛亮志在吞魏，饮马河、洛，可惜死得太早，不然就会成功。另一种意见认为，诸葛亮处益州孤绝之地，战士不满五万，应闭关守境，君臣无为蓄养士民，而自不量力，空劳师旅，无岁不征，“使国内受其荒残，西土苦其役调”，是盲目用兵，非明哲之士。后人又提出了第三种观点，以王夫之为代表，认为诸葛亮北伐是“以攻为守”，经略中原只不过是一个口号，一种理想罢了。

这三种观点均是鉴于失败的事势分析，只是角度不同而有异，并不符诸葛亮的本志。“以攻为守”，只可在两军决战中作为战术应用，而绝不可用为以弱抗强的基本国策。弱国对抗强国，“以攻为守”，不仅在理论上和实践上不能成立，而且在中国古代的分合历史演变中找不到这样的实例，也与魏蜀对抗史实不相符。《孙子兵法》说：“故善战者，致人而不致于人。”意思是善于打仗的人，调动敌人而不是被敌人所调动。所以诸葛亮攻围祁山，魏明帝就说：“诸葛亮不顾祁山险固，送上门来，必败无疑。”诸葛亮如果是以守土偏安为国策，正确的策略应是休兵息民，守险待敌，而绝不会在崇山峻岭之中去空劳师旅，疲敝兵民。守与战，兵力财物有三倍之差，攻不足则守有余。以一州之众的弱蜀攻强魏，何利之有？诸葛亮北伐，从前后《出师表》可以看出，“虑汉贼不两立，王业不偏安”，“故冒危难以奉先帝之遗意也”。《后出师表》，诸葛亮凄怆悲凉，仍念念不忘北伐中原，所以他的用兵绝不是“以攻为守”。诸葛亮驻屯汉中，采取的是进攻策略，其战略是“蚕食雍、凉，广拓境土”，徐图中原。所以政治、经济、军事都执行的是战时体制。刘备在时，亲率大军征讨，诸葛亮驻守成都，“足食足兵”。蜀国政治、经济的第一要务是“足食足兵”四个字，即不断地保障前线，运送粮饷，补充兵源。《后出师表》情调有些低沉，这是因为第一次北伐失败，形势起了变化。曹魏加强了关陇的防务，诸葛亮夺取雍凉更加困难了。但是谋事在人，成事在天，诸葛亮明知“民穷兵疲”，但“事不可息”，所以抱着“鞠躬尽力，死而后已”的耿耿忠心来行事了。

张俨说，打仗靠奇谋智计取胜，不在土地广，兵马多，但诸葛亮连年北伐而未见奇功，是“智”还是“不智”，这就不能自圆其说了。战争不只是军事的角力，而是政治、经济、军事、外交、谋略等等综合的社会力量的较量，在对峙形势下更是如此。在总体上，蜀弱魏强，加上未有“天变”，后主刘禅智力弱于魏明帝，又无荆州方向的配合，北伐失败具有必然性。要打破强弱转化的必然，惟有用智计奇谋的“偶然”以破“必然”了。以个人才智论，有治国之才，有军事之才，有外交之才，也有数者兼善的全才。但全才毕竟不多，而任何一个全才也必有所短。在三国人物中，诸葛亮是一个全才，既能治国，又能讲武，更兼忠贞亮节无与伦比，但他过于谨慎，预事太细，就是一短。诸葛亮北伐，蜀弱魏强，打消耗战绝无胜利把握，这一客观形势非人力所能补救。以智奇制胜，化弱为强，就要避免打消耗战，由于诸葛亮治国为长，将略为短，没有把握住机遇，这是北伐失败的主观原因。具体说，有以下四失。

第一，战略之失。蜀将魏延善养士卒，勇略过人，是一个难得的将才，在北伐中曾两败郭淮。第一次北伐，魏延建言直取长安，奇兵出子午谷，与诸葛亮异道会于长安，如韩信故事。诸葛亮认为此计悬危，西出陇右祁山，取“十全必克”之计，实为下策。从陇右三郡叛魏应蜀来看，魏延之计可行。诸葛亮认为此计悬危，可以不出子午谷，但主力实应直取陈仓或雍、眉，屏断陇右，方可十全必克，假若这样也不失为中策。诸葛亮虚张声势取眉，而不派一兵一卒阻断关陇大道，集中兵力用于一个方向，实在是一个最下策的战略。即使街亭不败，曹魏诸军上陇，诸葛亮“十全必克”的计划也是难以实现的。

第二，战术之失。魏将孟达反于新城，自以为司马懿听到他起事，请示朝廷，来回往返，要一个月时间。不料司马懿当机立断，不等奏报，亲自提兵，倍道兼程，八日兵临新城，十六天就破斩了孟达。其时申仪扼守西城，孟达孤军作战，必然失败。诸葛亮没有派出有力的策应部队夺取西城，援救孟达，失去了这一个牵制曹魏河南之兵的侧翼，大为失计，此其一。诸葛亮扬声取眉，对于防务空虚的关陇，无异于警告敌人。不使赵云、邓芝出谷，阻滞曹魏西援，反遭箕谷不戒之失，此其二。陇右三郡叛魏应蜀，而蜀军行动迟缓，没有在陇右展开，及时阻断陇山道口，而命马谡街亭迎敌，亦为失计，此其三。陇西坚守，蜀军未能乘虚攻克，示人以弱，致使魏军克平三郡后对叛魏者血腥镇压，大加封赏陇西吏民，造成严重的政治后遗症。此后诸葛亮出师，无有应者，此其四。这些战术失计，客观原因是“蜀兵轻锐，良将少”，主观原因乃是诸葛亮过于持重，应变能力不是他的长处。不过平心而论，诸葛亮以弱蜀抗强魏，在秦岭山中自来自去，不仅曹魏诸将不是诸葛亮的对手，即使司马懿也稍逊一筹。诸葛亮治军有方，训练有素，蜀军将弱兵强，临阵对敌，常占上风。诸葛亮还创八阵图，行军扎营，安静而坚重，即使退却，魏军也无隙可乘，计斩王双、张郃，仍不失为“天下奇才”。由于诸葛亮的对手司马懿、张郃、郭淮等人均智勇兼备，难于对付，才使得诸葛亮的神机妙算有些支绌罢了。

第三，用人之失。魏延是蜀中唯一的一员超群绝伦的上将，远在张郃、郭淮之上。刘备拔魏延为汉中督、镇远将军，“一军尽惊”。此外，王平也是一位智勇双全的大将。但诸葛亮未尽二人之才，不委以方面之任，使其领兵不过万人，致使魏延叹恨不已。不尽人之才，已是一失，又违众用马谡，此为再失。以诸葛亮之智，在用人上有此两失，千古而后，发人深省。

第四，用刑之失。街亭失守，诸葛亮诛马谡，又杀了李盛，废了黄袭，正如蒋琬所说：“从前楚成王杀了得臣，晋文公是多么高兴。现在天下未定，而杀了智谋之士，难道不可惜吗？”东晋史家习凿齿说得更为直率，他说：“诸葛亮进不了中原，这是有原因的。蜀国偏在一方，人才少于曹魏，而杀了能干的人，只好用庸才充数，强调法治胜于用人才，不给人以自新之路，想成就大业，太难了。”违众用马谡主要责任在诸葛亮自己。再说马谡虽短于临机决斗，却不失为一个参谋良将，原可以宽贷立功。又马谡失街亭在战略部署上也不能说有什么大误。诸葛亮的节度是让他扼守要塞，坚壁不出。马谡“依阻南山，不下据城”，摆出的是决战态势。无奈他本人只是一个书生儒将，不能上马冲阵，所以冲不开张郃的围攻。若是马谡有关羽、张飞之勇，未必就要丢失街亭。可以说马谡是志大才疏，有谋而才力不继。诸葛亮本身是一个儒将，不能上马冲阵，故尔行动迟钝，而又用一个儒将去打先锋，失计之甚。追究责任，杀一马谡已"裁之失中"，况又滥杀李盛，连坐黄袭乎！刘备欲杀蒋琬，诸葛亮说情宽贷终得用其才，而彭羕、廖立、李严等都借执法以废，终身禁锢，何亲之于彼而疏之于此呢？

诸葛亮虽有上述四个方面之失，但不能否定他是三国时最杰出的人物之一。王夫之评论诸葛亮，说他虽然将略为短，而治国治军实为少有的奇才。我们对任何一个伟大的历史人物都不能求全责备，但也不能为尊者贤者讳其短。诸葛亮最大之失，是过于自恃，不能彻底地真正地集思广益以补自己之短。他治国，事无巨细都要过问，甚至亲自核对账簿，汗流浃背。主簿杨颙进谏说："处理政事，各有专责，上下之间，也有分别，治理国家更要各司其职。所以古人说，在三公位是动嘴，执行办事的是士大夫。现在丞相亲自核对起账簿来，不是太劳苦了吗？"诸葛亮表示感激。诸葛亮爱管细事，远近闻名。诸葛亮病逝五丈原，看来他是劳累致死。诸葛亮事必躬亲，认真办事，积劳成疾，使人感动，但是身负军国大任的人，只相信自己，不放手别人，怎能培养接班人，又怎能容忍大才之人？《出师表》所荐贤才，郭攸之、费祎、董允、向宠、陈震、张裔、蒋琬等七人，除张裔为蜀中人士外，余皆为追随诸葛亮的荆州人士。诸葛亮斤斤于亲己之贤才，不能不说气度有些褊狭。这些贤者都是二流人物。像魏延、马超、彭羕、廖立等一流大才人物，诸葛亮未尽其用。诸葛亮以一人之智掩一州之才，以个人之力抗天下之士，焉能不败！"蜀中无大将，廖化做先锋"，蜀国人才匮乏的这一局面，与刘备、诸葛亮的任人唯亲多少有些关系。大约人之情性，在专制政体下，己有所短则忌人之长，是否如此，值得心理学家和政治家们去研究。以诸葛亮之智，加之以鞠躬尽瘁之德，尚不能尽小国人士之才，这确实是够发人深省的历史教训。

第二章　魏文帝曹丕

魏文帝曹丕，字子桓，是武帝曹操的太子。东汉灵帝中平四年（公元 187 年）冬，生于谯县。东汉献帝建安十六年（公元 211 年），被任命为五官中郎将，为丞相曹操的副手。建安二十二年（公元 217 年），被立为王太子。建安二十五年（公元 220 年），太祖曹操去世，曹丕继位为丞相、魏王，改建安二十五年为延康元年。曹丕受禅称帝后，改元为魏黄初元年。

争位太子

曹操有 25 个儿子，长子曹昂，字子修，刘夫人所生。曹昂年二十举孝廉，随曹操四方争伐。建安二年，公元 192 年正月，曹操南征张绣，曹昂死于军中。曹丕次子，卞夫人所生。曹昂死后，曹丕成了长子。卞夫人虽出身倡家，生性俭约，不尚华丽，慈爱善良，得到曹操宠爱。刘夫人早死，丁夫人母养曹昂。曹昂死后，丁夫人痛哭无节，回到娘家。卞夫人被曹操纳为正室，曹丕成了嫡长子。曹丕称帝后，追尊曹操为武帝，尊母卞氏为皇太后。

卞氏太后，生养了四个儿子，长子曹丕、次子曹彰、三子曹植、四子曹熊。曹植与曹丕为同胞兄弟。曹操文武兼资，是著名的诗人。曹丕、曹植也擅长文学，与其父曹操并称“三曹”，指的是父子三人在文学上齐名，是建安时期的代表作家。曹植思维敏捷，他的诗文最为有名，为三曹之冠，也是建安时期最负盛名的作家，《诗品》称他为“建安之杰”，因此，曹操非常喜爱他。

曹植喜欢读书，十多岁的时候就诵读了诗歌、论文和辞赋几十万字，而且能下笔成文，写得很好。曹操感到惊奇，怀疑曹植请人代笔，不相信他十几岁就写出好文章。曹植对曹操说：“我能口占成文，请当面考试。”当时邺城铜雀台刚刚落成，曹操把儿子们都召集到台上参观，命他们各自作赋。曹植提笔，一气呵成，非常漂亮，曹操称奇，从此，更加宠爱。

曹操立嗣，曹丕是太子，按宗法是当然的嗣子。建安十六年，公元211年，曹丕为五官中郎将、副丞相，嗣子之位已经确立。这时曹植名声大起，年20岁，封平原侯，曹操宠爱有加。论私情，曹操更喜欢曹植，于是曹植产生了夺嫡的野心。兄弟二人，暗中斗争，各自树党。丁仪、丁廙、杨修等人为曹植羽翼。杨修任丞相主簿，在曹操身边，与曹植暗通信息，出谋划策。曹丕结纳吴质、贾诩等人为谋主。贾诩说张绣投曹操，深得曹操尊重，表请贾诩为执金吾，留参司空军事，也是身边的谋士。曹丕、曹植两党势均力敌。杨修、贾诩都是智能之士，曹丕、曹植都是优秀的儿子，伤了哪一个曹操都舍不得，犹疑不决，下不了决心。

曹植恃才傲物，少有心计，凭着性子做事，不会韬晦，加上好饮酒的缺点，被曹丕利用。曹植曾经乘车开司马门出，行走在专供皇帝行走的驰道中，这是犯禁行为。曹操大怒，杀了公车令，并由这事件引发颁布了严厉的科禁，曹操开始疏远曹植。建安二十四年，公元219年，曹仁在襄樊被关羽围困。曹操任命曹植为南中郎将，代理征虏将军，领兵去救援曹仁。这是给曹植立功的一个信号，曹操还特地嘱托了曹植一番。曹植大大咧咧，没放在心上。曹丕闻听消息，特地来向曹植送行劝酒，把曹植灌醉，不省人事，无法与军队一起行动，曹操只好亲自带兵出征。这件事让曹操伤透了心，认为曹植不堪任属大事，于是不废太子曹丕。

与曹植行事相反，曹丕很有心计，注重仪表，善于伪装谦虚和善，不但在父母面前表现谦恭，而且对待宫女奴仆也很有礼貌，宫中的人都替曹丕说好话。曹丕又向贾诩请教自保之术，贾诩说："你每天勤恳认真办好政务，空下来就读书，约束自己，孝顺父母，当一个好儿子，这就够了。"曹丕心领神会，认真实行，逐渐给曹操留下了持重的印象。

曹操立嫡之事，曾征求贾诩的意见，贾诩故意不回答，作出沉思的样子。曹操连问了几次，贾诩装作没有听见。曹操急了，说："我对你讲话不回答，为什么?"贾诩说："我正在想事情，考虑怎么样回答你，所以不及时。"曹操说："你在想什么事，这样专注。"贾诩说："我在想袁绍和刘表，不知为什么他们那样疼爱小儿子。"曹操明白了贾诩的意思，哈哈大笑说："我拿定主意了。"袁绍、刘表偏爱小儿子，废嫡立庶，亡了身家，前车之鉴就在眼前，岂可重蹈覆辙，于是曹操再不提废太子的事。

曹植谋士杨修与贾诩处事也不同，他卖弄聪明与曹操争高低。建安二十四年，曹操进兵汉中与刘备相争，吃了败仗，传下军令"鸡肋"，众人不解，杨修立即打点行装，准备启程。他对众人说，"鸡肋"的意思是"食之无益，弃之有味"，就是要撤离汉中的意思。话音未落，果然曹操传下撤离的命令。事后，杨修的话传到曹操耳中，曹操很不高兴。这样的事，杨修多次猜中，并泄露出去，于是曹操动了杀机。

曹操时常出些问题考核曹丕、曹植，看哪一个能干。杨修透露题目，又备下多种答案给曹植，曹植每每回答得天衣无缝，引起了曹操的怀疑。曹操又出了一个难题来考验两个儿子，也考验杨修。曹操让曹丕、曹植从洛阳的不同城门出城，暗中事先告诫守门人阻挡曹丕、曹植出门，观察两人办事的权宜能力。曹丕受到阻拦，没有出城回了宫。曹植听了杨修的主意，杀了阻挡的守门人出了城。曹操认为曹植没有这样的决断能力，知道是杨修所教。曹操担心他死后两子争位，杨修难以控制，就找借口杀了杨修，让曹植回到自己的封邑上去。

曹丕即位，怀恨曹植，立即诛杀了丁仪、丁廙，又指使人诬告曹植醉酒，辱骂使者，蔑视朝廷。当时曹植任临淄侯，曹丕宣召曹植入京治罪。曹植害怕，把随从留在后面，自己只带了两三个贴身警卫，穿便衣先行入朝，托姐姐清河长公主去向曹丕求情。皇太后得知，对着曹丕当面哭泣，不允许皇帝杀害曹植。这时曹植效法汉朝梁孝王向汉景帝请罪的故事，光着头、赤着脚，背上刑具到宫门请罪，给曹丕一个台阶下，皇太后和曹丕都很高兴。但曹丕见了曹植仍然面无表情，非常严肃，也不发话让曹植戴上帽子。曹植伏地哭求，皇太后很不高兴，曹丕这才发话赦免曹植的罪过，要他在七步之内写出一首诗，写不出仍然要治罪。曹植出口成章，作诗云："煮豆持作羹，漉豉以为汁。萁在釜下燃，豆在釜中泣。本是同根生，相煎何太急？"这就是历史上流传的七步诗。曹丕有所感悟，为了皇太后，赦了曹植的死罪，贬爵为安乡侯，并下诏书说："曹植是我的同母弟弟。朕对于天下苍生都能宽容，何况亲弟弟呢！至亲骨肉，免了死罪，降爵临淄侯改封为安乡侯。"事后曹植多次上书魏文帝痛陈过失，曹丕嘉奖，兄弟和好。曹丕多次改封曹植，最后封为陈王。曹植死后谥号"思"，史称陈思王。

受禅建魏

延康元年，公元 220 年，二月十六日壬戌，魏王曹丕任命太中大夫贾诩为魏国太尉，御史大夫华歆为魏国的相国，大理王朗为魏国的御史大夫，又在魏国设置散骑常侍、散骑侍郎各四人。曹丕的这次人事调整，为他禅代汉朝、预设新朝政府打好了班底。

早在东汉灵帝熹平五年，公元 176 年，在曹丕的生地谯县出现了黄龙。光禄大夫桥玄问太史令单飏说："这是什么征兆？"单飚回答说："这个地方以后会有帝王兴起，不到五十年，黄龙将在谯县再次出现。"内黄人殷登默默记住了单飏的话。过了45年，殷登还健在。延康元年三月，黄龙果真再次在谯县出现，殷登说："单飏的话，大概要应验了。"曹丕代汉的形势十分明显，因此各种流言四起。

六月初七日辛亥，魏王曹丕借口南征孙权，在邺城东郊集结军队。二十六日庚午，魏王曹丕率领大军南征。七月初六日庚辰，曹丕在行军途中下达指令，要求各级官员广泛提出改善政治的建议，并给他个人的过失提出规谏，要求将领严肃军纪的法规，朝廷士大夫要阐明政治制度，州牧郡守要报告行政事务，议论政事的顾问要依据儒家六经考求治国之道。魏王曹丕表示会广泛听取意见，阅读奏章，摆出一副开明的架势。

七月二十日甲午，曹丕率领大军到达出生地谯县，驻屯在县城东面，大摆宴席犒劳军队和谯县父老乡亲。八月，石邑县报告说有凤凰飞来聚集。

冬十月初四日丙午，曹丕率领大军到达许都东南的曲蠡。汉献帝看到大军压境，满朝文武都心归魏王，就召集公卿百官到高祖的神庙祭祀，并报告自己决定禅位给魏王。然后派遣御史大夫张音，手持节仗，把皇帝玉玺呈送给魏王，并下达了禅让诏书，称赞曹氏父子的功业，说汉祚已尽，将效法唐尧、虞舜，禅位给魏王。曹丕于是建筑了一座举行受禅仪式的土坛。十月二八日庚午，魏王曹丕登坛就皇帝位，百官在旁边陪同。仪式的各个事项结束之后，皇帝下坛，观看燎祭的火焰，完成了最后的仪礼回宫，宣布改年号为黄初，大赦天下。

魏文帝黄初元年十一月初一日癸酉，以河内郡山阳县一万户供养汉献帝，称为山阳公。魏国优礼山阳公，可以依旧使用汉朝的历法，还可以使用天子的礼仪举行郊祭，向魏帝上书不必称臣，还能够参加京城的宗庙祭祀活动。山阳公的四个儿子都封为列侯。魏青龙二年，公元234年，山阳公薨，得以善终。

黄初元年十二月，魏文帝下令营建洛阳宫。十二月十七日戊午，魏文帝曹丕巡幸洛阳宫，从许昌迁都洛阳。

兵临大江

曹丕受禅建魏，得益于吴蜀同盟破裂，曹氏渔翁得利。建安二十四年，公元 219 年，关羽北伐威震荆襄，孙权在合肥受挫，感到西强东弱，掉头与曹操联手，偷袭荆州，杀了关羽，吴蜀交恶，曹丕趁此篡汉称帝。孙权破坏同盟，心惊胆战。他为了抵御刘备复仇，避免两线作战，向曹魏称臣。

蜀汉章武元年，公元 221 年，刘备称帝，倾巢伐吴，既在意料之中，又在意料之外。孙权一方在意料之中，君臣上下一心备战，并且孙权卑辞厚礼向曹魏称臣。曹魏一方，以曹丕为首，在意料之外，没有做好应变准备，错失了联蜀灭吴的时机。

刘备称帝后，魏文帝曹丕召集群臣讨论当前形势，分析刘备会不会东征。大家都说："蜀汉国小力弱，名将只有关羽，关羽败亡，全国震恐，没有力量再战。"只有侍中刘晔一人持相反意见，他说："蜀国虽然小弱，但是刘备是在关羽死后称帝，他要显示武力，表示还有力量，一定会东伐。再说关羽与刘备，名义为君臣，而恩情比父子还亲，关羽死亡如不兴兵报仇，那就等于是刘备对结义兄弟有始无终，这面子也下不去的。"刘晔说话有分寸，实际意思是说，刘备称帝，表明正统所在，他必然要讨伐叛逆，以表示有统一天下的力量。伐魏，力量不足；讨吴，自谓可胜，加之为关羽报仇，可以激扬士气。因之，蜀伐吴之战，即夷陵之战，不可避免。

魏黄初二年，公元 221 年，七月，刘备东出。八月，孙权遣使称臣于曹魏，卑辞奉表章，并送于禁等还魏。群臣向曹丕称贺。又是刘晔独发异论，他说："孙权无故求降，一定是内部有急事。他袭杀关羽，刘备一定大发兵讨伐，外有强敌，众心不安，又害怕我大魏乘机打击，所以割地求降。一是阻挡我大魏出兵，二是想借我大魏作声援，恐吓敌人罢了。现在天下三分，我大魏占有十分之八，吴蜀各保一州，阻山依水，有急相救，这是小国的利益。现在他们自相攻伐，是自取灭亡。我大魏应当发动大军渡江攻吴，蜀国攻击外部，我攻击腹心，吴国十天半月就要灭亡。吴亡蜀国就孤立了，即使割吴国一半土地给蜀国，蜀国也不能久存，何况蜀国只得一点边角，我得其腹心要地。”刘晔的建议是要魏国趁吴蜀相攻，战于荆州，魏国从淮南出击，直取建业，联蜀灭吴。由于曹丕事前没有心理准备，又满足于登基称帝，未采纳刘晔的谋划。

曹丕接受孙权称臣，坐观吴蜀相争，封孙权为吴王。同时向孙权施加压力，求索贡物，要孙权送质子。孙权接受吴王封号，以殊礼接待魏国使者邢贞。曹丕求索雀头香、大贝、明珠、象牙、犀角、玳瑁、孔雀、翡翠、斗鸭、长鸣鸡，孙权都一一进奉。东吴大臣都深以为耻，徐盛等涕泪横流，认为曹丕求索过甚，吴不应受封。孙权耐心说服，他以从前沛公接受项羽封汉王，终于灭了项羽建立汉朝为比喻，劝导群臣要审时度势，弯一下腰，有什么损害。又说，曹丕索要的贡品，“我把它看作是一堆瓦石，能安定国家，有什么可惜呢”！

曹丕派浩周使吴，向孙权征质子。曹丕封孙权长子孙登为万户侯，要孙登到洛阳为质。答应征质，孙权就要受制于人；拒绝征质，又担心曹魏来攻，真是进退维谷。但孙权自有妙策，他在浩周面前假意感动得“流涕沾襟”，临别时又“指天为誓”，孙权托浩周在文帝曹丕跟前说好话，推说孙登年幼，不懂礼节，上书辞封，过两年等孙登长大了再送。孙权还说要宗室孙长绪伴送，派大臣张昭为傅，说得有鼻子有眼。孙权还托浩周做月下老，替孙登在曹魏宗室中找一个媳妇，孙曹两家要再次结为婚姻。孙权惟妙惟肖的表演，使得浩周信以为真，回到洛阳向文帝以满门百余口性命替孙权担保，说孙权真心归服曹魏。曹丕接二连三派使征质，孙权用各种理由拖延时间。黄初三年（公元 222 年）九月，曹丕遣侍中辛毗、尚书桓阶使吴征质。这一次曹丕遣使作先导，随后派出大军征吴。这时吴蜀夷陵之战已经结束，孙权采纳陆逊建议，没有追击刘备，及时收兵还吴，临江拒守，抵抗曹军。十月，孙权上书曹丕说，要求给一个改过的机会。曹丕回书说："孙登早上到了洛阳，当晚就召还魏兵。"孙权没有送质子，决心武力抵抗。

曹丕误认为因吴蜀交战，吴兵已经疲惫，他打算再一次坐收渔人之利，兴起三路大军伐吴，欲一举渡过长江，踏平孙吴。征东大将军曹休督张辽、臧霸出洞口，大将军曹仁出濡须，大将军曹真督张郃、徐晃围南郡。孙权也分兵三路迎敌。吕范率领徐盛、全琮拒曹休，朱桓坐镇濡须迎战曹仁，诸葛瑾、潘璋、杨粲等救南郡。曹休一路是曹军主力，魏文帝曹丕亲征坐镇广陵。

吕范迎战曹休，率领水军渡江，欲扼守江北阵地。渡江中恰遭大风，许多舟船被吹翻，张辽乘势掩杀，吴军不利，损失了不少将士。徐盛收拾余兵退到南岸。曹休上表要乘胜渡过长江，曹丕派驿马传令禁止，十二月，文帝退兵，无功而返。另两路魏兵，不仅被吴兵逼退，而且曹真、徐晃进犯江陵，被潘璋打败，损失惨重。

魏文帝南伐之前曾问计贾诩。文帝说："朕要讨伐不听命令的人并一统天下，吴蜀两国，何者为先?"贾诩回答说："致力于攻城掠地的人重视武力，致力于建设根本的人则崇尚道德教化。现在吴蜀两国虽小，但蜀国地势险要，诸葛亮又善于治国，很难攻取；吴国孙权懂政治，陆逊懂军事，又有长江之险，现在攻取还不是时候。臣认为当前最急的要务是休兵息民，恢复经济，与吴蜀相持，等到国家教化施行，实力增强，到那时再找机会讨伐二虏也不迟。"魏文帝临江，眼见现状，才体会到贾诩建言先文后武的意义，认识到统一的条件还没成熟。黄初五年，公元224年，八月曹丕第二次耀兵长江，巡幸广陵；黄初六年，公元225年十月，曹丕第三次大举南伐，率十万之众，三至广陵，临江观兵，赋诗纪行，亦是知难而退。原来在曹丕进兵之前，徐盛向孙权建言，在江南从建业起沿长江修筑防护墙，用草木扎成高篱栅，在防护墙上造假楼，长江中心游弋着水兵。孙吴众将领都认为沿江岸造防护假墙，白白地劳民伤财，没有实用。徐盛时为庐江太守，下流长江是他的统辖区，他不听众将的劝阻，坚持沿江岸建造了绵延几百里的假墙。魏文帝临江，看到浩浩的长江，瞭望江南岸宏伟的江防城墙，不禁愕然，长声叹息说："江南有人才，不可轻视。"这时长江水涨，波涛汹涌，魏文帝又说："魏虽有武骑千群，无所用也。"尽管徐盛造的沿江防护墙是假的，但它的恢宏气势足以震慑北方军士，表明江南有了准备。从此，魏文帝专力于内政，对吴蜀采取守势，不主动兴兵，采用防御疲敌的战略，消耗吴蜀，比拼国力恢复。因此，终文帝之世，南北对峙，没有发生大战役。

擅长文学

曹丕爱好文学，政务之余，着力从事著述，认为文章是经国之大事。他自己亲手编定的作品有一百多篇，现今流传下来的诗作有四十余篇，四言、五言、六言、七言、杂言都有。曹丕最著名的文学创作，是他的文论散文集《典论》一书，有二十余篇，可惜大多失传，留下来的只有《自叙》和《论文》两篇。《论文》集中评论建安文学七子的成就，简明中肯，为不刊之论。

黄初七年（公元 226 年），文帝巡幸许都，三月十七日丁巳，卒于皇宫嘉福殿，享年 40 岁。

第三章　魏明帝曹叡

魏明帝曹叡，字元仲，是文帝曹丕的太子。明帝天资聪颖，从小就受到太祖曹操的宠爱，经常带在身边陪伴自己。公元227年到公元339年，明帝在位。这一时期三国鼎立，是三方争战最为活跃的时期，魏蜀吴三国都处在最鼎盛的阶段，吴蜀交好，联手北伐，曹魏陷入了两线作战。魏明帝西守东攻，瓦解了吴蜀的进攻，消耗了吴蜀的国力，为三分一统奠定了基础，不失为一代明主。可惜明帝在位日浅，只有十三年，由于英年早逝，没能作出更大的贡献。

母亲受谴　险失太子位

明帝母亲是文帝曹丕的甄皇后，中山国无极县（今属河北）人，汉灵帝光和五年（公元182年）生。初，袁绍第二子袁熙娶甄氏为妻。献帝建安九年（公元204年）二月，曹操攻破冀州邺城，曹丕入袁氏后宫，见甄氏长得非常漂亮，爱慕不已，曹操让曹丕娶她为妻。当时甄氏23岁，长曹丕5岁，曹丕当年18岁。少府孔融看不惯曹操父子的行为，写信给曹操挖苦说："周武王伐纣，把妲己赏赐给周公。”妲己是殷纣王的夫人，武王伐纣，纣王自焚，妲己上吊自杀，周武王取了妲己的人头示众。史书是这样记载的，没听说周武王把妲己赏赐给周公。由于孔融是大学问家，曹操没有意识到孔融写信是讽刺他们父子，还认为孔融读书多，有什么根据。有一天，曹操认真地问孔融典故出在什么书上，孔融回答说：“我是用当今发生的事，来推测古代的事，想当然的杜撰。”曹操遭到这顿抢白，怀恨孔融。建安十三年，公元 208 年，曹操南下荆州，担心孔融扰乱后方，找借口把孔融杀了。

曹丕是一个风流人物，年少娶娇妻，志得意满，十分宠爱甄后。甄后是一个非常善良和孝顺的人。甄后在家作小姑时，她的二哥死了，二嫂带着一个孤儿守寡。甄后母亲待儿媳非常严厉。甄后劝母亲说：“二嫂孤单一人抚育孤儿，很不容易，希望母亲把儿媳妇当作亲生闺女一样。”母亲非常感动，就让甄后与二嫂做伴，两人如同姐妹。甄后对丈夫曹丕的母亲卞皇后非常孝顺。卞皇后身体不适，甄后茶饭不思，悲伤流涕，卞皇后康复，甄后高兴请安，得到卞皇后的夸奖，说：“这真是一个好儿媳妇。”甄后对待曹丕的众夫人很有礼仪，得到宠爱的，甄后劝她们好好珍惜；受到冷落的，甄后鼓励她们示好曹丕。自己不嫉妒，还时常替嫔妃们说好话。曹丕称帝，留住许昌，这时已是姬妾成群。汉献帝把两个女儿献给曹丕做妃子，得到宠爱。还有郭贵人、李贵人、阴贵人都受到宠爱。曹丕和他的父亲曹操一样，也是一个好色之徒，喜新厌旧。甄后留在邺城，两地悬隔。曹丕有了新欢，忘了旧人，没有按约期派人到邺城迎接甄后，甄后免不了有怨言。于是，打小报告的人添油加醋，说了许多甄后的坏话。加上郭贵人耳边吹风，曹丕大怒，在黄初二年（公元 222 年）六月，派人赐死甄后，立郭贵人为皇后。甄后死后，安葬在邺城，明帝即位后，追谥为文昭皇后。甄后生明帝和东乡公主，甄后死时，明帝已 19 岁。曹丕命曹叡认郭皇后为养母，曹叡很不高兴，不听父命。曹丕也动了怒，打算立徐姬生的曹礼为太子。可是明帝聪慧，长太祖曹操属意的长孙子，曹丕一时下不了决心，迟迟不立太子。

好汉不吃眼前亏。明帝见自己的地位不保，只好认了郭皇后为养母。郭皇后不生育，为了自己皇后的地位，也真心把明帝当作自己的亲生子。明帝早晚问安，时间久了，也建立起了母子感情。曹丕还要考验，仍然迟迟不立太子。黄初七年五月，曹丕病重，临死前才正式册立明帝为太子，当月曹丕病逝，明帝即位。

魏明帝果决应变，打破吴蜀的联合进攻

三国鼎立形成之际，孙刘联合抗曹，迫使曹操两线作战，疲于奔命，未敢篡汉称帝，饮恨做了周文王。三国对峙时期，最激烈的战斗发生在魏明帝当政之时，吴蜀联合北进，魏明帝果决应变，打破了吴蜀的联合进攻，确立了北方优势，为三国归一统奠定了基础。魏明帝不愧为一代英主。

满宠守合肥　明帝时，曹魏的合肥守将是满宠。满宠是曹操在战阵中提拔的一位战将，他是继张辽之后扬威淮南的又一名将，孙吴将士，闻之丧胆。

满宠（174—242），字伯宁，山阳郡昌邑县（今山东金乡县西北）人。18岁时，任高平县代理县长。高平县豪强张苞任郡督邮，贪污受贿，枉法乱政，满宠拍案而起，收审张苞，当天将其斩首，然后辞官离任。满宠在青年时就干出了这等大事，表现了他的非凡才能。

明帝太和四年（公元230年），满宠任征东将军，镇守合肥。满宠巡视合肥旧城，见南临江湖，北远寿春，利于吴军进攻，不利魏军解围。公元230年，他在合肥旧城西三十里的险要地势上另筑新城。护军将军蒋济不同意，认为这是魏军无敌自退，示人以弱。满宠认为示敌以弱，使敌骄堕，符合《孙子兵法》，并请示魏明帝，获得批准。同年孙权来攻新城，不克而还。公元233年，孙权派将军全琮征六安牵制魏军，并屏断豫州之敌东援，自

率大军再攻合肥新城。这时新城已坚固，又离水较远，孙权逗留二十多天不敢下船。满宠料定孙权要撤军，在撤退前将“上岸耀兵、以示有余”，暗中伏步骑六千袭击吴军。孙权果然上岸，遭满宠伏兵突袭，伤亡数百退走。

公元 234 年，吴蜀联合大举攻魏，诸葛亮由斜谷北进关中，孙权在东边北上，东西相应。吴兵三路北进：西路陆逊、诸葛瑾向襄阳；东路孙韶、张承向广陵、淮阳；孙权自率中路军为主力，三围合肥新城。满宠招募壮士数十人，以松树枝为火把，灌上麻油，乘夜顺风点火烧了孙权的攻城器械，又射杀了孙权的侄儿孙泰。这时魏明帝曹叡亲征，未至寿春，孙权退走。

公元 235 年八月，麦熟收割，满宠料定孙权江北军屯据点的士兵出营割麦，可以乘虚偷袭。满宠派长史率领三军，摧破吴军江北屯田据点，焚烧麦场，得胜而还，魏明帝下诏嘉奖。

公元 238 年，满宠年老，征还朝廷为太尉。五年后，公元 242 年，满宠病卒，谥曰“景”，史称景侯。

明帝果决应变　魏太和二年（公元 228 年），蜀丞相诸葛亮率军大举北伐，关中震响，魏南安、天水、安定三郡叛魏应亮。明帝果决地作出了有力的反应。他派大将曹真为关右各军总指挥，迅速集中优势兵力入关，左将军张郃率领骑兵为先锋快速推进。张郃在街亭打败蜀将先锋马谡，诸葛亮全军败退，南安三郡全部收复。明帝随军入关，坐镇长安，魏军士气大增。魏明帝快速果决的应变，大出诸葛亮的意外。曹魏孟达反叛，诸葛亮救援孟达落在了司马懿的后头，失去了一支策应自己的友军。诸葛亮过于谨慎，见事迟疑，这是一个例证。魏明帝决策入关中，当时他只有 25 岁。

青龙二年（公元 234 年），吴蜀大举联合攻魏，诸葛亮进兵关中，孙权亲统大军三路北伐。曹魏合肥守将满宠上书，要求从合肥撤退到寿春，以避吴军锋芒。明帝致信满宠，要坚守合肥，他将亲征孙权，只怕大军未到，孙权就会撤走。魏明帝命司马懿抵御诸葛亮，派特使辛毗监军，严令司马懿坚壁不战，只是牵制蜀军。明帝还特地颁下诏书说：“只须依据坚固的壁垒进行防守以挫折敌军锐气，使对方既前进不了，又无法和我军决战，等敌军停宿久了，耗尽军粮，只能撤走。趁其撤退，发动追击，以逸待劳，这是大获全胜的策略。”对于东线却不是这样，明帝集中优势兵力东出，御驾亲征。孙权闻讯，胆战心惊，果如明帝所料，不战退走。明帝打破吴蜀的联合进攻，高屋建瓴的决策，对全局形势的把握与发展分析，超过了在第一线作战的名将。事实生动地体现了明帝果决地执行西守东攻战略所显示的威力，孙权退走，诸葛亮孤立无援，病逝五丈原而罢兵。从此以后，吴蜀再没有大规模的联合行动。

西守东攻，打破吴蜀联合进攻 所谓西守东攻，是指曹魏主力用于防吴，取进攻姿态，而用次要力量防御蜀国进攻，不进行主力决战。在统一步骤上是先灭吴，后灭蜀。蜀国小弱，构不成对曹魏的最大威胁，而又偏于西陲，地形险阻，易守难攻。吴国较为强大，与魏国正面相持，战线最长，吴国北进将伤及魏国腹心。所以曹魏的防御战略，西守东攻，先灭吴，后灭蜀，是必然之势。三国统一，实际进程先灭蜀，后灭吴，那是形势变化，顺势制宜的结果。

西守东攻的战略，始于魏武帝曹操汉中败还，经文帝、明帝两代逐渐完善，成为一项防御战略的基本国策。魏明帝运用这一战略，成功地应对两线作战，打破了吴蜀联合进攻。公元 227 年，魏明帝新立，蜀相诸葛亮屯驻汉中，魏群臣纷纷上言要求发兵征讨。魏明帝咨问中书令孙资，孙资说：“先前武皇帝兵争汉中，救出夏侯渊残部，多次说‘南郑是一座天牢，去天牢途经五百里长的斜谷，这简直是一条石洞’，说的是蜀道艰险。武皇帝用兵如神，也知难而退。我们现在去讨伐诸葛亮，要用十五六万人，加上后勤转运，东方四州的防守，必定还要征发更多的人，造成天下动乱，耗费太多，这是要认真考虑的。进攻与防守，所需人力物力相差三倍。当今最好的战略就是分命大将，镇守险要，将士安睡，百姓无事，几年以后，中国力量日益增强，吴蜀两国必然衰败。”魏明帝深深赞许。公元 230 年，魏大将曹真固请伐蜀，明帝于是大举伐蜀，兵分四路。东路司马懿从宛城指向西城，西路雍州魏兵指向汉中阳平关，关中主力两路：东路张郃从子午谷进军，西路曹真从褒斜道进军。诸葛亮坐镇城固御敌，魏兵遇雨退回。此次伐蜀失利，明帝坚定地继续推行休兵息民的防御战略，养蓄国力。不久吴国鄱阳郡豪帅彭绮暴动，有众数万，请求曹魏接应。魏明帝再次咨问孙资，孙资说："彭绮举义江南，看起来响应的不少，实际上众弱寡谋，成不了大气候，我们还是以静观变为好。"魏明帝按兵不动，江南彭绮不久败亡。

三国对峙，吴蜀夹攻曹魏，但两国貌合神离，不靠拢作战，各有私心。魏明帝对吴蜀两国心态的准确把握，果决地使用西守东攻的策略，打破了吴蜀的联合进攻。诸葛亮与孙权两位英雄对这个青年后生无可奈何。

一代明主　英年早逝

明帝外御吴蜀，内修政治，发展和巩固了北方的优势。明帝优礼已废君主汉献帝。青龙二年，故汉献帝山阳公薨，明帝素服举哀，遣特使持节典护丧事。又约法省禁，减轻肉刑，下诏主管部门修改法律，减少死罪的条目。

明帝不是完人，他生活奢侈，爱好华丽，大修宫殿，妨害农时。但明帝能宽待谏臣，不妄诛一人，因此，他的过失也能得到及时的改正。

明帝曹叡即位，时年 25 岁，是一个涉世不深的青年。他的两位对手，一是蜀相诸葛亮，41 岁；二是吴主孙权，40 岁。诸葛亮和孙权，起于乱世，身经百战，而且又是三国时代最顶尖的政治家，又是曹叡的前辈，阅历丰富，他们联手攻魏，携手北进，给以魏明帝很大的压力。由于曹叡把握住了魏国的优势，坚持了"防御拒敌，西守东攻"的正确战略，加上个人的英明果决，挫败了吴蜀的进攻，说他是一代明主，一点也不过分。

第四章　曹魏三少帝

曹魏明帝死后，政权落入司马氏集团之手，曹魏政权风雨飘摇地存在了 26 年。26 年间，走马灯似的换了三个皇帝。曹芳，9 岁即位，32 岁被废为齐王。曹髦，14 岁入继大统，20 岁被弑，死后废为庶人，史称原有爵位为高贵乡公。曹奂，16 岁入继大统，20 岁禅让退位，封为陈留王。三位皇帝都是少年天子，史称三少帝。

齐王曹芳

明帝托孤　齐王曹芳，字兰卿，生于明帝太和六年（公元 232 年）。明帝曹叡没有儿子，齐王曹芳和秦王曹询，兄弟俩都是曹叡的养子，不知道亲生父母是谁。《魏氏春秋》记载，说齐王曹芳是任城王曹楷的儿子。曹楷是任城王曹彰的儿子，曹彰与曹丕是同母所生的兄弟，明帝曹叡的二叔父。所以曹楷的儿子过继曹叡是至亲骨肉。

明帝景初三年正月初一丁亥，曹叡病危，宣布立曹芳为太子，当天即皇帝位，大赦天下，尊皇后郭氏为皇太后。由大将军曹爽和太尉司马懿共同辅政。

明帝曹叡最初选定的辅政首席大臣是燕王曹宇。曹宇是曹操的第十子，环夫人所生，曹叡的叔父。曹叡少时与曹宇就很要好。曹宇，文帝封为下邳王，明帝改封燕王，王府建在邺城，受到明帝的特别礼遇。青龙三年（公元 235 年），曹宇被征入朝，直到景初元年（公元 238 年）还邺。第二年，景初二年夏，曹宇再次被征入朝。冬十二月明帝病重，拜曹宇为大将军，嘱以后事，曹宇不受命，坚决辞让。到了第四天，明帝改变了主意，于是免了曹宇的大将军职务。景元三年（公元 262 年），曹宇回到封国，他的儿子曹奂，后来入继大统，是三少帝之一。

曹爽是曹氏宗人邵陵侯大将军曹真的儿子。曹真的父亲曹邵，追随曹操起兵，被州郡长官杀害，曹操收养了曹真，待之如亲子。曹真与文帝曹丕非常友善，也是文帝遗命明帝的辅政大臣之一。曹爽年少持重，从小与明帝曹叡要好，曹叡为太子时，曹爽就是座上宾。曹叡即位，特别爱重曹爽。所以明帝病重，召曹爽入卧内，拜为大将军，假节钺，都督中外诸军事，录尚书事，为首席辅政大臣。太尉司马懿与曹爽同受明帝遗诏，为次席辅政大臣。齐王即位，加官曹爽侍中，改封武安侯，邑万二千户，赐剑履上殿，入朝不趋，赞拜不叫曹爽的名字，地位无人可比。

可是曹爽外强中干，遇事迟疑不决，他不是司马懿的对手。明帝选择曹爽辅政，曹爽承担不了这一重任，败在司马懿手中，丢了曹氏天下。明帝选错了人，为曹氏政权的覆败留下了祸根。

司马懿发动正始政变，诛除曹爽　司马懿辅政齐王曹芳，是资望最老的重臣，他已是历仕武帝曹操、文帝曹丕、明帝曹叡的三朝元老，辅政齐王是第四朝了。曹爽是后生晚辈，才智平庸，无论资望和玩弄权术，他与司马懿比较，不是一个等级的人物。但曹爽是皇族近亲，在政治上比司马懿优越，所以司马懿在斗争中采取后发制人的策略。

司马懿与曹爽同辅齐王曹芳，共掌朝政，各统军三千。曹爽最初“引身卑下”，对前辈司马懿表示尊敬，办事不敢专断；司马懿则以曹爽为皇族，每事谦让。但这都是表面文章，双方暗地里都在图谋吃掉对方，发展势力，培植死党。

玄学家何晏与曹爽交结。何晏喜欢像女人一样涂脂抹粉，走路都要看一看自己的影子，是个典型的纨袴子弟。邓飏、李胜、毕轨、丁谧等与何晏互相标榜，被称为“浮华派”，他们投靠曹爽，结成死党。何晏、邓飏、丁谧都做了尚书。何晏主管选举，毕轨任司隶校尉，李胜任河南尹。曹爽还安排自己的弟弟曹羲任中领军，掌握中央禁卫军，曹训任武卫将军，曹彦任散骑常侍，也控制一部分军队。这时曹爽认为自己羽翼丰满，开始专断起朝政来。他让其弟出面奏请转司马懿为太傅，明升暗降，削弱司马懿的兵权。不久，又免去卢毓的吏部尚书职。刘放、孙资、傅嘏、何曾、孙礼等司马懿集团的骨干均被罢免。

司马懿对曹爽的专擅非常不满，但是无力清除，他暂时退让。在辅政的第八年，即公元247年，司马懿上书曹芳，说自己年近七十，年老多病，要求退职闲居，得到了批准。司马懿老谋深算，他暗中联络心腹，策划一举扑灭曹爽集团。

司马懿在朝经营多年，朝中势力雄厚。郭太后是司马懿在宫中的代理人。中书监刘放、中书令孙资、吏部尚书卢毓、太尉蒋济等都是司马懿的死党。曹爽逼退司马懿后，又奏请郭太后移居永宁宫，表面上取得了全胜，实际上司马懿是先让一着，表示退避，麻痹曹爽。他安排自己儿子司马师任中护军，掌握了一部分禁军，又阴养死士三千人，伺机而动。

曹爽当然也没有睡觉，他对退职的司马懿仍放心不下。他任命智囊李胜为荆州刺史，以告别为名去看望司马懿，实际观察动静。司马懿心知李胜来意，故意装糊涂，卧病在床，与李胜对话，装聋作傻，神志不清，语言错乱，表演得非常逼真，使李胜信以为真。他回去向曹爽报告说：“司马公形神分离，只剩一口气了，不足为虑。”曹爽听了很高兴，不再戒备司马懿。这中间，司马懿紧锣密鼓进行政变准备。

公元249年正月，曹爽同兄弟曹羲、曹训、曹彦和皇帝曹芳一起出城去祭扫曹叡的陵墓。司马懿趁机发动政变控制洛阳。

他令司徒高柔行大将军事，占据曹爽军营，令太仆王观行中领军事，占据曹羲军营，解除曹爽兄弟掌握的武装；用郭太后名义关闭洛阳城门，占领武器库，派兵截断洛水浮桥，阻挡曹爽等人入城。然后，司马懿上书天子曹芳，请求处斩曹爽一伙，指责曹爽等背弃先帝遗命，败乱国家法制，排斥旧臣，引用亲信小人，有“无君之心”，因此迫不得已采用兵谏，为国除害。为了稳住曹爽兄弟，司马懿又派人对曹爽说：“只要交出兵权，就可以回归府第，保留封爵。”太尉蒋济也致书曹爽，担保他的人身安全。

曹爽的智囊，大司农桓范逃出洛阳去见曹爽，劝他立即与天子南下许昌，调动外地军队与司马懿作战。曹爽兄弟不听，说：“司马懿只是要我的权力，我回归府第，不失为一个富家翁。”决定投降。

曹爽等人放下武器，投降司马懿，结果被夷三族。司马懿重新执政，大权独揽。随后司马懿倾全力剪灭曹爽集团残余势力，打击皇族和拥曹派官员。公元 251 年，太尉王凌在扬州发难，阴谋拥立楚王曹彪为帝，对抗司马懿。由于事机不密，被司马懿觉察，先发制人，突然带兵南征，逮捕了王凌，夷灭了参与者的三族，完全控制了曹魏政权。就在这一年司马懿病死，其子司马师以抚军大将军辅政，第二年迁大将军、都督中外诸军事、录尚书事。司马师注意笼络曹魏旧臣，维持曹操、曹丕、曹叡三祖所定旧制，安定了朝野人心，巩固了司马氏集团的地位。

曹芳被废为齐王　嘉平六年，公元 254 年，中书令李丰和皇后的父亲张缉密谋除掉司马师，以夏侯玄代替司马师掌政。夏侯玄是曹爽的姑表兄弟，拥曹派中坚人士。由于走漏消息，司马师诛除了李丰、夏侯玄等人，趁机废掉齐王曹芳，另立 14 岁的高贵乡公曹髦为帝。

曹芳 9 岁即位，在位 15 年。23 岁被废为齐王，建王府于河内郡重门，在今河南辉县西北。西晋建立，贬爵齐王曹芳为邵陵县公。西晋泰始十年（公元 274）年薨，享年 43 岁。

高贵乡公曹髦

曹髦字彦士，文帝曹丕的孙子，东海王曹霖的次子。曹霖是明帝曹叡的四弟，曹髦是明帝的亲侄儿。

曹髦入继大统 司马师已下定决心废除齐王曹芳，派郭芝进宫向郭太后报告。郭太后与齐王曹芳正好对坐叙话，郭芝毫无避讳，当面对皇帝说："大将军要废掉陛下，立彭城王曹据为帝。"齐王曹芳起身离去，郭太后很不高兴。郭芝对太后说："太后您没把儿子教好，现在大将军主意已定，宫门外布置了军队，只能听从，没有商量的余地。"太后说："我要面见大将军。"郭芝说："大将军不见您，赶快拿出皇帝玉玺吧。"太后无可奈何，叫身边的侍御取来皇帝玉玺放在座位旁边。郭芝出宫向司马师报告，司马师非常高兴。接着，司马师派人向齐王曹芳授给齐王印，催促立即出宫。齐王接受命令，向太后告别，垂泣上了王车，出了太极南门，群臣送别的有几十个人，太尉司马孚十分悲伤，许多大臣都哭了。

齐王出宫后，司马师再次派人入宫取皇帝玉玺。太后说："彭城王曹据是我的叔父，立他为帝，我的位置怎么摆？再说明帝曹叡要断绝后嗣吗？我认为高贵乡公曹髦是文皇帝曹丕的长孙，明皇帝曹叡的亲侄儿，按照礼制，弟弟的儿子有义务过继给无嗣的大宗，请大将军认真考虑。"曹据是曹操的儿子，文帝曹丕的弟弟，明帝的叔父。郭太后的说法很有道理，司马师无法驳回，于是召集群臣传达太后旨意，一致赞成立高贵乡公曹髦为帝，于是派太常到温县迎请曹髦。事情定妥，司马师第三次向郭太后索取皇帝玉玺。太后说："我认识高贵乡公，小时候抱过他。明天高贵乡公来到殿堂后，我要把皇帝玉玺亲手交给他。"

嘉平元年（公元254年）秋，九月二十日丁丑，下太后诏书说："东海王曹霖是高祖文皇帝的儿子，曹霖的儿子是皇室的至亲骨肉，高贵乡公曹髦能够成为大器，现在决定由他来充当明皇帝的继嗣。”

十月初五日庚寅，曹髦进入洛阳，在群臣的陪同下进宫拜见皇太后，当天即皇帝位，改元为正元。

正元元年（公元254年），冬十月初七日壬辰，在曹髦即位的第三天，皇帝派出侍中为使者，持节分别到四方郡县，观察风俗，慰劳军民，调查受冤枉的百姓和失职的官员。初八日癸巳，授给大将军司马师黄钺，特许他进殿不必小步快跑，向皇上奏报不必通报姓名，上朝堂可以带剑穿鞋。十九日甲辰，皇帝对废立有功的大臣，按功劳大小增进爵位，增加封邑，提升官位，并给予不同的物质奖励。

曹髦问难经师 曹髦聪明过人，很有悟性。他爱好学习，勤于思考。甘露元年（公元256年）正月初十，曹髦临幸太学听讲，向各位儒学经师博士提问题，《易》学、《尚书》学、《礼记》学的经师都被问得张口结舌，很难回答。这年，曹髦只有16岁。

曹髦首先问《易》学的问题。曹髦问：“圣人伏羲得到神人的帮助作了八卦，神农氏演为六十四卦，到了夏朝叫《连山》，殷朝叫《归藏》，周朝叫《周易》，为什么有这么多的文本和名称?”《易》学博士淳于俊回答说：“伏羲依据燧人氏画的一种神秘图形作了八卦，神农氏推衍为六十四卦，到了夏商周三代，质朴或具有文采，顺应时代的变化而有了众多的文本。各种名称的意义，《易》是变易的意思；《连山》是比喻内容就像高山发出和吸入的云气，能够连接天地；《归藏》的意思是说世间悠悠万事，莫不归藏隐没在这本书中了。”曹髦又问：“如果是伏羲氏根据燧人氏提供的图形作了《易》八卦，那么孔子在《易·系辞》中为什么不说是燧人氏死后由伏羲氏创作的呢?”淳于俊对此回答不出来。曹髦又问：“圣人孔子解说《周易》写了《彖辞》《象辞》是与正文分开的，独立成篇。后贤郑玄注解《周易》，为什么要把《彖辞》《象辞》打散，附在被解释的正文下面呢?”淳于俊回答说：“郑玄这样做是给学习的人提供方便，使人查阅时一目了然。”曹髦又问：“那么孔子为什么不这样给人提供方便呢?”淳于俊回答说：“孔子担心把自己的解说分散在周文王写的正文下面会产生混淆，同时也表示自己的谦虚。”曹髦问：“如果孔子分开来是表示谦虚，那么郑玄的做法是不谦虚了？”淳于俊又回答不上了，只得说：“古书知识广博，陛下提问深奥，不是臣子能回答得了的。”

曹髦听完《易》学，接着听讲《尚书》学，也提了问题。曹髦问：“《尚书》第一句‘曰若稽古帝尧’，郑玄的解释，说‘稽古’一词的含义就是考求同于上天，这句是说唐尧能够效法上天，但是王肃的解释却说是‘唐尧能够考察古代的正道’。这两种解释，哪一个更正确？”《尚书》学博士庾峻回答说：“前辈儒家学者的解释，有些分歧和不同，为臣才疏学浅不足以评断是非，按照《尚书·洪范》的占卜原则，三占从二，少数服从多数，贾逵、马融两家的解释与王肃差不多，如此看来，王肃的解释好一些。”曹髦又问：“《论语·泰伯》记载孔子的说法，孔子说：‘唯有上天最伟大，而能够效法上天行事的只有唐尧。’这说明效法上天最伟大，考求古代正道是其次。按照王肃的解释，这《尚书》的第一句是舍大求小了，那么作者的真正含义是什么呢？”庾峻说：“臣子只是按照我的老师的讲法传道，没能明白书中的深刻含义，到底哪家的解释更正确，请陛下自己做裁断。”曹髦又提出了一些问题，例如，唐尧用鲧治水失败了，圣明在哪里，庾峻更加回答不上，只好说：“臣子愚笨，陛下的提问，我无法圆满地解释。”

曹髦又对讲《礼记》的马照博士提了问题。曹髦说：“《礼记·曲礼》上说，三皇五帝的上古时代，全社会注重道德，乐于奉献而不求回报；其后的夏商周，人们讲求施与，也注重回报。实施政治，为什么会造成社会的道德风尚不一样？应当采取什么措施，才能使全社会注重道德，只讲施与而不求回报呢？”马照博士回答说：“上古时代全社会注重道德，是因为三皇五帝用道德来教化百姓；夏商周三代君主用礼仪来治理社会，讲求有来有往，所以人们讲求施与也注重回报。”曹髦又问：“这两种教化形成的道德风尚有淡薄与淳厚的不同，究竟是君主有优劣呢，还是时代发展造成了不同？”马照博士只好回答说：“确实是时代发展不同，有朴素和修饰的区别，所以产生了道德风尚有淡薄和淳厚的差别。”

曹髦提问，难住了各学科的经师，表现了曹髦读书善于思考，切近现实，有忧世治国之志。曹髦真是一个有天才的少年天子。

曹髦之死 地方拥护魏国的封疆大吏，不满司马氏专政，兴师讨伐，但都失败了。司马氏在朝中的势力，不可撼动。

正元元年（公元 255 年），魏镇东将军毌丘俭与扬州刺史文钦，联兵在寿春起事，发檄于各州郡讨伐司马师，有众六七万。司马师当时刚割掉一只眼睛，他不顾病痛，果断地率十余万大军东征，打败了毌丘俭和文钦，毌丘俭被杀，文钦逃奔吴国。司马师班师，回到半道就病死许昌，他的弟弟司马昭接掌了曹魏大权。

甘露二年（公元 257 年），镇守寿春的征东将军诸葛诞再次起兵反对司马昭，并东联吴国，拒守扬州，有众十余万，声势浩大。司马昭亲自督率二十六万大军征讨，经过几个月的征战，在第二年公元 258 年二月攻破寿春，将诸葛诞杀死。司马昭平叛并接掌了军政大权。公元 260 年，魏帝曹髦已长到 20 岁，他不甘做傀儡，召来侍中王沈、尚书王经和散骑常侍王业，对他们说：“司马昭之心，路人所知，我不能坐等被废掉，请你们和我一起去讨伐司马昭。”王经说：“如今大权在司马昭手里，朝廷官员都为他效力。我们掌握的兵甲太少，没有力量对付他，这样做太危险。”曹髦不听，率领左右侍从二百余人去进攻司马昭府第，这时王沈、王业早已飞报司马昭，曹髦的进攻如飞蛾扑火，自取灭亡。但曹髦拍案而起，宁为玉碎，不为瓦全，一个 20 岁的青年，做出了惊天地、泣鬼神的大事业。曹髦虽死，重于泰山。

曹髦生于明帝正始二年（公元 241 年），正始五年（公元 244 年），曹髦 4 岁时封为郯县高贵乡公，14 岁入继大统，20 岁奋起率领左右宫人讨司马昭，被司马昭部属成济杀害。死后废为庶人，故史称原官爵高贵乡公，加恩以王礼葬洛阳。

陈留王曹奂

曹髦死后，司马昭又立了16岁的陈留王曹奂为帝。

曹奂，字景明，是武帝曹操的孙子，燕王曹宇的儿子。甘露三年（公元258年），曹奂14岁，封为安次县常道乡公。曹髦死后，公卿议立曹奂为帝。六月初二日甲寅，曹奂到达洛阳，拜见皇太后，当天在太极殿前殿即皇帝位，布告天下改元景元，大赦。

景元元年六月初四日丙辰，晋升大将军司马昭为相国，封晋公，增加两郡的封地，加上原先的封邑共十个郡，赐以九锡的殊礼。司马昭坚决推辞，暂时搁置。

景元二年（公元261年），夏五月初一日，发生日食。秋七月，乐浪郡边外的韩国、秽貊国，两国遣使来朝贺。九月初十日甲寅，皇帝再次下诏，晋爵大将军司马昭为晋公，升任相国，赐以九锡，与先前下达的诏书内容一样，司马昭又一次坚决推辞，事情再次搁置。

景元三年（公元242年），春二月，青龙出现在轵县井中。

景元四年（公元263年），春二月，皇帝第三次下诏给大将军司马昭加官晋爵为晋公、相国，赐以九锡，与前两次下达的诏书内容完全一样，司马昭第三次坚决推辞不受。

夏五月，皇帝下诏，魏军伐蜀，八月正式出师，兵分三路。镇西将军钟会率领主力军队由骆谷征伐蜀国，指向汉中；征西将军邓艾领所属各部奔袭甘松、沓中，包围沓中的蜀军统帅姜维；雍州刺史诸葛绪统领所属各部，直奔武街、桥头，想切断姜维的退路，歼灭蜀军主力于沓中。

冬十月二十二日甲寅，皇帝第四次下诏给大将军司马昭晋爵加官，重申前几次诏书的内容。

十月，邓艾从阴平穿行无人之地七百里，绕过姜维守御的剑阁，直达江油，蜀将马邈不战而降，邓艾长驱入成都。十一月，蜀主刘禅投降，蜀国灭亡。

十一月二十四日乙卯，皇太后郭氏去世。蜀国灭亡，功归司马昭，进一步提高了司马氏家族的地位。景元五年（公元264年），二月十九日己卯，晋爵晋公司马昭为晋王，增加封地十郡，连同先前的封邑共二十郡。五月十五日甲戌，改元咸熙。九月初一日戊午，任命中抚军司马炎为抚军大将军。

司马炎是晋王司马昭的嗣子，十月二十日丙午，正式宣布抚军大将军、新昌乡侯司马炎为晋王司马昭的世子。

咸熙二年（公元265年）五月，皇帝下诏书褒扬司马昭的功勋，光辉照耀四海，让晋王戴上有十二根珠串的礼帽，悬挂天子的旌旗，出入称警跸，乘用天子专用的金银车，用六匹马拉车，配上五辆副车，设置皇帝的仪仗，吹奏使用八佾舞队，演奏音乐按天子的规格。晋王的王妃称王后，世子称太子，其余的王子、王女、王孙都用爵号称呼，按照过去的礼仪办理。

司马昭完成了禅代的一切准备，但他还没有来得及登上龙椅称帝，秋八月初九日就去世了。八月初十日壬辰，晋王太子司马炎继承父亲的一切官职爵位，总领百官。

咸熙二年十二月十三日壬戌，皇帝曹奂下诏禅位给晋王司马炎，要有关部门准备禅位仪式。十五日甲子，皇帝曹奂正式派使者向晋王司马炎送去禅让帝位的诏书。随后，曹奂搬出皇宫，暂住在金墉城。晋武帝司马炎封曹奂为陈留王，终身居住在邺城。这一年曹奂20岁。

陈留王曹奂气识才情不及曹髦，司马昭有了前车之鉴，加强了对皇宫的控制，曹奂完全是一个傀儡皇帝，曹奂为帝只不过充当了魏晋禅代的一个道具。可喜的是，曹奂终得善终，28年后，于西晋太安元年（公元302年）去世，享年58岁，谥号“元”。

第五章　蜀汉后主刘禅

公元 221 年蜀汉建立，在三国鼎立之中存在了 43 年，公元 263 年灭亡。后主刘禅在位达 40 年，差不多与蜀汉相终始，刘禅历经四位宰辅，即诸葛亮、蒋琬、费祎、姜维。蜀汉的四位宰辅都是忠贞贤良的大臣，后三位又都是诸葛亮亲自选拔的接班人，所以蜀汉虽然国弱主暗，却也政治稳定。诸葛亮大权独揽，刘禅只是一个无为之君，近似傀儡。刘禅一生，无大恶大过，也无善政可述，刘禅只是蜀汉政权的一个象征和见证人罢了。

蜀汉后主一朝的政治、经济、军事，全系先后四位执政宰辅之身。刘禅不问政事，乐得逍遥，他并非痴呆，而是难得糊涂的一位平庸之君，也是明哲保身的一位活命智者。

嗣位皇帝

刘备有三子，刘禅是嫡子，小妾生有刘永、刘理。由于刘备在北方转战半生，颠沛流离，先后娶了几个夫人都死了，一直没有子嗣。刘禅生母甘夫人，是沛国沛县（今属江苏）人，刘备为豫州牧，驻屯小沛时纳以为妾，也多年没有生育。公元 200 年，刘备南下荆州，寄寓刘表，屯驻新野，身边还无子嗣。刘备收养长沙刘氏之甥寇姓儿子为养子，取名刘封，年约十余岁。刘封成人，骁勇善战，随从刘备征讨，多立战功。赤壁战后数年之间，刘封已成长为刘备随身的一员心腹大将，年少有为，甚得刘备宠信。

公元207年，刘备双喜临门，一得诸葛亮出山相助，二得甘夫人喜生贵子，就是刘禅，小名阿斗。公元208年，刘备兵败长坂，突围而走，甘夫人和刘禅散失在乱军中。幸亏赵云左冲右突，将一岁的刘禅抱入怀中救出。甘夫人死于乱军中，安葬在南郡。章武二年（公元222年），刘备思念甘夫人，追谥为皇思夫人，迁葬蜀地。甘夫人的灵柩还没到蜀，刘备病逝永安。刘禅即位，追尊甘夫人为昭烈皇后，与刘备合葬成都惠陵。

公元209年，孙权将妹妹孙尚香嫁给刘备，以加固同盟。刘备把3岁的刘禅交给孙夫人抚养。公元211年，刘备入蜀，孙权怨怒刘备阻挡周瑜进兵西川取蜀，而要自个儿独占，于是召还孙夫人。孙夫人带上阿斗，想把他扣作人质。张飞与赵云率水兵截江阻拦，夺回阿斗，时年5岁。

刘禅婴提失母，遭逢乱世，年幼坎坷，这些生活经历，一定给他幼小心灵打上了深深的烙印。

公元219年，刘备进兵汉中，击斩夏侯渊，关羽北伐威震荆襄，蜀汉事业达到顶点。刘备命宜都太守孟达北上夺取上庸。上庸东连荆襄，西接汉中，既使东西呼应连成一线，又是北进的一个前沿阵地，还可北出武关直指长安，地理位置十分重要。孟达，蜀国上将，足可胜任。刘备不放心，又从汉中分兵，由刘封率领，入援孟达，并由刘封节制孟达。孟达不服，两人闹矛盾。吕蒙偷袭荆州，关羽向刘封、孟达求救，两人正闹得欢，谁也没去救关羽。关羽被孙权杀害后，孟达感到事态严重，劝刘封与自己一起投降曹魏。刘封不听，兵败回到成都，上庸于是又为魏所有。

刘封不顾大局，不救关羽，窝里相斗，逼反孟达。通过这件事，诸葛亮感到刘封桀骜不驯，难以驾驭。这时刘禅已是13岁的少年，刘备又有了刘永、刘理两个儿子，百年之后，谁来嗣位？刘禅继位，刘封不服怎么办？按宗法制度，嗣君立嫡不立庶，在和平环境，没话可说，但战乱之世，庶子立功，嫡子无能，嫡庶争位，局面不堪设想。诸葛亮劝刘备趁机灭了刘封。刘备采纳，刘封被赐死。刘封后悔没听孟达劝告投降曹魏。刘封死，蜀国丧失了一员大将。

蜀汉章武三年（公元 223 年），刘备病危，在白帝托孤，把太子刘禅及其两个弟弟鲁王刘永、梁王刘理托付给诸葛亮。刘备谆谆教诲刘禅兄弟，希望刘禅与诸葛亮君臣谐和，守成家业。诸葛亮是刘禅兄弟的老师。刘禅就是在这样的背景与先帝嘱托之下，登上了帝位。

父事诸葛

刘禅不呆不傻，是一个极有自知之明的人，甘于平庸。诸葛亮大权独揽，事无巨细，都要过问。刘禅即使心有不甘，倒也乐得轻闲，整天只在后宫玩乐。

诸葛亮感先帝刘备的知遇之恩，以兴扶汉室为己任。建兴五年（公元 227 年），诸葛亮率诸军北进汉中，临行上奏《出师表》，安排成都政务，向后主推荐七位大臣主持宫中宫外事务。诸葛亮说，侍中及侍郎郭攸之、费祎、董允，掌理宫中之事；将军向宠，掌理军事；尚书陈震、长史张裔、参军蒋琬等掌理丞相府中事务。诸葛亮告诫后主："陛下您确实应当广泛听取臣下的意见，以显示先皇帝遗传的美德，激励有志之士的气概，不应当随随便便不尊重自己，说话引用的比喻不合道理，从而堵塞了忠言进谏的途径。"又说："皇宫与丞相府，本是一体，所以皇上对两处的官员进行赏罚或褒贬，不应当有厚此薄彼的差别，要一体看待。"看一看诸葛亮的这些话，作为臣子，有不恭之嫌，未免跋扈，但作为老师和长辈，对任性的晚辈进行教诲，把话说重点儿，也无可厚非。刘禅也的确是把诸葛亮当作父亲，所以诸葛亮推心置腹，不顾嫌疑，该怎么说就怎么说。于是君臣和谐，上下一心，弱小蜀国，居然能多次出师北伐。

内修政理

后主刘禅垂拱，委政大臣，起到稳定与监察作用，对于蜀国的治理也是有贡献的。诸葛亮治戎讲武，率众南征，北伐中原，耗去了他的主要精力。治蜀政务是蒋琬、费祎按丞相诸葛亮的方针实施的。诸葛亮死后，蒋琬、费祎相继主政，所以蜀国的治理与政策有连续性，几十年没有受到干扰。尽管后主刘禅平庸，由于蜀国有贤相主政，因此在三国时期，蜀国是治理得最有条理的国家。蜀国丢失荆州后，只有益州一个州的地方，它的经济恢复与发展系一国之安危，诸葛亮及其继任者励精图治，使蜀汉政权雄踞西陲达四十余年之久，还支撑了南征北伐。诸葛亮治蜀的方针，大要有三，分述于次。

其一，务农殖谷　诸葛亮在“隆中对策”中规划的三分蓝图，以益州为王业之本。诸葛亮治蜀，开发益州经济，是其核心内容。

诸葛亮曾“躬耕陇亩”，深知富国安家的根本就是务农殖谷，足食足兵。他受遗诏辅政，针对现实，提出“务农殖谷，闭关息民”的方针，使百姓安其居，乐其业。具体措施，一方面实行轻徭薄赋，保护小农；另一方面威之以法，抑制豪强。汉中地空，诸葛亮命李严移民两万实汉中，终于使荒芜的汉中重新得到开发，出现“男女布野，农谷栖亩”的繁荣景象。诸葛亮平定南中，将居住山林的少数民族人民“徙居平地，建城邑，务农桑”。诸葛亮在自己家里，种了十五顷桑树，身体力行以劝农。

其二，兴修水利　为了发展农业，诸葛亮十分注重兴修水利。在成都平原上，秦李冰所修都江堰，是当时中国最大的人工灌溉工程，诸葛亮以此堰为农本，视为国之所资，设置了专职堰官管理，又征丁1200人专职维护。成都府城西北隅，地势低下，诸葛亮修了一条九里长堤，以防冲蚀。金齿（今云南保山）南面的大诸葛堰、小诸葛堰和漓水渠等，都是诸葛亮兴修或续修了汉初萧何开创的“山河堰”等水利工程。这些水利工程，有力地推进了蜀汉农业生产的发展，使蜀汉“封域之内”，户口繁息，栋宇相望，桑梓毗连，呈现一派兴旺景象。刘备建国时，益州有户二十万，蜀亡时户增至二十八万。

其三，工商并举 秦汉重本抑末，只奖励耕织，而打击商。诸葛亮重视重农传统，为补国用，也实行盐铁官营，但不抑末。蜀地素产盐铁，东汉末罢盐铁之禁，令民煮铸。诸葛亮恢复盐铁专卖，以资国用。他任命王连为“司盐校尉，较盐铁之利”；又以张裔为“司金中郎将，典农战之器”；又以吕乂为盐府校尉。据《蜀广记》记载，长宁县宝屏山有诸葛亮盐井 14 处。左思《蜀都赋》称赞蜀汉“家有盐泉之井”，这些是民间煮盐。公私广为开发，产品统一于司盐校尉运销。蜀郡临邛（今四川邛崃）、广都（今四川双流）、什邡（今四川什邡）等县，都是盐井。诸葛亮曾到临邛视察煮盐。当时有的地方已开发了火井煮盐。铁器供军国之用，诸葛亮至为关注。成都铁溪河、泸水西岸的打箭炉、陵州始建县、蒲亭县、崇宁县铁砧山等处都有诸葛亮的冶铁遗址。诸葛亮发明连弩。铁匠郭达，一夜打箭三千支，称为能手，诸葛亮封他为将军。西掾曹蒲元是一个炼钢能手，“熔金造器，特异常法”，熟练地运用清水淬火的热处理技术，他在斜谷为诸葛亮造钢刀三千把，专门从成都取水淬火，锋利异常。试刀时，用竹筒装铁珠，以刀砍筒，竹断珠裂，被称为“神刀”。

经过诸葛亮的提倡、管理和技术改进，蜀汉盐铁事业有长足发展，利入甚多，有补国用。

蜀锦是益州地区的特产，诸葛亮认为“决敌之资，唯仰蜀锦”。诸葛亮一面提倡蚕桑，开辟丝源；另一面加强管理，设置专职锦官，组织生产、调拨和技术改进。官营工场，批量生产，技巧之家，是为副业。成都一地就有工官户七万六千人，主要从事织造，可见生产之丰。蜀锦是蜀汉对外与魏吴两国通商的主要商品，驰名全国，质量精美，超过了曹魏。

诸葛亮还注重发展商业，制铸“蜀钱”加强流通，平抑物价，稳定货币。为便利交通，诸葛亮大修道路。著名的有石牛道三十里，又修复剑门道以通行路，开辟凉山北境的小相公岭，自麓至顶，凡十五里，商旅往来称便。南中望城坡，两山陡立，中夹一溪谷，是诸葛亮运粮时所开凿。又修复漓江水渠以行舟。水陆交通的开辟与修复，为发展商贸创造了有利条件。

此外，诸葛亮理财，极为重视开源节流，提倡去奢尚俭。他说：“老百姓应该爱好的，是躬耕勤苦，谨身节用，以养父母。节制用财，合于礼节，丰年不浪费，凶年有储备，这也是治国的道理。”蜀地原来奢侈之风很盛，诸葛亮提倡节俭，纠正风气。他曾上表刘禅说：“我一身在外，衣食都由国家供给。成都家中，有桑八百株，薄田十五顷，一家可以温饱，不需要增加私产。我死的时候，如果内有余帛，外有盈财，那就对不起陛下。”到他死时，家产确实不丰。由于诸葛亮的带动，举国上下，人人自爱，节俭成风。大将军费祎，家不积财，儿子们都布衣素食，他本人出入不从车骑，无异凡人。大司马董和死时，家无儋石之财。

节流是末，开源是本。为了广开财源，诸葛亮提倡副业生产，他种蔓菁于嶲州山野，播白荨菜种于绵竹武都山坡。广都县的杨林是诸葛亮所种，祁山南的“丰茂宿草”也是诸葛亮所植。为充实北伐军粮，诸葛亮在汉中屯田，本章第一节已述及。此外，诸葛亮还贷赋于民，类似集资与公债。早在荆州之时，诸葛亮和刘备就多次向富民借金筹款。明末农民大起义时，张献忠破荆州，曾发现刘备借富民金充军饷的借券，上有诸葛亮的签字，纸墨如新（《绥寇纪略》）。明代何宇度在《益部谈资》中也记载了刘备从大姓晁氏贷钱千万作军资，诸葛亮作保的事。诸葛亮北伐，曾向祁山万户借粮五百石供军。诸葛亮平定南中，不留兵，不委汉官，省去了运粮之劳，以夷人渠帅制夷，并通过渠帅，征收夷人金银、丹漆、耕牛、战马以给军之用。

晋人袁准称赞诸葛亮治蜀，说：“亮之治蜀，田畴辟，仓廪实，器械利，蓄积饶，朝会不华，路无醉人。”这段话也深刻地包含了诸葛亮开源节流使国有储蓄的治国方针和政策。“田畴辟，仓廪实，器械利”，就是发展生产；“朝会不华，路无醉人”，就是俭朴节流。既开源，又节流，是以国用足，民财阜，故诸葛亮能以一州之众，抗伐中原。

和吴北伐

后主前期，蜀国的内政外交，兴复大业，都由诸葛亮主持。作为一代贤相的诸葛亮，他可以放开手脚，按照他自己制定的“隆中路线”大干一番了。“东联孙吴，北抗曹操”，“内修政理，和好民族”，这些都是诸葛亮的追求。诸葛亮竭尽心力，和好吴国，北伐中原，由于蜀国小弱，未能成功。后期，蒋琬、费祎、姜维相继主政，沿用诸葛亮的成规，尤其姜维是蜀国的中流砥柱，大规模多次北伐。本节重点评说蜀汉后期蒋琬、姜维主政时期的北伐。

蒋琬修正北伐战略

蒋琬是诸葛亮死后的继承者，在蜀汉政权的中期，起过相当重要的作用。因蒋琬才智超群，治国有方，与诸葛亮、费祎、董允四人并称“四相”，又誉为“四英”（《华阳国志·刘后主志》）。

蒋琬主政，忠实地执行诸葛成规，陈寿评论说：“方整有威重，咸承诸葛之成规，因循而不革，是以边境无虞，邦家和一。”但在北伐这一根本国策上，蒋琬却大胆地提出了自己的路线，修正诸葛亮的北伐战略。蒋琬认为诸葛亮北出秦川和西取陇右的战略路线，道路崎岖，军粮难济，五次北伐，皆空劳师旅。他重新规划了北伐路线，从水路东下，以舟船运载士兵和粮食，沿汉水、沔水直抵魏国边境上庸（今湖北竹山县），以蚕食魏境，待机由南阳进逼洛阳，直插中原。他上表刘禅陈述己见，说：“今涪水陆四通，惟急是应，若东北有虞，赴之不难。”准奏后，他把大本营从汉中迁到涪城（今四川绵阳市）驻守，大造舟船，以实现他的计划。

蒋琬规划的北伐路线，有利亦有弊。有利的是，进军不走难行的栈道，由汉、沔东下，行动方便。大本营在涪，便于集中成都平原丰富的粮饷和兵源。不利因素是，顺流东下，进易退难，军若有失，不堪设想。此时荆州不在蜀国手中，攻上庸鄙地，对魏构不成实际威胁。这一路线，还须从江州进兵配合，而蜀国小弱，实无能力。因此，蒋琬的北伐计划没有付诸实现，他就病逝了。看来蒋琬的北伐，只是作出的一种姿态，实际目的是休兵息民，平稳地改变诸葛亮的北伐战略，同时也是做给曹魏看的一种策略，即以攻为守。当然机运到来，也不能不是一种北进的方案。总之，蜀国小弱，蒋琬的惨淡经营，真是用心良苦。

后主延熙九年（公元 246 年），蒋琬病逝，谥曰“恭”。

姜维北伐

姜维，字伯约，生于公元 202 年，是天水郡冀县（今甘肃甘谷县）人。冀县地处陇右，秦汉以至三国时的陇右一带，历为羌、戎等少数民族居住和活动的地区。姜维的祖先，原是天水的姜氏大族。追本溯源，姜维一家属羌族的后裔，古代的“羌”和“姜”本是一字。《后汉书·西羌传》就说，“西羌之本，姜姓之别也”。

姜维的父亲姜冏，是东汉天水郡的功曹，后来死于战场，姜维就当上了参军。到公元 220 年，东汉王朝的统治彻底灭亡之后，魏、蜀、吴三股鼎足势力之间的斗争更加激化。偏居于西南的蜀汉，在东与孙吴重新恢复了两国的联盟；对南边的广大少数民族地区，执行“南抚夷越”的政策，使南中地区归服，解除了蜀汉政权的后顾之忧。蜀丞相诸葛亮，看到北伐曹魏的时机已经成熟，在公元 228 年实行北伐，趁曹魏关中空虚，出兵祁山（今甘肃西和县西北），以大规模的军事行动，一举夺取了天水、南安、安定三郡，姜维也归附了蜀汉，被任命为仓曹掾，加奉义将军，当时他只有 27 岁。诸葛亮对姜维十分器重，他很钦佩姜维的为人和才略，曾经写信给蜀国大将蒋琬等人，说姜维“忠勤时事，思虑精密，是凉州上士”，还说“姜伯约甚敏于军事，既有胆义，深解兵意；此人心存汉室，才兼于人”。不久，迁升为中监军、征西将军。

姜维是少数民族羌人，这是诸葛亮对姜维如此器重的又一原因。诸葛亮为了实行“和夷”政策，争取陇右人的归服，在少数民族中发现和提拔负有威望的人才，十分重要。姜维是羌人，不仅才武过人，有一定威望，而且还非常熟悉了解陇右少数民族地区的风俗民情，这正是诸葛亮不可多得的人才。诸葛亮第一次北伐不直取关中而西出祁山陇右，除了不肯弄险的因素之外，同时也考虑了陇右是一个民族聚居区，准备在这一带实行“和夷”政策，可以站稳脚跟，然后稳扎稳打继续向东。所以姜维归蜀，人们都来向诸葛亮庆贺。

姜维归蜀汉以后，随诸葛亮四次北伐，立了不少战功。过了六年，也就是建兴十二年（公元 234 年），诸葛亮在第五次北伐中，病逝于五丈原（陕西眉县西南）军中。这时，姜维同杨仪一起按照诸葛亮生前关于秘不发丧的部署，整顿了军马从容向南撤退，随后姜维回到成都。后主刘禅按诸葛亮临死的推荐，以蒋琬、费祎统管军政大权，并且晋升姜维为右监军、辅汉将军。不久，姜维又迁升镇西大将军，领凉州刺史。延熙十年（公元 247 年），汶山（四川茂汶）变乱，姜维率兵前往平定，随后又出兵陇西、南安、金城一带，大战魏将郭淮、夏侯霸于洮西。这两次出兵，他都注意贯彻诸葛亮生前的“和夷”政策，安抚了少数民族，调整了民族关系，实现了民族团结的局面。蜀汉将士上下团结一致，基本上是执行战略防御的政策，保持了诸葛亮生前的局面。

延熙十六年春（公元 253 年）费祎死后，姜维掌握了军事大权，调动诸军。就在这一年的夏天，他带领数万人出石营，经董亭围攻南安；次年又出兵狄道（甘肃临洮），大败雍州刺史王经；第三年（公元 256 年），再率军向祁山方面进攻，在上邽南部的段谷（甘肃天水东南），因蜀镇西将军胡济没有按期赶到，为魏军邓艾所败，死伤甚为惨重，同时也影响到陇右以西的稳定。以上的连年出兵，对统一江山的大业没有多少成效，加上这次失败，使姜维十分难过，自求贬削给予处分，降为后将军，但仍负大将军职责号令三军。

过了一年，姜维乘曹魏关中空虚，出兵秦川，给魏军以重大的打击，缴获了不少的粮食，军威大振，不久便又任大将军。但是他回到成都，见刘禅无道，终日花天酒地，听任宦官黄皓专权，黄皓网罗的党羽越来越多。姜维曾对刘禅说："黄皓奸巧专权，将来国家要败坏在他的手里，应该及早杀掉。"刘禅不听，这便引起姜维的疑惧，长期领兵驻扎在沓中（青海东南一带）。到了公元 262 年，魏将司马昭分兵三路向蜀汉进攻，一路由邓艾率兵三万自狄道指向沓中，攻击姜维；一路由诸葛绪领兵三万，自祁山向阴平（甘肃文县西北）进攻，以断姜维后路；另一路由钟会统兵十多万人，从斜谷直取汉中。刘禅这时听说魏军真的打来了，才慌忙派廖化往沓中接援姜维，派张翼往阳安关口（陕西阳平关）防守。但援军未到，汉中、阳安关已经失守，姜维趁机经桥头、阴平，与廖、张两军会合，据守剑阁。邓艾选走阴平一带氐羌等少数民族地区和偏僻故道，绕过剑阁天险，直捣江油、涪城，并攻破绵竹，成都再无天险可守，刘禅派人捧玺投降。当姜维接到刘禅要他投降的命令时，许多官兵将士"拔刀砍石"，十分悲愤。这样由公元 221 年刘备称帝到 263 年刘禅投降，经历了四十来年的蜀汉政权，从此告终。后来姜维想利用魏军大将钟会反司马昭的机会来复兴蜀汉，不但未成，而且一家受到杀害。这是公元 264 年的事，姜维死时 63 岁。

姜维是蜀汉杰出的羌族将领，他致力的蜀汉统一大业虽然未能实现，但他那不屈不挠的进取精神，将永不磨灭。

余论

蜀国小弱，经不起连年动众，诸葛亮知其不可而为之，以报先主知遇之恩。蒋琬守成，姜维进取，诸葛亮对二人都加器重，举荐为自己的继承人，可谓知人。蒋琬修正了诸葛亮的北伐战略，休兵息民，使蜀国得以喘息，姜维镇边，二人协和，取长补短，蜀汉之福。蒋琬主政时期，蜀国得到了喘息。费祎依琬成规，可惜都时间不长，蜀汉未能大兴。蒋、费相继谢世，蜀国政治一落千丈。其后姜维主政，恢复北伐，后方又没有得力的支持者，空劳师旅，蜀国也就速亡了。

大权旁落

后主刘禅，是一个可以为恶，可以为善的中庸人物。诸葛亮、蒋琬、费祎，相继执政30年。这一时期的刘禅与善人为伍，垂拱无为，不干预朝政，其行为善，蜀国称治。君主无为，臣子贤良，君臣一体，不能叫做大权旁落；君主有为，事事过问，而听信奸佞，祸国殃民，这才是大权旁落。

专制政体，有它先天的顽症，那就是个人独裁，皇帝权力至高无上。君主开明，国家称治；君主独断，肆行无忌，国家遭殃。诸葛亮主政，一心为公，后主刘禅垂拱，然心有不甘。诸葛亮死后，各地都要求立庙祭享，言事的百官也多次报告，后主就是不准为丞相立庙，于是老百姓四时在道路野外祭祀。直到蜀国灭亡的景耀六年（公元263年），步兵校尉习隆、中书郎向充等联名上奏，颂扬丞相诸葛亮的功德，要求在成都立庙，后主仍不同意，但迫于情势，允许在汉中沔阳立庙。此事或许表现了后主内心的隐情。延熙九年（公元246年），蒋琬死，费祎执政，后主开始亲政。后主的心腹宦官黄皓开始染指政务，但受到侍中董允、丞相费祎的节制，尚不能专政。

延熙十六年（公元253年），费祎被曹魏降人、实为刺客的郭修所杀，大将军姜维主政。姜维常年征伐在外，董允亦死，黄皓权力日益增大。到了景耀元年（公元258年），后主大权独揽，实际是黄皓专政。后主与小人为伍，开始作恶，行为不检，生活奢靡。黄皓结党营私，货贿公行，无行百官，争相依附，于是朝政日废。大臣奏章，要经过黄皓之手，应急事务，往往被搁置。右大将军阎宇投靠黄皓，阴谋取代姜维。姜维得到消息，到成都入宫启奏后主，请求诛杀黄皓，政归大臣。后主说："黄皓只是一个侍奉朕的家奴，没有大作为。先前侍中董允要除掉黄皓，这件事使朕很不开心，大将军何必又来提这件事。"姜维见话不投机，连忙说了一些别的好话出宫。后主要黄皓到姜维面前谢罪，姜维趁机寻求脱身之计，他对黄皓说，现今军粮紧张，他将去沓中主持屯田。黄皓也巴不得姜维远离成都。黄皓报告后主，姜维去沓中屯田。姜维为了免祸，他抽走了几万精兵强将驻屯沓中，数年不回成都。姜维此举，如同后世太平天国石达开西走，分散了国力。姜维驻屯沓中，使得汉中空虚。曹魏侦知，立即着手伐蜀准备。

后主景耀六年（公元 263 年），钟会治兵关中，即将大举伐蜀。姜维报告后主，建议朝廷派张翼、廖化，督率诸军分头加强阳安关口和阴平桥头的防务。如此重要的报告，黄皓扣下，他祷告鬼神，向后主报告说，天下太平，没有敌人侵犯。等到魏兵大举进攻，后主才匆忙派出廖化、张翼、董厥诸将领兵赶往前线。廖化等军还未到达，魏兵就攻下了阳安关口，汉中丢失。姜维与救援诸军退守剑阁，邓艾趁势偷渡阴平，奇袭江油，直指成都。诸葛亮之子诸葛瞻与儿子诸葛尚父子迎战邓艾，兵败绵竹，父子皆死于阵中。诸葛氏祖孙三代，效力蜀汉，满门忠良。

后主刘禅得知诸葛瞻败没，邓艾兵临雒城，非常惊慌。刘禅召集群臣会议，文武皆噤若寒蝉，拿不出主意，光禄大夫谯周倡言投降。后主刘禅命秘书史郤正草投降诏书，当天就送往邓艾军中。后主第五子北地王刘谌义愤填膺，主张背城一战，为国死节，后主不从。刘谌哭于昭烈之庙，然后先杀妻与子，而后自杀，算是给不战而降的蜀汉争回了一丝脸面。

乐不思蜀

曹魏延咸元年（公元 264 年）正月，钟会在成都谋反，卫瓘奉司马昭之命讨贼，成都大乱，钟会、姜维等都死于乱军。刘禅太子刘璿也被乱兵杀害。刘禅暂住于旧宫，安然无恙。乱兵被平息后，刘禅奉命东迁进京到洛阳。蜀汉旧臣，没有几个跟随，只有秘书令郤正和殿中督汝南人张通两人抛妻别子，陪伴刘禅。刘禅叹息惭愧，恨自己没有及早发现郤正，没有提拔郤正做大官。当时的人都很敬佩郤正。

刘禅到了洛阳，被封为安乐县公。郤正被赐爵关内侯。

有一天，曹魏主政大臣司马昭宴请刘禅，故意演奏蜀地音乐舞蹈，暗中察看刘禅的表情。刘禅嘻笑自若，而跟随刘禅的人都触景伤情，偷偷流泪。司马昭对贾充说："刘禅真是一个无情的人，一点也没有故国的情怀。即便诸葛亮不死，也没法辅佐他，何况一个姜维呢！"贾充说："刘禅如果英明，殿下怎么能够俘虏他呢？"又一天，司马昭问刘禅说："你想念蜀地吗？"刘禅回答说："洛阳这里很快乐，一点也不想念蜀地。"成语"乐不思蜀"就出在这里。郤正知道了，请求见刘禅，指导他说："如果司马昭以后还提这个问题，您应当流着眼泪说：'先人坟墓远在故乡陇蜀，想起来就心痛，无时无刻不在思念。'说完就闭上眼睛不说话，显现出沉痛的样子。"过了一阵，司马昭果然又问刘禅："想不想念蜀地？"刘禅按照郤正的吩咐回答了司马昭。司马昭说："你这话好像是郤正的口气。"刘禅吃惊地说："你怎么知道，正是郤正教给我的。"周围的人听了这话，无不哈哈大笑。

刘禅这样呆傻，真是头脑不健全吗？当然不是。刘禅举动，说不上是大智若愚，但至少是装呆装傻，他的韬晦保身之术不减乃父刘备。

晋泰始七年（公元 271 年）刘禅去世，得以善终，享年 65 岁，谥曰"思"。安乐公爵位，由第六子刘恂继承。

刘禅有七个儿子。太子刘璿死于成都钟会之乱中。次子刘瑶封安定王。三子刘琮封西河王，在蜀汉灭亡的前一年病死。四子刘瓒封新平王。五子刘谌封北地王，蜀亡，自杀。六子刘恂封新兴王，入晋继承刘禅安乐县公。第七子刘虔封上党王。刘虔，又作刘璩。刘瑶、刘瓒、刘恂、刘虔四个儿子随刘禅入晋，均死于晋末的永嘉之乱。

郤正入晋，官至巴西太守。

第六章 孙吴三嗣主

孙吴三嗣主为会稽王孙亮、景帝孙休、末帝孙皓。三嗣主维持孙吴政权 29 年，实乃天幸。孙权晚年昏聩，举国中分，内部统治集团矛盾已极其尖锐。三嗣主，孙亮年少不经事，孙休年寿不永，孙皓酷虐无比，均无政绩可述。由于北方司马氏篡魏，灭蜀之后无暇伐吴，加之吴国尚有前朝良将如陆抗等在世，吴国才得以苟延残喘近三十年。

会稽王孙亮

孙亮嗣位 孙亮字子明，是孙权的第七子，也是孙权最小的儿子。孙亮生于赤乌六年（公元 243 年），当时孙权已 61 岁。晚年添子，疼爱有加。

孙和、孙霸争立太子，导致吴国政局动荡，孙权心力交瘁。孙和太子被废，与孙权长女全公主鲁班有牵连。全公主党附孙霸，在孙权耳边说孙和及其母亲王夫人的坏话。有一次孙权病了，孙和到祖庙祷告，请祖宗保佑孙权。孙和夫人张氏的叔父住在宗庙的附近，孙和趁便去拜访。全公主抓住机会到孙权耳边打小报告，说孙和不是真心到祖庙祭祀，是借机到老婆娘家去密谋。又说孙和母亲王夫人见皇上有病，面露喜色，高兴得不得了。孙权患病，心情本来就烦躁，听了女儿的这番话，勃然大怒，责备王夫人，疏远孙和。王夫人胆战心惊，忧愁病死，孙和更加孤单。全公主鲁班又发动夫家的全寄、杨竺等人为鲁王孙霸的党羽，在外朝发动攻势，一时流言四起，孙权耳边听到的尽是孙和的坏话。孙和的师傅，大臣陆逊、吾粲、顾谭等出面劝谏孙权，不可废嫡立庶，乱了宗法制度。无难督陈正、五营督陈象、骠骑将军朱据、尚书仆射屈晃等也上书，说春秋时晋献公杀太子申生，立庶子奚齐，导致晋国扰乱。孙权哪里听得进，反而是忠言逆耳，火上浇油，诛灭了陈正、陈象，在殿上杖责朱据、屈晃，斥责陆逊等，陆逊忧死，数十位大臣被流放。赤乌十三年（公元 250 年），孙和被废，流放到故鄣。太元元年（公元 251 年），孙亮被立为太子，他的生母潘夫人立为皇后。太元二年（公元 252 年），孙权病危，封废太子孙和为南阳王。不久孙权病死，孙亮即位，诸葛恪、孙峻等人受遗诏辅政。这时孙亮年仅 10 岁。

诸葛恪用兵淮南　诸葛恪，字元逊，琅琊阳都（今山东沂南县）人。他是吴国大将军诸葛瑾的儿子，蜀国丞相诸葛亮的侄儿，算是出生名门。诸葛恪从小聪颖过人，深得孙权器重，弱冠就被拜为骑都尉，后又从中庶子升为左辅都尉。孙权曾经以十分赞许的口气对诸葛瑾说：“你儿子真是如蓝田所生的玉，名不虚传啊!”

吴国的山越时服时叛，很难治理。吴嘉禾三年（公元 234 年），诸葛恪毛遂自荐，愿到山越最集中的丹阳去治理，保证三年可得甲士四万。朝中大臣都表示怀疑，但孙权极为信任，于是任命诸葛恪为抚越将军，领丹阳太守，率领三百骑兵赴任。三年后，丹阳有十万山越人出降，得精兵四万余人。诸葛恪的名声大振。

赤乌九年（公元 246 年）诸葛恪接替谢世的陆逊为大将军，假节钺，屯驻武昌，领荆州事务，这是最高职的军事长官。太元二年（公元252年）孙权病情加重，而太子年少，于是安排后事，召重臣诸葛恪、孙弘、滕胤、吕据、孙峻到病榻前接受遗命。孙权托孤，诸葛恪为首辅。孙权对诸葛恪说："我病得很重，恐怕再也不能见面，一切事都托付给你了！"并说道："诏有司诸事一统于恪，惟杀生大事然后以闻。"诸葛恪成为顾命大臣的第二天，孙权就谢世了。

诸葛恪以大将军领太子太傅，总领军国大政。当时朝廷上下都注目诸葛恪。但中书令孙弘素来与诸葛恪不和，害怕受制于诸葛恪，于是在孙权死后秘不发丧，妄图矫诏杀掉诸葛恪。侍中孙峻得知此事暗通消息，诸葛恪先下手请孙弘议事，在座中杀了孙弘。诸葛恪这才稳固了地位，发布了一系列缓解矛盾，安定人心的措施，如裁撤监视文武百官的校事官，深得朝廷内外的拥护。他又豁免了百姓积欠政府的租赋债务，除去关津杂税，注意体恤民力，发展生产。这些惠政措施的执行，使得吴人对他印象非常之好。"恪每出入，百姓延颈思见其状"。

诸葛恪自视甚高，想建立盖世武功。太元二年，公元252年，孙权病逝，十月，诸葛恪就锐意修复巢湖东兴堤（在今安徽含山县），以提高巢湖水位，利于舟船进军合肥。又在濡须山筑东关城，隔濡须水与七宝山上的西关城相对，北控巢湖，南扼长江，护卫东兴堤，两关城各留千人屯守。曹魏命大将胡遵、扬州牧诸葛诞率七万大军攻围两城，诸葛恪率四万众星夜驰救。时天寒大雪，魏军解甲饮酒，诸葛恪率众突然袭击，大获全胜，毙魏军数万，缴获军资如山积。十二月，诸葛恪班师还建业。

明年，公元253年，诸葛恪大举北伐，倾全国之力，集兵二十万众，为吴国用兵史上前所未有。吴国文武大臣联名反对，认为连年动众，兵民已困，不宜轻率北伐。诸葛恪摹仿诸葛亮《出师表》著论压众，说什么"天无二日，土无二王，吴国不可依靠长江天险传世，而要趁曹魏还未强大之时北伐，统一天下"。诸葛恪认为，过数十年曹魏人口兵众将增长一倍，而吴国功臣宿将反凋零一半，更不利北伐。还说刘表端坐荆州，没有远虑，给子孙留下后患。诸葛恪善于雄辩，他不顾国力，违众进兵。

诸葛恪没有直取寿春，他犯了兵家大忌，置众兵于坚城之下，围困合肥新城。合肥守将张特与将军乐方只有兵三千人，依靠城坚粮足坚守，诸葛恪攻围百余日不能下。诸葛恪五月入淮南，正值暑热，士卒疲劳，病者大半，死亡甚众。八月，魏救兵入淮南，诸葛恪退兵，伤亡大半。此役吴兵未经大战而遭惨败，完全是诸葛恪不体恤士卒造成的。他回到建业，被孙峻所杀。

诸葛恪淮南惨败，吴国大受损伤，此后无力北上。曹魏淮南守将毌丘俭与诸葛诞先后叛乱，也无暇南下。司马昭主政，调整战略，先灭蜀后灭吴，淮南征战逐渐沉寂下来，直到吴亡，没有大战役。

孙亮被废　孙峻杀害诸葛恪后，任大将军，大权独揽。他步诸葛恪的后尘，也用兵于淮南，加剧了吴国的衰亡。五凤二年（公元 255 年），魏镇东将军毌丘俭、扬州刺史文钦反于淮南，魏大将军司马师抱病东征。孙峻率众十万救援毌丘俭，攻魏寿春。司马师斩杀毌丘俭，文钦降吴，孙峻败还。

太平元年（公元 257 年）九月，孙峻病死，以从弟偏将军孙綝为侍中、武卫将军，领中外诸军事。骠骑将军吕据、征北将军文钦、前将军唐咨等上表孙亮，推荐卫将军滕胤为丞相，孙綝不听，以滕胤为大司马驻守武昌。当时魏镇东大将军诸葛诞据寿春反叛，吕据等率兵往救，据兵在外。吕据等既然不服孙綝，于是引兵还吴，打算讨伐孙綝。孙綝用皇帝孙亮诏书告谕文钦、唐咨，命令两人讨伐吕据。孙綝又派孙宪、丁奉、施宽等率领水兵阻击吕据，在江都新州抓获了吕据。孙綝又派将军刘丞率领步骑讨伐滕胤，滕胤兵败被杀，满门被诛。于是孙綝为大将军、假节，封永宁侯，执掌大权。孙宪与将军王惇计划谋杀孙綝，计谋败露，王惇被杀，孙宪自杀。吴国统治集团上层又陷入了一场动乱。

太平二年（公元 558 年），孙亮 15 岁，四月临正殿，大赦天下，表示亲政。孙綝奏事，孙亮总是发出质问。孙亮又挑选了 15 岁到 18 岁的官家子弟少年郎三千人组成一支禁卫军，在高官武将的儿子中，挑选人才出众、好勇有力的人担任将帅。孙亮说："我组建这支新军，与我一起成长。"每天在皇家公园中训练。孙亮此举，不禁让人想起康熙皇帝在皇宫花园训谏童子军相扑，设计擒鳌拜的故事，大约康熙皇帝就是从孙亮那里学来的吧。

小皇帝孙亮又极其机敏，很有判断力。有一天他让黄门郎到中藏库去取蜂蜜。黄门郎曾经向管库的藏吏索要过东西，藏吏没有给，黄门郎怀恨，借机报仇，他把老鼠粪撒在蜜里陷害藏吏失职。带鼠粪的蜜进献给皇帝是大不敬罪。孙亮召问藏吏，藏吏叩头，说不是他干的。孙亮问："黄门郎找你要过东西吗?"藏吏说："要过，臣不敢把公家的东西私自给他。"孙亮问黄门郎，黄门郎矢口否认。侍中刁玄、张邠向孙亮请示，把两人逮捕交给司法机关廷尉审问。孙亮说，不须审问，很容易查出真相。孙亮让人把蜜中的鼠粪剖开，外湿内干，说明是刚把鼠粪撒进蜜中的，是黄门郎干的。在事实面前，黄门郎只好认罪。在场的人十分佩服小皇上的智慧。

小皇上聪明能干，朝中大臣个个高兴，可是权臣孙綝坐不住了，他与同党密谋除掉孙亮。孙亮到底涉世不深，锋芒过于外露，对孙綝警惕不够。孙亮与太常全尚、将军刘丞谋诛孙綝，孙綝觉察，先下手为强，逮捕了全尚，杀了刘丞，立即召集大臣在宫门集会，废孙亮为会稽王，这年孙亮才 16 岁。

孙亮废为会稽王，两年后有传言孙亮要回京做天子，景帝孙休下诏，再贬为候官侯。孙亮在被遣送的路上自杀，享年仅 18 岁，本来可以成为一代英主的孙亮，就这样沉没了。

景帝孙休

孙休，字子烈，是孙权的第六子，孙亮的六哥，长孙亮 9 岁。孙亮被废，孙綝奉孙休即位，时年 25 岁。

孙亮时，孙休为琅邪王，建王府于丹杨郡。丹杨太守李衡多次借故找孙休的岔子，假借法律凌侮孙休。孙休上书朝廷请求迁移他郡，孙亮下诏迁移到会稽郡。孙休即皇帝位，李衡害怕，自己投案司法部门请罪。孙休下诏说："丹杨太守李衡，过去对朕有嫌隙，现在自首请罪。春秋时，管仲事奉公子纠，曾经用箭射中了齐桓公的衣带钩，晋国宦官披奉晋献公之命去抓捕重耳，重耳翻墙逃走，披割下了重耳的衣袖。管仲、宦官披当时都是各为其主，理当如此。释放李衡回到原任做官，不要自疑。”孙休还提拔李衡做了威远将军。

孙綝专权自恣，孙休不动声色地把他铲除。孙休即位伊始，下恩诏，特别表彰孙綝拥戴的功劳，在大将军之上加官丞相、荆州牧，增食邑五县。接着孙休又下诏给孙綝之弟孙恩加官侍中，便于出入宫禁。孙綝一门五侯，本人为永宁侯，其弟孙恩、孙据、孙干、孙闿均封侯。孙休一边尊贵孙綝，一边暗中与左将军张布谋划诛杀奸臣孙綝。永安元年（公元259年）十二月腊日，百官朝贺，孙休借机下诏张布讨贼，捉拿奸贼，逮捕了孙綝，当天正法。孙休十月即位，至此不到三个月就把权奸孙綝打倒了。

孙休还颁布了一系列缓和社会矛盾，有利于正风气，发展生产，减轻赋役的措施。他即位的第二个月，永安元年十一月二十一日下诏说：“现今专门充当官府杂役的人家，五丁抽三男同时服役，父亲和哥哥在京都，儿子和弟弟在地方郡县服役，他们既要交纳租粮，军队出征还要服劳役，以至于家中的事没人照管，朕非常怜悯他们。朕现在决定，这种家庭中有五个男丁就有三人在服劳役的，任随他们父亲还是哥哥选择一人服役，一人留在家中，这个人免交租粮，军队出征也不从征去当劳工。”孙休又下诏振兴教育，把建立官方学校放在政务的首位，优待老师，奖励学生。文武官员的子弟，爱好学习的到学校学习。学生一年考试一次，区分高下，然后提升职位，或给予物质奖励，让看到的人为他们而高兴，风闻的人为他的声誉而羡慕，用此来使社会的风气振兴。

孙休又下诏治文休武，发展生产。诏书说：“朕日夜战战兢兢处理政事，忘记了睡觉和进餐。现今朕要停止使用武力，大力振兴文教，以推广王朝的教化。要达到这一目的，首先要让全国的军民富裕起来，这就必须要发展农业生产。近年来各个州郡的官员百姓，包括各地军营的士兵，大多背井离乡，乘船在长江上游下游跑来跑去，忙着做生意。大量良田荒芜，国库粮食减少，这种状况，怎能让社会安定？究其原因，是租税过重，农民种田无利才这样啊。朕决定，要九卿和尚书，共同商量，务必拿出有利于减轻农民负担，公平承担赋税的措施，使得公私两利，家家富足。今年农桑季节已到，不能延误农时，办法决定了，就要立即施行。”

孙休十分爱好学习，他把诸子百家的典籍都读完了，处理政事时也手不释卷。孙休喜欢到野外打猎，射野鸡。春夏之交，他经常早出晚归打猎，只有这时他才放下书本。

孙吴有孙休这样一位英年奋发有为的君主，是国家和人民的福祉。可惜，他寿命不长，只当了 6 年皇帝就死了，享年 31 岁。谥为景皇帝，葬定陵。

末帝孙皓

孙皓历经危难，了解下情，侥幸即位，却不图兴国治民，自暴自弃，成了亡国之君，史称末帝。

侥幸登基，初立称治　孙皓字元宗，又名彭祖，字皓宗。他是孙权的孙子，废太子孙和的儿子。孙休立为皇帝，封孙皓为乌程侯。乌程靠近西湖，西湖附近一个叫景养的人，善于看相。景养见了孙皓，说他命中注定大富大贵。孙皓暗自高兴，不敢泄露，韬晦养身，盼望出头之日。

孙休去世，当时蜀国灭亡，交阯郡发生反叛，内忧外患交至，满朝文武都希望立一个年长的君主。孙休临终，口不能言，他把丞相濮阳兴召到床前，令长子孙雨单出拜。孙休一手拉着濮阳兴，一手指着孙雨单，示意把儿子交给濮阳兴了，希望他辅佐儿子登位。但满朝舆情，濮阳兴不敢违背，集朝臣议立君长。左典军万彧曾经做过乌程令，与孙皓交好，就大力称赞孙皓才能，说他有胆识，是孙策一流的人物，又十分爱好学习。万彧又多次向濮阳兴和左将军张布游说。濮阳兴、张布就进宫征求孙休皇后朱氏的意见，表达欲迎立孙皓为孙休的继嗣。朱皇后是骠骑将军朱据的女儿。朱皇后十分通达，她说："我是一个寡妇，哪里懂得考虑天下大事，只要吴国不受损害，宗庙祭祀有依靠就可以了。"于是濮阳兴等顺利迎立孙皓为皇帝。当时孙皓 23 岁。

孙皓初立，为争取民心，表现了一番年少有为的样子。他颁布恩德诏书，体恤士民，打开仓廪，振济贫困，释放宫女回家嫁夫，把皇家禁苑圈养的野兽也放归大自然。举国上下称庆，喜得明君。

原形毕露，枉杀大臣太后 孙皓曾被贬为侯，接触下情，初立时发布善政诏书，表明他懂得时势民心。也许孙皓的坎坷产生了负面影响，扭曲了他的心理。很快孙皓就原形毕露，性情粗鲁凶暴，骄傲自满，非常迷信，有很多忌讳，好酒好色，大小官员都感到失望。丞相濮阳兴、左将军张布暗自后悔。有人向孙皓打了小报告。元兴元年十月，孙皓杀了濮阳兴和张布。孙皓八月即位，前后只有两个多月，就作出了诛杀大臣的暴行。

孙休朱皇后接纳孙皓为嗣，应当是有恩的。孙皓即位，尊朱皇后为皇太后。过了才一个月，就贬朱太后为景皇后，居住在安定宫。孙皓把自己的生父孙和追谥为文皇帝，尊母亲何氏为太后。元兴元年十月，孙皓封孙休的太子孙𩅦为豫章王，次子孙𩃙为汝南王，第三子孙壾为梁王，第四子孙寇为陈王。第二年，甘露元年七月，孙皓逼杀了景皇后朱氏，死后遗体不停放在宫中正殿，而停放在后花园一间小屋里办丧事。众人都知道景皇后死于非命，无不为之感到哀痛悲切。随后孙皓又把孙休的四个儿子送到吴县城软禁，紧接着派人去追杀了四个兄弟中的大哥孙𩅦、二哥孙𩃙。

孙皓好饮酒，每次会集群臣宴会，他都要大家喝到沉醉不醒。孙皓又布置黄门郎十人，不让他们喝酒，专门在宴会上侍立两旁，充当观察在座官员过失的举报官。宴会结束之后，各自报告所观察到的群臣过失。正眼看了皇上，说话有错，以及其他各种莫须有的毛病，当场处罚，过大的处死，过小的也要治罪。

孙皓好色，后宫充斥了几千个宫女，还要年年选美。宫女有不合心意的，就杀死丢到河里冲走。有时还要挖人的眼睛，剥脸上的皮。

孙皓听信谗言，不问是非，酷虐嗜杀。孙皓有一个爱妾，她时常派人到集市上抢夺老百姓的财物。管理市场的中郎将陈声，素来是孙皓的宠臣，他仗恃孙皓的宠信，把孙皓爱妾派到集市上的人绳之以法。爱妾向孙皓哭诉，孙皓大怒，找了一个借口，用烧红的锯齿切断陈声的头颅，把尸首丢到四望山下。

奸臣岑昏为人阴险阿谀，曲从孙皓，位列九卿。他喜欢各种工程，替孙皓大修宫殿，民众为此很痛苦，由是吴国上下离心离德，没有人愿意为孙皓尽力。各地都爆发出民众起兵的事件。

妄作天子，轻启边衅　孙皓妄自尊大，奸佞臣工便投其所好，妄作祥瑞妖言。丹杨人刁玄奉命使蜀，自称得到司马徽与刘备讨论天命的历书，刁玄又大增其文，欺诳吴人说："黄旗紫色车盖出现在东南，最终得天下的人是荆扬的国君。"暗示孙皓得天下。又得到一个魏国的降兵，说寿春有童谣说："吴国天子当西上得国。"孙皓听了非常高兴，他说："这是天命啊!"他异想天开西上洛阳当中原天子。建衡三年（公元 271 年）春正月，孙皓下令百官随从西上洛阳，以顺天命。孙皓的母亲嫔妃，以及宫人、禁卫数千人，从华里（今南京西）出都，打算到牛渚采石（在今安徽当涂西北十公里长江边）渡江，由陆路西上。孙皓一行，才出华里，就遇大雪纷飞，道路陷坏，兵士披甲执仗，百姓拉车，许多士民冻死。兵士民夫都忍受不了，发出怨言，说："要是碰上魏国敌人，我们就倒戈。"丞相万彧与右大司马丁奉、将军留平等密谋说："主上若到华里真的不回，国家事重，我们不得不还。"此语泄露了出去，传到孙皓耳里。东观令华覈等又坚决劝阻，孙皓这才转回皇宫。孙皓置酒宴请群臣，命人送毒酒给万彧、留平，送酒人减了分量，万彧、留平没有被毒死。宴会后万彧自杀，留平忧惧，不到一个月也死了。

孙皓不顾国力，还轻启边衅。宝鼎元年（公元 266 年）正月，孙皓派大鸿胪张俨、五官中郎将丁忠前往晋国吊唁晋文帝司马昭。在返回路上，张俨病死，丁忠回京向孙皓报告说："北方现在疏于防守，弋阳郡很容易攻取。”镇西大将军陆凯说：“军队是万不得已才动用的，不要轻启战争。晋国吞并了巴蜀，国力正盛，想侥幸取胜，危险之道。”车骑将军刘纂说：“北方既然有防守上的漏洞，机不可失。可以先派人再侦察一下情况。”孙皓采纳了刘纂的意见，暗中派人侦察，没发现什么可乘之机，这才罢手。孙皓虽然没有发动战争，却从此断绝了与晋朝的关系。

凤凰元年（公元272年），孙皓征召西棱督步阐进京，步阐恐惧反叛，据守西陵投降晋国。幸亏乐乡督陆逊之子陆抗率兵征讨，平息了叛乱，步阐和同谋者数十人被夷灭三族。

天纪元年（公元277年）夏，夏口督孙慎出兵进攻晋国江夏郡和汝南郡，烧杀掳掠晋国居民。

自毁长城，金陵王气黯然收 吴国江防千里，兵力本来就不够用。孙皓给宗室王配兵，每王三千人。天纪二年（公元277年）孙皓立成纪、宣威等十一王，每王配兵三千，分散兵力三万多人。这时已经离西晋伐吴为期不远，边将告急，孙皓充耳不闻。

早在凤凰三年（公元274年），镇守荆州的大司马陆抗病危，上疏孙皓，提出加强长江上流西陵、建平两地的防务，要求朝廷增兵三万，裁撤宗室王的防卫兵，孙皓置之不理。吴国上流荆州防务，兵力严重不足。公元278年，西晋首创伐吴大计的名将镇南大将军羊祜病卒，临终举荐杜预继任。杜预接替羊祜坐镇襄阳，一上任就以迅雷不及掩耳之势，派遣精兵出其不意，进攻西陵。东吴名将张政猝不及防，吃了败仗，一大批将士被俘。张政怕受到吴主孙皓严责，不敢把败绩如实上报，杜预却特地派人把俘虏押送到建业归还。孙皓对张政隐瞒军情一事大发雷霆，将张政调离西陵，另派了一个能力不强的留宪来镇守西陵，这正中了杜预的离间之计，为灭吴搬掉了第一块拦路石。大军压境的前夕，孙皓误换边将，表现了他的昏庸，所以杜预深感伐吴的时机已经成熟，他求战心切，主张坚定，旬月之内，连上两表，终于坚定了晋武帝伐吴的决心。

晋武帝咸宁五年（公元279年）十一月，部署六路兵马，全线出击，大举攻吴。命镇军将军司马伷出涂中（即由滁州向真州），安东将军王浑出江西，建威将军王戎出武昌，平南将军胡奋出夏口，镇南将军杜预出江陵，龙骧将军王浚，广武将军唐彬率巴蜀之众，作为奇兵，顺江而下。声势浩大的灭吴统一战争，从此全面展开。

太康元年（公元 280 年）杜预出兵江陵，一路上战无不捷，攻无不克，旬日之间，累克城邑，大获全胜。这时王浚的水军也连战连胜，先打下了东吴军事重镇西陵，杀了都督留宪，接着又下荆门夷道，一路顺风地直逼东乡、江陵，与杜预会合。杜王合军攻克江陵、武昌后，杜预又分兵给王浚，以壮大他东下的实力。杜预鼓励王浚说："将军已经攻破了东吴西边的防守，应当顺流而下，直接向建业进军，去征伐几代的叛逆，去拯救吴人脱离火坑。将来得胜还朝，也是一生的大好事。"王浚于是麾师东下，举帆直奔建业。孙皓派丞相张悌率兵三万迎敌，被王浑军打败，张悌战死。王浚东下，孙皓已无兵可战，在强大的攻势面前，吴主孙皓不得不肉袒面缚，衔璧牵羊，衰服舆梓，率兄弟子侄 21 人，出门拜降。至此，魏、蜀、吴三国分立的局面彻底终结，吴国灭亡，晋王朝的全国统一胜利实现。

孙皓降晋，被封为归命侯。当年十二月就死在洛阳，葬在河南县界，时年 42 岁。

第七章　三国归一统

统一是必然的趋势，这是中华民族自秦汉统一以来形成的历史发展的主流。三国鼎立，曹孙刘三方都极力争夺统一的领导权，最终归一是历史的必然。三分天下曹魏有其二，吴蜀共得三分之一，按正常发展，以大吞小，曹魏统一天下，理所当然。但三国时代的风云变化，时时演化出出人意料的变局。三国归于司马氏，曹魏的惨淡经营，只是为他人作了铺垫。

司马氏代魏

司马氏经过司马懿、懿子司马师和司马昭、昭子司马炎三代人的经营，代魏而建立了西晋。三国归一于司马氏。虽然直接完成三国统一的人物是司马昭和司马炎，但正如曹操为魏国的建立奠定了基础一样，司马懿为西晋的建立奠定了基础，所以司马懿应是三国一统中的一个重要人物。

汉魏禅代的积极拥护者　司马懿字仲达，河内温县（今河南温县西南）人，出身于一个累世二千石的世家大族。祖司马儁，汉颍川太守。父司马防，汉京兆尹。司马懿兄弟八人，号称“八达”。懿兄司马朗、堂兄司马芝都受到曹操的重用，两人在《三国志》中有传。司马懿生于公元 179 年，与曹操谋士郭嘉、刘晔等人是同辈人物。《晋书·宣帝纪》载，司马懿少时就被当时名士杨俊、崔琰赞为“非常之器”，获得“聪亮明允，刚断英特”的美誉。但司马懿却未急于用世，不受曹操征辟，坐作声价，直到公元 208 年，在曹操的威逼下才就征为丞相府文学掾。他被辟为文学掾后，与曹丕倾心相结，得到迅速提升，“迁黄门侍郎，转议郎，丞相东曹属，寻转主簿”。公元 219 年，孙权与刘备争荆州，上书曹操称臣劝进，司马懿借题发挥，向曹操献媚说：“权之称臣，天人之意。”曹操不想蒙受“篡逆”之名，同时想缓和中原世家大族的反对，于是效周文王，让儿子曹丕来篡权。司马懿积极倡导禅代，曹操就让他为曹丕的幕宾。早在公元 213 年，曹操称魏王时，司马懿就成为世子曹丕的谋臣，为太子中庶子，与陈群、吴质、朱铄同列，号为“太子四友”。

曹丕代汉，司马懿因率先劝进的拥戴之功，深得曹丕信任，加官尚书，不久又加督军御史中丞之职，监护诸将。公元 224 年，曹丕大举征吴，委司马懿为抚军将军，加给事中、录尚书事，留镇许昌。曹丕十分倚重司马懿，视为腹心大臣，凡御驾出巡或征讨，都委司马懿为留守，并在诏书中誉之为曹魏的萧何。曹丕病危，司马懿与曹真、曹休、陈群四人受顾命之重为辅政大臣。曹真和陈群两人在政治上都不是司马懿的对手。就这样，司马懿经过曹丕的一手扶植，登上了曹魏统治集团最上层居于核心人物的地位。

历仕四朝，手握重兵　司马懿生于公元 179 年，死于 251 年，享年 73 岁，是三国时代一个高寿的人物。他的一生，差不多与整个三国时代的动乱相终始，历仕曹魏武帝、文帝、明帝、齐王曹芳四朝，不仅在长期政治沉浮斗争中积累了经验，而且在统军征战中手握重兵，这是他在政治斗争中取得成功的一个重要条件。魏明帝时，曹真督军关中御蜀，司马懿镇宛御吴，成为独当一面的督军大将。司马懿在宛四年，与吴国没有发生重大战争。司马懿在军事上显露锋芒是公元 227 年平定上庸孟达之叛。司马懿在宛，得知孟达叛魏，不经上报，便宜从事，迅速果断地平定孟达，打乱了诸葛亮的北伐部署，为魏抗蜀建立了大功。公元231年曹真死，司马懿西调督兵关中，抗拒蜀军诸葛亮北伐。当时曹魏最忌诸葛亮，司马懿担当此任，实际上是掌握曹魏的军事大权，成为无可匹敌的重臣。司马懿在与诸葛亮的对阵中，采取了据险坚守、疲惫蜀军的方针，迫使诸葛亮退军。司马懿持重，不与诸葛亮进行主力决战，因为诸葛亮足智多谋，蜀军又擅长山地战，所以他不肯弄险，怕万一失败以损自己威名。他抓住蜀军粮运不济的弱点，疲惫蜀军迫使退走，也就取得了胜利。司马懿在战场上也打的是政治仗，他有自己的全局方略。他阻击诸葛亮北伐的成功，为他以后控制曹魏政权创造了条件，公元235年升为太尉。

魏明帝曹叡爱好声色宫室，大兴土木，掠夺民女充实后宫，淫侈无度，百役繁兴，加深各种矛盾。司马懿进谏，树立名誉，并广树恩信，培植和发展个人势力。

公元237年，辽东公孙渊自立为燕王，署列百官，对抗曹魏。第二年，司马懿率军四万往讨。由于对手平庸，司马懿用计很快擒杀了公孙渊父子，胜利班师，进一步巩固了自己在朝中的政治地位。

公元239年，司马懿平定辽东班师不久，魏明帝病死，儿子齐王曹芳即位，年仅10岁，遗诏司马懿与大将军曹爽共同辅政。司马懿已是四朝元老。

三世执政，篡魏建晋 曹爽是曹真之子，后生晚辈，才识平庸，政治斗争不是司马懿的对手。公元249年，齐王曹芳正始十年正月，司马懿发动政变，诛杀曹爽，大权独揽，倾尽全力打击皇族和拥曹派官员，确立了司马氏集团在朝中绝对的优势地位。司马懿死后，其子司马师、司马昭兄弟相继为大将军辅政，牢牢控制曹魏政权，擅废立。司马师废齐王曹芳，立高贵乡公曹髦，司马昭弑杀曹髦，立陈留王曹奂，步步紧迫皇权。曹芳8岁即位，曹髦、曹奂都是十余岁的少年天子，史称三少帝。司马氏集团就是在三少帝时期膨胀发展起来的。公元249年曹爽被诛，曹魏政权已名存实亡。手握重兵防吴而又拥护曹魏的封疆大吏王凌、毋丘俭、诸葛诞三人，分别在司马懿、司马师、司马昭掌政时三次起兵反抗司马氏集团，皆被镇压，司马氏代魏的形势不可逆转。公元260年，司马昭杀曹髦，这时，拥曹派朝官几乎已被彻底清除。司马昭称孤道寡的条件已完全成熟。但他为了更多作些建树为登基增添光耀，改变了先灭吴后灭蜀的曹魏统一方针，改为先蜀后吴。公元263年司马昭令钟会、邓艾灭蜀，就是为晋朝的建立直接奠基。

公元264年，司马昭称晋王，立他儿子司马炎为太子、副相国。第二年，司马昭还没来得及称帝就病死了。不久，曹奂“禅让”，司马炎称帝，史称晋武帝，晋朝正式建立，仍都洛阳。

曹魏灭亡的原因 晋代魏室，主要有以下三个方面的原因。

其一，世家大族拥戴司马氏。曹爽集团的骨干大都是魏室姻亲和拥曹派功臣后裔，代表皇族，成员多年少气盛，既有革新的思想，也有纨袴的生活作风，被称为浮华派。他们在政治上和军事上多不成熟，缺乏经验。司马懿集团多元老重臣，骨干大多是政治老手，可称之为持重派。曹爽败在司马懿手下，绝不是偶然的。曹操出身“赘阉遗丑”的宦官之后，在东汉末名声不好。东汉党锢之祸的罪魁就是宦官集团，受害党人都是世家大族的名士，所以曹氏代汉受到世家大族的抵制。曹操先后杀边让、孔融、崔琰等士人，亦激起世家大族心理的不平。曹丕代汉，施行九品官人法，才取得世家大族的支持。而司马懿本身是世家大族，阶级根基比曹氏优越。司马氏的姻戚也都是当时的世家大族。曹氏父子不仅出自“赘阉遗丑”，而且姻戚也都寒微。两相比较，在当时世家大族眼里，自然是一个在天上，一个在地下。曹爽集团的夏侯玄曾与司马懿辩论，建议限制州中正品评论人的权力，以打破门阀的垄断。司马懿毫不犹豫地拒绝了夏侯玄的建议，大力推行九品中正制，维护门阀士族利益，扩大司马氏集团的阶级基础。司马氏集团的胜利，可以说意味着世家大族在政治上的发展和门阀制度的确立。

其二，曹魏政权政苛刑酷，人心未孚。司马氏父子从公元

249 年至 262 年，在短短的 13 年中屡诛大臣，三次镇压拥曹派镇将的反抗，轻而易举地把曹魏的政治势力彻底摧垮了。因为曹氏用权诈篡汉，又政苛刑酷，统治未能根植民心。曹氏政权既得不到世家大族的多数支持，又失去人民的拥护，所以未到三国统一就灭亡了。

政治上曹操屡兴大狱，军事上攻城屠民，留下残虐的名声。曹操大规模屯田，用军事编制，严刑管束，屯民是没有丝毫自由的农奴。其"士亡法"规定，军士或屯田士逃亡，罪及妻子，乃至灭族。"士亡法"是残酷的军法，屯田民既为军事部伍，亦受此法约束，所以屯田民常常以逃亡的消极方法来表示反抗。公元 264 年，司马昭废除屯田，就是争取民心的一大措施。

公元 263 年，钟会伐蜀，吴人问张悌说："司马氏得政以来，连遭镇将反对，百姓未服，今又大众征蜀，兵劳民疲，莫不是步吴王夫差的后尘?"张悌说："你说得不对。曹操功盖华夏，威震四海，但他靠的是权谋诈术，人民迫于压力，并不心服。曹丕、曹叡时，刑罚繁多，徭役沉重，东西征伐，没有安宁的时候。司马懿父子多次立功，掌权之后，减免百姓的一些沉重负担，关心他们的疾苦，民心归于他们已经很久了。所以淮南三次反叛（指王凌、毋丘俭、诸葛诞），腹心之地并未扰乱；曹髦被杀，四方也未骚动。司马氏任贤使能，各尽其心，统治根基已经巩固了。"张悌论司马氏必能得势，蜀国必亡，吴人不信，没多久，一一如张悌所料，蜀灭晋兴而代魏。张悌字巨先，荆州襄阳人，时为吴国的屯骑校尉，后官至丞相，晋伐吴时，战死疆场。

司马氏集团本是门阀世族的代表，由于他们要取代曹氏政权，所以不得不对内政实施一些改良，如罢屯田、去苛税，用以争取民心；对外积极筹划灭蜀、灭吴的战争，加速了统一过程，非只是代魏而已。

其三，司马懿长期经营，奠定了西晋基业。纵观司马懿，他的前半生没有多大建树，与他的同辈郭嘉、刘晔相比，似乎是大器晚成。他不同郭嘉、刘晔为帝王之师，而具有更深沉的政治思虑，也具有更大的野心。司马懿师法曹操，野心随时局的变迁而不断膨胀。他善于审时度势，以拥护曹氏父子代汉而发迹于政治舞台，又倾全力与太子曹丕为友，把目光放在长远未来。曹操曾警告曹丕说："司马懿非人臣也，必预汝家事。"不幸被曹操而言中。曹操欲加害司马懿，曹丕"每相全佑，故免"。可以说，没有曹丕就没有司马懿。曹氏父子挟汉献帝号令群雄而取代了汉室，司马氏祖孙三代挟曹魏三少帝而经营了西晋基业。汉、魏、晋的相继禅代，恰似螳螂捕蝉，黄雀在后。这种以权诈取政权的世风影响了宋、齐、梁、陈，可谓深远。始作俑者曹操，继之者司马懿。毫无疑义，司马懿是继曹操之后最大的权谋家。在三国后期，司马懿在斗争中已成长为第一流的政治家和军事家。他在政治上粉碎曹爽集团，剪灭拥曹派，奠定了西晋建立的基础。在经济上，司马懿建置军屯，以后司马师、司马昭又继续大力推行，在淮南、关中广储粮饷，为北方统一南方建立了物质基础。在军事上，司马懿防吴抗蜀，积累了经验，为司马昭先蜀后吴的战略调整准备了条件。尽管司马昭灭蜀后由于司马炎急于称帝而延缓了灭吴的行动，但总的历史进程，却因司马氏集团的勃兴而加速了三国的统一。从汉末群雄纷争到三国归一统，曹操和司马懿是前后辉映的两个重要历史人物。因此，司马懿的名字，完全可以与曹操、孙权、刘备、诸葛亮等人并列，是一个对历史有贡献的时代英雄。

钟会伐蜀

蜀汉中期政治　诸葛亮死后，后主刘禅依照诸葛亮的推荐，次第任用蒋琬、费祎为辅政大臣。二人执政，停止北伐，休士养民，蜀国中期出现了一段相对安定的局面。

蒋琬字公琰，零陵湘乡（今属湖南）人。初为州中小吏，随刘备入蜀任广都县令，因不满意于县职，时常酗酒，不理政事。刘备到广都巡视，要治蒋琬罪，诸葛亮解救，说："蒋琬的才干不是一个县能容得下的。"刘备将蒋琬免官，不予追究。不久，任为什邡县令。刘备称汉中王，诸葛亮坐镇成都主持政务，引纳蒋琬为尚书郎。后主即位，诸葛丞相开府治事，迁升蒋琬为东曹掾。诸葛亮北伐，迁蒋琬为参军，留丞相府总理军事，张裔为长史，总理政务。公元230年，蒋琬代张裔为长史，加抚军将军，实际上已代行丞相之职。诸葛亮密表后主，“臣若不幸，后事宜以付琬”。诸葛亮死后，加蒋琬尚书令，领益州刺史，迁大将军，录尚书事，封安阳亭侯。任费祎为副手。

费祎字文伟，江夏（今属湖北）人。他游学入蜀，与汝南许叔龙、南郡董允齐名。蜀汉建立，费祎与董允两人辟为太子舍人，迁庶子，后主即位，升费祎为黄门郎。公元223年诸葛亮以费祎为昭信校尉使吴，与孙权君臣论辩，崭露头角，还蜀后迁侍中。诸葛亮北伐，为随行参军。魏延与长史杨仪不睦，费祎居中调解劝慰说理，使两人各尽其力，起了重要作用。蜀汉战时体制，主帅统兵，副手留镇后方。刘备在时，常统兵在外，诸葛亮以军师之职留在后方。诸葛亮北伐，以副手蒋琬留镇后方。蒋琬为大将军，留驻汉中，副手费祎留镇成都。后费祎主政，统兵在外，副手姜维留镇后方。诸葛亮死后，蒋琬辅政，以费祎代为尚书令，处理政务。公元243年，蒋琬由汉中退屯涪城（今四川绵阳），迁费祎大将军，录尚书事。公元244年，曹爽乘蒋琬退还之机，起兵十余万伐蜀，司马昭兵进汉中，费祎入援打退魏兵，还成都后封成乡侯，蒋琬让州职，费祎领益州刺史。公元246年继蒋琬为丞相，公元249年北驻汉中。

蒋琬、费祎均为政宽和，注意团结蜀中官吏。东曹掾杨戏平生简慢，不注意小节，他与蒋琬议论政事，常常是不置可否。有人对蒋琬说：“杨戏太傲慢，对上级不尊敬。”蒋琬回答：“每个人的个性不同，不要强求一律。杨戏用沉默来表示他的不同意见，我看是个爽快人，怎能说是傲慢呢?”督农杨敏曾在背后议论蒋琬，说他办事稀里糊涂，赶不上诸葛亮。有人向蒋琬告发，蒋琬说：“我本来就赶不上诸葛亮，杨敏说得对，有什么罪?”后来杨敏犯别的罪被捕入狱，人们认为他活不成了。但蒋琬心胸坦然，并不加重惩办杨敏，还释放了他，由是赢得众心敬佩。

蒋琬与费祎精诚团结，密切合作。对内保国安民，休养生息；对外通好吴国，停止北伐。公元243年蒋琬退屯涪城，只在汉中留兵三万守险，标志蜀汉转攻为守。费祎执政，继续执行蒋琬守土保民的方针，限制姜维蚕食魏境。公元253年，费祎被曹魏刺客郭循刺死，姜维继任，执掌军政大权，又大举伐魏，连年动众，消耗了国力，十年后蜀汉先吴而亡。

姜维连年动众，蜀汉后期兵疲民困 姜维字伯约，天水冀县人，很有军事才能。原为曹魏天水郡参军，诸葛亮第一次北伐时归汉，任仓曹掾，加奉义将军。诸葛亮很器重姜维，曾写信向蒋琬推荐说："姜伯约忠勤时事，思虑精密，是凉州的杰出人才。"又说："姜伯约深通兵法，心存汉室，才兼于人。"不久迁为中监军、征西将军。诸葛亮病逝五丈原时，姜维为后军师（即副军师），名列魏延之后，已是显职。蒋琬驻汉中，任为司马。公元243年迁为镇西大将军、凉州刺史。费祎主政，迁卫将军，与祎共录尚书事。公元253年，费祎死后，姜维主政，领数万众大举攻魏。公元258年还成都，公元262年出屯沓中。公元265年蜀亡，殉国。

姜维是蜀汉后期的中流砥柱，他维持蜀汉政权十余年，最后殉国而死，是一个值得肯定的历史人物。姜维感诸葛亮的知遇之恩，竭尽忠诚继承诸葛亮的遗志，主持北伐，大的用兵有九次，依时序排列如下：

第一次，公元247年率军讨汶山平康夷，又出陇西、南安、金城界，与魏将郭淮、夏侯霸战于洮西，凉州胡王白虎文、治无戴等率众降，姜维迎接安抚。

第二次，公元249年，出攻雍州，进围洮城，魏将邓艾先自据城，不克而还。

第三次，公元250年，出西平，欲诱羌胡以为羽翼，隔断陇西，不克而还。

第四次，公元253年，率众围南安，不克而还。

第五次，公元254年，出陇西，魏狄道长李简举城降，进围襄武破徐质军，乘胜"拔河关、狄道、临洮三县民还"。

第六次，公元255年，复出陇西狄道大破雍州刺史王经于洮西，“经众死者数万人”。

第七次，公元256年，与镇西大将军胡济期会上邽，济失期不至，维被魏将邓艾大破于段谷，蜀军“星散流离，死者甚众”。

第八次，公元257年，魏大将军诸葛诞反于淮南，姜维乘魏关中兵东调之机，率数万径出骆谷，魏将邓艾、司马望合兵相距，坚壁不出，诸葛诞兵败，维引兵还。

第九次，公元263年，出侯和，进取秦州，为邓艾所破，还屯沓中。

姜维九次北伐，两次大胜，一次小胜；一次大败，一次小败；相拒不克四次。如果单从军事成败论，姜维北伐以弱抗强而胜败相当，胜还略占优势，尽了人为的最大努力。姜维面对强大的魏军和邓艾、郭淮等魏之名将及坚固防线，而能给对手重创，实属不易。诸葛亮之后，蜀军敢于北伐志存吞魏的人，姜维一人而已。姜维北伐的重心是夺取陇右。如果蜀取陇右，就在地理形势上打破了曹魏对蜀汉的包围，而可以居高临下虎视关中。反之，曹魏固守陇右，不仅巩固了关中形势，还从侧翼包围汉中，并可出奇兵直插蜀中腹地，邓艾入蜀正是以陇右为基地。陇右有如此重要的战略地位，因此成为魏蜀对峙中重要的战场。姜维认为，凭着自己的才干和对陇右羌胡风俗的了解，可以招抚羌胡充实力量，夺占陇右地方。因此不惜一切代价与魏反复争夺，使曹魏一度朝野震动。直到263年，司马昭兴兵灭蜀，还在讨蜀诏中称：“蜀国依赖的，只有姜维一人了。”

历来对姜维的北伐是褒贬参半。晋干宝称赞姜维是“见危授命，投节如归”的“古之烈士”。南宋胡三省在《资治通鉴》注中称赞姜维“始终为汉，千载之下，炳炳如丹”。这些评论都是赞扬姜维的志节。对于北伐事功，均持批评。第一个是蜀汉当朝光禄大夫谯周，他作《仇国论》，讥讽姜维“极武黩征”，造成蜀国“土崩势生”。陈寿袭用谯周观点批评姜维“玩众黩武”。北宋叶适更是激烈批评姜维“勤兵无名”，导致“隙开于内，衅起于外”，甚至把“国破覆亡之祸”也加在姜维头上。

前已指出，姜维是蜀汉后期的中流砥柱，把蜀国败亡的责任加给他是不公平的。但姜维不顾国力大困，连年动众，吸引曹魏重兵西移，消耗了蜀汉有限的人力、物力，使蜀兵疲民困，加速了蜀汉之亡，也是不能辞其咎的。小国与大国拼消耗，从大局来看，是得不偿失。若把姜维与吴国陆抗作比较，就不如陆抗明智。陆抗上疏孙皓，反对诸将穷兵黩武，主张“力农畜谷”，安抚百姓以仁，而后“顺天承运，席卷宇内”。也就是说无取胜把握就不用兵，陆抗反对无目的的边境战争。姜维却不是这样的，段谷惨败之后，仍用兵不止。汉中，蜀之门户，无汉中则无蜀，而姜维抽走重兵，撤去汉中外围据点，使得钟会直插平川，迅速攻陷汉中，姜维攻守失策，重攻不重守，不保汉中而屯兵于沓中，不能不说这是蜀军失败的一个重要原因。

钟会伐蜀 钟会字士季，颍川长社人，魏太傅钟繇之子。钟会少而聪慧勤奋好学，常夜以继日，博览群书，精通名理，尤喜读《易》，著有《道论》20 篇，与当时注《易》的少年名士王弼齐名。齐王曹芳时为秘书监，迁尚书中书侍郎。

钟会受司马师器重，两人曾作彻夜之谈。司马师握住钟会的手说：“你真是王佐之才。”公元 255 年，魏镇东将军毌丘俭扬州起兵反抗司马氏，钟会劝司马师抱病出征，迅速扑灭叛乱，以避免成燎原之势。司马师从其计，钟会随从，很快平息了叛乱。公元 257 年，诸葛诞反于淮南，钟会随司马昭出征，破敌之计多出于钟会谋画，时人誉为司马昭之“子房”，司马昭迁钟会为司隶校尉。

公元 249 年，司马懿诛曹爽，右将军夏侯霸降蜀，蜀人问霸，司马氏能否为害蜀国。夏侯霸回答说：“司马氏正在经营自家门庭，顾不上对外，但有个钟士季，虽然年少，终将为害吴蜀。”在两平淮南之役中，钟会充分显示了他的筹策奇谋。他又一贯主张灭蜀并吴，统一天下，并有一套战略方针。公元 262 年，司马昭讨论伐蜀，朝臣皆以为不可，在陇右第一线对敌的征西将军邓艾也认为“蜀未有衅，屡陈异议”。只有钟会独劝司马昭伐蜀，司马昭于是以钟会为镇西将军，都督关中，筹划代蜀方略。

姜维从钟会都督关中的任命，看出曹魏伐蜀迹象，上表刘禅说："听说钟会治兵关中，图谋攻蜀，应派张翼、廖化率军分别护守阳安关口（即阳平关）和阴平桥头（在今甘肃文县东南），以防魏军。"宦官黄皓专权，他信奉鬼巫，求神问卜，说敌军不会到来。刘禅听信他的鬼话，搁置了姜维的建议，群臣一点儿也不知道。刘禅与黄皓等竟日在宫中花天酒地，政治腐败如此。

公元263年五月，司马昭正式下诏伐蜀，征四方之兵十八万。八月，钟会率主力自洛阳出发，进军灭蜀。钟会治军严整，出兵时，他令牙门将许仪在前修治道路，因桥穿陷马足，钟会下令处斩。许仪为曹魏开国名将许褚之子，会以军法斩戮，毫不宽贷，于是全军整肃。

九月，钟会按预定计划督军攻蜀，兵分三路。征西将军邓艾率兵三万自狄道（今甘肃临洮）；雍州刺史诸葛绪率兵三万自祁山（今甘肃礼县东北）向武街（今甘肃成县西北）、桥头进军，以切断姜维归路；钟会率主力十二万由关中分三路从斜谷、骆谷、子午谷直插汉中。汉中蜀军有三万人，撤出外围险阻，收缩在乐城、汉城、阳平关。蜀将王含率军五千人守乐城，蒋斌率军五千人守汉城，傅佥率军二万守阳平关。钟会分兵围乐、汉两城，主力越过两城直扑阳平关。阳平关守城副将蒋舒开门迎降，傅佥战死，阳平关陷落。随后汉、乐两城亦陷，不到半月，汉中丢失。钟会马不停蹄，直奔剑阁，欲夺关进逼成都。正是千钧一发之际，姜维从沓中出，与成都赴援的廖化、张翼军会合，赶到了剑阁，遏止了钟会的进攻。

当钟会进军汉中的同时，邓艾军很快到达沓中，向姜维营地进攻。姜维得知汉中失守，便向阴平撤退保剑阁。这时诸葛绪已到达桥头切断姜维归路。姜维从侧后孔函谷进击魏军后方，诸葛绪回头救援，姜维回兵取桥头赶向剑门关。姜维退到阴平，与成都北上的廖化、张翼军会合，恰好先钟会一步赶到剑阁。

后主刘禅得知魏兵犯境，才急忙派廖化领兵去沓中，作姜维后援；派张翼去阳平关助防。张、廖二军还未到达，汉中已失，在半道与姜维会合。

邓艾追姜维到阴平，想与诸葛绪合兵进军江油（今四川江油东），直取成都。诸葛绪不听邓艾号令，引军东下与钟会军会合。钟会想独占指挥权，他密告诸葛绪畏懦不前，逮捕了他，夺其军壮大自己，然后进兵剑阁。

剑阁又名剑门山，在四川剑阁县西，山势陡峭，飞阁通道，一夫当关，万夫莫开。姜维凭险拒守，钟会十余万众受阻，相持月余不能下。魏军粮饷不继，钟会欲退军休整，邓艾不从，上言曰："蜀军已经遭受挫折，我们应该乘胜前进。如果从阴平小道偷越过去，出剑阁以西百里，向涪城，到成都只有三百里，用奇兵冲其腹心，袭击空虚，一定能打败蜀军。"钟会很想控制邓艾军，而邓艾献此计，明显地不接受钟会节制，钟会只能听其自专。

十月，邓艾从阴平向江油进发，穿行无人之地七百里，凿山通道，造作桥阁，山高谷深，至为艰险，又粮运不继，差点崩溃。军至马阁山（今四川平武东南），无路可通，邓艾身先士卒，用毡裹身，冒险而下，将士攀木缘崖，鱼贯而进，绕过剑阁，直达江油。蜀国江油守将马邈，见魏军从天而降，吓得魂不附体，不战而降。

邓艾奇袭，突进成都平原，像一把尖刀直插蜀国心脏，改变了全局形势。诸葛亮之子，军师将军诸葛瞻与长子诸葛尚扼守绵阳，被邓艾打败，退守绵竹。邓艾乘胜追击，连败诸葛瞻军，诸葛瞻和诸葛尚父子俱战死。

邓艾军临成都，蜀汉朝野一片惊慌。后主刘禅召集群臣，商议对策，有的主张投吴，有的主张迁都南中。光禄大夫谯周主张投降，他说："自古以来没有投奔的天子，投奔东吴等于是投吴称臣，将来魏国灭吴，免不了再一次受辱。迁都南中，事先没有安排，突然驾临，要引起人心浮动，变生不测，即使到达南中，那里的财赋所出也无法支撑，必然引起诸夷的反叛。"谯周又说："如果陛下降魏，还会裂土封侯，这是迫不得已的啊。"后主允从谯周之议，向邓艾投降。刘禅之子北地王刘谌，反对投降，刘禅不听，刘谌跑到祖庙对着刘备亡灵哭祭一番，先杀妻子，然后自杀。蜀国灭亡。

后主敕令姜维投降，蜀军尚有八万，士兵气愤地拔刀砍石。姜维于是向钟会假投降，以功高震主劝说钟会割地称王，或者效法范蠡功成身退，切莫学韩信俯首就擒。钟会入蜀已有异志，于是厚结姜维以为援。姜维写信给后主："愿陛下忍数日之辱，臣欲使社稷危而复安，日月幽而复明。"姜维想借钟会之手诛杀魏将，然后再杀钟会，恢复蜀国。

邓艾灭蜀，在成都骄傲自恃，专断独行。他先斩后奏，擅自处置后主及一班降人，封刘禅为行骠骑将军，蜀群臣各按原有官职高下受封。他上书司马昭，请封刘禅为扶风王，用以昭示吴人，并要求留镇成都作伐吴准备。司马昭派监军卫瓘劝说邓艾，有事应当先请示，不要自作主张。邓艾说："将在外君命有所不受，只要方便国家。"钟会上书说邓艾谋反，司马昭便令钟会槛车押送邓艾回洛阳。半道邓艾被本部将士劫出，卫瓘承制征讨，将邓艾及其子邓忠杀死在绵竹。

邓艾死后，钟会独统大众，与姜维密谋反魏。钟会计划由姜维统率蜀兵五万为先锋，从斜谷入关中，自统大军在后，先据长安，然后水陆两道进兵洛阳，夺取天下。强中更有强中手，司马昭早有提防，他率兵十万驻长安，并令中护军贾充领兵入斜谷。钟会见司马昭有备，连忙诈传郭太后遗诏，公开打出讨伐司马昭的旗帜反叛。他把入蜀魏军诸将关押在官衙中，想把他们全都杀掉。魏士兵不服，起来攻打钟会，姜维和钟会都被乱兵杀死。姜维与钟会，两人同床异梦的谋划，全都化为泡影。

后主刘禅被送到洛阳，封为安乐公。一次司马昭宴请刘禅，让乐人表演蜀中乐舞。刘禅左右的人看到此情此景，禁不住"国破家亡"的感伤，一个个流下眼泪，可是刘禅却"嘻笑自若"。又过了一阵，司马昭问刘禅："想不想蜀中故土?"刘禅回答："此间乐，不思蜀。"这个故事就是"乐不思蜀"成语的由来。当时人们都耻笑刘禅，但是一个亡国之君，在胜利者面前如果表示对故国的怀恋，其命运可知。

西晋灭吴

唇亡齿寒，蜀汉灭亡，吴国已不能长期偏安江南。由于司马炎篡魏，忙于家门，才使吴国在蜀亡之后，残喘了17年，至公元280年为晋所灭。

孙权晚年昏聩 公元229年孙权称帝，由武昌迁都建业，是他一生事业的分水岭。前期孙权，英雄盖世，任才尚计，是为人杰；后期孙权，性多忌疑，果于杀戮，老而昏聩，已播下亡国之因，前后判若两人。可以说历史上有两个孙权。

孙权称帝前，君臣和谐，朝廷上下充满情义，孙权察纳雅言，信任将士；称帝以后日益刚愎自用，对文武百官忌疑不信。

孙吴政权建立时有广泛的阶级基础，文武将相有江北世族地主，有江南土著世族，也有四方寒族人士。孙权称帝后，主要依靠江南世族顾、陆、朱、张。到了后期，孙权对所有文武都存有戒心，甚至怀疑陆逊。对带兵守边将领，更不放心，要他们交出妻与子做人质，如有叛逃，就杀戮人质，甚至灭及三族。孙权又实行特务政治，成立专门机构监视文武百官，叫做校事、察战。有一个叫吕壹的人，“性苛惨，用法深刻”，揣摩孙权旨意，很得信用。孙权任命他为中书典校，专事揭发，诬陷无辜，动辄加罪惨杀，使得朝官人人自危。上大将军陆逊见吕壹弄权，擅作威福，与太常潘濬谈论起来，只能相对流泪，徒叹奈何。骠骑将军步骘冒死上谏，孙权迫于众论杀了吕壹，但仍保留校事机关。

孙权后期，战事趋缓，但赋役一点儿也不减轻。顾雍、陆逊上疏条陈利害，要求减轻赋役以纾民困。孙权不同意，辩解说：“如果单守江东，现在的兵力就够了，赋役是可以减轻一些。但坐守江东，未免陋小，所以仍要先期备兵备粮，以便临时应用。百姓的劳苦我比你们清楚，但事出不得已。”孙权以完成统一大业为口实弹压舆论，执行重役苛税的暴政。公元234年，庐陵李桓、罗厉起兵反抗。公元136年鄱阳吴遽相继起事，并杀死前来征兵的中郎将周祇。豫章、庐陵两郡纷纷响应。在人民反暴起义的局面下，孙权下令镇压，加固各郡县城，起谯楼、挖堑壕以备“盗贼”，而不肯减轻赋役。

孙权晚年，听信谗言，废嫡立庶，造成动乱，激化了统治集团的内部矛盾。立嫡为储，这是封建统治家天下的宗法传统，它杜绝诸子争立，使政权稳定。破坏这条法则，往往引发政治动乱。袁绍、刘表废嫡立庶，就祸起萧墙，相继灭亡。英睿卓识的孙权，年老志衰，称帝专断，也重蹈了袁绍、刘表的覆辙。

孙权有七子，依次为孙登、孙虑、孙和、孙霸、孙奋、孙休、孙亮。孙权先立长子孙登为太子，公元241年先孙权而卒。次子孙虑又先孙登病卒。公元242年，依次立孙和为太子，封孙霸为鲁王。孙和母王夫人，色衰爱弛，孙权日渐疏远太子。孙霸母谢姬，有宠于孙权，故孙权特别疼爱鲁王。鲁王日益骄纵，车服器用比拟太子，大臣劝谏，孙权不听。孙和姐全公主与王夫人不和，全公主在孙权面前说孙和母子的坏话，称誉鲁王孙霸。全公主下嫁大司马全琮，全琮次子全寄党附孙霸，更加剧了矛盾。孙霸谋夺太子位，二人明争暗斗使朝臣也分为两派。丞相陆逊、大将军诸葛恪、太常顾谭、骠骑将军朱据、会稽太守滕胤等拥护孙和。骠骑将军步骘、镇南将军吕岱、大司马全琮、左将军吕据、中书令孙弘等支持孙霸。孙权袒护孙霸，打击拥嫡派，陆逊因之与孙权“口论嫡庶之分，以匡得失”而备受谴责，忧愤成疾，于245年病死。陆逊之死引起朝野震动，孙权怕酿成大乱，猛然清醒，向陆抗剖白，表示歉意，这才稳定了政局。孙权不得已令孙霸自杀，废掉太子，各打五十大板。孙权立少子孙亮为太子。公元252年，孙权病死，孙亮即位，年仅10岁，成为幼主。孙权安排大将军诸葛恪、中书令孙弘、太常滕胤、将军吕据、侍中孙峻共同辅政。原来诸葛恪支持太子孙和，孙弘支持鲁王孙霸，两人政见不和。现在共同辅政，同床异梦。孙权死亡的当天，孙弘就策划政变，秘不发丧。孙峻向诸葛恪告密，诸葛恪先下手为强，请孙弘议事，在议事堂座位上诛杀了孙弘。孙权尸骨未寒，权臣斗争即兴。

诸葛恪为首辅，他杀了孙弘后，大权独揽，旁若无人，违众兴师淮南，大败而归。孙峻借机杀诸葛恪，专断朝政。这是公元253年的事，孙权死后仅一年。

孙峻专政，排斥异己，引起朝野不满。吴侯孙英、将军孙仪、张怡、林恂等相继谋杀孙峻，皆因谋泄被杀。公元256年孙峻病死，由他堂弟孙綝掌权，孙綝变本加厉排斥宗室大臣，甚至把仅存的两位辅政大臣吕据、滕胤除掉，灭其三族，自任大将军，四个弟弟皆典禁军，一门五侯，权倾人主，自吴国建国以来，还没有这样贵盛的大臣。

公元258年，孙亮16岁，始亲政，他不满孙綝跋扈，暗中与将军刘承、全尚等谋杀孙綝。孙亮妃，孙綝从姊之女，泄露机密，孙綝攻杀全尚、刘承，废掉孙亮，迎立孙权第六子孙休为吴王。孙綝自任丞相，继续专权。孙休与将军丁奉、张布等设谋终于诛杀了孙綝，权臣专恣局面暂告一段落。孙皓立，反过来人主集权大作威福，逼反夏口督孙秀、西陵督步阐。步阐，孙吴名将，据西陵要害，他出降西晋，使吴国招致晋人的大举进攻。步阐之叛虽被陆抗讨平，却大大削弱了长江上流守备，遗害无穷。

孙吴上层统治集团的互相杀戮，国家实力在内讧中大大受损。

公元264年，孙休病死，诸子尚幼，吴丞相濮阳兴与左将军张布等议立长君，迎立孙和之子乌程侯孙皓为帝。史称孙亮、孙休、孙皓为吴国三嗣主。

孙皓酷虐　孙皓是三国时代最著名的暴君。也许其父孙和被废，自己也受株连，仅得侯位，产生变态心理；也许由于权臣的擅权与互相谋杀，使孙皓多疑；也许眼见吴国必亡而破罐破摔。总之，有多种原因使孙皓酷虐无比，荒淫无度，激化了吴国的社会矛盾。

公元264年，孙皓初立，发布抚恤孤寡贫弱的诏令，安抚士民，开仓济贫，释放宫女出嫁，被朝野视为明主。但即位没有几天，大局稳定，孙皓露出了原形，粗暴骄盈，多忌讳，好酒色，大小臣僚失望。孙皓就拿拥立他的大臣濮阳兴和将军张布开刀，兴起大狱。又逼杀孙休朱夫人及孙休长子。孙皓喜怒无常，虐杀宫人，极其残忍，或剥人之面，或凿人之眼，是以上下离心，晋军兵临城下，没有一个人想替孙皓抗击敌人。

孙皓又大兴土木，穷奢极侈。孙权所建太初宫，方三百丈。公元267年，孙皓新建显明宫，方五百丈，在六月农忙之时起建，征发大量役夫，使农田荒芜。孙皓敕命，“二千石以下皆自入山督摄伐木”，“又破坏诸营，大开园囿，起土山楼观，穷极伎巧，功役之费以亿万计”。

孙皓移居新宫，整天纵情声色犬马，广采士女充填后宫。孙权时后宫才百余人，孙皓时后宫万数，吴亡时还有五千多。这样多的坐食者，造成吴国“内有离旷之怨，外有损耗之费，使府库空虚，士民饥困，连糟糠都吃不饱”。孙皓敕令，凡二千石大臣的女子年及十五六岁的都得简阅入宫，简阅不中的才可出嫁。官吏奔赴州郡选美，“有钱则舍，无钱则取，怨呼道路，母子死诀”。佞臣何定为了邀宠，使诸将各献好犬，都是千里远求，一犬价值数千匹绢。至于已经选入宫的御犬，都戴上了缨冠，值钱上万。

孙吴后期，府库已空，再加上孙皓的无尽消耗，更加空虚。孙皓为了弥补财政，加重对人民的压榨，在正常赋役之外，又沿引西汉旧制，加征“酤籴”、“算缗”。公元276年，会稽太守车浚、湘东太守张咏值郡荒旱，不出算缗，表求赈贷，孙皓认为车浚、张咏等讨好百姓，下令就地斩首，传首诸郡示众。尚书熊睦见孙皓酷虐，稍稍有所谏劝，孙皓命人用刀背撞杀，身无完肤。

孙皓又虚狂妄想要做中原天子。公元272年正月，孙皓从降人口中闻知寿春有童谣，“吴天子当上”，佞臣刁玄妄论历运，孙皓认为是自己得天命。他即携母妻子及后宫数千人，西上洛阳做天子。路上正下大雪，道路陷坏，兵士披甲持杖，百人共有一车补给，寒冻饿死不少。士兵苦不堪言，哗变倒戈，孙皓才退回建业，真是狂悖之极。

上行下效，吴国统治集团以及世家大族都醉生梦死，生活糜烂。孙皓宠幸的一个小官，司直中郎将张俶，“奢淫无厌，取小妻三十余人，擅杀无辜”。至于世家大族，则是金玉满堂，姬妾盈室，好米好肉供养猫狗，而一般贫民，饥寒交迫，人人面黄肌瘦，父子相弃，反叛者不断，阶级矛盾极为尖锐。公元 266 年，永安山越人施但等聚众万余起义，直向建业进军。公元 279 年，合浦郭马暴动，杀吴广州督虞授。

孙皓的倒行逆施，引起了孙吴有远见的大臣的忧虑。陆抗、陆凯多次上书谏，孙皓不听。蜀国亡后，吴国上游失去屏障，防务空虚，陆抗呈请加强长江上流防务，要求补充兵员到八万人，孙皓仍不听，反而大封宗室王 22 人，每人分兵三千人，分散了吴国的兵力。兵源不足，即抽调屯田客万人为兵，破坏了民屯，减少了军储。同时又让士兵服各种力役，削弱了战斗力。

杜预、王浚灭吴　公元 272 年，晋将王浚在巴蜀大造战船，碎木顺流而下，建平太守吾彦取碎木上呈孙皓，请求增强建平守备，孙皓还是不采纳。孙皓放松长江上游防务，而又听任边将邀功，一再攻掠晋地，挑起边界战斗，耗损国力。公元 279 年，晋将杜预、王浚都上表伐吴。中书令张华也对晋武帝说：“吴主淫虐，诛杀贤能，现在征讨，不用费力气就可平定江南。”于是晋武帝决意伐吴。

杜预字元凯，京兆（今属陕西长安县）人，出身世家望族，祖父杜畿在魏为尚书仆射，父杜恕任幽州刺史，杜预尚魏文帝曹丕之妹高陆公主，三世显于魏。

杜预少有壮志，博学多通，经学、礼制、历法、律令、算术、工程，无不通晓，朝野称美，号曰“杜武库”。钟会伐蜀，杜预为镇西长史，参议军事。钟会反叛，诸将皆诛，只有杜预用智谋获免。

司马氏代魏，杜预为河南尹，受诏为黜陟使，改革官吏考课制度，改六年一评为每岁一考，使事不淹滞，人无失察，赏罚分明，用人合度。杜预后为度支尚书，奏立藉田，建安边之策，论军国之要。又制造新的农具，兴常平仓，定谷价，较盐运，制课调，共提出了利国救边的五十多项措施，都被采纳施行。杜预考核历法差舛，奏上《二元乾度历》行于世。晚年精思著述，为

《左传》作集解，归纳释例，又作《盟会图》《春秋长历》，是西晋著名的经学家。

杜预患有大脖子病，又是一个书生，不能上马刺击，但长于军谋，善于打仗。西晋首创灭吴大计的人是荆州都督羊祜。公元278年，羊祜病重，举荐杜预自代。不久祜病卒，晋武帝拜杜预为镇南大将军、都督荆州诸军事。

羊祜字叔子，泰山南城（今山东费县西）人。羊祜博学，善谈论，多智谋，号“智囊”。公元269年他为镇南将军，就上书晋武帝请求伐吴，规划六路灭吴之计，推荐参军王浚做益州刺史，大造舟船为伐吴先锋。羊祜初到襄阳，军中无百日粮，他垦田八百余顷，积储军粮有十年之积。对吴人还展开思想瓦解工作，敕令抓到吴国的俘虏，实行宽大，愿留者留，不愿者发给路费回吴。还不让晋军伤害吴国边民，送还吴人。当时孙吴名将陆抗守江陵，赠酒给羊祜，羊祜饮之不疑。陆抗有病，羊祜送药，陆抗服用病愈。羊祜在军事、政治、外交各方面为伐吴做准备，镇边十年，使荆襄势强。

羊祜推荐的王浚，字士治，小字阿童，弘农湖县（在今河南灵宝西北）人，家世二千石。浚博涉“坟典”，具有广博的知识，但不修名行，为乡人所鄙，后改行励志，而有鸿鹄之志。他没有辜负羊祜的厚望，所领益州水军，千里直下，所向披靡，在伐吴战争中，确实起了先锋作用。

再说杜预，他公元278年走马上任后，对吴国发动了一场试探性的作战。东吴名将张政驻防西陵，杜预要搬掉这块拦路石。他选择时机，出其不意攻击张政，打了胜仗。由于吴主孙皓暴虐，杜预算定张政隐情不报，他特地把俘虏押送到建业归还孙吴，让孙皓知道。孙皓这位寡谋的暴君，果然中了杜预的离间计，把张政调离西陵，另派一个平庸将领留宪来守西陵。孙吴临战易将，暴露了主上昏庸，使得杜预感到灭吴时机成熟，旬月之间连上两表要求伐吴。杜预上表得到张华的支持，从而坚定了晋武帝灭吴的决心。

公元279年十一月，西晋大举伐吴，兵分六路：

镇军将军琅邪王司马伷自下邳向涂中（今安徽滁河流域）；

安东将军王浑自扬州向江西，即从寿春指向安徽和县；

建威将军王戎自豫州许昌向武昌；

平南将军胡奋自荆州向夏口；

镇南大将军杜预自襄阳向江陵；

龙骧将军王浚、广武将军唐彬率巴蜀之卒浮江东下。

六路大军，东西万里，一齐进击，水陆并进，使吴军不知所防，首尾不能相应。西晋初出大军凡二十余万，战斗进程中又追加兵力，司马伷、王浑、王浚三路为主力，按计划会师秣陵，凡二十万众，另外三路策应，攻掠吴州郡，以半数计，至少十万。西晋灭吴，前后用兵三十余万，为吴国总兵力的一倍半。吴军二十余万，分守四方，力量分散。重兵防守的建业城，也不过六七万，不当晋军一路之师。孙皓为了阻止晋军渡江，命丞相张悌出战，好不容易才拼凑了三万人，渡江出击江北，一触即溃，张悌战死，吴人震惊。王浚率巴蜀水军为主力，也是一支奇兵，其众八万，乘坐战船，于公元280年正月从成都出发，顺流而下，所过攻无坚城，破西陵，生俘留宪，接着又下荆门、夷道，一路顺风直逼江陵。这时，杜预也连克城邑，为王浚攻克江陵扫清了道路。杜预在王浚出峡之前，已遣将周旨等率奇兵八百人偷渡江南袭击乐乡。杜预军并不强攻城邑，而是在乐乡郊区多张旗帜，起火巴山，出游军于要害之地，使吴军丧胆。吴军出降的男女有万余口。王浚大军进逼江陵，借杜预之势，先攻乐乡，切断吴军归路。孙歆遣军出战王浚，大败而还。周旨早已埋伏在乐乡城外，随乱兵入城，直趋帅府，活捉了孙歆。江南乐乡城破，江北的江陵成了一座孤城，晋兵不费力气就攻下了。至此，孙吴上流的防线被彻底摧垮。

王浚受诏，下建平出峡受杜预节制，至建业受王浑节制。杜预顾全大局，鼓励王浚直下江东。王浚军到西陵，杜预作书与王浚说："足下摧破西陵，要一鼓作气直取秣陵，解救吴民，胜利还都，完成一统事业。"王浚见信十分高兴，上表呈上杜预的信，随即麾师东下，所过夏口、武昌，不战而下。与杜预相映成趣的是王浑，他打败了吴人出战的主力张悌军，却不乘胜追击，屯兵江北等待王濬。总理六路大军的晋武帝亲信大臣尚书令、车骑将军贾充竟认为灭吴时机不成熟，打算退军。王浑受贾充之命要节制王濬的行动。王濬已逼近秣陵，经三山时，王浑召王濬议事，王濬因受杜预的支持的激励，所以不理睬王浑的阻滞，张帆直趋秣陵，只派人报告王浑："风大不得泊船。"王浑无可奈何。

王濬军进逼秣陵，孙皓组织了两支水军迎战，张象率舟师万人为前锋，两军相遇，吴军见晋军势大，望风请降。吴军后继陶濬督军二万还未开赴出战，一夜之间全部逃散。孙皓坐守空城，只有投降的一条路可走。这时王浑为了抢功尾随王濬之后向建业进发，另一路司马伷军也从东边包围上来。三路大军会师，二十余万人围困建业，孙皓投降。王濬军先入城，夺了头功。这时杜预已深入交广，斩杀及生获吴军都督、监军 14 员，获牙门、郡守级吴官有 120 人。吴国全境投降。公元 280 年三月，吴国灭亡，晋师出战还不到四个月。

在整个灭吴战役中，王濬水军扫荡三千里，建立了奇功，在封赏中邑万户，为襄阳县侯，功第一。杜预封当阳县侯，增邑至九千六百户，功第二。若全面论功绩，当推杜预第一，王濬第二。杜预在每一个关键时刻都发挥了重要作用。伐吴之始，晋武帝举棋不定，是杜预连上请战表，才坚定了晋武帝的伐吴之志。战争进行到中途，王濬已克武昌，作为六军大都督的贾充制造舆论，说"万年之寇，未可尽克"，要召诸军还都，以后再图灭吴。又说雨期将至，疾疫必起，要赶快班师，来年再举。如果听从贾充等人的意见，伐吴之举将功亏一篑。杜预奋起驳斥，部署群帅进讨，王濬率军奋勇向前，果真如破竹之势，很快灭了吴国。

三分归一统

三国对峙，从公元 220 年曹丕称帝代汉起，到公元 280 年西晋灭吴止，前后 61 年，整整经历了两代人，但到北方发动统一战争，蜀吴两国都迅速土崩瓦解。公元263年，曹魏伐蜀只用了两个月的时间，蜀国灭亡。公元280年，西晋灭吴，从发动到班师，不到四个月，王浚主力从正月出兵到攻克建业，也只有两个多月。对照三国鼎立形成，曹、孙、刘三家建国之难，到三国归一如此之易，给人留下深思。

纷争之世，人心无定向，人谋筹度，地利险阻，对于争天下事业的成败，具有重要意义。刘备戎马半生，得诸葛亮出山相助，事业才有了转机。“人谋”的作用，十分明显。刘璋据益州，庸懦无谋，虽得天府而不能守，这也是事理之必然。但刘璋在蜀，并无大恶，尚得蜀民拥护，故能以弱兵弱将抗击刘备之精兵一年有余。后主末年，蜀民饥困，人心已不思汉，故邓艾孤军深入，也能势如破竹，形势的变化已成崩溃之势。北方经济恢复，人力物力处于压倒优势，那就非人力所能挽回了。所以姜维与钟会谋反，不终朝而灭。公元270年，孙吴镇军大将军陆抗向孙皓上疏条陈时事十七条，旨在修德养民，蓄力守备，指出地利不可恃。陆抗说：“德均则众者胜寡，力侔则安者制危。”这正是三国鼎立形成以后的局势。陆抗指出，六国并于强秦，项羽被刘邦所灭，都是有德或有力者以小吞大。而现在西晋割据九个州，占天下十之八九的地方，吴国又无外援，不修政理，靠长江高山保国是办不到的。公元276年，西晋镇将羊祜上疏灭吴，也指出，凡是靠险阻保国的，是由于双方力量差不多，如果强弱太悬殊，险阻是靠不住的。蜀汉地势险阻，不能保国。吴国依靠长江，江淮险阻不如剑阁，孙皓酷于刘禅，吴国困苦甚于巴蜀，只要晋军大举，吴国是必然要灭亡的。总之，蜀与吴，国小力弱，政理不修，那灭亡就是必然的。下面再作一些具体分析。

形势变化，北方强于南方　在三国鼎立未形成之时，形势错综复杂，风云变幻莫测，曹孙刘三方都有可能勃兴，问鼎中原。当时“兴复汉室”还不失为一面号召士大夫和民众归附的旗帜。所以赤壁之战，曹操挟天子以令诸侯，刘备以正统自居奉衣带诏讨贼，孙吴则以替汉家除残去秽用武。三方各执一词，人心向背未定，英雄有用武之地。孙刘联合，在政治、地利上占上风，足以弥补力量的不足，故能抗击曹魏，形成平衡的局面。三国鼎立形成之后，“兴复汉室”这面旗帜失去号召力，随着时间的推移，人们转移了天命的观念。魏蜀吴三国在义理上都成了平等的割据国家，三方角逐完全进入德侔力钧的竞赛中。这时，三国政治，谁家治理得有条理，谁家就能赢得民众的支持，赢得士大夫的归心，谁的力量就会不断增强。所以诸葛亮后期的北伐和姜维北伐，以及吴将诸葛恪发动的淮南之役，都得不到民心的响应。吴蜀两国北伐，徒劳士众，形成小国与大国拼消耗，不仅无功，反倒加速了自身的灭亡。随着时间的推移，国力的积蓄，蜀吴不敌曹魏与西晋，差距日益拉大，北方统一南方就成为定局。

三国对峙，前期和后期，有一个很大的变化。三国前期，三方励精图治，各方都呈现了生气勃勃的局面。蜀、吴联合力量，还略占优势，故能多次北伐，曹魏取守势蓄积力量。三国后期，三方政治都日益腐败，蜀吴为甚，力量日渐削弱。曹魏在政治、经济、军事各个方面都占了压倒优势，北方统一南方的条件就日渐成熟。三国政治发展不平衡。曹魏历文帝、明帝而鼎盛，三少帝而政衰。蜀汉自诸葛亮卒后而走下坡路。孙吴政治以赤乌年间的嗣子之争为大事件，举国中分，孙权猜忌好杀，大臣由是莫敢言。吴国前后期的分界，当以公元 245 年陆逊卒为分界线。三国后期，政治都走向腐败衰落，而司马氏集团的兴起，出现了兴旺气象，司马氏借曹魏基业而成统一，这就是三国归于西晋的历史原因。曹魏末年，司马氏禅代的条件成熟，北方统一南方的条件也已成熟。

蜀汉先吴灭亡的原因 蜀汉处四塞之国，在复杂的对峙纷争中似不应先吴而亡。又历来史家都认为诸葛亮善治国，蜀国治理得最有条理，但蜀国何以最早灭亡，若单以蜀汉小弱以及诸葛亮之早死来解释是不能圆通的。诸葛亮生时全力北伐，但未有尺寸之功，他即使晚死，也不能保证北伐成功。蜀国北伐不成功，就必然并于魏。具体说有以下几个原因。

其一，人心向背，已不思汉。人心向背是决定胜负的一个重要因素。刘姓汉朝四百年之基业，其流风余韵根植民间，所以汉末大乱，汉献帝仍是一面旗帜，刘备就是凭借“兴复汉室”取得荆、益。公元228年，诸葛亮一出祁山，曹魏关中震响，天水、南安、安定三郡叛魏应亮。但到了公元229年吴蜀订盟之后，“兴复汉室”这面旗帜已不再具有号召力。公元238年，曹魏并灭了公孙渊，整个北方东西万里全纳入曹魏版图。曹魏拥兵五十万，是蜀军的五倍。后备、人力、军力、民心，魏蜀不可同日而语，灭蜀条件完全成熟。

其二，益州土著的背叛。蜀汉统治集团由三个系统组成：一是追随刘备入蜀的旧部和荆州集团，二是刘璋旧部及东州集团，三是益州土著集团。刘备入蜀之初，以“兴复汉室”相号召，示虚怀大度，对刘璋旧部及益州土著都采取了笼络的政策，上层人物皆处之显位，尽其器能，呈现欣欣向荣的局面。不过益州人士多为清职或地方官，难以进入中枢机构，许多益州人士采取不合作态度。刘禅后期，宦官黄皓弄权于内，右将军阎宇协比于外，益州土著集团势力迅速上升，与刘备、刘璋外来旧部矛盾日益尖锐，成为严重内患。邓艾入蜀，江油守将马邈不战而降，没有一个益州士人起来抵抗，谯周公开倡言投降。益州土著视曹魏之师为正义，怎能用力保国？司马昭灭蜀，为了笼络蜀中土著，把荆州、东州两个外来集团迁出益州，以巩固对蜀汉地区的统治。由此可见，益州土著人士的反汉，是蜀汉灭亡的一个重要原因。

其三，司马昭调整战略，先灭蜀后灭吴。司马昭平定淮南诸葛诞之后，为了邀功于外，加速篡魏步伐，锐意灭蜀。他力排众议，调整了战略方向，分析吴蜀情况，确定了先蜀后吴的方针。事属突然，蜀汉君臣都不在意。司马昭为了隐蔽战略方向，公开制作战船，大造攻吴声势。钟会治兵关中，姜维远在沓中，虽有觉察，并启奏后主，加强防务，但他本人也将信将疑，没有调整战略部署，仍将主力屯在沓中。等到魏兵全线发起进攻，姜维才仓卒应战，差点被困在沓中。灭蜀之战，长期运筹于权臣司马昭胸中，魏军出其不意，乘虚捣汉中，加速了蜀军的崩溃。

其四，蜀汉闭塞，人才寡少。巴蜀、汉中，偏于西陲，处四塞之中，人才本来就寡少，而刘备、诸葛亮目光只盯在荆州和东州两个集团上，没有很好开发和培养蜀中人才，反而压抑蜀中人士，形成尖锐矛盾。内讧又消耗了人才，魏延蒙冤，不能不令人叹惋。

其五，姜维连年动众，耗损了国力，前已论述。

吴国灭亡的原因 吴亡外因与蜀相同，晋大吴小，晋强吴弱，晋国初建，政治比吴国新鲜。司马氏灭蜀后，国土更加辽阔，在地势上对吴构成战略包围，蜀在上流，吴所恃的长江天险现已与晋共之。所以晋灭吴之战，是一次力量对比悬殊的战争，吴国全境都没有作认真的抵抗就瓦解了。

但是，力量对比悬殊，它毕竟只是外因，吴国若早有反击措施，集中兵力应战，亦不可小视。孙氏割据江东八十余年，称帝也有 52 年，经历了两三代人，占据大江以南，算得上是一个根深蒂固的割据大国，甲兵资实，力量可观，何以让晋兵一战功成，势如摧枯拉朽？其主要原因，还在于孙吴内政腐败。孙吴之灭远因是孙权晚年昏聩，行暴虐之政，尤其是赤乌年间的嗣子之争，引发统治集团的内讧，削弱了国力；近因是孙皓的暴虐统治，激化了社会矛盾，前已述及。一个受到人民痛恨的政权，怎么能保国呢？

与孙吴政治衰败相反，西晋初晋武帝励精图治，锐意灭吴，一派兴旺气象。政治上，司马氏集团三世掌握曹魏大权，立九品官人法，笼络士族。灭蜀后，优诏益州士民“复除租赋之半五年”，以慰巴蜀之心，并昭示吴人。司马氏集团以羊祜为首，对吴开展政治攻势，招怀吴人，也收到一定的效果。

国家长期分裂给人民带来痛苦，统一是人心所向。因此司马氏灭蜀吴，三分归一统，是应肯定的。

第八章　三国经济文化

东汉末年的大战乱，导致社会经济崩溃，人口锐减。东汉桓帝永寿年间，有户一千万，人口五千六百万。西晋平吴，全国总计有户二百四十万，人口一千六百万，户数不到东汉的四分之一，人口数不到三分之一，战争带来了多么深重的灾难。另一方面，战争又推动社会经济和文明跳跃式进步，加快时代飞跃向前。三国时期的屯田、江南开发、经济恢复与科技文化的发展，无不打上战争的烙印。长江流域经济的开发，战争更起了催化剂的作用。

三 国 屯 田

三国屯田，是战争的产物，也是战争的需要。历代屯田无不与国防和战争相联系，它兴起于汉武帝伐匈奴，而大成于三国鼎立的对峙战争。在中国屯田史上，无论军屯、民屯，都集中在西北边地，就是为了实粮塞下以供军需。三国对峙，中原腹地成为边界，这里土地肥沃，人口密集，耕作技术先进，所以屯田功效显著。三国魏、蜀、吴三方为了解决军粮，在对峙的沿边地带，大规模密集劳力耕植，使曹魏的淮南、淮北、陇右、关中，吴国的长江中下游平原，蜀国的汉中，均成为屯田的中心地带。由于三国所处地理位置和社会背景不同，所以三国的屯田，无论在形式上，还是在内容上，都呈现了不同的特点。屯田规模最大的是魏国，吴国次之，蜀国最小。魏吴都有军屯和民屯，蜀国只有军屯。分述如下。

曹魏屯田 曹魏屯田，兴起最早，始于公元196年许下屯田。这一年，曹操迎献帝都许昌，改元建安。原来许昌只是一个小县城，骤然成为天子之都，人物辐辏，需求增加，而当时中原又在战乱之中，州郡贡赋不继，解决粮食要就地筹划，因此大规模的屯田被提上议事日程。

大规模屯田，需要两个先决条件。一是土地、耕牛和劳动力，这是物质条件；二是形势需要和强有力的组织，这是社会条件。由于战乱，这一切都被创造出来。曹魏统治地域是当时中国生产最发达、文明最先进的黄河流域，曹操又兴起于中原。汉末战乱，群雄逐鹿中原，初期混斗，多无远虑，唯以烧、杀、抢、掠为能事。因此，愈是富庶的地方，为害愈烈，造成人口锐减，生产停滞。例如陈留、颍川两郡，全盛时有一百三十万人口，经过董卓之乱，千里无复人迹。又河北涿郡，全盛时有户十万，人口六十万，大乱之后，只余户三万。河南鄢陵，全盛时有民户五六万，大乱之后只有民户数百。故史称“天下户口减耗，十裁一在”。曹操《蒿里行》说：“白骨露于野，千里无鸡鸣。生民百遗一，念之断人肠。”直到曹丕称帝，陈群、杜恕还在上疏中说，魏虽有十州，“计其户口，普遍闹粮荒”。“长安谷一斛六十万钱，豆、麦二十万钱，人相食；幽州谷一石，钱十万，民人采稆、枣、椹为粮，人相食”。粮荒已经危及到整个社会的生存，因此组织生产，使流民归复田园是各个军阀、各个集团、每个百姓的头等大事。黄巾流民，小股几千几万，大股几十万，他们随带耕牛、农具及家小，且耕且战，就说明了集团生产的可能性和必要性。战争使千顷万顷良田成为无主荒地，战争使人民流离无法安定。他们在死亡线上挣扎，只要给他们一块土地，又保护他们免受战乱之苦，让他们到屯田点上去当牛做马、做农奴，在军阀混战的特殊环境下，自然也是会接受的。曹魏的大规模屯田就是在这样的社会背景下应运而生的。

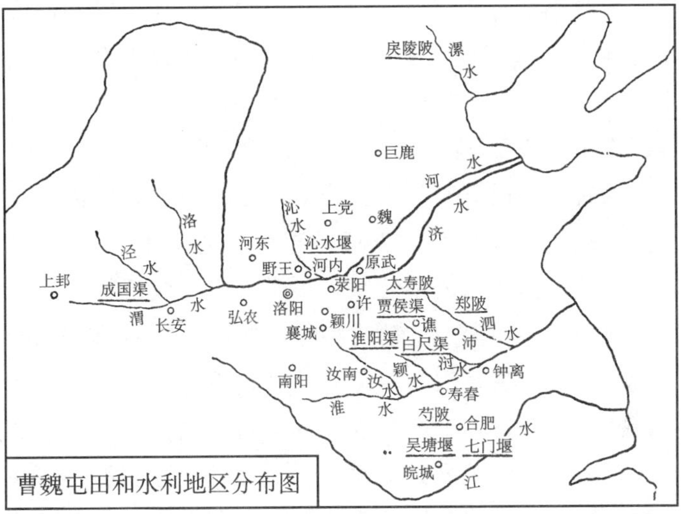

曹魏屯田和水利地区分布图

曹魏屯田，分民屯和军屯两种组织形式。民屯始于公元196年（建安元年）枣祗、韩浩之议，先在许下试点，随后推行于各州郡。军屯始于公元213年司马懿建言，在与吴蜀对峙的沿边地区淮南、淮北、陇右、关中大规模屯田。军屯的基本单位为营，营60人，且佃且守。军屯组织严密，劳力精悍，生产条件比民屯好，所以效率高，为民屯三倍。邓艾在两淮屯田，四万人，每年可积粮五百万斛，民屯田客按三分之一计，每年每人生产余粮四十斛。

民屯亦按军事组织编制，形成不隶属于地方的系统，为独立的管理机构。郡设典农中郎将、典农校尉，县设典农都尉，中央属大司农。民屯基层单位称屯，50人一屯，六屯为一都尉，共300人，也就是300户。屯田民称为田客，又称典农部民。

民屯交纳租赋有两种方式，最初实行“计牛输谷”，枣祗改革实行“分田之术”，按屯垦土地规定份额计课。屯田初期，曹操从黄巾手中掠得大批耕牛，而无主荒地又多，为了鼓励屯民多垦荒，所以“计牛输谷”，官家给屯民配备耕牛，每头牛每年收租二百斛。随着屯田规模的扩大，官家无牛，同时计牛输谷，屯民超负荷使用官牛，官牛死亡率高，不利耕牛养殖。计牛输谷，对不使用官牛的屯民，或只以人力耕植的屯民，又如何收租？科取官牛，大收不增谷，荒旱减租，政府吃亏。计牛输谷，广种薄收，不尽地力。计牛输谷有这样多的弊端，所以枣祗改革实行分田之术。

分田之术，以土地计课。持官牛者，官取六分，屯民得四分；持私牛者，官民五五分租。分田之术，垦地有份额，实行固定比率的分成，官家可坐收五成乃至六成的田租，大收可增租，对官家有好处。由于分成租使用官牛要多交一成田租，无疑会鼓励私牛的繁殖，并在份地上精耕细作，提高生产效率。总之，这一改革，在当时耕牛奇缺的情况下，保护了生产力。

屯民的主要职责是生产粮食，不服兵役徭役。实际上屯民为军事组织，要从事大规模的集团劳动，如垦荒、水利、修路、治廪、建屋、输租等，这些均是徭役，而且在非常时刻仍要从事战斗。所谓不服兵役、徭役，指不离开屯田区而已。曹魏后期屯田，一部分屯民被长官役使为家奴，一部分远出经商，而他们的份地耕种则要由其他屯民分担，实际加重了剥削。屯民所处地位是军事管制下的农奴，每一个屯田点就是一座劳役集中营，所以“民不乐，多逃亡”。公元213年，曹操征孙权，恐江淮郡县为孙权掳掠，下令内移，引起江淮人民的极大恐慌，他们害怕被征为屯田民，纷纷逃往江南，达十余万人。于是曹操用严刑来管束，制定了“士亡法”。军士、或屯田客逃亡，要罪及妻子，及至灭族。

曹操组织屯田，实质是用高度强化的国家机器迫使部分精壮贫民为生产军粮的农奴，从而加深了人身依附。这是一种战时的经济生产动员，是不可能持久的。晋氏代魏，为了争取民心，于是解散了农奴化的屯田制。但是曹魏屯田，兴起于军阀混战之际，这是组织流民归农的有效方法，在客观上起了进步作用。主要有以下两个方面：

其一，组织生产，恢复了社会秩序。由于黄巾大起义，与军阀混战交织，造成社会大动荡，流民问题十分严重。曹操用军事编制，把流民安置在土地上，使劳力与土地相结合，既恢复了生产，又稳定了社会秩序，一箭双雕。

其二，屯田增强了曹魏实力，也为北方统一南方奠定了物质基础。像筑道路、修水利这些大工程，在整个社会凋敝的情况下，用征发徭役的方式进行是很困难的。曹操利用屯兵屯民来进行，就比较顺利。此外，屯田充实了仓廪，也使得曹魏对编户齐民减轻剥削成为可能。曹魏对自耕小农实行“收田租亩四升，户出绢二匹、绵二斤”，大体与西汉的三十税一加口赋、算赋与更赋的负担相接近。如果没有屯田的贡献，是不可能减轻自耕农的负担的。这对于恢复北方经济有重大意义。

为了促进农业生产的恢复和发展，曹魏十分注意兴修水利，在各地修造陂堨，广置稻田。刘馥在淮南修建芍陂、七门、吴塘等水利工程，夏侯惇在陈留修建太寿陂，郑浑在萧、相二县界兴建郑陂，贾逵在今河南南部开通贾侯渠，司马懿在淮北开通淮阳渠和百尺渠，又在今陕南兴建成国渠和临晋陂，司马孚在今河南北部兴建沁水堰，刘靖在今北京市区兴修戾陵陂等，都是著名的灌溉工程，防旱泄洪，有力地促进了北方农业经济的恢复。

曹魏经过几十年的屯垦耕植，北方经济得到恢复和发展，洛阳地区“垦田特多”，四围州郡垦田数大量增加，人口逐渐繁衍，关中地区有了余粮。董卓乱两京，千里无人烟的景象渐次被抚平，中原大地，又是炊烟相望了。淮河流域是屯田中心，在曹魏末年，已是“仓庾相望”，一片欣欣向荣气象。

孙吴屯田 大规模屯田是孙吴解决军粮和城市民粮的支柱。记载孙吴屯田的最早资料，见于《三国志·陆逊传》，说陆逊年 21 岁，“出为海昌屯田都尉，并领县事”，其时在公元 203 年。由此推导，孙吴的实际屯田时间比这更早。孙吴也设置了屯田的管理机构和农官，以典农校尉、典农都尉管理军屯，督农校尉、屯田都尉管理民屯。孙吴屯田以军屯为主，屯田地区，最初限于江东一隅，伴随孙吴政权统治区的扩大，屯田事业逐步扩大到长江中下游一带。长江是吴国抗拒曹魏的天堑，孙吴沿千里江防设置许多屯田点，保卫要冲，强兵足食。规模最大的军屯在江北庐江郡的皖城与皖口（今安徽潜山与安庆地区）。孙吴名将诸葛恪曾“自领万人”实行屯耕。公元278年十月晋军破皖城，“焚其积谷八十余万斛，践稻田四千余顷，毁船六百余艘”，可见规模之大。民屯主要分布在新建的郡县和落后地区，安置北来流民和强掠补户的山越人。孙吴政权的国家仓储，很大一部分食粮来自民屯。

孙吴屯田体制与曹魏大相径庭。曹魏屯田，土地为国家所有，军屯收获物全部入官，民屯收获物推行“分田之术”，国家与屯民按成分租。孙吴屯田是建立在宗族领主制和兵业世袭制的基础上，所以军屯大于民屯，军屯收获物不由国家分享，而是全部归控制军屯所在地的领兵将领所有，作为家属及所领兵的开支。民屯主要由国家控制。这种差别，符合各自的国情。北方战乱，造成大片无主荒地，因此土地为国家所有。江南社会相对稳定，土著豪族绝大部分未受战争扫荡，他们占据了土地以及很大一部分农民，孙吴政权承认这一现实，并依靠世家豪族支持建国，所以不能不保护世家豪族的利益。不过江南地广人稀，有土地可供屯垦。其方式是土地与国家防务相结合，耕与战相结合。孙吴给诸将授兵，连同兵士家属都授给将领作为部曲，诸将负责的防区，土地连带授予。部曲由主将赡养，供其衣食，所以部曲也终身依随主人。如朱桓，有部曲万口。陈表为偏将军，北屯章阬，家财尽于养士。公元226年，陆逊上表要求“诸将增广农亩”，就是要扩大兵士的屯垦面积，多打粮食。赤乌年间，新安都尉陈表、吴郡都尉顾承各率所领人会佃毗陵，男女各数万口。所出部伍会佃而有男有女，说明部曲士兵与家属一起参加屯垦。毗陵在今江苏武进县，是孙吴主要的民屯点。这次诸将会佃，可能是国家抽调诸将的部曲转移在毗陵新置军屯。

部曲士兵由主将赡养，并不是说由主将的俸禄来养活，而是由主将负责，国家除了划分一定的郡县作奉邑，其租赋收入由享有奉邑的诸将支配外，大部分衣粮，尤其是粮食，则由士兵在军屯组织下自己生产。

孙吴屯田终止于西晋灭吴前夕的公元280年，上距陆逊海昌屯田的公元203年，前后近八十年，在三国时代持续最久。江南地区的自然环境和资源十分优越，气候温湿，长江中下游平原有许多湖泊，得天独厚。北方流民带来生产技术，不足的是劳动人口。所以孙吴大量驱赶山越下山，强者补兵，弱者补户。公元230年，孙吴将军卫温、诸葛直率甲士万人浮海到达夷州，即今台湾，也掠得当地土著数千人还。由此可见，孙吴屯田，也是充满血腥味的。但客观上，对于江南的经济开发起了直接的推动作用，同时，也是孙吴政权立国的一根重要的经济支柱。

蜀汉屯田 蜀汉屯田，规模最小，地区有限，时间也短，而且只限于军屯，这些特点符合蜀汉的国情。益州没有受黄巾大起义的波及，刘焉、刘璋保境安民，没有大的战乱，不存在土地与劳动力分离的背景，又由于益州险塞，中原大批流民没有进入，所以在益州内地没有出现大规模屯田的历史条件。蜀汉屯田只在与曹魏交战的边境地区，诸葛亮屯田汉中，姜维屯田沓中。汉中土地肥沃，人口密集。曹操退出汉中，迁其民八万家实关中。当时汉中约有户十万，八万迁出，只留了散居的两万户，于是使汉中这块肥沃土地成了人口稀少的空地。公元225年，诸葛亮北驻汉中，移民两万为民居，又招募五千人屯田，令杨仪“规划分布，筹度粮谷”，又派赵云在赤岸屯田。公元232年，诸葛亮“休士劝农于黄沙，作流马、木牛毕，教兵讲武”。黄沙，汉中地名，在今陕西沔县东二十公里。诸葛亮屯田，实行“十二更下，在者八万”的轮换制度，兼顾兵农。公元243年，蒋琬退兵于涪，军屯亦止。公元258年，姜维避祸，驻屯沓中，且佃且战，这时蜀汉已临近灭亡。公元234年，诸葛亮北伐，屯田渭滨，因只相持百余日退兵，这次屯田，事实上半途而废。

蜀汉屯田，产生了效益的，只是汉中军屯，它有力地支持了诸葛亮公元234年的大举北伐。前几次用兵都因粮食退兵，只有这一次，是进行了三年屯田之后的大举，最后也不是粮尽而退兵，生动地说明了屯田的效果。

总之，三国屯田是特定历史环境下的产物，它强使劳动人民农奴化，从阶级观点来看可以说是历史的一种倒退，直接影响着晋以后封建人身依附的加强。孙吴屯田又与其特殊的领兵制度相结合，促进了大地主土地私有制的发展，一个屯田点，就是一个大地主田庄。诸将领兵，名为国有，实为私属，他们的权势超过了封君，储积超过了国家，僮仆成群，一切生产自给，牛羊满地，田池布千里。但是从历史主义观点来看，魏吴蜀的屯田，对恢复当时的经济，解决军粮起了重大作用。曹魏屯田安置了大批流民，缓和了社会矛盾。由于南北经济发展不平衡，孙吴屯田，密集大规模的劳动，对开发江南更起了不可估量的作用。孙吴山越人口过半，经济落后，孙吴屯田，驱赶山越人下山，制造了痛苦，但客观上推进了大土地私有制的进程，在落后的经济区应该说是进步的。

开辟江南

中华民族的摇篮是黄河，华夏族在上古建立的三代王朝夏、商、周，也都在黄河流域建都。秦汉版图扩大，由黄河流域发展到长江流域，更及于岭南，而政治重心仍在黄河流域。所以经济的开发，两汉时江南仍很落后。西汉武帝时，司马迁写《货殖列传》还说，楚、越地方，地广人稀，有些地方还使用火耕水耨的落后方法耕作，虽没有饥寒的人，却也没有千金的富家。东汉时，安徽庐江一带，还没有推广牛耕，由太守王景教以犁耕之法，从此“垦辟倍多，境内丰给”。王景还在庐江兴水利，整治芍陂，灌田万顷，又推广蚕织，促进了这一地区的经济发展。庐江属淮南，北方的先进耕作技术才达于江北。江南大部分地区有一些发展，如会稽太守马臻在镜湖大兴水利，灌田九千余顷。卫飒、茨充相继为桂阳太守，大力发展农业和手工业。卫飒动员民众开山通道五百余里，又在耒阳设置铁官，“岁所增入五百余万”；茨充教民“种殖桑柘麻纻之属，劝令养蚕织屦，民得利焉”。任延为九真太守，铸作田器，推广牛耕，“田畴岁岁开广，百姓充给”。中国南方经济的开发，东汉一代具有重要意义，为孙吴立国江南奠定经济基础。但是，从大局来看，江南仍是薄弱地区，开发仅限于平川和交通发达的部分地区。江南半数以上的人口是山越，他们多居住在深山，还保持着氏族制的落后习俗，易动难安。汉末战乱，北方流民大量南移，不仅充实了南方，补充了劳动力，而且带来北方先进的农业耕作技术和手工业生产技术，在孙吴政权组织下，大规模的江南开发走上了一个新阶段。经过两晋南北朝，北方又遭战乱的大破坏，南方由宫廷与军事相结合的政变转移政权，相对稳定，经济得到持续开发和发展，到隋唐之际，江南经济差不多赶上了黄河流域。到中唐，北方遭安史之乱破坏，唐王室仰赖江淮经济支撑，从那以后，长江流域经济的发展超过了北方。追溯江南经济发展的历史，东晋南北朝时期江南经济飞跃发展，孙吴政权立国江南，不仅起了先锋的作用，而且起奠基的作用。下面具体条列孙吴政权对江南的开发，除前节所述屯田外，还有以下五个方面。

第一，统治阶级重视农业，诸将领兵，且耕且战。孙皓丞相陆凯上疏说："先帝战士，不给他役，使春惟知农，秋惟收稻。江渚有事，责其死效。"由此可知，孙吴诸将领兵，且耕且战。公元 226 年，陆逊上疏，要求训令诸将增广田亩，孙权批曰："甚善。"还在批令中说，他自己带头把拉车的八头牛改为耕地的四耦，表示劝农。孙吴诸将世袭领兵，实行复客制、奉邑制，与且耕且战相结合，生产自给。这样兵役的劳力与土地相结合，有利农业开发。

第二，扩大垦辟面积，兴修水利，提高产量。江南地广人稀，孙吴政权组织北方流民和驱赶山越人下山，进行大规模的军屯与民屯，开辟田亩，已如前节叙述。田亩垦辟，要保收成，就要兴修水利。孙吴政权，以水军为立国柱石，十分重视水上交通。农业灌溉与运输相结合，这是孙吴政权大兴水利的特点。孙权开凿了从建业至钱塘的运道，灌溉两岸。吴兴西湖水利溉田三万顷。孙权在赤乌年间，兴修建业城水利，开直渎，江船可直通城内，又在湖北引长江支流巴水、富水以溉田。公元 260 年孙休修浦里塘保护丹阳湖田。有的水利直接用于军事目的，如孙权和诸葛恪所筑东兴堤遏巢湖以利水师，陆抗在江陵作大堰遏水以阻止晋军侵边等。

《汉书·地理志》引《禹贡》说，在先秦时，扬州田下下，荆州田下中，兖州田中下，豫州田中上，即荆扬的江南田比起河南兖豫田要差三四个等级。经过孙吴的开发，已将差距拉平。西晋束皙在《上广农疏》中就把荆扬兖豫田等列。西汉时，“百亩之收，不过百石”，东汉时大抵亩收三斛，孙吴时江南水乡已亩产四五斛。

第三，建置大规模的官营手工业作坊发展手工业。冶铁、烧瓷和造船是孙吴的三大官营手工业，主要是满足军需。武昌地区是孙吴的冶铸业中心，主要生产兵器支援长江上流的军事重镇江陵的军需。陶弘景《刀剑录》记载，孙权时公元225年，采武昌山铜铁，作千口剑万口刀，各长三尺九寸，刀头方，皆是南钢越炭作之。由此可见生产规模之大，技术之精。江南的会稽、丹杨、豫章等郡都产铜铁，所在均设置“冶令”，负责生产。建康的金银制造业也很发达。孙亮宫中以金银作“小船三百余艘”，孙皓“使尚方以金银作华燧、步摇、假髻以千数”。

孙吴制瓷业中心在浙江地区。孙吴瓷器在汉代釉陶的基础上有显著提高，瓷器的胎质、釉色、纹饰以及烧制技术都臻于完善，尤其是青瓷制造技术更为成熟。近年来在江苏镇江孙吴墓、浙江衢州孙吴墓出土了近百件精美的青瓷器，给我们提供了物证。

孙吴造船业尤为发达。汉代主要造船地区在长江下游苏州、无锡、安庆等地，多是平底内河船。孙吴造船中心，移往建安郡侯官（在今福建闽侯）、临海郡永宁县（今浙江温州）、横萸船屯（今浙江平阳）、南海郡番禺县（今广州）等港口。孙权设置典船都尉，专门管理造船工场。孙吴所造的船，主要为军舰，其次为商船，数量多，船体大，龙骨结构质量高。最大战舰可载三千士兵，有上下五层，雕镂彩画，非常壮丽，续航能力强。载马八十匹的海船称小船。航行在南海上的商船，“大者长二十余丈，高去水二三丈，望之如阁道，载六七百人，物出万斛”。孙吴武装船队出海百余艘，随行将士万余人，北上辽东、高句丽（今朝鲜），南下夷州（今台湾）和东南亚今越南、柬埔寨等国。吴国灭亡时有战船、商船达五千多艘。

此外，孙吴的铜镜业、丝织业、制盐业，也都十分发达，不一一细说。

第四，兴建城市和交通。孙吴政权初起时在吴（今江苏苏州），赤壁战后迁都京口（今江苏镇江），筑京城。公元 211 年，孙权迁都秣陵（今南京），建石头城，改名建业。公元 221 年，孙权为夺取荆州，自建业徙都鄂，改名武昌（今湖北鄂城）。从此，吴县、京口、建业、武昌成为孙吴的四大重要城市。孙权固有荆州后，又还都建业。孙吴修建的水陆交通以建业为中心向江南展开。公元 245 年，凿破冈渎，使用屯田士及作士（工程兵）三万人凿句容中道，“自小其（今江苏江宁境内）至云阳（今江苏丹阳）西城，通会市，作邸阁”。这条水道用以通吴会船舰，以避大江之险。

第五，大力发展商业。江南水运便利，孙吴造船业又发达，所以孙吴以水运为主的商船十分活跃。吕蒙偷袭荆州就用商船队作伪装，可见吴蜀两国的水上贸易规模很大。公元 223 年，蜀邓芝使吴，“致马二百匹，锦千端，及方物”，吴“亦致方土所出，以答其厚意”。吴魏也有大宗交易。公元 235 年，“魏使以马求易珠玑、翡翠、玳瑁”。武昌是三国的贸易中心。孙权用江南方物及南海贸易之物交易吴蜀两国之马，用以补吴之所乏。孙吴最发达的商业中心，是以都城建业为中心的长江中下游。建业城内有建业大市、建业东市、建业北市。孙吴的海外贸易以交、广两州为基地与古代南海林邑、扶南等数十百国交通。吴臣朱应和康泰曾率船队出使林邑、扶南等国，两人回国后述其所闻，朱应撰《扶南异物志》，康泰撰《吴时外国传》。这些著作是古代中国人观察海外世界最早的著述。

医学与科技

三国时的战乱，也推动了医学和科技的发展，代表人物是张机、华佗和马钧。

张机，字仲景，南阳郡涅阳（今河南邓县东北）人，正史无传。张机生卒不详，推测大约生活在公元150年至219年之间。张机自幼博览群书，精研医学，拜同郡张伯祖为师学医，成为名医。

汉末大乱，疾疫流行。大约在公元196年到204年，不到十年的时间，张机家族二百余口，死亡三分之二，其中患伤寒病死的占十之六七。张机感伤之余，“乃勤求古训，博采众方”，总结前代医学理论与临床经验相结合，写成医学巨著《伤寒杂病论》十六卷，对病理诊断、治疗及用药，都作了详细的论说，成为中医学的经典，被尊为“医圣”。

西晋太医令王叔和整理张机著作，把伤寒与杂病分开，先刻写治伤寒病的内容，取名《伤寒论》，后刻写治杂病的部分，取名《金匮要略》。这两书流传下来，到了宋金元之间，广为社会重视，研究伤寒的名家有八十家以上，至今已积累了四五百家、近千种研究《伤寒论》的医学著作，在中医史上被称为“伤寒学派”。

张机所论“伤寒”，包括霍乱、痢疾、肺炎、流行性感冒等急性传染病，不是现代医学病名由伤寒杆菌引起的伤寒。杂病则包括内外科多种疾病，如血痹虚劳、肺痈咳嗽、五脏风寒积聚、水气病、黄疸病、疮痈、妇人妊娠等。这说明张机医道之高，博学而经验丰富。

《伤寒论》总结诊病理论，将“八纲”和“四诊”结合起来。八纲是：阴、阳、表、里、寒、热、虚、实。看病先研究阴阳，然后辨明表里，再辨明虚实，再辨寒热。四诊是：望、闻、问、切，即通过望色、闻声、问症、切脉的诊断过程，辨明病情。中医学说经过两千多年的发展，《伤寒论》的理论体系与许多经典方剂，至今仍是修治中医者的必读经典。

华佗，字元化，一名旉，沛国谯县（今安徽亳县）人，与张机为同时代人。提起华佗，中国妇孺皆知，这与《三国演义》记载华佗为关羽“刮骨疗毒”和治曹操“头风”痛有关，也与华佗惨遭曹操杀害，备受人民同情有关。当然还是他的医术高明，留下许多临床病例的故事，被广为传颂。

广陵太守陈登得病，胸中烦闷，面色发赤，吃不下东西，请华佗诊治，服了一剂汤药，吐出肚中寄生虫，疾病随即痊愈。有一个叫李将军的人，他的妻子有病，请华佗诊治，华佗切脉之后，断定妇人肚内有死胎。李将军说，妇人怀孕受伤，确实使胎儿死亡，但已经生下了，因此不相信华佗的诊断。过了一百多天，妇人病情加重，李将军再请华佗诊断，华佗坚持妇人腹内有死胎，由于分娩第一个死胎时出血过多，耗尽力气，所以第二个没有生出。华佗为妇人施针灸，兼服药物，并请产婆以手探取，果然取出一个死胎。《三国志・华佗传》共记载了 16 个病例，华佗诊断无误，简直是神医圣手。

华佗医术高明，他创造了麻沸散，用中草药施以麻醉之术，进行外科手术，可以剖腹洗肠。当时战乱，伤残人多，急需治疗，为华佗发展外科手术提供了社会条件。

华佗还强调用体育方法增强本质，健身防病。他在前人“导引”术的基础上，发明了“五禽之戏”，模仿虎的扑动、鹿的伸转、熊的倒伏、猿的纵跳、鸟的飞翔等动作，编排成一套健身操。他的弟子吴普，依法锻炼，活了九十多岁。

曹操患有头风痛，他把华佗召到身边作为个人的保健医生。曹操病情发作，心乱目眩，华佗施以针灸，随手即愈。但华佗不愿只为个人治病，他托辞妻子生病回乡看视，久久不回许昌，曹操大怒，收监判了死刑。中书令荀彧求情，说华佗有绝技，可活人性命，望宽大释放。曹操仍狂怒不止，说：“怕什么，杀了华佗只是少了一个鼠辈。”华佗在狱中，临死将一卷书交给狱卒，说：“保存它可以救人性命。”但狱卒怕受连累，不敢接受，华佗也不勉强，于是付之一炬。就这样华佗的医学著作没有流传下来，非常可惜。

马钧，字德衡，曹魏扶风（今陕西兴平）人，有巧思，是三国时著名的机械制造家。

马钧在魏明帝时曾任给事中。有一天马钧同朝官们谈论指南车，散骑常侍高堂隆和骁骑将军秦朗认为这是古书讹传，指南车为子虚乌有。马钧认为，只要深入研究，当今的人就可制造出来。高堂隆和秦朗讥笑马钧，用他的名字开玩笑说："先生名钧，字德衡。钧者器之模，而衡者所以定物之轻重。轻重无准而莫不模哉!"意思是说马钧吹牛皮、说大话，什么都可以制造。马钧说："我不和你们斗嘴，制造出来给你们看看。"不久马钧果然制造出指南车，献给了魏明帝，从此，马钧以"巧思绝世"而闻名于世。

不久，有人向魏明帝进献一种叫"百戏"的木偶玩具，十分精致美观，但只是供摆设的模型，不能转动。魏明帝问马钧："可否转动?"马钧回答说："可以转动。"于是马钧受诏改造，取名"水转百戏"，用水为动力转动一个大木轮，用传动装置连接木偶机件，一起动作起来，有的击鼓吹箫，有的跳丸掷剑，有的缘绳倒立，有的舂磨斗鸡，千变万化，使观者都眼花缭乱。马钧真不愧为天下之名工巧匠。

马钧还改进了织绫提花机，提高工效四五倍。马钧还创制了提水脚踏翻车，效率超过其他提水机具好多倍，而且轻便灵活，儿童也能踩踏使用。后人经过改进，制造出用牛力的牛转翻车、风转翻车和水转翻车，对我国农业生产起了巨大的作用。

马钧在机械方面的创造发明还有许多。他曾设想改进诸葛亮的脚踏连弩箭，以便使效率提高五倍。他还设想制造一种攻城用的"发石车"，用机械悬转法抛出石块飞射出去，可以说是一种冷兵器的大炮。这种发石机只作了初步试验，因遭当权者曹爽的反对，没有继续改进成为实用武器，深为可惜。

建安风骨

"建安风骨"是对三国时期建安文学特征的简明概括。建安是汉献帝年号，起于公元196年，止于公元220年，前后25年。通常所说的建安文学，在时间上不限于这25年，还包括魏初文帝、明帝两代，即黄初、太和这一段时间。由于建安年间，作家辈出，诗歌、散文以及文学批评都有重大发展，代表了三国时代文学的最高峰，所以文学史上称为建安文学。据钟嵘《诗品·序》称，这时的著名作家有上百人之多。

建安文学的代表作家是“三曹”、“七子”与蔡琰。三曹是曹操、曹丕、曹植的并称。七子是孔融、陈琳、王粲、徐干、阮瑀、应玚和刘桢的并称。建安文学的主要成就是诗歌，诗歌又以五言诗为主流，从而打破了汉代辞赋独盛、文人诗歌长期沉寂的局面。

曹操“外定武功，内兴文学”，他的诗歌首开一代文学新风。曹操的诗全都是乐府歌辞，史称他“御军三十余年，登高必赋，及造新诗，被之管弦，皆成文章”。曹操沿用乐府古题，但并不因袭古辞古意，而是继承乐府“缘事而发”的精神，强烈地反映动乱的现实生活，有的反映作者思贤若渴、志在安邦的情志。《薤露行》《蒿里行》《短歌行》等是其代表作。如《蒿里行》揭露军阀混战给人民带来的苦难，并表达了诗人伤情悯乱的感情。诗文云：

关东有义士，兴兵讨群凶。
初期会盟津，乃心在咸阳。
军合力不齐，踌躇而雁行。
势利使人争，嗣还自相戕。
淮南弟称号，刻玺于北方。
铠甲生虮虱，万姓以死亡。
白骨露于野，千里无鸡鸣。
生民百遗一，念之断人肠。

诗篇直接反映现实生活，被后人誉为“汉末实录，真诗史也”。语言质朴，直抒胸情，使人读其诗，如见其人。曹操留下的诗歌有 16 首。

曹丕的诗形式多样，四言、五言、六言、七言、杂言都有，成就较高的是五言和七言。诗的题材，主要是描写男女爱情和游子思归，留下的作品有四十余首。曹丕最著名的文学创作，是他的文论散文集《典论》一书，有二十余篇，可惜大部分失传，留下的只有《自叙》和《论文》两篇。《论文》集中评议建安文学七子，简明中肯，为不刊之论。

曹植，字子建，曹丕之弟，是建安时期最负盛名的作家，为三曹之冠，《诗品》称为“建安之杰”。曹植留下的诗歌有七十余首，五言居多，奠定了五言古诗的基础。

曹植的文学创作以公元220年曹丕称帝为界限，明显分为前后两个时期。曹植“生乎乱，长乎军”，早年随曹操南征北战，培植了强烈的功名事业心，所以前期诗歌主要表现他的壮志，如《白马篇》就是代表作，全诗充满了乐观豪迈的激情。诗的开头，作者以游侠儿自况：“白马饰金羁，连翩西北驰。借问谁家子？幽并游侠儿。”他渴望卫国立功，甚至不惜壮烈捐躯。诗中说：“羽檄从北来，厉马登高堤。长驱蹈匈奴，左顾凌鲜卑。”结句：“捐躯赴国难，视死忽如归。”

曹植曾与曹丕争太子位，政治斗争失败后备受迫害和压抑。《世说新语》记载一个故事，说曹丕命曹植七步成诗，否则就要取他性命。曹植出口成章，作诗云：“煮豆持作羹，漉豉以为汁。萁在釜下燃，豆在釜中泣。本是同根生，相煎何太急？”这就是著名的“七步诗”。诗人以萁豆相煎作比喻，控诉骨肉相残，表达无可奈何的苦痛心情，这就是曹植后期诗歌的基调，以公元223年所作《赠白马王彪》为代表作。当时诗人和其兄任城王曹彰、其弟白马王曹彪，一同去京师朝见文帝，任城王曹彰暴死。朝会毕，诗人返回封国，有司不准曹彪、曹植同行，曹植愤而成篇，写《赠白马王彪》一诗辞行。全诗七章，深沉地表达了作者复杂的思想感情。表现了对任城王暴亡的深切哀悼，寄托了对曹丕迫害兄弟的愤怒斥责。“变故在斯须，百年谁能持”，吐露出自己处境的险恶，以及朝不保夕的不安心情。“鸱枭鸣衡轭，豺狼当路衢，苍蝇间白黑，谗巧令亲疏”，控诉了谗佞小人的罪恶。这首诗尽管只是发抒了个人的主观愤懑感情，而客观上却深刻地暴露了统治阶级的残酷斗争，具有深刻的思想意义。

曹植诗中也有反映人民生活疾苦的篇章，如《泰山梁甫行》就描绘了一幅边海人民贫困生活的画面。诗的全文是：

八方各异气，千里殊风雨。
剧哉边海民，寄身于草野。
妻子像禽兽，行止依林阻。
柴门何萧条，狐兔翔我宇。

建安七子，最杰出的代表是王粲，他的《七哀诗》和陈琳的《饮马长城窟行》是七子的代表作。

王粲《七哀诗》第一首写于公元 192 年作者从关中向荆州逃难的途中，真实地反映了汉末动乱的痛苦生活。全诗如下：

西京乱无象，豺虎方遘患。
复弃中国去，委身适荆蛮。
亲戚对我悲，朋友相追攀。
出门无所见，白骨蔽平原。
路有饥妇人，抱子弃草间。
顾闻号泣声，挥涕独不还。
“未知身死处，何能两相完?”
驱马弃之去，不忍听此言。
南登霸陵岸，回首望长安。
悟彼下泉人，喟然伤心肝。

诗中斥责制造祸乱的军阀为“豺虎”，用“出门无所见，白骨蔽平原”，概括战争给人民带来的惨象，尤其是对饥妇弃子的特写，使人怵目惊心，也表现了作者对人民的深切同情。

陈琳的《饮马长城窟行》，借秦代筑长城这一历史题材，隐喻当时繁重徭役的现实。诗中“长城何连连，连连三千里”，正是永无尽期徭役的象征。全诗用民歌的对话形式，把作者所要揭露的事实和表达的思想，生动地展现在读者面前。“边城多健少，内舍多寡妇”，徭役拆散多少个甜蜜的家庭，使夫妻两地生离，而且繁重的苦役，还意味着判了死刑。“君独不见长城下，死人骸骨相撑拄!”因此役夫忍痛写信劝妻子改嫁，妻子回书宁愿以死相守，“明知边地苦，贱妾何能久自全”，表现了对丈夫爱情的坚贞。这首诗艺术地概括了徭役带给无数家庭的悲剧，强烈地控诉了封建徭役的罪恶。

可与七子相匹敌的是女作家蔡琰，她留下的作品有三篇：五言《悲愤诗》、骚体《悲愤诗》和《胡笳十八拍》，它们都是自传性的长篇抒情叙事诗。

蔡琰字文姬，陈留圉县（今河南杞县）人，是东汉末著名学者蔡邕的女儿。她最初嫁给河东人卫仲道，不久夫死回了老家。公元190年，她被凉州军阀掳掠西迁长安，随后流落到南匈奴，嫁给匈奴左贤王，生了两个孩子。公元207年，曹操把她赎回，又面临一场生离死别，回国后嫁给同郡董祀。五言《悲愤诗》抒写自身的遭遇，把叙事和抒情紧紧地交织在一起，处处注入强烈的思想感情，读来催人泪下。全诗108句，540字，在文学史上是首创，而又出于女作家之手，实在是了不起的。这首诗既是蔡琰的代表作，也是建安文学的一篇杰作。

建安文学反映现实，抒发了那个时代人民的疾苦，具有“慷慨悲凉”的独特风格，在文学史上称为“建安风骨”。所谓风骨，是指内容与形式、思想与艺术的统一。风，是指作品的内容，表现了一个时代的风气，真实地反映了时代的生活和诗人真切的感受，像风吹万物一样感染读者；骨，是指作品的艺术形式和风格，它表现作品的形体。在文学史上，“建安风骨”产生深远影响，受到后来进步文学家的推崇，把它作为文学评论的标准。凡是作品内容丰富，深刻地反映了时代精神和人民心声，而艺术形式健康有力，形式与内容、思想与艺术结合得好，就具有“建安风骨”的精神。初唐陈子昂主张文学革新，就提倡“汉魏风骨”，即“建安风骨”来反对南朝形式主义的文风，对变革当时的文风起了极大的推动作用。

江南文化

北方士人的大量南迁，传统儒学在孙吴时期的江南迅速发展起来。彭城人张昭，少好学，善隶书，博览群书，与赵昱、王朗齐名。彭城人严峻，善《诗》《书》《三礼》及《说文》，与琅邪诸葛瑾、临淮步骘齐名。汝南人程秉，为郑玄弟子，博通五经。沛郡人薛综，从刘熙学，学识规纳，为吴良臣。汝南人胡综，博有文采。平原人刘惇，著名天文学家，著书百余篇。河南人赵达，善长算学。南方士人，会稽虞翻、广陵张纮、吴郡韦曜（即韦昭）、华覈、会稽贺循都是大学者。丹杨唐固、吴郡陆逊、会稽阚泽也都是饱学之士。这些众多的南北士人，大都在孙吴中央枢要任职，有若群星灿烂，表明了孙吴政权十分重视知识文化，比较重用知识分子，在三国中推为第一。文人受重用，对于推动江南文化高涨有重要意义。

孙权读书，乐此不疲，他经常秉烛夜读，不仅自己博通经史，喜爱书法绘画，而且鼓励文武将相读书。孙权曾指导吕蒙读书，使目不识丁的吕蒙，数年后成为一个博学多智的儒将。在孙权倡导下，孙吴部属读书成风，出现一批显赫一时的儒将。周瑜、鲁肃、吕蒙、陆逊、陆抗，都是倜傥风流，文武双全的名将。陆逊之孙陆机、陆云兄弟，在西晋初，是冠盖华夏的大文学家。

孙吴韦昭是三国时代第一流的历史学家，他的《国语注》十一卷，流传至今为权威著作。他著有当代史《吴书》二十五卷，为陈寿著《三国志》所取资。

虞翻是三国时最杰出的《易》学专家，曹操征之而不去。虞翻传孟氏《易》学，他的注还可见于唐代李鼎所作《周易集注》中。《三国志·虞翻传》记载，吕蒙偷袭荆州，虞翻推衍《易》理，预测关羽将遭擒杀，事变果如翻言。又孙权称吴王，他演易算出孙权不会杀他，就故意在孙权行吴王加冕礼的宴会上戏弄孙权，既测试孙权的度量，又检验自己演《易》的准确度。孙权高兴，亲自给大臣敬酒，到了虞翻跟前，虞翻假意醉酒，伏地不起，等孙权离开，他翻身坐起。孙权大怒，提剑在手要刺杀他。大司农刘基起身抱住孙权劝解，孙权才息怒，还传下口谕："自今以后，酒后言杀皆不得杀。"这个故事既表现了孙权的涵养大度，又表现了虞翻的卦算高深，《三国志》特作记载。虞翻还讲学不倦，有门人数百，还注有《老子》《论语》《国语》行于世。

孙吴的书法绘画也名家辈出。最著名的有皇象、曹不兴、卫协等人。皇象，字休明，广陵江都（今江苏扬州）人，官至侍中。皇象书法精篆隶章草，《书断》中列其章草为神品。公元276年，孙皓刻《天发神谶碑》（原名《天玺记功碑》），皇象书写，字体熔篆隶于一炉，受到历代书法界的好评。杨守敬《学书而论》称其"前无古人，后无来者"。马宗霍《书林藻鉴》称："势险而居宽，锋廉而韵厚。"康有为《广艺舟双辑》称："奇伟惊世，笔力伟健冠古今。"在书法史上，的确是罕见的精品。

曹不兴是一位善画人物、龙马的画家。孙权喜画，令曹不兴画屏风，不慎溅了一个黑点在画绢上，他就任其状随手将墨点改画成一只苍蝇，孙权看画，误以为真，竟用手去掸拂。这个故事说明了曹不兴的绘画达到了巧夺天工的地步，画物而成真。曹不兴的学生卫协，更是青出于蓝而胜于蓝，其画更为精妙。

天文历法，除上举刘惇、赵达外，陆绩、王蕃、阚泽都是精通天文的历法学者。史称陆绩"博学多识，星历算数无不该览"，著有《浑天仪说》，分周天三百六十五又四分之一度，一百零七万一千里。王蕃著有《浑天象说》，纠正陆绩在理论上的舛误。阚泽著《乾象历注》以正时用。孙吴采用的是当时最先进的《乾象历》。

孙吴政权十分重视教育，在三国中推为第一。公元258年，孙休诏称："古者建国，教学为先，所以道世治性，为时养器也。"又说，"其案古置学官，立五经博士，核取应选，加其宠禄，科见吏之中及将吏子弟有志好者，各令就业。一岁课试，差其品第，加以位赏。使见之者乐其荣，闻之者羡其誉，以敦王化，以隆风俗。”这时吴国已在走下坡路，而对教育仍如此重视，在中国古代封建王朝中是少有的。在孙吴政权的大力推倡下，吴国的官学、私学都很发达。

三国时期，北方曹魏以三曹的提倡兴起建安文学，南方孙吴因孙权提倡学术、教育而文化大兴。孙吴时期江南文化的发展，不仅缩短了南北差距，而且为尔后南朝学术的发展超过北方奠定了基础。

明崇祯刻本《三国志》书影

附编一：《三国志》名篇讲析

【说明】笔者研究三国史，依循《史记》研究步骤，先开课，编写讲义，解读《三国志》名篇以为根基，然后升华为论文论著。附编一，选录25篇讲课稿，姑名之曰《〈三国志〉名篇讲析》，用以记录和展现笔者三国史研究的原生态。

《武帝纪》讲析

【提要】曹操（155—220），字孟德，东汉末沛国谯县（今安徽亳县）人。汉献帝时为丞相，执掌中央政权，完成了当时中国北部的统一。他是三国时代魏国的奠基者，儿子曹丕做了皇帝后，追称他为武帝。

东汉末年，世族豪强垄断了选举制度，他们用门第世资来选拔官吏，结成死党，大搞分裂割据。董卓之乱以后，这股分裂势力膨胀起来，他们兼并土地，盘剥农民，连州跨郡，割据混战，阻碍了社会生产力的发展。曹操在他一生的政治军事活动中，坚持统一，反对分裂，打击豪强，抑制兼并，消灭割据，先后平定了代表世家豪族大地主利益的吕布、袁术、袁绍、马超等割据势力，平定了三郡乌桓，统一了北方，巩固了我国北部边防，恢复并在一定程度上发展了生产，推动了当时社会历史的发展。

阅读《武帝纪》，可以看出曹操是中国封建统治阶级中的革新派。他颁布了一系列的改革政令，奖励耕战，加强中央集权，用人唯贤，从而取得了一个又一个的胜利。但是，曹操毕竟是一个封建地主阶级政治家，他权诈机变，屠杀人民，一方面打击豪强大族，一方面也镇压农民起义，他的作为不能不受到本阶级利益的制约。曹操文武兼具，胆略过人，但终因品德不济，未能赢得天下归心，使成鼎足三分之势。曹操不得不以“若天命在吾，吾为周文王矣”而饮恨九泉。

综观曹操，他是一位杰出的政治家、军事家、文学家。鲁迅评论曹操“是一个英雄”，肯定了他的历史地位。由于曹操奸险诈伪，残忍好杀，又被历史选定做了一个反面教员，在艺术舞台上是一个大白粉脸的奸雄。

曹操生于公元155年，死于公元220年，享年66岁。他20岁时被举孝廉为郎，登上政治舞台。公元190年，曹操36岁，陈留起兵讨董卓，在风云突变的汉末乱世中纵横驰骋30年。他“挟天子以令诸侯”，统一了北方，是奠定三国鼎立的第一人物。

曹操的政治生涯可分为青年、中年、晚年三个阶段。公元175至189年，曹操20至35岁15年为第一阶段，此时是曹操建功立名，拼命厕身于世家大族行列的青年时期。公元190至209年，曹操36至55岁20年为第二阶段，这是曹操大有作为的中年时期，在军阀混战中统一了北方，对历史作出了重大贡献。公元210至220年，曹操56至66岁最后10年为第三阶段，这是曹操的晚年时期，他步步逼宫，完成了篡汉的准备，自称“周文王”，扮演了一个权奸的角色。于是曹操以“治世之能臣，乱世之奸雄”而垂名汗青。在历史小说《三国演义》里，曹操是一个权诈奸险的汉贼；在旧戏剧舞台上，曹操是一个大白粉脸的奸雄；在历代人民心目中，曹操是一个面目可憎的反面教员，尽管他聪明能干，但奸险诈伪令人害怕。“说曹操，曹操到”，这是一句妇孺皆知的口头语。北宋苏东坡在其笔记《志林》里就记载当时街巷小儿听说书，听到曹操打败仗就兴高采烈，听到刘备打败仗就伤心落泪，可见曹操是历来不受人喜欢的。公元189年，曹操反董卓，逃出洛阳，间行东归，因疑心而杀故人吕伯奢一家八口，并说出“宁我负人，毋人负我”的话，谁听了都会不寒而栗。在建国后的50年代末，曹操时来运转，在翻案者的笔下，他成了1700年前古代人民的解放者，“是很能够体贴民情，而收揽人心的”，“曹操虽然打了黄巾，但没有违背黄巾起义的目的”，“他应该被称为一位民族英雄”。引用翻案者的丽辞华章仅仅在于说明，同一个曹操，毁誉如此颠倒，要还他本来的历史面目是相当困难的。

古代良史，多具有实录精神。陈寿以魏为正统，替曹操立本纪，着力载述武帝曹操的雄才大略，称赞他是“非常之人，超世之杰”。但在陈寿的笔下，曹操的权奸本质亦时时暴露。裴松之注引的资料补充了陈寿记载的不足，善恶具载，较为客观。陈纪裴注以及《三国志》中的有关传记是我们评述曹操的原始资料。让我们循着《武帝纪》所载历史线索来看曹操本来的历史面目和他对历史的作用。

公元175年，曹操20岁，被举孝廉为郎，因受父祖荫庇，历任洛阳北部尉、顿丘令、议郎等。曹操在洛阳北部尉任上，造“五色棒”悬于四门，有犯禁者，不避豪右，皆棒杀之。曹操曾棒杀夜行的灵帝宠臣小黄门蹇硕的叔父，京师肃然。公元184年，曹操为骑都尉，率军镇压颍川黄巾，以功升任济南相。济南国辖十余县，长吏依附宦官和贵戚，贪赃枉法；民俗迷信，淫祀多达六百余祠，历任长吏都不敢禁绝。曹操上任，罢掉了八个县的赃吏，又禁断淫祀，拆毁祠屋，奸宄逃窜，一郡清平。由于触犯权贵，他被征还为东郡太守。东郡为京师近郡，乃权贵横行之地，曹操恐致家祸，称疾归乡里。公元188年，灵帝建西园八校尉，曹操又被起用为典军校尉。当时金城边章、韩遂据郡以叛，曹操想为国讨贼立功，封侯拜将作征西将军，但未成行。西园军统帅是上军校尉宦官蹇硕，副统帅是中军校尉袁绍，曹操结纳袁绍，谋诛宦官。

曹操出身于宦官集团的大官僚大地主豪强大族，却走着反宦官的政治道路，由此表现了曹操的不凡。曹操祖父曹腾是历仕顺帝、桓帝、灵帝三朝的大宦官。曹操父亲曹嵩是曹腾的养子，出自夏侯氏。《曹瞒传》和《世语》都说曹嵩是夏侯惇之叔父。陈寿讳云“莫能审其生出本末”。公元200年官渡之战时袁绍发布的讨操檄文就称曹嵩为“乞丐携养”，诋毁曹操为“赘阉遗丑”。曹氏宗亲，依靠宦官，声势煊赫。曹嵩历任司隶校尉、大司农、大鸿胪，官至太尉三公。曹腾弟曹褒为颍川太守，曹褒子曹炽官侍中、长水校尉，曹炽子曹纯家资殷富，“僮仆人客以百数”（《曹仁传》注引《英雄记》）。曹腾的另两个侄儿曹鼎、曹瑜，也是高官。曹鼎为尚书令，曹瑜为卫将军，封侯。曹鼎之子曹洪，汉末有家兵千余人，是一个大豪强。东汉末，主荒政谬，宦官擅权，桓、灵二帝连续发动钩党之狱，造成全国性的大冤狱。“自是正直废放，邪枉炽结。”（《后汉书·党锢列传》）张让、赵忠等十常侍，封侯贵宠，父兄子弟布列州郡，暴虐百姓，直接激起了黄巾大起义。宦官专政成为社会各种矛盾的焦点。郎中张钧上书：“宜斩十常侍，悬头南郊，以谢百姓。”（《后汉书·张让传》）宦官集团是汉政府一切腐朽势力的集中代表，在农民起义的打击之下，是一个行将没落的阶层，曹操反对宦官集团，是符合历史潮流的。青年时期的曹操，正如他在建安十五年所下的《明志令》说的那样：“欲为一郡守，好作政教以建立名誉，使世士明知之。”（《三国志·武帝纪》裴注《魏武故事》）

东汉地主阶级分为世族地主和寒族地主两类。世族地主世代为官，经学传世。世族地主的上层是大贵族大官僚，门生故吏遍天下，受到社会的景仰。袁氏四世居三公位，袁绍、袁术兄弟是汉末世族地主的代表。寒族地主在政治上没有地位。寒族地主的上层是大商贾大宦官，曹氏宗亲虽是大豪强，但属于宦官集团，是寒族地主。曹操要在政治上崭露头角，必须厕身于世族名士的行列。所以他矫情饰志，赢得世族地主集团的支持，梁国桥玄、南阳何颙都十分器重他。桥玄官至太尉，称曹操为“命世之才”，并以妻子相托，又介绍他认识大名士许子将。许品评曹操是“治世之能臣，乱世之奸雄”。这两句评语既概括了曹操的能干，又道出了他的野心。由是曹操声名大震，得到了世族地主集团的信任。公元 189 年大将军何进与袁绍谋诛宦官，曹操参决机要。袁绍诛灭宦官以后，董卓入京，擅废立，京都大乱。社会矛盾的焦点由反对宦官专政变为反对董卓专权。曹操与袁绍、袁术等逃出洛阳，谋讨董卓。曹操陈留起兵，虽然势单力弱，汴水之战一败涂地，但这是顺应人心的正义之举，对于洗刷“赘阉遗丑”的污点有重大意义，也是应当肯定的。

公元190年关东诸侯起兵讨董卓，共推袁绍为盟主。但各路诸侯都想拥兵自重，就地割据，观望不进。董卓退出洛阳，挟献帝西迁后，东方诸侯开始了互相残杀的混战。河北、山东的黄巾军也乘势而起。曹操在扬州重新募兵，得数千人，进屯河内。曹操力量单薄，无力与各路诸侯相争，于是把矛头指向黄巾军。公元191年，曹操进兵东郡，打败白绕率领的黑山黄巾军，壮大了自己的力量。袁绍表曹操为东郡太守，曹操有了地盘。公元192年，曹操又击溃魏郡、内黄等地于毒和眭固率领的两支黑山农民军。接着又进兵兖州，大破青州黄巾军，"受降三十余万，男女百余万口"，并"收其精锐，号为青州兵"。此时曹操声势大振，自领兖州牧，成为北方的大军阀，与冀州的袁绍、徐州的陶谦在中原鼎足而居。

曹操的基本军事力量是招纳强宗豪右的地主武装。他所依重的亲兵将领如曹洪、曹仁、夏侯惇、许褚等都是谯县一带与曹家有宗族、亲戚、同乡关系的大地主。归附曹操的任峻、李乾、李典等都是豪强。曹操依靠这些宗亲部曲和豪强家兵，在镇压黄巾起义过程中不断壮大自己。曹操不但没有继承黄巾军的目的，而且还是一支十分凶残的地主武装。公元193年秋和194年夏，曹操两次东征徐州牧陶谦，坑杀男女军民数十万口，泗水为之不流。陈寿饰讳，也不得不说"所过多所残戮"。原来曹操父亲曹嵩去官后回归乡里，关东兵起，嵩避难琅邪，随身携带辎重百余辆，在回归兖州路上被陶谦部下劫杀。曹操名义上是为报父仇而大肆滥杀，实际上是他凶残本质的暴露。陈寿评论称"太祖运筹演谋，鞭挞宇内，揽申、商之法术"云云，显然亦谓曹操属秦始皇之流。官渡之战，曹操坑杀降卒八万人（见《三国志·袁绍传》及注引《汉纪》），使得他在扫荡河朔袁氏残余势力时费了好几年时间，战争十分残酷。袁尚、袁熙逃遁乌桓，相率而去的汉民十余万。曹操还颁布了"围而后降者不赦"（《三国志·于禁传》及《三国志·程昱传》注）的反动法令。这些就是造成曹操不得天命攸归的根本原因。

作为寒族豪强地主的曹操，有一般世族地主所不及的长处。

他不信天命，具有革新的思想。他知人善任，使得大批的谋臣武将都归附于他。尤其是曹操擅长权诈机变，独步当时。《曹瞒传》载，曹操为严军纪，故意制法而自犯之，以割发代首；他为表示自己的威严，昼寝而觉，棒杀幸姬；借仓官人头以解军粮之不足；对于故人旧怨，以法诛之，而对之垂涕嗟痛，掩人耳目。如此变诈酷虐，别的人做不出，也想不出，唯曹操能之。曹操以刑杀为威，又诱之以官禄，不惜重赏，“故天下忠正效实之士咸愿为用”（《三国志·荀彧传》）。曹操手下谋臣如雨，猛将如云。世族地主多谋士，寒族地主多武将，曹操兼收并用。曹操还善于察纳雅言，不断改正自己的过失。公元 194 年，陶谦病死，曹操想乘机攻下徐州。荀彧说：“前讨徐州，威罚实行，其子弟念父兄之耻，必人自为守，无降心。就能破之，尚不能有也。”（《三国志·荀彧传》）果然，徐州人民拥戴刘备做了徐州牧。这一年曹操又杀了陈留名士边让，激起了兖州兵变。张邈与陈宫迎吕布，郡县皆应，兖州只有鄄城、范县、东阿等三县为曹操所有。从这些事件中曹操看到了人民的力量，有所悔改，策略日臻完善。公元 195 年，曹操经过苦战夺回兖州，吕布东奔徐州。这时杨奉、韩暹奉献帝还洛阳。九月，曹操采纳了荀彧之计，迎献帝都许。又采纳了枣祗、韩浩的建议，始兴屯田，着手恢复经济、蓄积军粮。对世族地主采取笼络政策，邀请政敌大名士孔融、弥衡来许都做官，对人民的残戮行为也有所收敛。从此，曹操挟天子以令诸侯，在政治上占了优势，成为北方所向无敌的大军阀。

公元 198 年曹操灭吕布。

公元 200 年曹操灭袁术，降张绣，又在官渡之战中大破袁绍主力。

公元 205 年曹操灭袁谭，袁尚、袁熙奔乌丸。公元 207 年远征乌桓，灭二袁，至此，曹操统一了北方。

曹操平河北，先后发布了减收田租令，整齐风俗令、大封功臣令，这对于巩固和稳定北方的社会秩序具有积极的意义。

曹操统一河朔后，积极准备南征。南下之前，曹操在政治上和军事上都做了充分的准备和动员。他罢了三公官，置丞相、御史大夫，并自领丞相。他镇压了拥汉派的世族领袖孔融，又征调关西马腾入侍，拜卫尉。曹操还在邺城开人工湖训练水师，决心要一举平定江南。在完成了这些部署以后，公元208年7月曹操亲率三十万大军南下。他用荀彧计，“显出宛、叶而间行轻进”（《三国志·荀彧传》），杀了刘备一个措手不及，一败涂地。荆州刺史刘琮请降，曹操兵不血刃，一鼓下荆州。胜利冲昏了曹操的头脑，他不礼遇益州使者张松，把纳款请降的益州推向刘备一边。接着曹操又发动赤壁之战，把孙、刘推向结盟，吃了败仗。曹操北还，孙权借荆州给刘备。就这样，赤壁之战拉开了三国鼎立的序幕。

从陈留起兵到赤壁之战，曹操征战20年，他赢得了辉煌的胜利，统一了北方，这是曹操对于历史所作出的贡献。尽管曹操打了黄巾军，滥杀无辜，犯了许多错误，但他结束了北方的战乱，整个说来这个时期是功大于过。但曹操不听谋臣劝谏，冒险发动赤壁之战，葬送了统一天下的大好形势，这是曹操所犯过失中最大的一个。

曹操发动赤壁之战，他的随军主要谋士程昱和贾诩都提出了劝谏。程昱说：“孙权新在位，未为海内所惮。曹公无敌于天下，初举荆州，威震江表，权虽有谋，不能独当也。刘备有英名，关羽、张飞皆万人敌也，权必资之以御我。难解势分，备资以成，又不可得而杀也。”（《三国志·程昱传》）贾诩说：“明公昔破袁氏，今收汉南，威名远著，军势既大；若乘旧楚之饶，以飨吏士，抚安百姓，使安土乐业，则可不劳众而江东稽服矣。”（《三国志·贾诩传》）曹操既不听谋臣劝谏，又不顾抚安百姓的大计，穷兵黩武而惨遭失败。

曹操不听谋臣劝谏，固执地轻躁东进，并不仅仅是胜利冲昏了头脑，还有更深刻的政治原因。曹操不同于刚愎自用的袁绍，而是一个“才略不世出”的雄杰，他轻躁东进，乃是为了不可告人的政治目的而押赌注。他的政治目的就是梦想一举平定江南，实现梦寐以求的篡汉自代。20年前的翻案史家们认为，曹操自己打出的天下，他代汉是理所当然。难道皇帝只该姓刘的来做，何况曹操还没有做皇帝，只是做了周文王呢！须知，今人的观点是不能代替古人的观念的。在古代，曹操既然“挟天子以令诸侯”，那么他所立的功劳就要记在汉皇刘家的账上，曹操既为人臣，就不能自傲居功。若曹操恃功篡汉，也是名不正言不顺的，他蒙受“汉贼”之名是不能辞的。曹操之所以要做周文王，并不是他不想当皇帝，而是因为天下未平，时机未到。所以他要急于平定江南，统一天下。赤壁败还，曹操眼见得统一无望，于是一步步逼向帝宫，步入了他的晚年。

在曹操政治生涯的最后十年，公元 210 至 220 年，尽管他仍鞍马征劳，但已失去了并吞天下的锐气。他平关西，定汉中，而不敢入川。他多次南征，只是浅尝辄止。秦岭、长江锁住了曹操的脚步，使得英雄无所用武。一方面是孙、刘已经壮大，地形地利起了作用，这是客观的条件。另一方面，曹操的主要精力放在逼宫的内政上，他无暇顾及统一天下，只好含恨而做周文王，这是主观的条件。公元 210 年十二月曹操所下《明志令》，字面上好像是忠于汉室，实际上是一纸逼宫的宣言。“设使国家无有孤，不知当几人称帝，几人称王”，非人臣所宜言。曹操言此，已无人臣之心。用通俗语言来说，这叫火力侦察。曹操自称《明志令》是效周公《金滕》之作，但周公《金滕》只是誓诸鬼神，而曹操却要宣示于天下，“此地无银三百两”。曹操让还三县，而条件是授三子为侯。曹操不但不“委捐所典兵众”，还要扩大外援为万安计。曹操是说到做到的。《明志令》发布不久，就在公元 211 年春正月以世子曹丕为五官中郎将，置官属，为副丞相，接着又封五子为侯。公元 212 年冬，又使董昭建议尊立自己为“魏公”，并割冀州为王国封邑。尚书令荀彧不满，曹操就在公元 213 年逼死荀彧。荀彧不仅是曹操的主要谋士，荀彧长子荀恽还是曹操的女婿。由于荀彧拥汉，曹操立即加害。公元 216 年曹操晋爵魏王，车舆服饰用天子排场。至于对待汉天子，各种粗暴态度，无所不用其极。这一切都暴露了曹操的“不逊之志”，岂是别人“妄相忖度”？抛弃正统观念，如果曹操称帝如同曹丕代汉，司马炎代魏，尔后宋、齐、梁、陈的禅代，岂曰不仁！但曹操没有这样做，他要躲在汉献帝的背后来完成篡汉的大业，这就不能辞其为伪为奸了！所以历史选择曹操做反面教员，给他脸上涂上白粉，这是咎由自取，原是翻不得案的。

历史上有不少建树了丰功伟业的人物具有两重性。秦始皇统一六国，暴虐无比；曹操统一北方，奸伪无比，这都是两重性。其实两重性人物的本质仍是一重性。秦始皇和曹操这类人物的本质是藐视黎民、暴虐奸诈，但他们都十分聪明能干、机智权变，所以在一定的历史条件下也能做出一番事业，这就构成了两重性。如何评价两重性的历史人物，时至今日似乎还不具备成熟的理论，什么三七开、四六分都不能解决问题，因为三七开、四六分之后无济于历史经验的总结。对于两重性人物，应当功是功，过是过，是则是之，非则非之。换句话说，对于两重性人物，不存在翻案问题，而是将其功过是非说清楚。根据两重性人物的功过各对于历史产生的影响，评价其在历史上的地位。在三国时期，曹操无疑是一位杰出的政治家和军事家，他还是一位文学家。我们应当肯定曹操统一北方的功绩，而谴责他的奸险诈伪。正由于曹操的奸险诈伪，未能赢得天下归心，使汉末政治成鼎立之局，所以曹操是不能和他的先辈汉高祖、光武帝相提并论的。

《文帝纪》讲析

【提要】本篇为魏文帝曹丕的传记，过半篇幅载述曹丕代汉的过程，以及巩固政权的措施，这也是本篇节选的重点。魏文帝黄初元年（公元 220 年）十月二十八日受禅代汉，至黄初七年（公元 226 年）五月十七日崩殂，在位只有六年半。由于在位短，又英年早逝，未能有大的文治武功。但魏文帝代汉，平稳地改朝换代，驾驭武帝曹操留下的文武英才，得心应手，表现了魏文帝的雄才大略，陈寿评其为贤主，当之无愧。

本篇着重讲魏文帝曹丕代汉的故事。抛开历史上的正统之争，以今日立场就事论事来评价曹丕代汉，建立魏朝，确实展示了一个英主的作为。在三国开国君主中，曹丕不逊于孙权、刘备，他独特的政治手腕，堪称雄才大略的一位英雄人物。

先说曹丕代汉。公元 220 年，吴蜀交恶，孙权偷袭荆州，擒杀关羽，给曹氏代汉带来了大好天时。天不佑曹操，恰在此时他病倒了，不久谢世，饮恨做了周文王。建立魏国大业的重担落在了曹丕的肩上。曹操留下了一大批文臣武将，这是一笔宝贵的财富，是曹丕争天下的资本。但当时曹丕年仅 33 岁，他能否驾驭这批老臣与功勋卓著的悍将，是他能否成功的关键。在曹操生前，曹操曾一度移情于曹植，要废太子曹丕。在这场争太子位的斗争中，曹丕赢得先机。他行为规矩，尊礼朝中大臣，素有威望的老臣程昱、贾诩、华歆、王朗等都支持曹丕。亲族首席将领夏侯惇也全力支持曹丕。当曹操辞世时，曹氏集团的骨干之臣属于魏王太子曹丕，他登基魏王后，进一步调整中坚力量，安抚好元老重臣贾诩、华歆、王朗、夏侯惇等人，把他们安排为魏王国的三公及大将军，预演着新王朝的体制，实际上完全控制了汉朝的军政大权。

曹丕安抚好内部后，接着以南征名义在魏国邺城调集重兵，开赴许都附近驻屯，以武力胁迫汉献帝退位。汉献帝是一个聪明绝顶的天子，他少小为陈留王时就表现了他的不凡胆识，可惜他从小就被军阀控制，无力施展。他曾多次授命董承、优完，以及刘备等人讨灭曹操，作了抗争。而曹氏父子更是道高一尺，不仅控制了朝廷军政大权，还控制了整个皇宫，禁军首领皆是曹氏死党，汉献帝一生处于囚笼之中。曹丕继位魏王，利用有利时机，马不停蹄逼宫，不给汉献帝一丝喘息时间，政治、军事双管齐下，汉献帝无奈顺水推舟，上演了一幕禅让的活剧。

33岁的曹丕，兵不血刃，和平完成了朝代更替，表现了他的非凡才能。汉献帝被废后，曹丕作了妥善安排，封山阳公一万户食邑，允许山阳公继续以天子礼仪祭天地祖宗，上表不称臣，以皇帝之尊平等待遇山阳公，在中国历史上有如此大度量的皇帝是惟一的一位。其后宋、齐、梁、陈的禅代，退位之君都不得善终。宋太祖优待亡国之君，也赶不上曹丕的大度。一个李后主，最终还是被宋太宗害死了。

第二，倡导教化，尊礼孔子。魏文帝修复了孔子的故居，在那里宣传和演示儒家文化，派了一百户士家为孔子守冢和保护故居，这是按诸侯王礼的高规格待遇。魏文帝尊孔，超过了独尊儒术的汉家制度。

孔子不语怪力乱神。魏文帝废除了日食责谴三公的不合理制度，认为天灾若真是谴责，应由国家元首皇帝负责，表现了他的自信。这一宽广胸怀，也是帝王少有的。

第三，废除选士限制年龄的做法，给更广大的中老年士大夫提供了出仕的机会。选贤以中青年为优先，是社会进步的表现，魏文帝打破年龄限制，为中老年开绿灯，似乎有些倒退，但在当时，是为新朝廷扩展统治基础，是可以理解的。

第四，和抚四夷。文帝时政治稳定，周边无事，开通了西域，是魏国的极盛时期。文帝虽然在位短暂，他却巩固了魏国的统治，给子孙留下了雄厚的基业，是三国时一位杰出的明君。

魏文帝坐观吴蜀火并，想收渔翁之利，由于未能把握好火候，吴将陆逊及时收兵防守，丧失了统一的机会。客观原因，吴蜀人才济济，还未出现统一的形势。黄初七年，曹丕大兴兵伐吴，临江而叹："彼有人焉，未可轻也。"表现了他的冷静。天不假年，文帝很快病死了，未能造就辉煌的文治武功，这是不能苛责的。

作为一个青年政治家，文帝是十分成熟的。和平禅代，建立魏国，完成在一个 33 岁的青年之手，这一业绩是伟大的。曹丕是可以与北魏孝文帝相比肩的人物。

《袁绍传》讲析

【提要】袁绍出自名门望族，其祖先四世有五人位居三公，地位显赫。袁绍又在除灭宦官、反对董卓废立两件大事中行动果断，态度明朗，因而使得天下名士倾心归服。袁绍即凭借此种优势，不失时机地很快占据了幽、并、青、冀四州，成为分裂割据势力的代表人物。他的崛起和覆灭，对三国前期北方政治形势有着举足轻重的影响。袁绍死后，他的两个儿子袁谭和袁尚互不相容、大力火并而同归于尽，这部分可看做《袁绍传》之附传，也是《袁绍传》的尾声。作者之意，认为两个儿子如此下场，全是袁绍种下的祸根，目的也是以此与作为父辈的袁绍、袁术之分裂与残杀形成强烈的照应，从而揭示袁氏失败的原因。

《袁绍传》是《三国志》列传中的一篇大传，袁绍是陈寿着力刻画的人物之一。本传紧紧围绕袁绍急剧崛起和覆灭的原因这一中心展开描绘。

袁绍生当东汉末年，出身于一个世代显贵的大地主大官僚家庭。袁绍高祖父安，在章帝时曾任司空、司徒，“自安以下四世居三公位，由是势倾天下”。家庭环境很好，已给袁绍铺就一条通往荣华富贵的平坦之路，只消他循规蹈矩地听从安排，便会一切顺利。但袁绍深受当时社会风气的影响，开始时并不想凭仗名门大族的声望步入仕宦之途，而是企图摆脱家庭的支配。

东汉末年的皇帝一个比一个昏聩，大权因而旁落于宦竖之手。朝廷大臣不甘拱手默认，不愿听从“阉竖”之摆布，这样朝臣与宦官之间就发生激烈的权力之争。儒生们是站在朝臣一边的，但他们斗争的方式却又极为特殊，他们以隐居丘壑为荣华富贵，以形容憔悴为甘心满足。袁绍仰慕名士风流，要以孝行侠义求取名声身价。在嫡母去世之后，袁绍在坟墓旁筑舍守丧三年，然后回过头来又为死去的父亲守墓三年。六年之后，他又在洛阳大市上过起了隐居生活，“非海内知名，不得相见”。他追逐当时社会风气，好行游侠之事，救援藏匿遭受党锢之祸的人。袁绍“折节下士，士多附之”，被宦官集团视作一种严重威胁，因之对他发出警告。袁绍叔父隗也坚决反对袁绍的作为，袁绍才不得不起而应召，直做到监察百官的司隶校尉。

袁绍一旦置身于朝臣之间，便成了举足轻重的人物。灵帝死后，何进谋划杀掉诸宦官，需要一定的政治势力作支持，找来商量的就是袁绍。袁绍对此事的态度明朗而坚决，首谋何进却临事犹豫，结果反被宦官抢先发动，自己也死于屠刀之下。袁绍“勒兵捕诸阉人，无少长皆杀之”，“死者二千余人”，可见袁绍做事之果断，手段之毒狠。

董卓想废少帝刘辩而立献帝刘协，考虑到袁氏家族的政治影响，也是找袁绍来商量。不料，袁绍却坚决反对。

惧于袁氏势力，董卓不敢杀袁绍，在其逃离洛阳后又拜他为勃海太守，封为邟乡侯。董卓这样做的用心，还是想拉拢这一支政治势力，使其在最坏的情况下也不至于成为自己公开的敌人。初平元年春正月，后将军袁术、冀州牧韩馥、豫州刺史孔伷、兖州刺史刘岱、河内太守王匡、勃海太守袁绍、陈留太守张邈、东郡太守桥瑁、山阳太守袁遗、济北相鲍信等十路人马同时而起，结为联军，共同推举袁绍为盟军领袖，其政治口号仍是反对董卓废立皇帝。董卓听到袁绍在河北带头反对自己，便尽杀袁氏在洛阳和长安者，太傅袁隗以下五十多人皆下狱死。董卓残忍地对待袁绍家族，使得袁绍的声誉地位更为显赫，使得袁绍更具号召力，“当是时，豪侠多附绍，皆思为之报，州郡蜂起，莫不假其名”。

天下人纷纷而起，都打着袁氏的旗号，根本原因是人们把袁绍看做反对董卓废立的政治领袖。而袁绍却错误地估计了形势，以为天下人拥戴袁氏，天下便可归己，他贪婪地盯住了皇帝的宝座。袁绍想再立一个皇帝，以与董卓所立之献帝分庭抗礼，于是便和冀州牧韩馥商议，提出刘虞“宗室知名，民之望也”（《三国志·公孙瓒传》），要推戴刘虞为帝，但刘虞硬是不做这个“儿皇帝”。

袁绍消灭公孙瓒后，兼有青、幽、并、冀四州，拥有数十万兵众，成为北方势力最大的割据者。这时的袁绍，野心已无限膨胀，迫不及待地要想做皇帝了。袁绍不好自己直接说出，便要主簿耿苞上一封密报，说是：“赤德衰尽，袁为黄胤，宜顺天意。”（裴注引《典略》）这话假谶纬之学，明白地说出改朝换代乃是天意，刘姓的汉朝应该被袁氏的天下所代替了。袁绍把这份密报拿给众人看，却遭到了众人的一致反对。袁绍舍车保帅，杀了耿苞，表示自己根本没这样想过。（《三国志·袁绍传》裴注所引《典略》）

官渡之战以前的袁绍，一直走着上坡路，积聚了许多争天下的优势。首先，袁绍有可凭依恃的政治资本。周毖等人说：“袁氏树恩四世，门生故吏遍于天下。”荀谌说，袁氏“世布恩德，天下家受其惠”，“宽仁容众，为天下所附”。沮授说：“将军累叶辅弼，世济忠义。”（《三国志·袁绍传》裴注引《献帝传》）袁氏世代官居显要，在朝廷内外都有自己的党羽，织成了一个非常严密的关系网，是一股不可忽视的政治势力。不然的话，当初董卓岂肯容忍于他。从个人气质方面来看，袁绍比公孙瓒、袁术、吕布、刘表等人的智慧谋略都要高一着。他诛宦官、反董卓，不仅取得了政治资本，而且也表现了他的刚毅果决。袁绍的宽仁作风也使得他聚集了一批人才，其中不乏忠实干将，如沮授、审配等人就是死心踏地效忠袁氏的人才。此外，袁绍在镇压河北农民起义军中也充实了自己的实力。他兼有青、并、幽、冀四州，包括现在的河北、山西两省，山东省胶州半岛和河南省黄河以北地区。这块地盘面积广阔，又是农业最发达、最富庶的地区，“谷支十年”。这里人口众多，只冀州一州就拥有民众百万余家，可征发精兵三十万人。另外，袁绍还“抚有三郡乌丸，宠其名王而收其精骑”，联合了少数民族，化北面的威胁为借用力量。这就是袁绍在官渡之战前的政治实力，袁绍亦藉此而不可一世。曹操自命为大将军后，以天子的名义任命袁绍为太尉，封为邺侯。袁绍耻居曹操之下，上表推辞不受。曹操十分不安，只好把大将军的称号让给袁绍，并派专使赐给袁绍弓矢节钺、虎贲百人，使其兼督冀、青、幽、并四州。袁氏势力之大，影响之深，使得挟天子以令诸侯的曹操也不得不深为顾忌。

官渡之战对于袁绍来说是决定性的一战，战后袁绍一败涂地，便急剧衰落。本传以五分之一的篇幅写这次战争，集中描写了袁绍的轻躁急进，刚愎自用，不能用人，以及指挥上的失误。此战之失败，决定了袁绍政治生命的完结，使得曹操能继之而起，统一了北方。

其实，官渡之战以前，袁、曹谁胜谁败的形势已颇见端倪。这首先反映在袁绍迎献帝一事上的失误。

东汉末年，刘家天下风雨飘摇，天子势力衰微，对于地方已鞭长莫及。各地地主坞堡在镇压黄巾起义中发展起来，封建军阀利用这种分裂割据的势力，裂地为王，割据一方。虽然分裂的趋势日益表面化、激烈化，但东汉王朝还没有完全失去存在的合理性，还具有一定的号召力量。沮授出于如此考虑，建议袁绍迎献帝，“号令天下，以讨未复，以此争锋，谁能敌之”？郭图也要袁绍“挟天子而令诸侯，畜士马以讨不庭”。事实证明，这是一条有政治远见的谋略。可惜的是，袁绍却另有考虑，不愿采纳。袁绍的考虑，借淳于琼等人的话说，就是“若迎天子以自近，动辄表闻，从之则权轻，违之则拒命，非计之善者也”。（《三国志·袁绍传》裴注引《献帝传》）说穿了，袁绍是不愿受制于人，他要的是独揽大权，自己一个人说了算。郭图警告袁绍，在这件事上不可优柔寡断，“若不早图，必有先人者也”。但袁绍不以为然。后来，确如郭图所料，曹操迎天子都许昌，占有了这个政治上的优势。这个机会是袁绍留给曹操的。“天与不取，反受其咎”，袁绍走错了这步棋，因之处处被动，越来越陷入僵局。

政治人物有“大器”、“小器”之分，袁绍即属“小器”。换句话说，袁绍的政治素质决定了他不可能有宏图远虑。他凭藉的是力，而不是“时势”，这就是他听到如此良谋也不采纳的原因。《武帝纪》中曹操和袁绍有这样一段对话：

> 初，绍与公共起兵，绍问公曰：“若事不辑，则方面何所可据？”公曰：“足下意以为何如？”绍曰：“吾南据河，北阻燕、代，兼戎狄之众，南向以争天下，庶可以济乎？”公曰：“吾任天下之智力，以道御之，无所不可。”

袁绍重的是地利及兵力多寡，曹操重的是人才，正是这一点使得袁曹二人显出了其政治谋略之高下。

其次，袁绍的劣势表现在人才问题上。诚然，袁绍亦思得天下贤者而用之，但他外宽内忌，很难收罗到杰出的人才。地方豪强田畴，拥有坞堡武装，又是士族的领袖人物，当袁绍数次派遣使者去征聘时，他却断然拒绝。巨鹿张邈“少游太学，学兼内外”，对袁绍的召聘也予以拒绝。胡昭避乱隐居冀州，而当袁绍召用之时却遁逃回了故乡。最明显的例子，莫过于荀彧、郭嘉二人。他们原来都在袁绍麾下，后来却转投了曹操。曹操得此二人之鼎力，方能统一北方、进而划江而治的。这两人不可谓不是“奇才”。

为什么这些奇才都不愿意与袁绍合作呢？王粲说，袁绍“好贤而不能用，故奇士去之”。（《三国志·王粲传》）郭嘉说：“袁公徒欲效周公之下士，而未知用人之机。多端寡要，好谋无决，欲与共济天下之难，定霸王之业，难矣！”（《三国志·郭嘉传》）荀彧则是因为“度绍终不能成大事”而离开冀州的。荀彧在同曹操的对话中把袁曹做了对比：

> 绍貌外宽而内忌，任人而疑其心，公明达不拘，唯才所

宜，此度胜也。绍迟重少决，失在后机，公能断大事，应变无方，此谋胜也。绍御军宽缓，法令不立，士卒虽众，其实难用，公法令既用，赏罚必行，士卒虽寡，皆争致死，此武胜也。绍凭世资，从容饰智，以收名誉，故士之寡能好问者多归之，公以至仁待人，推诚心不为虚美，行己谨俭，而与有功者无所吝惜，故天下忠正效实之士咸愿为用，此德胜也。

总之，他们都认为袁绍是"小器"，不能成大事，跟着他不能发挥自己的智慧才能。要成就非常的事业，必须有非常的人才，这些天下奇才，对袁绍或敬而远之，或背而去之，袁绍的事业怎么会成功呢？

袁绍对得到的人才，也不能尽其用。沮授、田丰，都是旷世之才，其才能并不下于荀彧、郭嘉，倘能信而用之，袁曹之胜败尚难预料。沮授出奇策，要袁绍"挟天子以令诸侯"，袁绍不从；袁绍"出长子谭为青州"，沮授坚决反对，警告他"必为祸始"，袁绍不从；曹操东征刘备，许昌空虚，田丰说绍袭其后，"绍辞以子疾，不许"。这接连的不从、不许，充分证明袁绍养贤士只是为了图取虚名，而并不准备用。

袁绍的致命弱点，在官渡之战中得到了充分暴露。他后悔未听沮授、郭图迎献帝之谋，而要献帝迁徙到鄄，曹操不许。他要自己做皇帝，大家都坚决反对。一怒之下，他把悔恨和羞怒都迁怒到曹操身上，认为曹操是自己不能号令天下、不能做皇帝的最大障碍。袁绍急于发动官渡之战，寻求曹操主力决战，完全是从感情出发，而不是客观冷静地分析形势后得出的明智决策。因之，官渡之战袁绍未战已败。沮授对此举十分反对，他说"师出历年，百姓疲弊，仓廪无积，赋役方殷，此国之深忧也"，建议袁绍整兵修甲，以逸待劳，"三年之中，事可坐定"。然而袁绍对他的建议根本不愿考虑。官渡之战中，沮授一谏颜良不可独任，"绍不听"，再谏坚壁固守，"绍不从"，三谏防范曹操抄袭运粮队伍，"绍复不从"。三谏三拒，足以看出袁绍的一意孤行和刚愎自用，任何正确的意见他都听不进去了。

不仅如此，凡是反对过袁绍，即使被实践证明是反对对了的人，袁绍也不能容忍，而必欲置之死地而后快。袁绍南下时，田丰知道此去凶多吉少，一再诚恳劝谏，向袁绍指出失败的危险。这本是明智之士的一片忠心，而“绍怒甚，以为沮众，械系之”。官渡之败诚如田丰所料，作为明智之主，是应该深自愧悔的，但袁绍以狭吝之心度他人之腹，以为要受到田丰的嘲笑，便杀了田丰。张郃是袁绍的忠实部下，他反对仅以轻兵救援淳于琼的运粮军，警告袁绍运粮军如出意外，袁军则大势去矣。袁绍不听他的忠告，琼军果为所败。张郃预感到袁绍不会放过自己，为了躲避杀身之祸而投降了曹操。袁绍的忌害贤能，无异于为丛驱雀，为渊驱鱼，难怪俊杰之士会裹足不前。官渡之战，袁军失败的原因很多，如补给线过长、轻躁急进、指挥失当等，但这场战争不只是双方军事、物质力量的较量，更重要的是政治力量和人心的对比与决战，是人谋的较量，本传正是紧紧地把握住这一点而对官渡之战的全过程展开描述的。

官渡之战的失败，注定了袁绍彻底覆灭的结局。曹操消灭袁谭兄弟，是全传的尾声。袁谭、袁尚兄弟不和，示人以可乘之隙，其失败亦在人们的意料之中。陈寿以为袁谭兄弟二人争斗，其祸根在袁绍身上。“绍爱少子尚貌美，欲以为后而未显”，挑起了两人的矛盾。实际上，袁绍要几个儿子各据一州，私置党羽，就已埋下了分裂的祸根。袁绍偏爱袁尚，仅仅是因其“貌美”，但不知如此的偏爱，却种下了无穷祸患。

袁绍的目标同才器产生了激烈的矛盾，把握住这个矛盾的发生、发展及终结，便可以深入地洞察这个人物的一生。

《荀彧传》讲析

【提要】荀彧（163—212），字文若，是曹操智囊团的核心人物。荀彧初投袁绍，“度绍终不能成大事”，转而归操。荀彧智计过人，除亲自参决军国大事外，还为曹操荐举了一大批智能之士。初平二年荀彧投归曹操时，只有29岁，既没带过兵，也没打过仗，但曹操独具慧眼，一见面就发现他是个张良式的人物，而荀彧也认定当时势单力孤的曹操有济世之才。二人的遇合，如鱼水相依，可以说，曹操统一北方之功和荀彧的参与是分不开的。

建安十二年（公元207年）曹操斩袁谭，收复冀州时，曾颁布命令说：“吾起义兵，诛暴乱，于今十九年，所征必克，岂吾功哉？乃贤士大夫之力也……”于是大封功臣二十余人，皆为列侯（《三国志·魏书·武帝纪》）。的确，曹操从拒受骁骑之职而兴兵讨卓，到除掉袁绍二子，统一北方，立下显赫功业，其原因除他本人有胆有识，才干出众外，关键时刻“贤士大夫”们为他临敌制变，运筹帷幄，也是一个重要因素。这些“贤士大夫”，许多人都来自颍川，如戏志才、荀彧、荀攸、郭嘉、钟繇、杜袭等等，难怪曹操说：“汝、颍固多奇士。”（《三国志·郭嘉传》）这大概和颍川的特殊环境有关。“颍川，四战之地也，天下有变，常为兵冲。”在战争磨难下的人民，虽然多吃了一些苦头，但也增长了许多智慧。陈寿的《三国志·荀彧传》就为我们记载了荀彧这样一个在战乱年代成长起来的人物。荀彧是颍川颍阴人，少年时代便深得南阳名士何颙的赏识，称他有“王佐之才”。荀彧27岁“举孝廉，拜守官令”，董卓之乱时，他不愿在朝廷与奸臣同流合污，便“求出补吏，除亢父令”，不久又“弃官归”。当时他曾预感到颍川不是安全之地，一旦爆发战乱，这里将首当其冲，于是便劝告同乡父老“宜亟去之，无久留”，可惜“乡人多怀土犹豫”，他只好带领荀氏宗族来到冀州。其后，董卓果然派李傕等到关东，肆意虏略，未迁徙的乡人多被杀害。在冀州，袁绍把荀彧奉为上宾，企图让他助一臂之力，但荀彧发现袁绍“终不能成大事”，便毅然离开袁绍，投奔曹操。这时曹操正思贤若渴，见到荀彧喜出望外。他把荀彧看成辅佐刘邦的张良，无论大事小事都征询他的意见，而荀彧也确实没有辜负曹操的信任，危急关头，总能为他拨正航向，使曹操百战不殆，极少失误。

他在曹操手下干的第一件事就是挫败张邈、陈宫等人的反曹活动。兴平元年（公元194年），身为兖州牧的曹操第二次东征陶谦，让荀彧留守鄄城。这时张邈、陈宫见有机可乘，便密谋迎接吕布，让吕布取代曹操做兖州牧。张、陈二人反曹固然与他们不愿受制于人，企图争夺天下有关，如陈宫动员张邈反曹时就曾说：“今州军东征，其处空虚，吕布壮士，善战无前，若权迎之，共牧兖州；观天下形势，俟时势之变通，此亦纵横之一时也。”（《三国志·魏书·吕布传》）但也和曹操起兵初期杀戮太多有关。曹操的父亲曹嵩为陶谦部下所杀，而曹操却把仇恨完全记在徐州人民和陶谦身上，两次复仇东伐，每次都是“多杀人民”，“所过多残戮”，“死者万数，泗水为之不流”（《三国志·武帝纪》与《三国志·陶谦传》）。陈留名士边让因言论讥切，被曹操族灭。这种暴虐的行为不能不引起张、陈二人的疑虑，“始祖太祖，后自疑”（《三国志·吕布传》裴松之注引鱼氏《典略》）。因此，当曹操带兵出征后方空虚时，二人便抓住这个机会，大搞反曹活动。

兖州是张邈、陈宫统治多年的地盘，他们振臂一呼，督将大吏便群起响应。在这千钧一发的时刻，留守鄄城的荀彧不慌不忙，沉着应对。他一面"勒兵设备"，与敌人周旋，一面把驻守东郡的大将夏侯惇连夜调来，及时杀掉数十名谋叛者，安定了军心。荀彧还不顾个人安危，亲赴企图趁火打劫的豫州刺史郭贡军中，说服郭贡，使他中立。在荀彧的果断处置下，一场危及曹操存亡的反叛活动被平息，曹操在兖州的根据地鄄城、范城和东阿终于被保住了。

鄄城的斗争充分显示出荀彧的才干。他临危不惧，当机立断，在多数人背离曹操的情况下，坚定不移，始终站在曹操一边，更加深了曹操对他的信任。从此，曹操对他言听计从，情同手足了。

荀彧从 29 岁投奔曹操到 50 岁死去，跟随曹操二十多年。他向曹操提出了许多有益的建议，大至纵论时局，确定战略、战术，小至荐举人才，处理日常事务。作者在这篇传记中重点记载了荀彧向曹操提出的七次建议，清楚地展示出他的远见卓识。

第一次，陶谦死后，曹操企图乘机先取徐州，后平吕布。荀彧认为曹操的当务之急是清除兖州的异己势力，巩固兖州的根据地。他引证汉高祖保关中和光武帝据河内的历史先例指出，只有"深根固本"，"进足以胜敌，退足以坚守"，才能"终济大业"。当时吕布、张邈、陈宫等人尚占据兖州一部分城邑，对曹操来说犹如芒刺在背，倘若舍此求彼，一旦"布乘虚寇暴，民心益危"，那时连兖州仅有的几块根据地也很难保住了。再说陶谦虽死，徐州未必易于攻取。因为从前曹操为报杀父之仇，曾大肆屠戮当地百姓，至今人们还记忆犹新。操军到后，他们肯定要"坚壁清野"，"人自为守"，即使打下徐州，也难以守住。因此他建议乘麦收季节，多多储备粮食，分兵出击陈宫、吕布，拿下整个兖州，以求进退自如。曹操接受了他的建议，"大收麦，复与布战，分兵平诸县，布败走"，兖州又回到了曹操手中。

第二次，汉献帝被韩暹、杨奉控制回到洛阳。曹操打算迎献帝到许都，有人不同意，荀彧坚定地支持曹操，并对这件事作了精辟的分析。

他仍引证历史典故论证自己的见解："昔晋文纳周襄王而诸侯景从，高祖东伐为义帝缟素而天下归心。"古代天子蒙难，谁出来勤王谁就能赢得人心。董卓死后，汉献帝被李傕、郭汜、杨奉、韩暹等人抢来抢去，他们本以为可以利用汉献帝来左右朝廷，号令诸侯，但他们董卓余党的名声和到处烧杀抢掠的罪恶行径，根本不可能取得朝野的信任，而只能加深人们对他们的憎恶。这时，谁能以保护皇上的名义把汉献帝控制到手，谁就能在政治上取得主动权。"诚因此时，奉主上以从民望，大顺也；秉至公以服雄杰，大略也；扶弘义以致英俊，大德也。天下虽有逆节，必不能为累，明矣。"

荀彧从曹操起兵的目的上分析说："将军首唱义兵……虽御难于外，乃心无不在王室，是将军匡天下之素志也。"既然如此，怎么能错过这千载难逢的好机会呢？经过荀彧的反复阐述，曹操终于下定决心，出兵洛阳，"奉迎天子都许"。汉献帝拜曹操为大将军，进荀彧为汉侍中。在同北方割据势力的斗争中，曹操在政治上成功地赢了一局。

第三次，尽管曹操控制了汉献帝，但军事上仍然处于劣势。当时北有袁绍，南有袁术，东有吕布，西有张绣，关中还有马腾、韩遂，一个个虎视眈眈，曹操随时都有颠覆的危险。尤其是占据冀州的袁绍，依仗自己兵多粮足，根本不把曹操放在眼里，"绍益骄，与太祖书，其辞悖慢"，气得曹操火冒三丈，恨不得马上跟他大干一场。但他深知自己人少力单，难以取胜，因此忧心忡忡，行动都有点反常了。这时只有荀彧对形势看得最透彻。他把袁绍和曹操作了一番对比，指出袁绍虽貌似强大，但外宽内忌，优柔寡断，军法不严，装腔作势，手下并没有什么真正的人才；而曹操恰恰相反，明达不拘，遇事果断，信赏必罚，诚恳待人，有才干的人都愿意为他效劳。在度、谋、武、德四个方面曹操都胜过袁绍，有了这"四胜"，再加上"奉天子以令不臣"的优越条件，还有什么可怕？他主张在袁绍和张绣、吕布几个强弱不同的对手中，应该先打张绣、吕布，后打袁绍；在袁绍和韩遂、马超几个远近不同的对手中，应该打击袁绍，拉拢韩遂、马超。概括起来说，就是先弱后强，远交近攻，分化瓦解，各个击破。这一番话说得曹操心悦诚服，郁结在胸中的闷气顿时消散。建安三年（公元198年），他按照这个方针西破张绣，东擒吕布，把徐州、兖州、豫州连成一片，终于发展成与袁绍南北对峙的力量。

第四次，建安五年（公元200年），曹操与袁绍进行决战。决战前夕，孔融向荀彧散布悲观论调，说什么袁绍地广兵强，有田丰、许攸等智谋之士，有审配、逢纪等尽忠之臣，有颜良，文丑等三军大将，恐怕很难取胜。对形势了如指掌的荀彧早把袁绍看透，他反驳孔融说："袁绍法制不严。田丰顶撞上司、许攸贪婪无厌、审配独断专行、逢纪刚愎自用，这几个人在一起，肯定要闹矛盾，酿出乱子。至于颜良、文丑仅有匹夫之勇，打一仗就能将他们擒灭，不必过虑。"胆怯的孔融被驳得无话可说，官渡之战终于打响了。袁绍以十倍的兵力围攻曹操，曹操采纳荀彧坚持不退，寻找战机的方针顽强对抗。曹操计斩颜良、文丑，挫败了袁绍的军锋，相持于官渡。在"军粮方尽"的劣势下，出奇兵，到乌巢劫粮，斩了袁绍的大将淳于琼，吓得袁绍举足失措，最后全线崩溃，狼狈逃回邺城。

正当前线喋血鏖战的时候，袁绍的后方诚如荀彧所料出了问题。许攸的家族犯了法，审配不容分说把许攸的老婆孩子统统关进大牢。前方作战的许攸听到这个消息，一怒之下叛离袁绍，投降了曹操，并向曹操献计献策，改变了战场上优劣的形势。袁绍就这样吞下了不能知人善任的苦果。

第五次，官渡之战后，曹操在东平安民驻兵，他打算乘袁绍新败抽空南击刘表，扩大地盘。荀彧听说，当即指出，袁绍刚被打败，正是乘胜追击的大好时机。如今远涉江汉，倘若袁绍"收其余烬"，卷土重来，在背后乘虚而入，岂不前功尽弃？聪明的曹操一点就通，重新屯兵黄河。这时正巧袁绍病死，曹操便渡过黄河，横扫袁谭、袁尚，又派钟繇、马腾等追击高干、郭援，占领袁绍的老巢邺城，当上了冀州牧。

第六次，曹操领冀州牧后，有人建议他恢复古代九州的制度，说这样冀州所控制的地区会比现在增大，天下人就无不臣服了。曹操听后，觉得很有道理，准备接受。荀彧及时向他分析这样做的利弊得失：就其有利方面说，似乎扩大了地盘，河东、冯翊、扶风、西河、幽州、并州等都包括进来，真可谓“所夺得众”；但就其不利方面说，这些地方还存在一些徘徊观望的地方势力，假如都划归冀州，他们丧失了既得利益，免不了要人心惶惶，“转相胁为非”，成为曹操的对立面。这样一来，倒容易使主要的敌人袁谭、袁尚、刘表等钻空子。他建议分清主次、缓急，先彻底平定河北，修复京师洛阳，然后以不向朝廷入贡的名义问罪刘表，那些徘徊观望的地方势力看到主攻方向不在他们，自然都会安下心来，臣服曹操。等到天下都安定下来，再恢复古制也不晚。在荀彧的启迪下，曹操又一次放弃了自己错误的主张，乘胜追击袁氏兄弟的残余势力，使他统治的地区进一步得到了巩固。据《三国志·武帝纪》载，“并十四州，复为九州”，直到建安十八年（公元 213 年）才实现。

第七次，建安十二年（公元 207 年），北方已经完全控制在曹操手中，讨伐刘表的时机业已成熟，曹操又向荀彧征询讨伐的计谋。这一次荀彧说得十分简单明确，概括起来只有两句话：第一，“显出宛、叶”；第二，“间行轻进”。“显出宛、叶”是虚张声势，给刘表制造错觉；“间行轻进”是出其不意，使他没有还手之机。曹操接受了这一作战方针，久病床上的刘表被吓死。荆州内部矛盾重重，操军一到，刘琮便马上投降。刘表盘踞十几年的荆州，曹操不费吹灰之力就弄到了手。

荀彧为曹操所作的决策，在统一北方的事业中起到了重大的作用，如果没有荀彧的协助，北方的统一将不知要推迟多少年。这一点曹操完全承认，他说：“向使臣退于官渡，绍必鼓行而前，有倾覆之形，无克捷之势。后若南征，委弃兖、豫，利既难要，将失本据。彧之二策，以亡为存，以祸致福，谋殊功异，臣所不及也。”（《三国志·荀彧传》裴松之注引《荀彧别传》）但荀彧的建议，曹操也有不接受的时候。

建安十七年（公元 212 年），董昭主张曹操应进爵国公，加九锡，“以彰殊勋”。荀彧不以为然，他认为曹操“本兴义兵以匡朝宁国，秉忠贞之诚，守退让之实；君子爱人以德，不宜如此”。曹操得知后颇不满意，从此二人出现了裂痕，最后荀彧竟抑郁成病，“以忧薨”。《魏氏春秋》则记载说：“太祖馈彧食，发之乃空器也，于是饮药而卒。”

“以忧薨”也罢，“饮药卒”也罢，都说明荀彧的死与这次严重的政治分歧有直接的关系。荀彧不同意曹操进爵国公，以“忠贞”、“退让”、“爱人以德”进谏，可以说是书生气十足。从《让县自明本志令》中我们可以看出，曹操虽然自己不称帝，但却要为儿子代汉扫除一切障碍。既然如此，仅居丞相之位，“徒与列将功臣并侯一县”，就远远不够了。他想造成一种绝对优势，让天下人看到曹氏代汉已在举足之间，这样自己死后，儿子登基，就水到渠成了。何况此时他已年近花甲，如果不完成这件大事，岂能瞑目？可惜荀彧聪明一世，在这一点上却不了解曹操的心思。他一味地讲什么“忠贞”、“退让”、“爱人以德”，在曹操听来，犹如讥讽他不贞、不贤、缺少仁德一样，他怎么能忍受得了？这是个政治上的大问题，曹操丝毫没有让步，他建安十八年称魏公，建安二十一年（公元 216 年）做魏王，实现了自己的素愿。

荀彧是一个智谋之士，其一生可能有许多事迹值得书写，但那些琐事作者不是一笔带过，就是摒弃不用，惟独抓住他替曹操出谋划策这一中心组织材料，从生到死，始终不离开这个主题。记载荀彧的语言也不是照抄原始资料，而是经过一番精心加工，读起来简洁、明快、中肯有力。

《贾诩传》讲析

【提要】贾诩（147—223），字文和，凉州姑臧（今甘肃武威县）人。东汉末年军阀混战，贾诩委身董卓，为其谋划，有损清名，但李傕、郭汜乱长安，贾诩竭力扶持汉室，多所匡救，时人多之。袁曹官渡之战前夕，贾诩审时度势，说张绣归操，深受曹操赏识。从此，贾诩成为曹操智囊团中的重要谋士。陈寿视贾诩为一流智士，比其为汉之良、平，与荀彧、荀攸合传。裴松之认为陈寿编列不当，他认为二荀如同夜光珠，贾诩只不过是一支蒸烛，只可与程昱、郭嘉辈并列。陈寿与裴松之对贾诩评价的不同，乃时势使然。陈寿仕晋，以魏为正统，故盛赞贾诩之归魏；裴松之仕刘宋，以东晋为正统，故非贾诩之为人。其实两位史学家都是从正统观念出发评价贾诩的。

贾诩，字文和，武威郡姑臧县人，是东汉末三国时著名的凉州智士。贾诩胸藏韬略，善画奇谋，算无遗策。他审时度势，不失时机地归附了曹操并参决谋议，为曹操统一北方作出了重大贡献。陈寿以贾诩与荀彧、荀攸合传，誉为良、平之亚，评价很高。传文从三个方面描述了贾诩的一生。

第一，机敏过人，善于保身。传中记载了三事。第一事，受困叛氐，安然脱险。贾诩同郡人段颎是东汉末的安羌名将，威著雍凉。有一次，贾诩在汧县被叛氐捕获，将被活埋。贾诩灵机一动，自称是段颎的外孙。当时段颎在东汉做太尉，手中握有兵权，所以叛氐不敢害贾诩，而同行者皆被活埋。第二事，去段煨而托张绣。东汉末战乱大起，贾诩曾委身于董卓。董卓死后，李傕、郭汜乱长安，任贾诩为尚书。贾诩看李、郭成不了气候，就暗中护持献帝，并帮献帝逃出长安。随后，贾诩也脱离李、郭而依托屯驻于华阴的段煨。但段煨畏诩威名，外恭而内忌。贾诩心不自安，于是与在南阳的张绣联络，断然离开多疑的段煨，往依渴求谋士的张绣。段煨希望通过贾诩与张绣结援，反尽心地看护贾诩家属，贾诩此举，身家两全。第三事，劝张绣适时归附曹操。张绣是时屯驻南阳，与刘表连和，替荆州看守北大门。曹操南征刘表，必须首先除掉张绣。建安二年和三年，曹操连续发兵攻打张绣，未克，其长子曹昂也在战斗中被张绣杀死，两家积怨很深。但贾诩认为曹操兴图大业，不会计较私仇，所以他劝张绣在官渡之战前夕背离袁绍，投归曹操。张绣听计，果然得到曹操的开释和重用。贾诩的自安之计确实高明，他给曹操带去了一份厚礼。

《诗·大雅·蒸民》说："既明且哲，以保其身。"孔子也说："笃信好学，死守善道。危邦不入，乱邦不居。天下有道则见，无道则隐。"（《论语·泰伯》）明哲保身，是古代哲人立身处世的准则。贾诩在乱世中求显，居然安若泰山，既明且哲，这是很难做到的。荀彧、田丰、沮授等智士没有逃过的劫难，贾诩却逃过了。

第二，运筹帷幄，算无遗策。有关贾诩的谋略，传中写了五事。第一事，计败曹兵。公元 198 年，曹操再征张绣，围绣于穰，志在必擒。由于刘表出兵援救和袁绍在后方捣乱，曹操只好退兵。曹操退时徐行以诱使张绣追击，企图在运动中消灭他。贾诩识破了曹操的计谋，劝绣别追，绣不听，果然在安众中伏，大败而回。贾诩对张绣说："赶快整军追击，一定能打胜仗。"张绣收散卒再追，果然得胜。张绣不解，以问贾诩。贾诩说："这是很明白的道理。曹操在将要取胜的时候退军，必是后方有事。其军士气旺盛，曹操又必然亲自断后，您不是曹操的对手，所以打败仗。等曹操打了胜仗，以为将军不追而放松警惕，必然急速回军，令诸将断后。曹操诸将非将军对手，所以打胜仗。”张绣听后，十分折服，从此对贾诩言听计从。第二事，在官渡之战中劝曹操劫绍粮营。第三事，潼关之战，劝曹操离间马超、韩遂。以上三事是贾诩奇谋胜敌的事例，另外两事则是曹操、曹丕父子不听贾诩之谋，兵败吃亏的事例。其一，赤壁之战，曹操不听贾诩之策，兵败北还。其二，魏文帝曹丕不听贾诩劝谏，轻举伐吴，空劳师旅，临江而还。

贾诩运谋，神机妙算，听之则受益，拒之则受挫，陈寿评为良、平之亚，不算过誉。

第三，机鉴先识，有政治远见。王允诛董卓，不赦凉州兵，贾诩料其必败，劝李傕、郭汜攻长安。此计虽是自救，却也是替穷凶极恶的董卓报仇，鼓动臣下犯君，实在是冒天下之大不韪，所以功成之后，贾诩辞封，说：“此救命之计，何功之有!”此后，贾诩阳事李、郭而阴背之，“典选举，多所匡济”，“出天子，佑护大臣”，这都是得人心的举动。贾诩的政治头脑十分明达，因此也才没有与众凶同归于尽。

贾诩归魏以后，在足智多谋而又奸险诈伪的曹氏父子手下处事，能做到稳重得体，深受曹氏父子敬重，也得益于他机敏的政治头脑。曹操爱中子曹植，想立以为嫡，于是曹植与其长兄五官中郎将曹丕各树党羽，明争暗斗。贾诩善谋，为双方所争。贾诩深知事关重大，必须慎重处理。曹丕派遣心腹问自安之术，贾诩以“恢崇德度”、“不违子道”相答，既替曹丕出了计谋，又不失臣子之道，处理十分得体。当曹操为立嫡之事，屏人问贾诩时，贾诩只淡淡说一句：“思袁本初、刘景升父子也。”袁绍、刘表二人皆因废长立幼，造成军中各有彼此，兄弟自相残杀。贾诩虽未言曹家事，而曹操却心领神会，打消了立幼的念头。贾诩此举看来好像是置身事外，其实他是暗助曹丕。但其手腕高妙，即或曹丕失败，也不会大祸及身。

贾诩一生，经历曲折。他本欲扶汉室以匡天下，观其势不能，却又机鉴先识，审时度势，选择明主，终为魏臣，官至太尉而善终。贾诩能智、能愚、能言、能为，陈寿谓为良、平之亚，堪称笃论。

《田畴传》讲析

【提要】《田畴传》与袁涣、张范、凉茂、国渊、王修、邴原、管宁等传同卷。这些人除管宁外，大都在曹操消灭袁氏势力的过程中，先后拒袁投曹。同时，这些人都是黄、淮地区的世族名士或地主豪强，他们的去就对当时的政治局势影响很大。《三国志》叙人物，大多按类分卷，每卷数人。人物的分类编卷，体现了陈寿对人物历史作用的评价和对于三国形势的分析。

本篇传主田畴，主要活动于官渡之战前后曹操统一北方时期。官渡战后，曹操迅速推进实现统一北方的政治计划，为曹魏的立国奠定了基础。这时，三国鼎立的局面已开始明朗化。田畴这个人物，在曹魏集团中的地位不算显赫，但他在这个历史转变时期的作用却不容忽视。田畴既是一个地主豪强的代表，又是一个名士的典型，许多像他一样的豪强和名士弃袁投曹，在很大程度上改变了曹、袁双方力量的对比，使曹操由劣势转变为优势。

东汉末年的农民大起义虽然沉重地打击了东汉王朝的统治基础豪强地主，但长期以来形成的强宗大姓的力量仍然存在，并且在战乱之中增强了凝聚力。他们纷纷构筑坞堡，率族自保，或作有计划的迁移。《三国志·田畴传》记载，田畴"率举宗族他附从数百人"，入徐无山中，"营深险平敞地而居，躬耕以养父母。

百姓归之，数年间至五千余家”。这是一个强宗大姓举族迁徙的典型事例。不但田畴举族迁徙，还有大批外姓人附从迁移，托身自保。这正反映了当时人民饱受战乱流离之苦，沦为豪强地主的家客佃户的悲惨情景。《三国志·田畴传》又载田畴为部众“约束相杀伤、犯盗、诤讼之法”，“又制为婚姻嫁娶之礼，兴举学校讲授之业，班行其众”。田畴不但以法约束族人和附从，还交结北边少数部族乌丸、鲜卑，遣使致贡与之交通，俨然是一个独立王国。这样一股强宗势力，当然是正在角逐的曹、袁武装集团所争取拉拢的对象。

另外，田畴又是具有政治眼光的名士。青年时，人们就“多称其奇”。他奉使长安，绕道私行表现了其胆略，他为曹操出谋袭破乌丸显示了其军事才能。袁绍击灭公孙瓒以后，地盘之大，军队之多，远胜于曹操，但却不能拉拢田畴这样的名士兼豪强，这在一定程度上反映了田畴的政治眼光。传文叙述了袁氏反复争取田畴的情况：“袁绍数遣使招命，又即授将军印，因安辑所统，畴皆拒不受。绍死，其子尚又辟焉，畴终不行。”无论袁氏势盛势衰，田畴抱定主意不到他那边去。可是等到曹操遣使召辟，他就赶快收拾行装，随使者去报到，和他屡次拒投袁氏形成鲜明对照。这一鲜明对照，生动地说明了北方士人和地主豪强对曹袁两家的态度，道出了曹胜袁败的必然性。

田畴为什么要拒袁投曹，传中没有直说。当门人问他时，“畴笑而应之曰：‘此非君所识也。’”田畴所识是什么，传中也没有具体回答，不过我们可以从《三国志·邢颙传》所载邢颙与田畴的对话中看出究竟。邢颙谓田畴曰：“黄巾起来二十余年，海内鼎沸，百姓流离。今闻曹公法令严，民厌乱矣，乱极则平，请以身先。”田畴很佩服邢颙的见识，称赞他是“民之先觉”。可见，不只田畴一人，北方世族名士中稍有远见的人，都看出袁绍、袁术非托身之主，而曹操则是最有威望、最有前途的人物。《三国志·荀彧传》载荀彧评袁绍语曰：“绍貌外宽而内忌，任人而疑其心”，“凭世资，从容饰智，以收名誉，故士之寡能好问者多归之”。袁绍待人用人的这些缺点，敏感的知识分子是容易察觉，辗转相告的。曹操在得人用人方面远胜于袁绍，是曹操由弱转强，最终击灭袁绍的关键。《三国志》一书着力描写这个关键，陈寿描述田畴“笑而应之曰”的这小段细节点染之笔，既刻画了田畴成竹在胸的从容神态，又使文章曲折有致，耐人寻味。

东汉士大夫好尚名节的风气，三国时期犹存。有的人宁弃高爵厚赏，也不愿遭时论物议。这样的名士风度在田畴身上也很突出。先是哭刘虞墓，遭到公孙瓒的威逼而不屈从，继而助曹操破乌丸，立了大功又拒绝封赏。这都表现了这位名士洁身自好与清高自赏的性格和心理。“辽东斩送袁尚首”，田畴冒杀头的风险去吊祭，其动机据本传说是“畴以尝为尚所辟”。但传文在前面交待过：“尚又辟焉，畴终不行。”裴松之注论批评了田畴这一行为：“致使袁尚奔迸，授首辽东，皆畴之由也。既以明其为贼，胡为复吊祭其首乎？若以尝被辟命，义在其中，则不应为人设谋，使其至此也。畴此举止，良为进退无当。”“进退无当”是客气话，质言之，则不无钓誉之嫌。矫情虚伪，抬高身价，是当时名士的普遍作风。他们想尽办法在士大夫中获取美誉，而高官厚禄则随美誉而后至。田畴的一系列行为就收到了这样的效果：他先受刘虞之命，奉使入长安朝觐，“诏拜骑都尉”，“固辞不受”，“朝廷高其义”；继辞曹操封侯之赏，“太祖知其心，许而不夺”，被曹丕比之为“子文辞禄，申胥逃赏”，死后“高畴德义，赐畴从孙续爵关内侯”。生前获取美名，死后子孙实受其福，这是当时名士行为的真谛。当然，陈寿是以肯定的态度记载这些名士言行的。

陈寿史笔以简洁著称，此传即是一个很好的例子。全文记述了田畴的四件事，每件事的叙述都很简练，辞达而已，无藻饰之文。裴松之于此传作注六条，录载曹操奏表、教令等，内容多重复。陈寿不录全文，撮其要旨入正文之中，使行文清爽明快。陈寿又以洁净的笔墨，适当刻画了这位豪强兼名士身份的典型人物的性格与气度，给人的印象是鲜明的。作为传记文学，应该说，这是一篇质朴简洁、形象鲜明的传世作品。

《郭嘉传》讲析

【提要】 郭嘉（170—207）是曹操“智囊团”中的重要谋士，为曹操统一北方作出了积极的贡献。郭嘉 29 岁投曹，38 岁殁于军中，这十年中，郭嘉屡出奇谋，使名微众寡的曹操在角逐中步步取胜。可惜郭嘉中年夭逝，断了曹操一只臂膀。曹操赤壁败后叹道：“郭奉孝在，不使孤至此。”由此可见郭嘉在曹操智囊团中的地位。

三国形成时期，可以说无日无时不以兵戈相交。一次战役或一场旷日持久的战争孰胜孰败，不仅仅取决于交战双方实力的强弱，而且还取决于“谋略”的高下。能用谋，就能知己知彼，预料事态的发展变化，达到制敌而不为敌所制的目的。“故上兵伐谋”（《孙子兵法·谋攻》）说的就是这个道理。曹操对手下如云的谋士任之无疑，故谋士皆乐为之用。郭嘉就是曹操智囊团中的一位“奇士”。

郭嘉“少有远量”，“自弱冠匿名迹，密交结英俊”（《三国志·郭嘉传》裴注引《傅子》），可见他自视甚高，欲待时而出，择主而侍。但当时了解他的人并不多，只有通达之士才看重他。郭嘉初投袁绍不被重用，便毅然弃袁投曹。建安三年（公元 198 年），郭嘉经荀彧引荐，受到曹操的器重。从此，他充分发挥其才谋计略，在曹操统一北方的事业中建立了不朽的功勋。

献计擒灭吕布，是建安三年郭嘉归曹后所立的第一大功。兴平元年（公元 194 年），吕布袭夺了曹操的立足地兖州，几乎使曹操一败涂地。吕布是曹操碰到的第一个大敌。曹吕之间连年征战，曹操夺回了兖州，但没有擒灭吕布。吕布失了兖州，却又夺了刘备的徐州，并与淮南的袁术连和，共同对抗曹操。吕布骁勇，号为“飞将”，又有陈宫为谋士，曹操深忌之。建安三年的下邳之战，曹操三攻吕布而不下，又乏军粮，失去了耐性，打算回军。郭嘉劝操趁布困败之机继续猛攻，曰：“布气之未复，宫谋之未定，进急攻之，布可拔也。”郭嘉又与荀攸一起向曹操献计决沂水、泗水灌城，终于破了下邳，擒灭了骁勇的宿敌吕布。此役是因地形而活用兵法。水灌下邳，奏效速而巨，唯无辜百姓枉死无数，亦惨矣。

官渡之战，袁强曹弱，许下一片惊慌。郭嘉与荀彧等驳斥了孔融的失败论，坚定了曹操必胜的信心。官渡战后，郭嘉献计佯攻刘表，以此诱惑袁氏兄弟，使之自相残杀，而后迅速回军河北，收取渔人之利，加速了曹操统一北方的步伐。袁尚、袁熙率领河北残众北走三郡乌丸，曹操欲穷追以剿除袁氏势力，消除南下时的后顾之忧，这本来是一着高棋，但是，许下诸将担心大军北上，刘备会劝说刘表袭击许都，因而多有非议。郭嘉力排众议，指出刘表不过是一位“坐谈客”，“自知才不足以御备，重任之则恐不能制，轻任之则备不为用，虽虚国远征，公无忧矣”。郭嘉对刘表的为人行事剖析入理，打消了诸将的疑虑，大军遂出卢龙塞，击破乌桓，歼灭了蹋顿。袁氏兄弟失去了凭依，远投辽东公孙康。公孙康斩其首，将之献于曹操。郭嘉随军谋划，积劳成疾，死于凯旋途中，年仅 38 岁，这一年是建安十二年（公元 207 年）。从建安三年到建安十二年，正是北方各集团交战激烈之时，郭嘉的神机妙算使曹军取得了一个又一个的胜利。曹操赤壁败还，叹息曰：“郭奉孝在，不使孤至此。”由此可见，郭嘉之早死，对曹操的事业是一个重大损失。

陈寿写郭嘉的善于识人，虽颇为中肯，但也有过分美化的地方，我们应作实事求是的分析。孙策年少骁勇，阔达多智，江东士民皆呼之为“孙郎”。他以千人之众，转战江东，数年间建立了孙氏政权。官渡之战，曹操担心孙策抄后路，而孙策也有这样的打算。但郭嘉独具慧眼，认为孙策虽“新并江东，所诛皆英雄豪杰，能得人死力”，“轻而无备，虽有百万之众，无异于独行中原也”。郭嘉断言：“若刺客伏起，一人之敌耳。以吾观之，必死于匹夫之手。”郭嘉指出孙策做事刚愎自用，缺乏警惕性，不能不说明他有远见，但料其“必死于匹夫之手”，只能说是不幸而言中。郭嘉对比袁曹二人，提出“十胜十败”之说，内容也十分中肯。但郭嘉的袁曹高低论，不全是一己之见，同僚中也有类似看法。荀彧说曹以度胜、谋胜、武胜、德胜四者超过了袁绍，贾诩说曹操“公明胜绍，勇胜绍，用人胜绍，决机胜绍”，郭嘉加以发展，提出曹操十胜，即道胜一、义胜二、治胜三、度胜四、谋胜五、德胜六、仁胜七、明胜八、文胜九、武胜十，反之，袁绍有十败。郭嘉的“十胜十败”论较之荀、贾之说更为周详，更为完备，但溢美之辞也更多，仁胜之说就是溢美之言。郭嘉说：“公于目前小事，时有所忽，至于大事与四海接，恩之所加，皆过其望，虽所不见，虑之所周，无不济也，此仁胜七也。”这段话的中心是歌颂曹操的“仁”德。“仁”属于儒家的道德范畴，也是汉朝善政的标准，要求在位者能“泛爱众”，但检之《武帝纪》《三国志·荀彧传》，连篇累牍的屠城灌城的记载，何“仁”之有？固然，战火蔓延，难以避免殃及黎民，但作为统帅则要尽可能不杀无辜，才能获得人心的归向。

郭嘉入幕曹营，要归功于荀彧的推荐，但主要原因是曹操的善于用人。曹操既不像袁绍那样以爱才作为沽名钓誉的幌子，也不像刘表那样有士众而不用。曹操有明确的政治目的，他三下“求贤令”，不拘一格录用人才。郭嘉来投，经过一番交谈，曹操认为：“使孤成大业者，必此人也。”郭嘉出，亦喜曰：“真吾主也。”这就奠定了二人的感情基础，故曹操信之不疑。郭嘉在军中，与曹操“行同骑乘，坐同幄席”，担负机要顾问之重任。郭嘉并非完人，而有“负俗之讥”，可是那些讥讽郭嘉的“道德君子”中又有几个人的成就、功业能及得上他呢？由此可见“清谈”不切实际，既误人才又误社会啊！

另外，郭嘉的智计还表现在他的善于自重。他与曹操依违周旋整十年，一直受到曹操的器重，这是颇为不易的。因为曹操这个人警悟异常，也很残暴，“所是敬之以礼，所不是正之以法”。这个“是”，很带主观色彩，实际上迎合他就无灾，否则厄运即临。如被他称之为“吾之子房”的荀彧，只因为反对他加九锡就被逼死。由于郭嘉的善于自重，他避免了这种厄运。建安三年四月，曹操马践麦田，按军法当斩。郭嘉竭力袒护说：“古者春秋之义，法不加尊。”曹操乃割发代首，传令三军，三军莫不凛然。郭嘉之所以与曹操配合默契，大概是以“大业”为重，并报其知遇之恩吧。郭嘉身体素弱，不胜劳旅，但他远征必从，精神颇为可嘉。荆州地处南方疫瘴之区，郭嘉常说：“吾往南方，则不生还。”（《三国志·郭嘉传》裴注引《傅子》）但他不计个人安危而建言取荆州。郭嘉这种忠于事业，以大局为重，甘愿牺牲小我的精神，不能不令人肃然起敬。

《刘晔传》讲析

【提要】刘晔（yè）是光武帝刘秀之子阜陵王刘延的后代，年少知名，人称其有佐世之才。刘晔投归曹操，以其智计过人成为曹操的重要谋臣。后历仕文帝、明帝，官至大鸿胪。刘晔料事如神，屡献奇策，用之则吉，违之则凶，但终因他为汉宗室而被曹氏所忌，使得他在关键时刻所献取蜀灭吴之策，未被曹操、曹丕父子采纳。刘晔之才未尽其用，而曹魏也终于未能统一全国。

在《三国志》中，《刘晔传》的篇幅并不算大，但他的传在揭示三国鼎立形成的原因中有不可忽视的作用。

东汉末年，汝南许劭是个很会辨评人物流品的“相面”家，有关曹操“治世之能臣，乱世之奸雄”的预言，就出自他的口中。就是这个许劭，以一双慧眼，称少年刘晔“有佐世之才”。刘晔确实是个稀世之才，本传在开头几段，就一再渲染其谋略的超人，以作下文的铺垫。事例之一，是他诱杀郑宝，只身慑服万余部曲；事例之二，是他力阻刘勋征上缭，以防遭孙策暗算，刘勋不听，果然损兵折将，妻子珍宝丧失殆尽，狼狈投奔曹操。一个拥兵万人的巢湖大王，败在二十来岁的贵族公子手里；一个有几万军队的地方军阀，因不听其言而穷迫得依附他人，青年刘晔高超的智略跃然纸上。

由于谋划平定宗民陈策有功，刘晔被曹操征辟为司空仓曹掾，不久转为主簿，后来又任军长史兼领军，一直做曹操的亲信官员。文帝、明帝时，刘晔又作为侍中，受到二帝信任。在曹氏父子与蜀、吴争夺天下的艰苦历程中，作为智囊之一的刘晔绞尽脑汁，屡献奇策，立下了汗马功劳。

刘晔以神策建勋的突出事例是征张鲁之役。张鲁祖孙三代为天师道教主，益州牧刘焉利用张鲁将兵从苏固手中夺取汉中，张鲁却杀死刘焉的别部司马张修，做起了汉中王。汉中“户出十万，财富土沃，四面险固”（《三国志·张鲁传》），而且北通关中，南扼巴、蜀，西达陇右，东及东南与荆州相接，是位置极其重要的三角地带。刘焉的儿子、益州牧刘璋又想吞下这块肥肉，建安十六年，迎来刘备，请他带兵三万北讨张鲁。诸葛亮隆中对策中就有占据益州的谋划，刘备趁机入川，兵到葭萌不再北进，“厚树恩德，以收众心”（《三国志·先主传》），次年，就掉转矛头与诸葛亮东、北并进，向刘璋的老巢杀去。刘璋引狼入室，汉中未得，自己先成了刘皇叔的阶下囚。建安二十年，刘备在益州立脚未稳，尚无暇北顾，曹操却捷足先登，亲自带领大军，自散关出发，沿着有名的褒斜道，向关中进发。张鲁想举众降操，其弟张卫不甘心把苦心经营了30年的汉中拱手让人，率众数万，在褒斜南口阳平关“横山筑城十余里”，拒关坚守（《三国志·武帝纪》）。号称汉中盆地西端门户的阳平，是个易守难攻的险关。《水经·沔水注》云“城因即峭岭，周回五里，东临濬谷，杳然百寻，西、北二面，连峰接崖，莫究其极，从南为盘道，登陟二里有余”。曹操本来听凉州从事和武都降人讲，“张鲁易攻，阳平城下南北山相远，不可守也”（《资治通鉴》卷六十七，献帝建安二十年七月），但亲临阳平，才知事实与传闻截然相反，曹军“攻阳平山下诸屯，山峻难登，既不时拔，士卒伤夷多，军食且尽，操意沮，便欲拔军截山而还”（《三国志·武帝纪》）。曹操带兵先退，下令刘晔督察后军顺次退出。眼看夺取汉中的愿望就要成为泡影，刘晔却飞驰至曹操跟前，提出了“不如致攻”的建议。刘晔认为，现在我军粮道不继，返途又很漫长，即使退回，军队也将损失很大。而且他料定，大军这一撤退，敌关防守必然松懈，我们正可利用这个机会。果然，"贼见大军退，其守备解散，公乃密遣解㯱、高祚等乘险夜袭，大破之，斩其将杨任，进攻（张）卫，卫等夜遁，（张）鲁溃奔巴中"。"巴、汉皆降"（《三国志·武帝纪》）。刘晔的一点儿谋略，竟成就了夺取"蜀之股臂"巴、汉的大事。

这时，刘晔又建议一鼓作气乘胜南进消灭刘备。他分析，刘备"得蜀日浅，蜀人未恃也"。"今举汉中，蜀中望风，破胆失守，推此而前，蜀可传檄而定"。"若小缓之，诸葛亮明于治而为相，关羽、张飞勇冠三军而为将，蜀民既定，据险守要，则不可犯矣。今不取，必为后忧"。对此，从胡三省以来的古史家颇有非议。其实，只要进一步分析刘备集团的情况，就可以发现，刘晔确实抓住了消灭刘备的良机。原来，建安十七年起刘备夺取益州的战争十分艰难。刘璋之子刘循固守雒城，刘备用了近一年才得攻下，以后又围成都数十日，到建安十九年秋，刘璋献城出降，才算结束了这场战争。随之，孙权向刘备索还荆州，调动军队袭夺其东部诸郡，伤痍未平的刘备只得又带兵五万下公安，派关羽入益阳，以全力对抗孙权的军事行动。就是在这时候，曹操灭了张鲁，如果采纳刘晔的建议，向空虚的益州发动攻势，刘备腹背受敌，能不失败吗？曹操得了益州，天下郡县就十得八九，再从西北两面夹击孙权，破竹之势，自当不言而喻。即使暂时不去图谋孙权，曹操灭了刘备，也就除掉了劲敌，以后只剩下孙权和他抗衡，三国鼎立的局面也就不可能出现了。可惜，曹操没有采纳刘晔的建议，却匆忙还军邺城，去搞什么"亲耕籍田"。失之毫厘，差之千里。一个失误，竟养成了与自己对峙了半个世纪的蜀汉国，这确实是曹操所未曾料及的。

后来刘晔又瞅准了一次攻取孙吴的良机。建安二十四年，关羽率军斩庞德，降于禁，围曹仁于樊城，威震华夏，使曹操大惧。为了解除困境，曹操以割江南为诱饵，让孙权从东邀击关羽，袭取蜀之公安、南郡，又夺据江陵，"尽虏（关）羽士众妻子"，"斩（关）羽及子平于临沮"（《三国志·关羽传》）。结拜兄弟关羽的丧命，使刘备怒不可遏，他不听赵云等人的劝阻，于蜀章武元年（公元221年）亲自率大军东进，发动了向孙吴的复仇战。孙权以陆逊为大都督，倾全力抗击蜀汉的进攻。为防备曹魏偷袭后路，孙权遣使“卑辞奉章”，向曹魏称臣（《资治通鉴》卷六十九，文帝黄初二年）。对于孙吴的归附，魏“朝臣皆贺”，刘晔独不然。他认为，孙权是“外迫内困，然后发此使”，因此建议魏帝乘吴、蜀相攻，“大兴师，径渡江”，直捣吴国都城。这样，“蜀攻其外，我袭其内，吴之亡不出旬月矣”。他还分析：“吴亡则蜀孤，若割吴半，蜀固不能久存，况蜀得其外，我得其内乎！”看来，这次出兵竟有可能是统一战争的序幕了。可惜，曹丕拒不接受刘晔的意见，却想西袭蜀汉。刘晔指出“蜀远吴近”，而且，魏袭蜀，蜀军必退保其国，魏将难以取胜。反过来，魏军击吴，蜀军“必不改计抑怒救吴”，则“吴必亡也”（三国志·裴注引《傅子》文）。文帝沉醉于孙吴的贡献和甜言蜜语，终于不用袭吴之策，接受了吴的伪降，拜孙权为大将军，封吴王，加九锡，丧失了一次极难得的机会，以致养痈为患。果然，击败刘备后，“吴礼敬转废”。这时，曹丕如大梦初醒，大驾亲征广陵，最后无功而还。

与贾诩、荀彧等谋臣相比，刘晔以料事如神见长，其谋略却往往并不为魏主所用。究其根源，刘咸炘以为是曹氏父子妒贤忌能，说：“晔智太强，所料多与操、丕反，而皆验，故不被重用。”（《三国志集解》引）这固然是原因之一，但是恐怕与刘晔的出身也并非毫无关系。刘晔是东汉光武帝子阜陵王刘延的后裔，在汉运微倾、魏帝夺祚的前前后后，这个出身是很令篡权者头疼的。刘备不就凭着汉中山靖王后裔这一资本，由一个“贩履织席”的平民，爬上了昭烈皇帝的高位吗？刘晔是深明进退之道的，所以他在年轻时，就“不欲拥兵”自重，投靠曹操后，又“略不交接时人”，惟恐引祸得罪。但是，曹氏父子的江山毕竟是从刘姓手里夺来的，他们对汉宗室的后代怎么可能毫无防范呢？对刘晔的谋划用寡弃多，这当也是不可告人的原因之一。还有，刘晔的人品也是大有问题的。陈寿在本传中并无正面叙述，但传末附述刘晔少子刘陶事迹时，却有“陶亦高才而薄行”的说法。

一个“亦”字泄露了天机。明白的读者马上可以领悟出，“亦”者乃言尔父刘晔“高才而薄行”也。裴松之注引傅玄著《傅子》中的一件事，就说明刘晔并非忠信君子。太和年间，刘晔在魏明帝前说蜀可伐，在朝臣中，又说蜀不可伐，趋伺帝意，两面三刀，终被明帝察觉，而从此疏远了他。还有，本传一开始讲到，刘晔 13 岁时遵亡母遗命，杀死了父亲的侍婢，这件事的性质不易明白。从其母遗言讲此侍婢“必乱家”看来，该婢与刘晔之父本来就有暧昧关系被主母发觉。待刘晔母亲死后，该婢恐怕便成了刘晔事实上的后母了。后母如母，刘晔杀死了她，当难逃不孝之名。曹操的《求贤诏》宣言“被褐怀玉”、“盗嫂受金”者，一律“唯才是举，吾得而用之”。对刘晔这样一个德行不佳的“佐世之才”，曹操举是举了，但要毫无戒心地信用，似乎并不容易做到。这可能就是刘晔悲剧的根源所在吧。从另一角度说，不也正由此使蜀、吴在危机时幸免被灭，从而造就了三国鼎立之势吗？

《任峻传》讲析

【提要】任峻，东汉末河南中牟县人，是一个有家兵数百人的大豪强。关东兵起，他毅然率领部曲追随当时势力微弱的曹操，表现了他的识见高人一筹。任峻反对董卓擅权乱政，而曹操抗击董卓最坚决，两人政治观点一致，故从之。由于任峻是第一个投靠曹操的地方豪强，所以甚见亲信，官至长水校尉，典宿卫兵。建安元年，曹操采纳了羽林监枣祗的建议，在许下屯田，以任峻为典农中郎将主持其事。任峻恪尽职守，当年得益，这对于解决当时急需的军粮和稳定许都局势都有重大意义。任峻的成功，使得屯田迅速在曹操辖区内推广，“于是州郡例置田官，所在积谷。征伐四方，无运粮之劳，遂兼灭群贼，克平天下”（《三国志·武帝纪》注引《魏书》）。

本传写了任峻的五件事：其一，劝中牟令杨原权行河南尹，首倡反对董卓；其二，举郡以归曹操，又别收宗族宾客家兵数百人以归，此二事以概见其政治识见之高，及敢作敢为之魄力；其三，任典农中郎将，得谷百万斛；其四，官渡之战时建奇计护送军器粮食，保障了决战之胜利；其五，收留朋友遗孤，周济中外贫宗，介绍其品质为人。五件事言辞不多，但从不同侧面勾画了人物，以简洁之笔说明任峻对曹操集团胜利所起的重要作用。曹操能够得到如任峻这样的地方豪强的支持，放手使用他们，这是曹操取得胜利的重要原因之一。任峻五事，尤以屯田影响最大。

曹操屯田分民屯和军屯两种。民屯从公元196年开始，到公元264年“罢屯田官以均政役”为止，历时69年。

曹操占领兖州时，毛玠向他建议，“宜奉天子以令不臣，修耕植畜军资”（《三国志·毛玠传》）。建安元年（公元196年）曹操迎汉献帝都许昌，挟天子以令诸侯，取得了政治优势，同年开始实行屯田。

屯田由枣祗建议，任峻主持，取得收效后在各郡县推广。民屯以50人为一基层组织单位，由屯司马管理。对屯田农，政府无明文规定他们服徭役。他们的主要任务是垦田植谷，他们在军事组织编制下丧失了人身自由，实际成为官家的农奴，剥削量为百分之五十至六十。屯民最初是交纳定额租，定额如何，史无明载。其后又由枣祗建议，屯民纳分成租。用官牛种田的，官得六分，民得四分，自持牛者与官中分。

曹魏屯田主要是为了解决粮食问题。当时的曹魏集团是十分缺乏粮食的。史载：“自遭荒乱，率乏粮谷。诸军并起，无终岁之计，饥则寇略，饱则弃余，瓦解流离，无敌自破者不可胜数。袁绍之在河北，军人仰食桑椹。袁术在江淮，取给蒲嬴。民人相食，州里萧条。公曰：‘夫定国之术，在于强兵足食，秦人以急农兼天下，孝武以屯田定西域，此先代之良式也’。是岁乃募民屯田许下，得谷百万斛。于是州郡例置田官，所在积谷。征伐四方，无运粮之劳，遂兼灭群贼，克平天下。”（见《三国志·武帝纪》注引《魏书》）曹操屯田主要是解决军粮问题，首先在许下试点，是因为许县在建安元年定为都城，人口增加，驻军众多，对粮食的需求急剧上升。建安初曹操的辖区为兖、豫二州，屯田就在这些地区推广。三国鼎立后，兖、豫地当战略前沿，曹魏大规模的军屯也就推广到淮南地区。

汉末战乱，人口锐减，生产遭到严重破坏。兴平元年（公元194年）曹操所领兖州地区谷价一石五十余万钱，人相食。许多军阀因缺粮而无敌自破。淮南袁术的溃败，缺粮是一个重要原因，他死时，厨下只有麦屑三十斛。各个军阀集团，若要生存和发展，解决粮食是一个紧要问题。公孙瓒早于曹操在兴平二年就在易京“开置屯田，稍得自支”（《后汉书·公孙瓒传》），后来孙权和诸葛亮也在江东和汉中屯田。由于屯田是强迫性质，屯民多不乐而逃亡，而且曹魏实行“给客制”，屯田土地越来越少，加之耕作粗放，所收较少，所以屯田制逐渐衰落。司马氏篡魏，为了争取民心，遂解散屯田。

由上述史实可以看出，曹操的屯田，并不是组织流民重建家园，而是用高度强化的国家机器迫使贫民及流民在与刘蜀、孙吴对立的军事战略要地生产军粮而推行的一种制度。超经济的人身依附束缚了屯田民的自由，使他们沦为农奴。屯田制不是屯田民的乐园，而是强迫他们吞下的苦果。屯田制就像奴隶制一样，虽然极其残酷和野蛮，但它是一种历史的进步。在军阀混战不已的情况下，曹操推行屯田，增强了统一北方的实力，加速了结束混战局面的步伐，是有进步意义的。屯田是一种生产手段，也安置了一些流民，使他们与土地结合起来，既解决了他们的生活问题，又使当时社会暂趋稳定，收效甚大。个别官吏执行得较好，扩大了屯田的进步意义。例如扬州刺史刘馥，在合肥招抚流亡，广屯田，“兴治芍陂及茄陂，七门、吴塘诸堨以溉稻田，官民有畜”（《三国志·刘馥传》），更值得肯定。

《张辽传》讲析

【提要】曹操麾下“谋臣如雨，猛将如云”，谋臣之首当推荀彧，猛将之雄则为张辽。在曹操五虎将之中，张辽排名第一，以下依次为乐进、于禁、张郃、徐晃。张辽出仕，曾投身非所，委身吕布。张辽归曹后，忠心不贰，建功合肥，威震江夏。

张辽字文远，并州雁门郡马邑（今山西朔县）人。张辽生在边郡，长于骑射，武力过人。年轻时为郡中小吏，东汉末年，并州刺史丁原受诏将兵入京，任张辽为从事。丁原被部下大将吕布杀害后，部众均归吕布。吕布杀董卓，张辽升任骑都尉。后吕布战败，东奔出关，张辽追随之。

在吕布与曹操争夺兖州、徐州的长期战争中，作为重要将领的张辽屡立战功，使曹操吃了不少苦头。吕布据徐州时，张辽被任为鲁相，时年方 26 岁。

曹操击灭吕布后，张辽降操，被任为中郎将，封关内侯。后迁为裨将军。

张辽与关羽是知心密友，在关羽被迫降曹操后，曹操怀疑关羽无久留之意，让张辽探问之。关羽对张辽谈了自己的心事，说：“吾极知曹公待我厚，然吾受刘将军（刘备）厚恩，誓共生死，不可背之，吾终不留。”张辽欲将此事告诉曹操，又怕曹操因此即杀关羽，则负朋友；不告，则负曹操。三思后乃叹曰："公君父也，羽兄弟耳"。于是告之。

官渡之战后，曹操派张辽平定鲁国诸县，并与夏侯渊等率兵围叛将昌豨于东海郡。昌豨据险固守，曹军攻数月不克，粮尽，诸将商议，欲引军还。张辽对夏侯渊说："数日以来，每行诸围，豨则属目视辽，又其射矢更稀，此必豨计犹豫，故不力战。辽欲挑与语，倘可诱也。"于是，张辽单身上昌豨所据之三公山，入其家，拜其妻子，动员昌豨降曹操，并保证曹操会赦其罪。昌豨为吕布旧部，知张辽为人忠诚，于是欢喜，放心投降。之后，张辽又陪昌豨见曹操，曹操赦之遣还。

后来，张辽又参加了讨伐袁尚、袁谭的战争，屡立战功，行中坚将军。建安九年（公元204年），从曹操攻破袁氏都城、河北重镇邺城。此期间，张辽又率别军先后讨平阴安、赵国、常山、海滨等地，战功卓著。故其平海滨还邺时，曹操亲自出城迎接张辽，并与张辽同坐一车，以示嘉奖。

这时张辽和于禁、乐进并为曹操之三大名将。建安十一年（公元206年），曹操上表汉帝，赞三人功勋说："武力既弘，计略周备，质忠性一，守执节义，每临战功，常为督率，奋强突围，无坚不陷，自援枹鼓，手不知倦，又遣别征，统帅师旅，抚众则和，奉令无犯，当敌制决，靡有遗失。论功纪用，宜各显宠。"于是封张辽为荡寇将军，于禁、乐进分别为虎威、折冲将军（《三国志·乐进传》）。建安十二年（公元207年），曹操大封功臣，张辽被封为亭侯。

同年，张辽又随曹操进军柳城（今辽宁朝阳南），讨伐三郡乌桓及遁逃于乌桓的袁尚、袁熙兄弟，在白狼山（今辽宁喀喇沁左旗蒙古自治县东境）与敌军主力遭遇。事出仓促，敌人甚众，曹军辎重在后，披甲者少，左右皆惧，而张辽力劝曹操交战，气甚奋。于是，曹操以张辽为先锋，以所持麾授之。张辽纵兵奋击，大破敌军，阵斩乌桓单于蹋顿等，在战争中立下首功。

建安十三年（公元208年），曹操遣张辽率军移屯长社（今河南长葛县东）。临出发，军中有谋反者，四处放火，一军尽乱。

张辽冷静分析后，认为这不是部队皆反，必是少数谋叛者扰乱军心。于是命令不反者安坐帐中，而亲自率兵十人巡营中以镇之。一会儿，军中就安定下来。之后，张辽查出叛谋首领，悉诛之，平息了兵变。

建安十四年（公元 209 年），曹操派张辽与乐进、李典等率兵七千人屯合肥，以备孙权。

建安二十年（公元 215 年），曹操讨汉中张鲁。临行，与合肥护军薛悌一函，封面上署曰："待贼至乃发。"果然不久，孙权率大军十万围攻合肥。诸将共开函，见其内书曰："若孙权至者，张、李将军出战，乐将军守，护军勿得与战。"诸将议之，多认为寡不敌众，不欲出兵。独张辽坚决主战，曰："公（曹操）远征在外，比救至，彼破我必也。是以教指及其未合逆击之，折其盛势，以安众心，然后可守也。成败之机，在此一战！诸君若疑，辽将独决之。"乐进、李典平时与张辽矛盾甚大，此时也深为之感动，李典当即表示要不计前嫌，与辽一起出战（《资治通鉴》卷六七）。于是，张辽连夜招募组织敢死之士八百人，"椎牛飨将士"。次日晨，张辽披甲持戟，率战士先登陷阵，杀数十人，斩二将军。大呼自名，冲入敌营，直到孙权麾下。权大惊，其部众皆惶然不知所为。权与左右逃至一高坡上，以长戟自守。张辽追至，叱其下战，权不敢动。后见张辽兵少，方令吴军攻之。张辽被围数重，急击之，率数十人突出包围，但部下在围中者大呼："将军弃我乎！"张辽又复返，救出余众。敌军皆为之震慑，无敢当者。两军从早上战至中午，吴军夺气，辽还修城防，众心乃安。诸将于是皆佩服张辽之胆识。

孙权攻围合肥十余日，而不能克城，只好撤军还。时吴军主力已开拔，孙权与诸将尚在逍遥津（肥水津，在今合肥东北）。张辽侦知后，急率步骑袭之。孙权大惊，其部将凌统、甘宁、吕蒙等以死相捍，权左右尽死。在乱中，孙权乘骏马跳过津桥，方侥幸逃脱。合肥之战中，张辽立下首功，被封为征东将军。

建安二十一年（公元 216 年），曹操再征孙权，至合肥，特地巡视了张辽与孙权作战之地，对辽之勇敢十分佩服，叹息久之。不久，曹操北还，留夏侯惇督曹仁、张辽等三十六军屯居巢，镇淮南。

黄初三年（公元222年），魏文帝曹丕亲征孙权，三路伐吴，令张辽与曹休、臧霸出洞口，进至海陵（今江苏泰州）江边。孙权甚惧，敕诸将曰："张辽虽病，不可当也，慎之。"果然，张辽诸将破东吴大将吕范军。此役不久，张辽病重，逝于江都，谥为刚侯。

黄初六年（公元225年），文帝追念张辽、李典等在合肥破敌之功，诏曰："合肥之役，辽、典以步卒八百破贼十万。自古用兵，未之有也，使贼至今夺气，可谓国之爪牙矣。"又赐张辽一子为关内侯。

张辽作为曹魏名将，其胆识、谋略均超过夏侯惇、夏侯渊、曹仁等人，且矢志忠于曹操。但因非曹氏（夏侯氏）子弟，故一直未能担任重要之任，其才未尽，不能不说是一大憾事。

《先主传》讲析

【提要】 刘备（162—233），字玄德，涿郡涿县（今河北涿县）人，三国蜀汉政权的建立者。公元220年，曹丕代汉称帝，国号魏。次年，刘备亦在成都称帝，国号汉，史称蜀汉。

刘备是三国时期杰出的政治家，他在东汉末年豪强混战，群雄割据的形势下，能够运用自己的智谋，乘时而起，几经危难，坚忍不拔，形成了一个以荆襄人士为主的政治军事集团，并终于建立了蜀汉政权。刘备虽然未能实现“兴复汉室”的壮志，但他为结束汉末长达19年的分裂混乱局面，为发展三国时期的历史，作出了重要贡献，是值得肯定的。

本传记述了刘备一生的政治、戎马生涯，其中突出了他“弘毅宽厚，知人待士”的特点。的确，在与曹魏相争中，他针对曹氏的残暴、狡诈，采用“弘毅宽厚”，以信义取天下的策略，即所谓“操以急，吾以宽；操以暴，吾以仁；操以谲，吾以忠；每与操反，事乃可成耳”（见《三国志·法正传》注引《九州春秋》）。在对待人才上，他能“知人待士”，士亦以此乐为之用，君臣上下，各得其所，各尽其能，惟其如此，才使三国中最为弱小的蜀国，成为能与曹魏抗衡，北定中原的希望所在。从这里可以看出，刘备的主观努力，人谋的力量，起到何等作用。

刘备为西汉景帝子中山靖王刘胜之后，故史称“王室之胄”，但刘备早年丧父，家境寒微，“与母贩履织席为业”，仰仗族人接济而求学。及长，“从校尉邹靖讨黄巾贼有功，除安喜尉”，也是依靠有权势者以镇压农民起义有功而崭露头角。其后投徐州牧陶谦，由谦表荐为豫州刺史。陶谦临死，让徐州牧给刘备，从此刘备一跃而跻身于逐鹿群雄之中。不久吕布袭夺徐州，刘备投奔曹操，而后又奔袁绍以避难，附刘表以待时。刘表死后，刘备得到以刘琦为代表的荆州人士拥护，形成一股独立的势力。随后与江东联合，赤壁一战，打败曹操，三国鼎立初步确立。公元 214 年，在刘璋谋臣法正配合下占据益州，公元 221 年自立为帝。从以上经历可以看出，刘备从微贱到发迹，直至建立蜀国，并非像孙权那样，有父兄遗业可以坐守；亦不如曹操那样，仗恃雄厚的政治经济实力而起家。刘备一无所有，只有依靠自己的主观努力，藉乱世而成英雄。具体来讲，有以下两项：

审时度势，依靠人谋而崛起

曹操统一北方、成为中原最强大的势力集团之时，孙权占据江东已历三世，凭借长江天险，亦已建立了巩固的政权。刘备这时仍颠沛流离，无安身立命之处，不得不北让曹操占天时，南让孙权占地利，自己在人和上做文章，即以“兴复汉室”为号召，总揽英雄，积聚力量，等待时机，抗衡中原，一言以蔽之，以人谋取天下。这既是刘备 20 年来寄人篱下，无法割地称雄的教训之总结，亦是当时客观形势下惟一可行之谋略。果然，自刘备奉行此策之后，“荆州豪杰归先主者日益多”。公元 207 年，刘备三顾茅庐，得诸葛亮辅佐，制定了隆中路线，从此走上了胜利之途。所谓隆中路线，即力争鼎足三分，以观天下之变，就其主旨来看，和刘备以人谋取天下的思想是一致的。但刘备的思想笼而统之，大而无当，而诸葛亮的规划周密、详尽，分析精辟入里，可以付诸实现。因此诸葛亮的规划被刘备奉为圭臬。当时，刘备以下面两点为急务：

(1) 以“兴复汉室”为号召，标榜正统。刘备既为“帝室之胄”，又是名儒卢植的弟子，这对当时的士族有很大的吸引力。

曹操称赞刘备说，“今天下英雄，唯使君与操耳”，不只是赞赏刘备的雄略，而且也是看清了刘备在政治上的优势。刘备在许都接受了汉献帝衣带密诏后，成为“兴复汉室”的惟一合法代表，“于是乎始得乘权而正告天下以兴师”（王夫之《读通鉴论》卷九）。正是在兴汉的旗帜下，“荆楚之士，从之如云”（《三国志·刘巴传》）。诸葛亮参加刘备集团，很重要的原因也是为了维护正统。公元 219 年刘备进位汉中王，是以“扑灭凶逆、以宁社稷”为前提，公元 221 年更是以继承汉祚而登基称帝。理由正当充足，气势堂哉皇矣！诸葛亮根据刘备所说“汉室倾颓，奸臣窃命、主上蒙尘、孤不度德量力，欲信大义于天下”（《三国志·诸葛亮传》）的思想，正式提出“兴复汉室”的口号，其作用和影响实不可低估。

（2）占领荆益，联孙抗曹。在北方已为曹氏所占据，江东又被孙氏所固有的形势下，刘备舍荆益而无托身之处，故“隆中对”所提出的这一对策，是当时所能争取到的最佳方案。刘备的作用，就在于统领臣下，同心协力，实现这一方案。尽管刘备在执行中有时也偏离了隆中路线，前有荆州之失，后有猇亭之败，使“兴复汉室”的计划终成泡影，但联吴抗曹之大计始终未变，蜀国赖以生存下来，三国鼎立之局面亦因此得以继续下去。

知人待士，依靠人和而建国

（1）恭谦待人，礼贤下士。刘备少有大志，但早孤家贫。为了实现自己的志向，刘备早期表现为“少语言，善下人，喜怒不形于色，好结交豪侠”。凭着这样的修养，先是得到族人资助而得以在名儒卢植门下求学，获得了好的声望；进而又与辽西太守之婿、同学公孙瓒相交好，为日后投靠升迁打下基础。为官以后，他厚待宾客，“士之下者，必与同席而坐，同簋而食，无所简择，众多归焉”（《三国志·先主传》裴注引《魏书》）。在形成一定势力以后，刘备礼贤下士，招揽英才，三顾茅庐，请出孔明，奠定了蜀汉的基础。

（2）知人善任，尽其器能。仅仅做到礼贤下士，而不能知人善任，还是不行的。项羽待人，“恭敬慈爱，言语呕呕，人有疾病，涕泣分食饮”，但“至使人有功当封爵者，印刓敝，忍不能予。”（《史记·淮阴侯列传》）刘备比项羽高明得多，他有功必赏，有能必用。领益州牧后，以“诸葛亮为股肱，法正为谋主，关羽、张飞、马超为爪牙，许靖、麋竺、简雍为宾友。及董和、黄权、李严等本璋之所授用也，吴壹、费观等又璋之婚亲也，彭羕又璋之所排摈也，刘巴者宿昔之所忌恨也，皆处之显任，尽其器能”。刘备既重用跟随他的有功之臣，也恰当地安置了刘璋旧部，于是贤能皆乐为之用，“有志之士，无不竞劝”。刘备病危时嘱后主刘禅：“汝与丞相从事，事之如父。”（《三国志·诸葛亮传》）刘备把蜀国政事全托付给诸葛亮，使偏安西南一隅的蜀汉得以在其死后又延续了四十余年。这固然要归功于诸葛亮治蜀的正确，但首先却是刘备知人善任、心神无二所致。

（3）以人为本，得乎丘民。刘备成事的重要原因之一，是深得民心。在他撤离荆州时，“琮左右及荆州人多归先主。比到当阳，辎重数千两，日行十余里”。刘备患难中不遗弃人民，他说：“夫济大事必以人为本，今人归吾，吾何忍弃去！”比之曹操作战“所过多所残灭”（《三国志·武帝纪》），刘备可谓弘毅宽厚，算得上是仁义之君了。

综上可知，刘备一生在总揽英雄、知人待士和争取民心上，作出了巨大努力，并取得明显成效。但是我们也要看到，刘备作为统治阶级的上层代表，其用人必然以封建社会的“亲亲”为标准，并不能真正做到唯才是举。刘备治蜀主要是依靠同乡故人和徐、豫、荆、襄旧部。对于蜀地人士，表面上优宠有加，处之显任，实则猜忌、排斥。如犍为的费诗，直言敢谏，因不赞成刘备自立为汉中王而被贬。又如广汉人彭羕，因才气过人而遭忌，竟被诛死。王夫之说：“先主所用，类皆东州之产，耄老丧亡，而固不能继。蜀非乏才，无有为主效尺寸者，于是知先主君臣之图此也疏矣……败亡之日，诸葛氏仅以族殉，蜀士之登朝参谋议者，仅一奸佞卖国之谯周，国尚孰与立哉?”（《读通鉴论》卷一〇）王氏看出了问题，但未能找出症结所在。我们以为，由于刘备是以客籍地主集团统治巴蜀，并始终未能和土著地主集团相妥协，所以其根底不深，基业不牢。蜀汉之亡，原因甚多，但与此亦不无关系，这种矛盾，在蜀汉前期，因刘备力量的强大和诸葛亮治蜀的严谨而潜伏未发。但到后期，随着姜维的连年北伐和蜀地人力、物力的消耗殆尽，这种矛盾越来越尖锐。所以，司马氏大军入境之时，以谯周为首的蜀地人士就不愿再为刘氏政权而罹兵革。这是顺理成章之事，无须大惊小怪，横加指责。

《诸葛亮传》讲析

【提要】 诸葛亮（181—244），字孔明，人称卧龙，徐州琅邪国阳都县（今山东沂水县南）人，三国时期杰出的政治家和军事家。

诸葛亮出身于小官僚地主家庭，因父母早死，他自幼跟随叔父诸葛玄生活。诸葛玄任豫章太守，后依附于荆州的刘表。诸葛亮17岁又死了叔父，于是寓居隆中，一面“躬耕”读书，一面经常与朋友崔州平、徐元直等分析当时的政治形势。诸葛亮常常自比管仲、乐毅，这说明他在政治上和军事上的宏伟抱负。公元207年，刘备“三顾茅庐”，请诸葛亮辅佐他打天下，诸葛亮慨然允诺，从而开始了他的政治生涯。

诸葛亮在他一生的政治活动中，始终坚持法治路线。有功，虽仇必赏；有罪，虽亲必罚。他根据先秦法家“以农战治国”的理论，非常重视农业生产，开辟田亩，压抑豪强，分兵屯田，存抚百姓，这些措施，使蜀国出现了“田畴辟，仓廪实，器械利，蓄积饶”的繁荣景象。

在思想上，诸葛亮反对“天命观”，强调人的主观能动作用。在认识论上，他认为“才须学也，非学无以广才，非志无以成学”。在政治上，诸葛亮主张联孙抗曹，走三分天下而后统一的道路，这就是著名的“隆中对策”。诸葛亮辅佐无立锥之地的刘备建立了蜀汉政权，他是创立蜀汉政权和导致三国鼎立的重要历史人物。在中国历史上，诸葛亮也成为一个精忠报国的典范人物，深受一代又一代广大人民的热爱。

《诸葛亮传》是《三国志》中最优秀的篇章之一。本书仅节选传中关于诸葛亮事迹的部分，删略了其子诸葛瞻和僚属董厥的附传以及陈寿的《进诸葛氏集表》。

诸葛亮是我国历史上一位杰出的政治家和军事家。他生于汉灵帝光和四年（公元181年），死于蜀汉建兴十二年（公元234年），享年54岁。他出生的第四年，即汉灵帝中平元年（公元184年），黄巾大起义爆发。此后，天下分裂，军阀混战了三十多年。直到公元220年曹丕称帝建魏，221年刘备称帝建蜀，222年孙权称吴王建元，天下三分，才形成了相对的统一。诸葛亮辅佐刘备建立蜀汉政权，是他对历史的贡献。

关于诸葛亮一生的活动，传文着重记载了其隆中对策、出使江东和挥师北伐这三件大事。

刘备未得诸葛亮之前，转战二十多年，先后依附过公孙瓒、陶谦、曹操、袁绍和刘表，最后仍没有立锥之地。公元207年，刘备三顾草庐，请计于诸葛亮。诸葛亮精辟地分析了天下的形势，提出了统一天下，应走鼎足三分，联孙抗曹的道路。这就是著名的“隆中对策”。“隆中对策”是诸葛亮为刘备提出的一条正确的政治路线和军事路线，也是诸葛亮一生行动的纲领。从此，刘备的事业才出现转机，蜀汉政权才得以建立。历史证明了诸葛亮的预见及规划的正确性，他不愧是一位具有远见卓识的政治家和战略家。

诸葛亮虽隐居隆中十年，“苟全性命于乱世”，但他广交汉南名士，“每自比于管仲、乐毅”，有匡天下之志。他密切注意时局的发展，所以对天下形势了如指掌。按照古代政治家总结的历史经验，要统一天下，须得占有天时、地利、人和这三个条件，三者缺一不可。“隆中对策”就是根据这一理论来分析天下大势的。当时，曹操统一了北方，三分天下有其二，人力、物力、财力都占了压倒的优势，“此诚不可与争锋”。孙氏据有江东，已历三世，“此可以为援而不可图”。但孙氏不足以单独抗曹，而占有地理形胜的荆益却在庸主手中。因此，诸葛亮规划统一天下分两步走。第一步，要避实击虚，不失时机地夺取荆益以建立根据地，在地利上造成三分天下的均势。第二步，依靠“人和”与“人谋”，实现统一。所谓“人和”，有三方面的内容。第一，要总揽英雄，使众士归心若水之归海。第二，要内修政理，外和夷越，使人民归附。第三，要“外结好孙权”，抗衡曹操，以待天下之变。总起来说，“隆中路线”就是顺应时势，依靠人谋。这是唯物主义的认识路线，符合于当时的客观实际。

公元208年，曹操大举南下，败刘备于长阪。诸葛亮“受任于败军之际，奉命于危难之间”，出使江东，联结孙权。如果联盟不成，刘备就只能步田横的后尘，远遁苍梧。孙氏集团的既定方针是凭长江之险与曹操抗衡，孙权大将周瑜、鲁肃、甘宁等人主张进伐刘表，渐窥巴蜀，据襄阳以蹙操，然后徐图北方。公元208年春，孙权移营柴桑，亲自统兵发动了争夺荆州之战。孙权是要吞并荆州，而不是联合荆州的。显然，刘备若不占有荆州，就没有联吴的资本。所以“隆中对策”之后，刘备并无联孙的行动，他在等待时机夺取荆州，可是深谋远虑的曹操是不允许刘备从容占有荆州的。曹操不失时机地发动了荆州战役，使刘备成了丧家之犬，也使诸葛亮的隆中路线几乎成为泡影。当时曹操声威远播，江东震动，孙权柴桑行营中一片主和的呼声。曹操给孙权投下战书并提兵东进，孙权在和与战之间犹豫不决。在这危急时刻，诸葛亮奉命出使江东。他名义上是与东吴订立同盟，共拒曹操，实际上是引江东之兵以击曹，为刘备夺取荆州。这是多么艰难的使命！若孙权决定降操，诸葛亮就会被扣为人质，成为曹操的俘虏。所以，诸葛亮出使江东，不只任务艰巨，而且前途多凶。诸葛亮冒难而行并圆满地完成了使命，显示出其不凡的外交才干。

诸葛亮是怎样说动孙权的呢？首先，他分析形势说，“今操芟夷大难，略已平矣，遂破荆州，威震四海”，如今提兵而东，是对着孙权来的。“将军量力而处之：若能以吴、越之众与中国抗衡，不如早与之绝；若不能当，何不案兵束甲，北面而事之！今将军外托服从之名，而内怀犹豫之计，事急而不断，祸至无日矣！”接着，诸葛亮表明刘备的立场：“刘豫州王室之胄，英才盖世，众士慕仰，若水之归海，若事之不济，此乃天也，安能复为之下乎！”最后，诸葛亮指出共拒曹操的前景：“曹军虽众，远来疲弊，已成强弩之末”。刘备尚有精甲二万，文有诸葛，武有关、张、赵云，是一支不可轻视的力量。“今将军诚能命猛将统兵数万，与豫州协规同力，破曹军必矣。操军破，必北还，如此则荆、吴之势强，鼎足之形成矣。成败之机，在于今日。”好一个“荆、吴之势”，“鼎足之形”，这正是隆中路线的坚定原则。诸葛亮以此原则与孙权谈判，订立双边同盟，而不是附庸顺从。孙权认识到“非刘豫州莫可以当曹操者”，不得不作出让步，同意鼎足三分，发兵拒操。赤壁战后，孙权履行诺言，将荆州借给刘备。曹操闻知，“方作书，落笔于地”（《三国志·鲁肃传》）。

刘备死后，诸葛亮辅政。当时蜀汉既丢了荆州，又兵败夷陵，元气大伤。这时，隆中路线统一天下的条件并不具备，但诸葛亮仍勉力北伐，其主观努力的发挥达到了无以复加的程度。诸葛亮对魏作战，前后共六次，其中五次是北伐，一次是防守。公元 228 年春，诸葛亮从汉中出攻祁山，欲一举平定陇右，但由于马谡违亮节度，兵败街亭而退回，这是第一次北伐。同年冬出散关，围陈仓，粮尽退兵，这是第二次北伐。公元 229 年，第三次北伐，蚕食了魏境武都、阴平二郡。公元 230 年，魏国分兵三路进攻汉中，诸葛亮防守，魏兵遇雨退回，这是第四次作战。公元 231 年，诸葛亮再出祁山，粮尽退军，这是第五次作战，第四次北伐。公元 234 年，诸葛亮出兵斜谷，屯田武功，欲与魏军持久作战，因病逝五丈原而罢兵，这是第六次作战，第五次北伐。

诸葛亮北伐以失败告终，并非意外之事。因为战争是政治、经济和军力的综合较量，而无论哪一方面蜀汉都处于劣势。首先，说军力，曹魏奄有整个黄河流域，兵强马壮，人才济济，应付东西两线作战而有余；而蜀汉则偏据一州，兵弱而将寡。诸葛亮惨淡经营，才建成一支不到二十万人的军队。这支军队又要留守后方，又要东防孙吴，又要维持粮运，所以每次用兵投入第一线的兵力只有数万。孙吴伐魏，魏伐蜀、吴皆数道并进，尚不能取胜，何况诸葛亮不能数道并进而只能用兵于一个方向呢。第二，说经济，蜀汉经济衰弱。诸葛亮出师运粮不继，不单单是因为道路崎岖，人力不足，牛马寡少，积蓄有限，更是主要的原因。第三，说政治，魏明帝曹叡不失为一个明主，他刚毅果断，察纳雅言，决策正确，反应迅速，是孱弱的后主刘禅所无法比拟的。诸葛亮第一次出师时，曹叡亲镇关中，迅速调兵入援，挽救了关中不备的危局。诸葛亮第五次北伐，是一次吴、蜀的协同作战。四月蜀军入秦川，五月孙权亲率十余万大军向合肥，陆逊、诸葛瑾向襄阳，孙韶、张承向广陵，三路齐出，来势凶猛。曹叡果断地采取西守东攻的正确策略，令司马懿坚壁不出，而自己亲率大军东征。曹叡这一有力行动，使孙权闻风丧胆，不战而退，打破了吴、蜀的联合进攻。曹叡还采纳臣下休兵息民，疲弊吴、蜀的建议，养蓄国力，为统一中国打下了坚实的基础。诸葛亮连年动众，师劳民疲，陷于内外交困之境，而曹魏越战越强，并改变了先灭吴后灭蜀的方针，筹划着灭蜀的准备。诸葛亮北伐的失败，加速了蜀汉的灭亡。

诸葛亮明知伐魏不胜，又何以空劳师旅呢？一般论者认为诸葛亮这样做是为了“以攻为守”，这既不符合客观实际，也不符合诸葛亮的本志。“以攻为守”只可在两军决战中作为战术运用，而绝不可作为以弱抗强的基本国策。弱国对抗强国，“以攻为守”，在理论上和实践上都不能成立，中国古代的分合历史演变中也找不到这样的实例。“先帝虑汉、贼不两立，王业不偏安，故托臣以讨贼也……臣鞠躬尽力，死而后已，至于成败利钝，非臣之明所能逆睹也。”（《后出师表》）《后出师表》格调的低沉，是因为诸葛亮打了败仗，而《前出师表》却是充满必胜信心的：“今南方已定，兵甲已足，当奖率三军，北定中原，庶竭驽钝，攘除奸凶，兴得汉室，还于旧都。”所以诸葛亮北伐，绝不是“以攻为守”。他驻屯汉中，采取的是进攻策略，其战略是“蚕食雍、凉，广拓境土”，徐图中原。具体实施，则是第一步夺取凉州，第二步夺取关中，积小胜以为大胜。这就是诸葛亮北伐用兵先祁山而后关中的原因。战争不能单以强弱之势论成败，曹、孙、刘三方最初都是以弱胜强，力挫群雄的。

诸葛亮北伐不是说没有成功的希望，这希望就在第一次出师。当时，曹魏关中空虚，“朝野恐惧”，陇右三郡叛魏应亮。假若诸葛亮采纳魏延之策，直指长安，一举拥有关中，则天下震动，中原人士旋踵西归，吴人拼力北进，强弱形势不是不可以易位的。以弱克强，必须用奇，只可惜诸葛亮过于谨慎，“虑多决少”(《晋书·宣帝纪》)，不敢用奇，丧失了这一取胜的机会。“出师未捷身先死，长使英雄泪满襟”，可慨也夫！

分析至此，很自然地有一个问题需要回答。刘备走投无路之时，诸葛亮隆中路线的第一步却得以胜利，而刘备建立了蜀汉后，隆中路线的第二步却失败了，这是什么原因呢？俗话说，“谋事在人，成事在天”，莫非真有天意？当然不是。简略地说，有两方面的的原因。第一，事势的发展，即客观历史是不以人的主观意志为转移的。第二，刘备和诸葛亮都不是完人，他们在执行隆中路线时犯了很多错误。

隆中路线执行之初，刘备处于逆境，十分小心。拿夺取荆益来说，这本是隆中路线的既定方针，但刘备打着“兴复汉室”的口号却向同姓手中夺地盘，于理不顺。因此他采取了谨慎的态度。刘备得荆州、夺益州都是后发制人，于是获得了成功。赤壁之战的胜利，一方面是由于曹操的冒险东进，推动了孙刘结盟，另一方面是孙权的识大体、顾大局。刘备、诸葛亮因势利导，实现了隆中路线的第一步。但刘备取得荆益和汉中后，却利令智昏，急于求成，犯了同曹操冒进赤壁一样的急进错误，葬送了隆中路线的前途。

荆州是吴国的上流门户，刘备得益州后，孙权必定全力来争，诸葛亮和刘备低估了孙权的决心。刘备得益州后，不是立即北进汉中，而是东下与孙权争江南三郡。这样，既失去了联吴的信义，又失去了夺取汉中的战机。后来虽费九牛二虎之力得了汉中，但仅得其地而未得其民，此其一失。刘备得汉中后，还未站稳脚跟，就盲目地命关羽北伐，又调走驻守宜都的孟达，使荆州成了一座空城而被孙权夺走，此其二失。夷陵兵败，耗尽国力，乃是三失。蜀汉小国，一失再失而三失，元气大伤。如果诸葛亮和刘备不与孙权争三郡，则汉中得手更早，蜀汉力量将大增。如果刘备把四战之地的荆州还给吴国，命关羽、孟达退守宜都、上庸一线，则两国协同北伐，刘备必得关中，三国局势当是另外一番面貌。如果荆州失后，刘备能忍辱保国，则诸葛亮的北伐，或许也能蚕食魏境。当然，这些推论不能代替历史，但诸葛亮的失败，刘备要负主要责任，则是毫无疑义的。这大概是后世人们对诸葛亮的失败抱有同情与惋惜心理的主要原因吧！

《诸葛亮传》全面地记载了诸葛亮一生的事迹与德行。他 27 岁走出隆中，54 岁病逝五丈原，半生操劳，尽瘁国事。诸葛亮的前半生修身养性，是他立志用世的准备阶段。他隐居隆中十年，不北走曹操，南归孙权，而恰恰是在曹操统一北方、南下荆州的关键时刻出山辅佐刘备，选择了一条以“兴复汉室”为己任的艰难道路。诸葛亮严法治蜀，并不能说明他就是法家，相反，他选择的道路充分说明他是一个维护封建纲常和崇尚儒家忠义道德的正统思想家。但是，诸葛亮并不墨守儒家教条，他尊王而不攘夷，进兵南中，和抚夷越，在三国中执行了最好的民族政策。诸葛亮以“鞠躬尽瘁，死而后已”的精神，战斗到生命的最后一息，百分之百、不折不扣地实践了自己的诺言。诸葛亮公忠体国的精神，生前得到蜀人的爱戴，死后长期受到蜀人的追念。

唐代政治家裴度说诸葛亮“兼齐管、晏，总汉萧、张”（《蜀丞相诸葛亮武侯祠堂碑》）。诗圣杜甫在《咏怀古迹五首》之五中满怀激情地对诸葛亮作了极高评价和赞颂。杜诗云：

诸葛大名垂宇宙，宗臣遗像肃清高。
三分割据纡筹策，万古云霄一羽毛。
伯仲之间见伊吕，指挥若定失萧曹。
运移汉祚终难复，志决身歼军务劳！

杜甫认为诸葛亮与伊尹、吕尚相伯仲，而萧何、曹参则不能与之相比。至于诸葛亮事功不成，那是天意难回，非人力所可争。可以说，这种意见代表了封建时代人们评价诸葛亮的主流。至于黎民百姓，则无论男女老幼，都把诸葛亮视为胜利与智慧的化身，可见诸葛亮精神感人之深。

但是，我们全面评价诸葛亮，不能不认为陈寿的评论是公允的。陈寿认为诸葛亮“于治戎为长，奇谋为短，理民之干，优于将略”（《三国志·诸葛亮传·进诸葛氏集表》），是很有分寸的。陈寿又说，诸葛亮“可谓识治之良才，管、萧之亚匹”，而“应变将略，非其所长”。这也是有根据的。诸葛亮第一次北伐，兵多于敌，又得三郡响应，但他却没有取得胜利，这就是明证。马谡街亭之失，诸葛亮应负主要责任。他不用魏延，而用马谡，为用人之失。他不进兵关中而西出祁山，又行动迟缓，使张郃抢先上陇，为战略之失。孟达反新城，不早驰援，失去了牵制曹魏的力量，为战术之失。街亭战后，诸葛亮诛马谡、杀李盛、废黄袭，“天下未定而戮智计之士”，为用刑之失。诸葛亮最大之失，是过于自恃，不能集思广益。《前出师表》虽然推荐了一大批贤才，但所荐郭攸之、费祎、董允、向宠、陈震、张裔、蒋琬等七人，除张裔一人为蜀中人士外，其他人都是追随诸葛亮的荆州士人。诸葛亮重用亲己之贤才，不能不说气度有些褊狭。而且，这些贤才都是二流人物，而魏延、马超、彭羕、廖立等一流人物，诸葛亮不仅未尽其用，甚至引小过以诛之或徙之。诸葛亮立国于蜀而不能取用蜀地之才，有不能容人之过。司马迁说：“尧虽贤，兴事业不成，得禹而九州宁。且欲兴圣统，唯在择任将相哉！唯在择任将相哉！”（《史记·匈奴列传赞》）诸葛亮以一人之智掩一州之才，以个人之力抗天下之士，焉能不败！大约人之情性，在专制政体下，本来就是以己所短，忌人之长的。我们今天评说诸葛亮之失，不过是引出历史的教训，并不是求全责备。诸葛亮虽然有这些短处，但不能否定他是三国时最杰出的人物之一。

《关羽传》讲析

【提要】 关羽字云长，本字长生，河东解县（今山西临猗县西南）人。他一生追随刘备，出生入死，战功卓著。蜀汉“五虎将”关羽、张飞、马超、黄忠、赵云，关羽位居第一。关羽守荆州，孙权深忌；关羽北伐，威震敌胆。但他骄矜少算，终被孙权大将吕蒙、陆逊所袭杀。关羽的忠肝义胆，堪为人伦之表。千百年来，关羽的事迹在民间广为流传，其中有些传说与历史文献不尽相同。读《关羽传》可以帮助人们了解历史真相，从而得出对历史的正确评价。

关羽是三国时期家喻户晓的名将，但是作为历史人物的关羽与民间传说中的关羽有很大的区别。

民间流传的关羽故事，有的纯系传说。如“温酒斩华雄”，是《三国演义》中特别精彩传神的一段故事，但这只能归功于《三国演义》作者罗贯中的生花妙笔。据《三国志·孙坚传》，华雄为孙坚所斩。再如袁曹官渡之战，曹军“斩颜良”、“诛文丑”，《三国演义》都挂在关羽账上，实际上，这与史实并不完全吻合。本传载有关羽斩颜良事，而于“诛文丑”事则无一字提及。关羽的过五关、斩六将，也是小说家的增饰之言。尽管蔡阳确有其人，但据《三国志·先主传》，刘备在汝南，“曹公遣蔡阳击之，为先主所杀”。由于《三国演义》演史为主，七真三假，更容易使人们将历史与传说混同起来。历来，统治者都把关羽视作“武圣”而推崇备至。北宋以后，历代帝王对关羽屡加封谥。宋徽宗时，封关羽为“崇惠公”，不久加封为“武安王”。明神宗时，又加封关羽为“协天护国忠义大帝”。民国三年（公元 1914 年），关羽与岳飞合祀于武庙。

小说家的增饰也罢，统治阶级的褒扬也罢，都是外在的因素，而关羽一生的光明磊落和忠肝义胆，却是关羽为人民所喜爱的内因。民间传说虽然拔高了历史人物关羽的形象，但它从一个侧面反映出人民的爱憎。

关羽文武兼具，仪表非凡，事主待人，肝胆相照。刘关张桃园结义，突出了一个“义”字。关羽追随刘备，历尽坎坷，忠贞不渝。尽管他丢了荆州，全军覆灭而被擒，但他不屈而死，以一个顶天立地英雄形象，赢得了人们的同情。陈寿《三国志》记述关羽的文字并不多，但关羽的形象却跃然纸上。陈寿本蜀人，蜀亡后入仕西晋。西晋代魏，《三国志》不能不以魏为正统。所以，陈寿对于蜀汉人物，不便过多褒扬，而一般都写得比较简略，有些地方还要避嫌。关羽早年的经历及其超群的战功都写得很不够，使人感到惋惜，但《关羽传》内容翔实，主线鲜明，仍不失为一篇佳传。

关羽亡命奔涿郡，与刘备、张飞结义，三人“寝则同床，恩若兄弟”，可见其感情之深，这是兄弟之谊（义）。而在大庭广众，关羽与张飞能“侍立终日”，这就区分了上下之别，体现了“君臣之义”。此后，追随刘备“不避艰险”，不仅义，而且忠。在关羽的戎马生涯中，“忠义”两字，充满了他的一生。建安五年正月，曹操东征，刘备兵败后北投袁绍。关羽因守下邳被俘，曹操对之优宠有加，企图使他死心踏地跟从自己。关羽身在曹营而心在刘备，不为利诱所动。为报答曹操的恩德，关羽临阵杀了袁绍大将颜良，然后留下书信，离曹营而复归刘备。前后三个月，始终忠于一人、义不背主。“刮骨疗毒”，则从一个侧面反映了关羽刚强坚韧的性格和大无畏气概。

《关羽传》的重点是写关羽一生最重要的经历，即他北伐曹操、威震中原的胜利进军和失荆州、走麦城的覆军败亡。

荆州位于长江中游，“北据汉、沔、利尽南海，东连吴会，西通巴、蜀”（《三国志·诸葛亮传》），地当要冲，为四战之地。掌握在曹、刘、孙任何一个集团手中，都有极其重要的意义。志在统一中国的曹操，为消除南方可能形成的割据局面，曾亲自率军南征，企图一举平定江南，统一天下，但赤壁之战，使他的宏图化成了泡影，此后，曹操再也无力南下轻取荆州了。

公元207年，刘备三顾茅庐，访诸葛亮于隆中。亮筹划天下大势，向刘备指出：欲图王业，应当先取荆、益，然后内修政理，东结孙吴，待“天下有变，则命一上将将荆州之军以向宛、洛，将军（指刘备）身率益州之众出于秦川”（《三国志·诸葛亮传》）。刘备正是靠了荆州才得以安身立命的。建安十六年刘备入川之时，留下诸葛亮与关羽、张飞、赵云等大将镇守荆州，可见荆州在刘备集团中的地位。后来刘备攻刘璋，为了迅速平定巴、蜀，才使诸葛亮与张飞、赵云一起溯江入川，荆州由关羽留守。荆州是蜀汉的东方屏障，一旦主动出击，向北攻宛、洛，兵锋可以直指曹操的统治中心许都；沿江东征，对孙权的统治也是严重的威胁。

当然，孙权集团更明白荆州对于江东的重要性。“荆州据上游之重”，只要在别人手里，江东全境随时都处于被动挨打的地位。为确保江东安全，对于荆州，孙权是以全力相争的。

赤壁之战结束后，孙权为了继续联合刘备以抗击可能再次大规模南下的曹军，答应暂以荆州相借。建安二十年，孙权知刘备得益州后，便派人索要荆州。刘备借口得到凉州后方能交还，赖着不愿还。荆州的地位，孙、刘双方都是很清楚的。孙权单方面任命官员去接管荆州的南部三郡，结果被关羽的人赶走。于是，孙权马上命吕蒙等攻夺荆州所属的长沙、零陵、桂阳三郡，并遣鲁肃率军屯巴丘（今湖南岳阳）以防关羽。刘备闻知后亲率大军出川，驻扎于公安，同时命令关羽南下益阳，前往争夺三郡。双方已经到了非要诉诸武力以决雌雄的地步。但形势急转直下，曹操趁刘备东下之际，亲率大军西征，攻取了汉中。益州受到严重的威胁。在此紧急关头，刘备主动与孙权讲和，孙权也及时退还了业已夺取的零陵。双方约定以湘水为界，分割荆州属郡，江夏、长沙、桂阳东属，南郡、零陵、武陵西属。孙、刘之间的大规模冲突虽暂时平息下来，但双方的裂痕已经显露。

建安二十四年，刘备败曹军而定汉中。关羽趁机率领大军北伐，包围曹操大将曹仁于樊城，并歼灭了曹操派遣的援军。他诛庞德、擒于禁，威名大震，曹操差点儿放弃许都，以避其锋芒。这是关羽军事上的全盛时期，也是他一生中最辉煌的历程。如果他能谨慎地把握住有利战局，冷静地分析周围形势，还可能扩大战果，取得进一步的胜利。但令人遗憾的是，被胜利冲昏了头脑的关羽，由于军事和外交上的失策，竟从胜利的峰巅陡然跌入惨败的深渊。

赤壁之战解除了曹操对南方的威胁，魏蜀吴三方鼎足之势基本确立。当时曹操集团尚强而孙、刘集团相对而弱，两家只有继续联盟才能与北方抗衡。孙权与刘备联姻，又以荆州暂借，使刘备有了立足之地。赤壁之战，也正是由于取得孙权的支持，刘备才转败为胜的。刘备既与曹操势不两立，为确保自己的安全，就必须与孙权继续结盟。但是，荆州的敏感地位使两家难以心平气和。孙权虎视眈眈，把精兵强将布置在上游，时刻图谋夺取荆州。由于关羽统率强兵镇守荆州，孙权一时无机可乘。关羽的北伐，贻孙权以千载难逢的良机。关羽水淹七军后，对曹军展开了更凌厉的攻势。从某种角度看，关羽的勇略并不是他取得水淹七军胜利的真正原因。曹军统帅不熟悉地理和气候，自陷危地，授予关羽以空前意外的胜利，可以说，这是天助人威。关羽乘胜攻樊城，未克；另一支部队久围襄阳，亦未下。面对源源而来的曹军援军，关羽的攻势大为减弱。屯兵于坚城之下，历来是兵家的危道，在军事上，关羽的前景并不乐观，更何况尚有黄雀在后。关羽在外交上的失策，更直接导致了他的失败。

孙权欲与关羽结为儿女亲家，这在客观上有助于加强吴蜀两方的联盟。关羽既不允许，又口出狂言，无疑影响了吴蜀关系。关羽俘获于禁官兵三万，因粮食紧张而擅取之于孙权辖地，更加剧了与江东的矛盾。当然，关羽与孙权个人关系的好坏，对吴蜀两方在荆州问题上的根本矛盾并不起决定性作用，然而处理得当，可以使矛盾趋于缓和，至少可以推迟或避免在前线作战时后方遭到袭击。关羽在外交上的失误，招致孙权在背后杀来致命的一刀。关羽北伐时考虑到孙权可能袭击，留麋芳守江陵，士仁守公安，又在沿江建立烽火台（《吕蒙传》裴注），并派重兵布防。这一系列措施起到了一定的效果，使得孙权一时无法下手。但后来由于关羽受吕蒙、陆逊的蒙蔽而骄傲自负，放松了对东吴的戒备，把江防驻军大量北撤，调往攻曹前线，又给了东吴以可乘之机。关羽爱护士卒而轻慢士大夫，也让东吴钻了空子。麋芳是刘备的妻弟，跟随刘备多年，关羽让他留守大本营江陵。麋芳与士仁由于没能及时供应前线军需，受到了关羽的斥责。关羽警告说回师后要处分他们，造成了他们与关羽之间的裂痕。

吕蒙久经征战，陆逊精于韬略，两人协力谋划，终于使荆州沿江烽火不举，公安、江陵不战而降。吕蒙用攻心战术，在荆州抚慰关羽将士的家属，瓦解了关羽全军的斗志。在樊城前线徐晃奉曹操之命有意将孙权偷袭计划透露给关羽时，如果关羽当机立断，知难而退，本来是可以保住荆州的。但他犹豫不决，失荆州后方才匆促回师，耽误了时间，一路上将士逃散，溃不成军，关羽被迫退守麦城，最后突围中伏，不幸被杀，悲壮地结束了自己的一生。

关羽从空前辉煌的胜利一下子跌落到失败的深渊，不仅是他个人的悲剧，也葬送了诸葛亮兴复汉室的隆中计划。

《张飞传》讲析

【提要】张飞，字益德，涿郡（今河北涿州市）人，刘备的同乡。黄巾农民起义爆发时，刘备在涿县聚众，兴兵征讨，张飞即投奔其麾下。当时关羽也在刘备手下，年长于张飞，张飞侍之如兄长。刘备因军功授平原（今山东平原）相时，张飞与关羽同任别部司马，分统部曲。在长年的征战中，张飞与关羽鞍前马后，“随先主周旋，不避艰险”（《三国志·关羽传》），深受信任，成为刘备的腹心之将。“先主与二人寝则同床，恩如兄弟。”三人君臣而又兄弟的关系，善始善终，古今传为佳话。

张飞与关羽，追随刘备，一片忠诚。从公元 184 年镇压黄巾起事，在北方转战近二十年，刘备仍无立锥之地。两次得徐州，两次失徐州。公元 196 年，刘备带兵迎击袁术，留张飞守下邳（今江苏邳县），由于张飞粗暴，与陶谦旧将曹豹不和，一怒杀死曹豹，导致陶谦旧部反叛，吕布偷袭，刘备丢失了徐州。这是第一次失徐州，张飞负有主要责任。

建安三年（公元 198 年），曹操破吕布，邀刘备与关、张同去许昌。为了标榜自己敬贤爱士和笼络刘备等人，曹操表刘备为左将军，拜张飞为中郎将。次年，胸怀大志的刘备借故出许昌，杀曹操所置徐州刺史车胄反曹。他留关羽守下邳，自己去小沛

（今江苏沛县）。“刘备走小沛，张飞随之。”（《三国志·明帝纪》裴注《魏氏春秋》）曹操立即派兵攻打，不克。建安五年（公元200年），曹操便自率大军征讨。“先主败绩。曹公尽收其众，虏先主妻子，并禽关羽以归”（《三国志·先主传》），刘、关、张因此失散。这是第二次失徐州。两次失徐州，生动地说明，刘、关、张只靠万人敌、逞匹夫之勇是打不了天下的。刘备走投无路，只好投奔袁绍去邺，“驻月余日，所失亡士卒稍稍来集”。后他领兵略许下，关羽亡归，三人才又在一起。建安六年（公元201年），刘备为曹操击败，张追随刘备南下依刘表，驻屯新野。

建安十三年（公元208年），曹操征荆州，刘备奔江陵。在当阳长坂（在今湖北当阳），曹军精骑骤至，刘备军溃散四逃。刘备弃妻子将士逃命，令张飞将二十骑断后。张飞立马横矛，据沮水断桥边，二十多名骑兵布列身后。曹兵来后，见状不敢贸然而进。张飞便瞋目厉声大喝道：“身是张益德也，可来共决死！”他的英勇气概，使“敌皆无敢近者”，刘备因此得以安全退却。

赤壁之战中，张飞立下战功，还受刘备派遣，到周瑜帐下，去攻打南郡的曹仁（《三国志·周瑜传》裴注《吴录》）。战事结束，张飞任宜都太守，进位征虏将军，封新亭侯，被刘备摆在长江沿线，与关羽同为北方防务的主力。

建安十八年（公元213年），张飞奉命同诸葛亮、赵云沿长江而上，入川增援刘备，夺取益州。途经巴州（今四川重庆江北县），他领兵攻克之，生擒刘璋巴郡太守严颜。张飞呵叱道：“我大军驾到，何以不早降而敢抗拒对战？”严颜义正辞严回答说：“尔等不仁，侵夺我州土地，我州只有断头将军，无有降将军！”张飞大怒，令左右推出斩首，严颜面不改色，泰然自若，说：“砍头便砍头，何必如此恼怒！”张飞见状，十分佩服严颜的忠义和胆气，便亲自为他解去绳索，待为座上宾客。然后率军继续推进，沿途攻城陷郡，攻无不克，战无不胜，与刘备会师于成都。刘备据有成都后，张飞为巴西太守，驻阆中（今四川阆中）。

建安二十年（公元 215 年），曹操攻占汉中，留大将夏侯渊与张郃镇守，二人常常领兵入川侵犯。一次，张郃督军下巴西，欲抢掠百姓以归汉中，张飞率军相拒。两军在宕渠（今四川渠县）相持五十余日，不分胜负。张飞便运用计谋出奇兵，率精兵万人从另一条路绕至张郃军后击之。张郃军因在狭窄的山道中，前后不能相救援，被张飞各个击破。张郃大败，只得弃马沿山与十余人狼狈从小道逃走，领军龟缩回南郑（今陕西南郑），再也不敢出来。从此，巴西一带获得安宁。

建安二十二年（公元 217 年），刘备领兵争汉中，同时派张飞、马超、吴兰等入陇右，屯下辩（今甘肃成县），以争武都郡，曹操即遣曹洪相拒。“张飞屯固山，欲断军后。”（《三国志·曹洪传》）张飞欲抄袭曹军之后，但曹洪伏兵潜行，击破吴兰，使张飞军失去呼应之势，张飞只得领兵退回汉中。后刘备为汉中王，“拜张飞为右将军，假节”。刘备即帝位，张飞又迁车骑将军，领司隶校尉，进封西乡侯。

章武元年（公元 221 年），刘备东征伐吴，令张飞率万人从阆中至江州。临出发，张飞部将张达、范强将他刺杀，取其首级，顺流投奔孙吴去了。一员虎将，就这样默默地结束了威武的一生。

张飞自公元 184 年追随刘备起兵，至公元 221 年遇害，在 37 年的争战中，足迹遍及“齐、楚、幽、燕、吴、越、秦、蜀”，在大半个中国里，历大小战役数十次，以他的骁勇威猛，深受称誉，留下一世英名。曹操的著名谋士程昱、郭嘉说：“张飞、关羽者，万人之敌也。”（《三国志·郭嘉传》裴注《傅子》）刘晔说：“关羽、张飞，勇冠三军。”（《三国志·刘晔传》）刘璋的谋士傅干说：“张飞、关羽，勇而有义，皆万人之敌”，“人杰也”（《三国志·刘璋传》裴注《傅子》）。东吴大将周瑜说：“关羽、张飞熊虎之将。”（《三国志·周瑜传》）刘备在封爵的策文中也高度评价张飞的功勋说：“以君忠毅，侔踪召、虎，名宣遐迩，故特显命。”后追谥曰“桓”。

综观张飞的一生，在长坂勇退曹兵，驻巴西智胜张郃，不愧

"万人之敌，为世虎臣"之称号；攻巴州义释严颜，确有国士之风。但暴而无恩，"爱敬君子而不恤小人"。刘备曾多次劝诫他说："卿刑杀过分，又常常鞭挞健儿，而且还令他们在自己的左右，此取祸之道，当改之。"张飞置若罔闻，不以为然。结果被罚部将心怀怨恨，寻机将他杀害。这位熊虎大将，未能捐躯沙场，马革裹尸，却在小人刀下死于非命，令人悲叹。

《赵云传》讲析

【提要】赵云是蜀汉著名将领，有勇有谋，有胆有识。在蜀汉关、张、马、黄、赵五虎将中，虽名列最后，而却是最有政治头脑的人物。他的高尚品德以及为国尽忠的精神，更受到了人们的敬重。

赵云，字子龙，常山真定（今河北正定）人。他身长八尺，姿颜雄伟，少有声名。关东诸侯讨卓，赵云率本郡义从兵投于公孙瓒帐下，立志报国。可是公孙瓒不过是一个平庸的大军阀，胸无大志，鼠目寸光，只知兴兵夺地，不识国家大体，使赵云很失望。后来刘备也投到公孙瓒帐下，刘赵二人一见如故，遂成知己。公孙瓒表刘备为平原相，刘备前往赴任，刘备与赵云两人难舍难分，洒泪而别。不久，赵云以兄丧为由，告假归乡，脱离了公孙瓒。

建安五年（公元 200 年），袁曹相持于官渡。刘备此时投奔袁绍，赵云闻讯，赶来相见。赵云见刘备只身一人，兵将流散，将被袁绍轻视。赵云灵机一动，私下召募流民数百人，武装起来假称是刘备的部曲，竟瞒过了袁绍，使他不得小视刘备。刘备十分感激，与赵云同床眠起，倚为左右手。

建安十三年（公元 208 年），刘备被曹操追袭，兵败长坂，全军覆没，连妻子、儿子都被冲散了。刘备和诸葛亮等只有几十骑冲出了重围。在冲杀中，赵云也失去了联系。这时有人说赵云北投了曹操。刘备听了十分气愤，用手戟敲说话的人。刘备说："我十分了解赵云，他决不会背叛我的。"原来这时赵云正出生入死地在千军万马丛中左冲右突，寻找失散的主母甘夫人和幼主阿斗。赵云血战良久，好不容易在奔逃的难民群中找到了甘夫人和阿斗。这时阿斗年仅周岁。赵云忙解下铠甲，把阿斗纳入怀中，保护着甘夫人，终于突出了重围，回到刘备身边。刘备嘉其忠勇，升为牙门将。

建安二十四年（公元 219 年），刘备与曹操争夺汉中。耸立于汉中南郑西面的门户定军山，是两军争夺的战略要地。蜀将黄忠阵斩曹将夏侯渊，占领了定军山。不久，曹操领大队人马从关中杀来，双方又展开了激烈的争夺战。先是，曹军运来了米粮数千万囊至北山下，黄忠领兵去夺取。赵云领少数骑兵接应，中途突然和大队曹军遭遇，赵云虽身陷曹军之中，但毫无惧色，挺枪跃马，杀入重围，左冲右突，如入无人之境。曹军溃散。赵云且战且退，曹军又汇合起来，追至赵云营寨。赵云匹马单枪，立于营外，寨门大开，偃旗息鼓，摆起了"空城计"。曹军中张郃、徐晃领兵至赵云寨前，疑营中定有埋伏，不敢进攻，急忙退走，这时赵云又擂动战鼓，虚张声势，并用弓箭在后面射击曹军，曹军惊慌逃去。曹军在后退时自相践踏，拥到汉水边，落水死者不计其数。第二天，刘备和诸葛亮来到赵云营寨，察看昨天作战的地方，了解赵云设计智退曹兵，十分惊喜地说："子龙一身都是胆呀。"（《三国志·赵云传》裴注引《赵云别传》）此战以后，赵云多了一个别号，众人称他为虎威将军，名声大振。

赵云不只是一员有勇有谋的战将，并且具有远见卓识，极有政治头脑。赵云还深明大义，遇事以国家利益为重，又能顾全大局，不贪小利。这些品德和行事，都表现了他的政治家风度。

建安十四年（公元 209 年），赵云随刘备平定江南，升为偏将军，领桂阳太守。原太守赵范心怀叵测，把他的美貌的寡嫂献给赵云，套近乎以图谋不轨。赵云对赵范说："我们既然是同姓，就犹如兄弟，你的兄长就是我的兄长，不能做这等事。"左右的人都劝赵云顺水推舟将其娶下。赵云说："赵范是被迫投降，不知他葫芦里装的什么药，不能为了一个女子坏了大事。"赵范见赵云不上钩，害怕阴谋败露，就溜之大吉。赵云当作没事一样，礼遇赵范家族。

建安十九年（公元 214 年），刘备进入成都以后，"欲以成都中屋舍及城外园地桑田，分易诸将"。赵云极力反对这种做法，说："霍去病以匈奴未灭，无用家为，今国贼非但匈奴，未可求安也。须天下都定，各反桑梓，归耕本土，乃其宜耳。益州人民，初罹兵革，田宅皆可归还，令安居复业，然后可役调，得其欢心。"（《三国志・赵云传》裴注引《赵云别传》）于是刘备听了赵云的建议，稳定了益州民心。

章武二年（公元 222 年），刘备大发兵征讨孙权，欲与关羽报仇，夺回荆州。赵云分析了当时形势，劝谏刘备顾全大局，尊重实际，不要冒险出征。赵云说："国贼是曹操，非孙权也，且先灭魏，则吴自服。操身虽毙，子丕篡盗，当因众心，早图关中，居河、渭上流以讨凶逆，关东义士必裹粮策马以迎王师，不应置魏，先与吴战，兵势一交，不得卒解也。"（《三国志・赵云传》裴注到《赵云别传》）可是刘备不听赵云的规劝，遂出兵东征伐吴，结果夷陵兵败，蜀汉受到极大的损害。

赵云严于律己，又公忠体国，深受刘备敬爱。还有一事特别值得提出，刘备在荆州时用赵云管束孙夫人，颇是一段佳话。孙夫人是孙权的妹妹，她嫁给刘备是奉孙权之命结下的一场政治婚姻。当时刘备已年近半百，而孙夫人却是豆蔻年华，年龄的差距，加上结合的特殊原因，谈不上有什么恩爱。孙夫人又有一身武艺，喜欢使枪弄棒，脾气又暴，刘备十分惧怕，不敢管束她。孙夫人的随侍，仗势欺人，纵横不法。刘备想来想去，命赵云管理宫中之事，这些随侍孙夫人的东吴将士才老实了下来。刘备入蜀，孙权谋算荆州，招回孙夫人，暗中令她劫持阿斗到吴。赵云与张飞勒兵截江，夺回了阿斗，打破了吴人的图谋。

赵云的一生，光彩照人。他在蜀汉历任翊军将军、中护军、征南将军，封永昌亭侯。建兴七年（公元 229 年）病逝，后追谥曰顺平侯。

《法正传》讲析

【提要】法正（176—220），字孝直，是辅佐刘备建立蜀汉政权的卓越政治家和谋略家。汉末群雄纷起之际，谁能对局势作出正确的判断，谁就能踏上希望和成功之路，成为时代的主人。法正离弃昏庸的刘璋而投归思贤若渴的刘备，成为蜀汉的开国功臣，正是得益于他的远见卓识。

法正是在三国鼎立局面形成过程中登上政治舞台的，他的智慧和谋略促进了三国鼎立的形成。蜀汉政权的建立，法正起了重要作用。陈寿在传后评论说，法正“若见成败，有奇画策算”，虽然“不以德素称”，而比之魏臣，“正其程（昱）、郭（嘉）之俦俪”。这个评论是十分允当的。

赤壁之战后，荆、吴之势渐强，三国并立已初见端绪。当时，益州僻处西陲，深峡东临，秦岭北峙，具有支持割据的天然经济条件和优越的地理位置，但益州牧刘璋愚蠢无能，无法成为一支独据一方、与中国其他势力相抗衡的政治力量。其时孙曹两家都对益州虎视眈眈，可以预料，益州不被孙所吞，即为曹所灭。如果这时有一支精明强劲的力量，抢在孙曹之前取刘璋而代之，那么孙曹之间便可存在一个第三者，三国鼎立的局面就将在事实上形成。

法正认识到这种客观形势，“忖璋不足与有为，常窃叹息”，不愿做这个没落政权的殉葬品。他希望施展才华，希望改变自己的命运，获取显爵厚禄。《法正传》秩序井然地叙载了他为此而奋斗的历程。

迎刘备入蜀

曹操欲攻张鲁，刘璋心存唇亡齿寒之惧，张松乘机怂恿刘璋派法正迎刘备入蜀讨鲁，法正遂以出使为名，正式投奔刘备。他建议刘备灭掉刘璋，“然后资益州之殷富，凭天府之险阻，以此成业”。法正的意见能为刘备所采纳，是因为这个意见同诸葛亮的战略方针基本上一致。虽然如此，我们却不能低估法正在刘备入蜀问题上所起的作用。如果没有法正的穿针引线和内通外联，没有法正通过张松给刘璋做动员劝说和内应工作，尽管有诸葛亮的运筹帷幄和神机妙算，要顺利入蜀，一下进到益州的心脏地区，在军事上或者是困难重重，或者根本就不可能。迎接刘备入蜀，是三国鼎立局面形成的关键性步骤，也是法正把自己的个人活动和聪明才智烙在这段历史行程上的第一道印记。

劝刘璋效顺

刘备军围雒城，成都告急，但刘璋集团却抱着“此军悬远无粮……兵少无继”的想法，准备打持久战。为了打消对方这种认识和其他顾虑，法正致函刘璋。这封信，实质上是一纸内容严峻而遣词委婉的劝降书。信中全面分析了当时的形势，指出占有益州三分之二土地的刘备，粮食供应充足，得到广大吏民的拥护，且有孙权派兵作为后援，而刘璋方面则屡吃败仗，士无斗志，“坚城皆下，诸军并破”，且供给匮乏，民不堪命。旧政权遭到老百姓普遍的仇视和唾弃，官僚们则是一些没有远见、各谋私利的阿谀逢迎之徒。非常明显，刘璋已经到了山穷水尽、众叛亲离的地步，坚持顽抗绝不会有好下场，只有开城归顺才是可“保尊门”无恙的惟一出路。

这封软硬兼施的信，恫吓与规劝并举，诈惑与欺哄齐下，在外部军事压力的配合下，迫得刘璋乖乖出降了。

厚靖安人心

刘备军围成都，璋蜀郡太守许靖打算逾城而降，由于事情被发觉，未成功。刘璋投降后，刘备以许靖叛主不忠而瞧不起他，不予任用。法正因而进谏：许靖是拥有“虚誉”的知名人士，薄待他，有损新政权的形象。若对他加以礼遇，既可获得礼贤下士的好名声，又可招揽人心，有利于新政权的巩固。刘备立即采纳了法正的意见。法正这次进言，固然同他自身的处境和利益密切相关，但客观上也起着安定民情，使新政权能为蜀人拥护和接受的作用。

建策取汉中

曹操乘刘备初定益州，无暇北顾之机，一举灭掉张鲁，占有汉中，以夏侯渊领军驻守。曹操的目的很明确，就是要伺机南下，夺取巴蜀。法正深知曹氏这次军事胜利对刘备造成的威胁，于是献策刘备：夏侯渊非独当一面的将帅之才，若全力往攻，必能获胜。刘备依计北上，定军山一战，阵斩夏侯渊，大败曹兵，夺取了汉中。这次战役在军事上和政治上对日后蜀汉的立国具有至关重要的意义，因为汉中是益州联结中原的门户，得到它，蜀汉在北面就有了一道防曹的屏障，进可攻，退能守。献取汉中之策，无疑是法正在三国鼎立形成时立下的又一大功劳，曹操对之也赞赏不已。

以上便是法正在建立蜀汉政权时的主要贡献。

刘璋部属郑度是一位有识之士，他劝璋以坚壁清野、固守待敌的办法对付刘备的进攻。刘备担心此计会给自己带来严重麻烦，法正则认为用不着忧心忡忡，他看出郑度的建议是不会付诸实行的。不出所料，郑度提出了好建议不仅无功，反而受到贬斥。这件事从侧面衬托出法正的虑事之明和知人之深。不辨贤愚是非的刘璋，政治上如此无能，其结局只能是失败和垮台。由此可见，法正的弃璋投备，乃是何等的正确和识时务。

为报关羽之仇，公元 221 年刘备刚即帝位，便亲率大军征吴。这是一次感情用事的错误军事行动，诸葛亮以其破坏了三国鼎立的基本政治方针——孙刘联盟抗曹，曾相劝阻，但未成功。结果刘备大败而还，身死白帝。诸葛亮有感于此，认为法正若还活着，定能制止此次出兵；即或制止不住，也不会遭到如此惨重的失败。从诸葛亮的怀念和追忆中，亦可想见法正的过人才华及其在三国鼎立形成过程中的巨大作用。

在建立蜀汉政权、争取三国鼎立问题上，从决策的角度衡量，法正的影响和作用，仅次于诸葛亮，所以他深为刘备所信赖，被授予蜀郡太守的重任。但他利用手中的职权，假公济私，“一飡之德，睚眦之怨，无不报复，擅杀毁伤己者数人”。这样的行事和作风，表明他气量狭窄，不具备第一流政治家的广阔襟怀。诸葛亮虽曾巧妙迂回地替法正的猥琐浅陋进行过辩解和开脱，但这是出于维持统治集团内部关系的需要，不得已而为之的。《三国志》是以写人物称奇的史籍名著，作者在赞扬一位优秀的历史人物时，除正面畅述以充分表现其杰出贡献外，对其瑕疵处，亦铁笔无情，毫不掩饰。法正毕竟受着时代的局限，他玩弄政治手腕时的足智多谋虽令人叹服，可在个人生活上的庸俗渺小亦叫人鄙薄厌恶。美与丑如此矛盾而不谐调地结合在一起，正是历史的真实。

《廖立传》讲析

【提要】《三国志》卷四十、《蜀书》卷十《刘彭廖李刘魏杨传》，是蜀汉政权中失意人物的一组合传。刘封、彭羕、廖立、李严、刘琰、魏延、杨仪等，都是蜀汉政权中的第一、二流人才，但他们有的被杀，有的被禁锢终身，都未得善终。历史上，刘备向以“弘毅宽厚”和“知人待士”闻名，而诸葛亮则被史家称为“识治之良才，管、萧之亚匹”。但是，作为封建割据者的刘备和诸葛亮，他们的“任贤”，总是代表着一个狭隘集团的利益，总是夹杂着个人的偏见。因此，举贤不用、压制人才以至摧残人才的悲剧的发生是不可避免的。隆中路线的中道夭折，并非偶然现象。陈寿在这个组传里，时时流露出对这些失意人物的同情和对刘备、诸葛亮的批评。这个组传暴露了蜀汉政权的某些阴暗面，读来发人深省。本书选了廖立和魏延两传，一文一武，以供评说。

廖立在风云际会的三国政治舞台上，显然不是一个重要人物，他的远见卓识并未得到充分发挥，所以陈寿为廖立写传，仅用了五百余字。但是，这篇文笔简洁的小传，却蕴藏着十分丰富的内容，从另一个侧面反映了蜀汉政权的盛衰荣辱。陈寿在这篇小传中记叙的一些史实，特别是通过廖立这位失意人物之口对蜀汉政权的一些批评，是刘备、诸葛亮等人的传中绝少提到的。这些史实的记载，对全面认识三国之际的历史变迁，对正确评价这一时期的重大事件和历史人物，是颇有益处的。

赤壁之战后，廖立参加刘备集团，“年未三十，擢为长沙太守”。本传没有正面描写廖立的才干，而是通过诸葛亮的评价侧面描写的。“先主入蜀，诸葛亮镇荆土，孙权遣使通好于亮，因问士人皆相经纬者，亮答曰：‘庞统、廖立，楚之良才，当赞兴世业者也。’”庞统之才是世所公认的，诸葛亮在这里将廖立与庞统二人相提并论，无疑是充分肯定了廖立的才干。但是廖立的命运似乎很不好。建安二十年（公元 215 年），孙权派吕蒙袭取荆州的长沙、零陵、桂阳三郡，作为长沙太守的廖立只好逃走。刘备尚明事理，“素识待之，不深责也，以为巴郡太守”。建安二十四年（公元 219 年），刘备为汉中王，还征廖立作侍中，典掌机要，备顾问，颇为重用。然而刘备一死，廖立便被排斥，“徙长水校尉”。

所谓人才，有经纬之才，有吏能之才。以经邦治国之才自诩的廖立，“自谓才名宜为诸葛亮之贰”，是颇为自负的。然而他多年屈为从事、郡守，虽一度官侍中，但不久又遭左迁，心中自然感到不平，“常怀怏怏”。平心而论，这种愤懑是不难理解的。三国时期，群雄逐鹿，能否举贤用人，常常成为成败之关键。刘备三顾茅庐，请诸葛亮出山，历代传为佳话。但是在用人上，刘备不无失着。庞统初归刘备，“以从事守耒阳令，在县不治，免官”，即为一例。后来还是由于孙吴的鲁肃向刘备建言“庞士元非百里之才也，使处治中、别驾之任，始当展其骥足耳”，庞统方才得到重用。举贤而不用，或用非尽其才，同样会造成人才的浪费和对事业的损害。庞士元得鲁肃之荐脱颖而出，廖立未遇伯乐而终身埋没。

廖立受排斥时，正值蜀汉夷陵新败，国势大挫之际。由于失意不平，由于亲身经历过这段历史，廖立对造成这一局面的原因是深刻反省而持严肃批判态度的。廖立对蜀汉政权的批评，总括起来，一是用人不当，二是军事战略上犯了错误。第一点姑存而不论，仅就第二点看，很能透露出廖立的胆略和眼光锐敏来。他直言不讳地指出："昔先帝不取汉中，走与吴人争南三郡，卒以三郡与吴人，徒劳役吏士，无益而还。既亡汉中，使夏侯渊、张郃深入于巴，几丧一州。后至汉中，使关侯身死无孑遗，上庸覆败，徒失一方。是羽怙恃勇名，作军无法，直以意突耳，故前后数丧师众也。"应该承认，廖立的这些批评，不仅是相当大胆的，而且是尖锐中肯的。

事实上，赤壁战后，刘备集团确实在政治策略和军事战略上犯了一系列错误：

其一，不取汉中而与孙吴争南三郡。在三国几大势力的角逐中，介于关中与巴蜀之间的汉中处于十分重要的战略地位。益州人士杨洪指出："汉中则益州咽喉，存亡之机会，若无汉中则无蜀。"（《三国志·杨洪传》）建安十六年（公元211年），益州牧刘璋请刘备入川，使击汉中张鲁，即是考虑到汉中对巴蜀的重要。如果说刘备这时意在保存实力图谋益州而不愿北取汉中尚属可谅，那么建安十九年刘备攻下成都，自领益州牧后再不发兵攻取汉中，就是很大失策了。其后一年，先后发生了孙吴袭取南三郡和曹操进兵汉中的事件。刘备低估了汉中落入曹魏手中的危险性，置汉中于不顾，率军赶往荆州，去争夺已被吕蒙占据的南三郡。这在政治上、军事上都是不足取的。军事上，刘备率军赶往荆州事实上已无法改变荆州的局面，相反，却为曹操取得汉中开了方便之门。政治上，刘备去夺南三郡，使本来就很脆弱的孙刘联盟又出现了新的危机。结果，刘备处于两线受敌的地位，"卒以三郡与吴人，徒劳役吏士，无益而还"，又被曹操夺得了汉中，使益州根据地顿时紧张起来。曹操取汉中并非最终目的，他是要以汉中为据点，吞并益州。廖立指出："既亡汉中，使夏侯渊、张郃深入于巴，几丧一州。"究其错误，刘备是难逃其责的。

其二，荆州失利，也完全是刘备、关羽造成的。诸葛亮在《隆中对》中，就为刘备集团定下了"外结好孙权，内修政理"的既定国策。这一国策成功地推动了孙刘联盟，取得了赤壁之战的辉煌胜利。但是这一国策又和"跨有荆、益，保其岩阻"的战略设想是冲突的。对荆州的争夺，常常导致联盟的危机。因此，留驻荆州的人选应是既能寸土不失，又能顾全大局，缓冲孙刘冲突，谨慎从事的人。从这个意义上讲，刘备以关羽为荆州留守，是极大的错误。关羽虽称万人敌，但“刚而自矜”，意气用事，缺乏头脑，实不足当此重任。关羽“善待卒伍而骄于士大夫”（《三国志·张飞传》），不能团结、使用文职人员。孙权“遣使为子索羽女，羽辱骂其使，不许婚”（《三国志·关羽传》），使本来就比较紧张的孙刘关系更趋恶化。荆州的失守，不仅使蜀汉政权“跨有荆、益”的战略设想成为泡影，而且使孙刘联盟宣告破产。刘备为盟弟关羽报仇心切，不听劝阻，贸然伐吴，又导致了夷陵之战的失败，大大削弱了蜀汉的力量。

分析赤壁之战至夷陵之战这段历史，我们不难发现，刘备虽然取益州，夺汉中，奠定了蜀汉立国的基础，但在军事战略和政治上也犯了一系列错误，将蜀汉政权局限于一隅之地，不能有很大发展。

由于廖立公开批评了蜀汉政权，执政的诸葛亮以“诽谤先帝，疵毁众臣”的罪名，“废立为民，徙汶山郡”，使这位怀有经纬之才的廖立抱恨终身，这不能不说是一场历史的悲剧。这场历史悲剧充分反映出，中国历史上封建地主阶级的政治家，即使贤明如诸葛亮，也很难摆脱他们狭隘集团的利益和认识偏见，不能彻底地做到用人唯贤。

《魏延传》讲析

【提要】魏延是蜀国第一流的上将，他智勇兼备，深受刘备信任。公元219年，刘备还治成都，于全军将帅中独拔魏延以镇守汉中。魏延随军出征，常能克敌制胜，战功卓著。刘备死后，由于诸葛亮屡不采纳魏延的伐魏良策，魏延因此心怀怏怏；加之杨仪性狭气窄，以权徇私，终于造成了魏杨火并的历史悲剧。这事发生在诸葛亮死后尸骨未寒之际，几乎造成了蜀军的全军覆没。虽然魏延对火并的发生负有一定责任，但长期以来，人们把这次内讧完全归罪于魏延，倒是有失公允的。至于《三国演义》上说魏延天生有反骨，只是一种艺术的加工而已，不足为凭。

刘备在荆州时，魏延以部曲投奔。后魏延随备入蜀，数有战功，迁牙门将军。公元219年，刘备称汉中王后迁治成都时，欲选将镇守汉中。汉中东通荆州，西出陇右，北入关中，南联巴蜀，既是蜀汉的屏障，又是北伐兵出秦川的前进基地，地理位置十分重要。刘备选将，众论以为必为张飞，“飞亦以心自许”。但识见非凡的刘备却自有主张，独拔魏延以督汉中。令出，“一军尽惊”。事实证明，魏延是恰当的人选。受命之日，魏延发出豪言：“若曹操举天下而来，请为大王拒之；偏将十万之众至，请为大王吞之。”魏延依据有利地势，制定出一套有效的防卫措施，

“实兵诸围以御外敌”（《三国志·姜维传》），使曹军望而生畏，不敢妄入。延熙七年（公元 242 年），汉中守将王平以三万兵力抗御了曹爽十万大军的进攻，就是由于“皆承此制”。后来姜维统军，改变了魏延成规，结果钟会攻蜀，仅半个月就夺去了汉中。由此可见，魏延确是一位勇谋兼备的上将。

刘备死后，政令皆出诸葛亮。诸葛亮是当时为数不多的政治家和军事家。他为刘氏打天下鞠躬尽瘁、死而后已，至今深受人们的热爱。然而诸葛亮一生苦心策划的数次北伐，皆以失败而告终。究其原因，重要的一条就是用人不当，不能听取部下的意见。诸葛亮行将北伐，与群臣商量出军策略时，魏延分析了当时关中形势，认为应效仿当年刘邦出汉中时所采用的“暗渡陈仓”之计。他建议兵分两路，一路出子午谷，径取长安；一路出褒斜谷攻夺眉县，占领关中。然后会师潼关。魏晋之际由汉中越秦岭入关中的直道有三条，有褒斜道、傥骆道和子午道。三道之中以中路傥骆道最近，为 420 里；西路褒斜道次之，470 里，但道路平坦便于大军之行；东路子午道最为险远，有 660 里的高山险谷。魏延建议出褒斜道一路之主力由诸葛亮亲自率领，出子午谷一路则由他任统帅。他提出向诸葛亮借兵五千，借粮五千石，以二十日为限夺下长安，然后与大军会师潼关，逐鹿中原。但是，诸葛亮认为此计悬危，不如平出陇右“十全必克而无虞”。结果出陇右的结果是劳民伤财，苦而无功。就整个局势看，魏延之计是可行的。当时魏主在洛阳，关中守将是夏侯楙。夏侯楙是魏武帝曹操的女婿，少时与魏文帝曹丕亲近，丕即位，封楙为安西将军，持节，督关中。这位夏侯将军虽坐镇长安，权势炙手，但实际上是一个“性无武略”，只知“多畜伎妾”（《三国志·夏侯惇传》裴注引《魏略》）的庸懦之徒。魏延料定夏侯楙不是他的对手，只要他兵出子午谷，夏侯楙必遁无疑。从战略态势来看，魏延建议走子午、褒斜二道，避开道路最近，魏军防范最严的傥骆道，也符合兵法“避实就虚”，“出其不意，攻其不备”的原则。诸葛亮否定魏延的建议实属下策。魏延因此而认为诸葛亮胆怯，深恨自己的才能在其帐下不得尽用。后来，出陇右的数次失败，使诸葛亮意识到凭蜀汉小国，无力与曹魏打消耗战，于是想起了魏延的旧计。公元234年诸葛亮决定率军出褒斜道径取关中，然而这时关中局势已起变化，守将不是怯懦的夏侯楙，而是老谋深算的司马懿。司马懿采取固守疲敌的方针，不与蜀军争锋。八月，诸葛亮未捷先亡，结束了他一生的北伐。

诸葛亮一死，随即爆发了魏、杨火并事件。魏、杨二人私怨甚深，"有如水火"，结怨的根本原因是相互不服。魏延"善养士卒，勇猛过人"，众人皆服其威，又性矜高，人皆避让之，养成了骄傲之气。就人而论，魏延无论是镇守汉中，还是从诸葛亮出征，无不战功累累，不失为蜀中超群之上将，而杨仪只不过是一位"筹度粮谷"，整治"军戎节度"的二流角色。杨仪心胸狭窄，目空一切，多与人不和。如刘备征吴之际，杨仪身为尚书而与尚书令刘巴大搞摩擦，结果刘备只好将杨仪"左迁遥署弘农太守"。诸葛亮考虑接班人时也指出杨仪"性狷狭"，不如蒋琬。魏杨二人不合，风传内外。东吴孙权醉后对使者费祎说："杨仪、魏延，牧竖小人也，虽尝有鸣吠之益于时务，然既已任之，势不得轻。若一朝无诸葛亮，必为祸乱矣。"（《资治通鉴》卷七二）费祎认为二人不合起于私忿，并无反叛之心，所以，每当二人相争，费祎则常坐其中，调解以合。陈寿说："终亮之世，各尽延、仪之用者，祎匡救之力也。"作为一人之下万人之上的诸葛亮，对魏、杨之争虽有所限制，但终因爱惜杨仪的才干、魏延的勇猛而"不忍有所偏废也"。正是由于这种暧昧不明的态度，才酿成了内讧的结局。魏、杨火并的原因，是杨仪害怕魏延摄行军事，于己不利，于是造出魏延谋反的谎言，置延于死地。

魏延不曾谋反，史有确载。本传云："原延意不北降魏而南还者，但欲除杀仪等……并无反意。"魏延之死，死于杨仪的奸计。当然，魏延的不顾大局，亦是自寻死路，正中杨仪下怀。魏延死后，杨仪十分得意，脚踏魏延之头，又夷其三族。但权欲熏心的杨仪也没有好下场。他又与蒋琬等争权，下狱死。像杨仪这样的小人竟然得到诸葛亮的信任，不能说不是诸葛亮的用人之失。

成书早于《三国志》的《魏略》，对此事的记载和《三国志》有所不同。《魏略》说诸葛亮将死，托付后事，“令延摄行己事，密持丧去”。魏延忠实地执行了这一指示，退至褒口，才举旗发丧。“亮长史杨仪宿与延不和，见延摄行军事，惧为所害，乃张言延欲举众北附，遂率其众攻延。延本无此心，不战而走，追而杀之。”这段记载被完整地保留在本传裴注中。裴松之注引这段材料时，认为这是敌国传言，不可相信。裴松之的看法似乎有失于偏颇。以情理度之，若魏延真反，何必不在前线倒戈，而舍近求远，退烧栈道才举兵呢？将《三国志》本传与《魏略》有关记载相对照，细细推敲，不难看出魏延不是谋反，而是死于杨仪的奸计。

千百年来由于受《三国演义》的影响，使魏延蒙受了不白之冤，应该给他澄清。从魏延的遭遇可以看出，诸葛亮死后，蜀中之无人，与后主的昏庸和蜀汉的用人政策实有很大的关系。蜀之早亡，不亦宜乎！

《邓芝传》讲析

【提要】邓芝传选自《三国志》卷四十五《邓张宗杨传》（邓芝、张翼、宗预、杨戏）。这是一个二流人物的合传，但邓芝却是这些二流人物中的佼佼者。他协助诸葛亮重结吴蜀之好，使蜀国从困境中解脱出来。

邓芝一生最显赫的业绩是重新缔结吴蜀两国的联盟。联吴抗魏是诸葛亮始终坚持的外交路线。早在建安十二年（公元207年），诸葛亮在隆中就向刘备提出“西和诸戎，南抚夷越，外结好孙权”的外交政策。第二年曹操大举南征，击败刘备，攻下荆州，诸葛亮就亲自赴吴与孙权结盟。后来由于争夺荆州的土地，孙刘矛盾日益尖锐，终于爆发了建安二十四年（公元219年）的吴兵袭荆州之战和章武二年（公元222年）的猇亭之战。战争破坏了三国鼎立的均势，对吴蜀双方都很不利。从吴国方面看，孙权虽夺荆州、杀关羽，又打败了刘备，但这却是以向曹丕称臣纳贡为代价的。曹丕一方面遣使征召吴国的太子孙登入侍，以作为要挟孙权的人质；另一方面又积极沿江部署兵力，准备利用吴国大军在西部与蜀兵相拒之机，乘虚渡江攻建业。同时，刘备虽然打了败仗，却还收集了败兵，屯驻白帝，随时准备报复。一旦曹丕渡江袭建业，蜀兵就会沿江顺流而下，这样吴国就有被蜀魏瓜分的危险。因此，孙权于章武二年八月打败刘备，十月即遣使向他求和。从蜀国方面看，刘备丢了荆州，猇亭之战又损失了大量精兵，他进不能吞吴，退又怕见笑于天下，同时，曹丕虽暗地策划袭吴，公开却声言要伐蜀，这不能不使他有所顾虑。所以孙权的使者郑泉一到白帝言和，刘备即遣宋玮赴吴报聘，以后又派费祎、丁厷等人相继聘吴，但都未能重建联盟。章武三年四月，刘备死于白帝，诸葛亮开始执政。这时，益州郡豪强雍闿勾引一些夷族的统治者又发动叛乱，蜀国的局势更加动荡不安了。诸葛亮要镇压南方的变乱，以稳定局势，要实现他梦寐以求的"北伐"，都必须联吴。在这种情况下，邓芝便脱颖而出，主动向诸葛亮提出派遣使者"重申吴好"的建议。尽管诸葛亮早就想与吴国重缔盟约，但还没有找到完成这一使命的合适人选，故当即表示采纳他的建议，并任命他为赴吴缔约的使者。

到吴国重缔盟约并不是一件轻松的差事，所以诸葛亮才会在人选方面感到为难。事实表明，在刘备死后，吴蜀之间邦交矛盾的主要方面不在蜀国，而在吴国，特别是孙权。这是因为蜀国处于较不利的地位。当时，蜀国内部发生叛乱，外部又面临着魏吴联合进攻的威胁。而且，刘备、诸葛亮在政治上打着恢复汉室的正统旗号，外交上只能联吴抗魏，绝不能与魏妥协。吴国则不同，它可以利用矛盾而根据自身的利益来进行选择。孙权一方面向曹丕称臣纳贡，一方面又派使者到蜀国去探访，就是这种灵活性的表现。同时，孙权秉性猜疑多变，特好嘲弄人，周围又有一批"才博果辩、论难锋至"的朝臣，不少蜀、魏的使者受过他的戏弄。要说动孙权缔结盟约不是一件易事，所以邓芝一到吴国，就先吃了闭门羹。可是邓芝并不气馁，他深知孙权不管是降魏或和蜀都是依据其自身的利益来进行选择的，于是就上表求见孙权，直截了当地提出"臣今来亦欲为吴，非但为蜀也"作为敲门砖，求得孙权接见。见面之后，邓芝撇开了那些陈腐的正统观念，不以蜀国而从吴国自身的利益来分析联蜀与降魏两者的利弊。他先指出联蜀有"进可以兼并天下，退可以鼎足而立”之利，而后剖析降魏会给吴国带来的严重后果：即孙权如不服服帖帖地受曹丕摆布而甘当附庸，一旦曹丕翻脸，魏军伐吴，蜀军也必然会“顺流见可而进”，这样，孙权连江南也保不住了。邓芝言简意赅地剖析了利害关系，促使孙权下决心同魏国绝交而重与蜀国结盟。他不但没有受到孙权的嘲弄，还得到“和合二国，唯有邓芝”的高度评价，这就充分显示出了他的胆识与睿智。

汉末和三国时期的战乱，锻炼出一批才兼文武的将吏，邓芝就是其中的一个。常璩的《华阳国志》说他好弩善射。尽管陈寿在本传说他为将二十余年，可是这方面的着墨却不多。综观有关的记载，邓芝在军事上值得一提的有两件事，一是箕谷（在今陕西褒城县西北）退兵之事。后主建兴六年（公元 228 年），诸葛亮首次提兵伐魏，他声言从斜谷（在陕西眉县西南）出兵攻眉县（今陕西扶风），令邓芝协助赵云以偏师屯守箕谷口作为“疑军”，来吸引魏国的主力部队，自己则率领大军出祁山（今甘肃礼县东）攻打陇西诸郡。这次战役由于街亭（今甘肃秦安东北）的失守而失败了，可是赵云、邓芝敢以几千人的部队和相差十来倍的敌兵相拒，这本身就要有很大的胆略。尽管由于“兵弱敌强”，赵、邓虽然“失利”，但却能“敛众固守，不至大败”，特别是撤退时“兵将不相失”而“军资什物、略无所弃”，与其他部队撤退时的溃散很不一样，因而获得了诸葛亮的表扬和奖励。后来邓芝把撤退的成功归功于赵云的亲自“断后”，但应该说邓芝治军的“尝罚明断，善恤士卒”还是起了作用的。另一件事是出任江州（治今四川江北县）都督，诸葛亮死后不久，邓芝即以前军师前将军出任江州都督，直至他卒于任所，前后一共长达十六七年。按蜀汉于江州、永安、汉中、庲降设四都督，统领重兵镇守。江州都督主要是防吴和镇压蛮夷。《三国志·蜀书·王平传》说：“邓芝在东、马忠在南、平在北境，咸著威名。”邓芝立“威名”见诸记载的就是他镇压了涪陵国人的反抗，这在我们看来是不足称道的。可是他任江州都督的时间极长，这主要是由于他跟孙权的关系很好，用他守边能够避免吴、蜀之间的边境纠纷，所以说他在巩固吴蜀之间的联盟方面也有所贡献。

邓芝是蜀汉一个较有作为的政治人物，但《三国志》有关他事迹的记载却很少，以至时人杨戏所撰的《季汉辅臣赞》都把他排除在外，这应该与他的“性刚简，不饰意气，不得士类之和”有关。

《孙策传》讲析

【提要】孙策，是孙坚长子。孙坚死时，孙策年仅17岁。他率领父亲部曲一千余人打天下，在群雄中脱颖而出，据有江东，是吴国的创立者。

孙策自幼聪明英武，好结交朋友，声名远播，是个少年英雄。舒（今安徽舒城）人周瑜与孙策同年，慕名来访，一见如故，两人结为生死之交，孙策遂举家迁往舒城，孙坚死后，孙策遭徐州牧陶谦之忌，乃携母徙曲阿，依其舅丹杨太守吴景，并乘机召募了亲兵数百人。

兴平元年（公元194年），孙策率众投靠占据寿春的袁术，很受袁术的赏识，"术常叹曰：'使术有子如孙郎，死复何恨！'"（《三国志·孙破虏讨逆传》）但袁术对孙策颇怀戒心，他曾先后两次许诺任孙策为九江太守、庐江太守，但两次都悔约而改授自己的亲信。孙策知自己不被信任，便准备脱离袁术他去。恰在这时，孙策的舅舅吴景遭到驻在曲阿的扬州刺史刘繇的攻击，被赶出了丹杨城，双方在横江津一带相持不下。"策说术云：'家有旧恩在东，愿助舅讨横江；横江拔，因投本土召募，可得三万兵，以佐明使君匡济汉室。'术知其恨，而以刘繇据曲阿，王朗在会稽，谓策未必能定，故许之。"（《三国志·孙破虏讨逆传》裴注引《江表传》）

袁术放虎归山，孙策如鱼得水。袁术表孙策为折冲校尉，行殄寇将军，又将其父孙坚的旧部千余人尽数拨归他统辖。孙策的宾客千余人也和他一起出发。一路上，由于军纪严明，百姓拥护，行至历阳时，已成为一支拥有五六千人的浩荡大军。这支军队作战勇敢，势如破竹，打败了刘繇手下的大将张英、樊能，刘繇弃军而奔，诸郡守也望风而逃，孙策没费多大力气就进入了曲阿（今江苏丹阳）。有了根据地之后，军力很快得到了扩充，“旬日之间，四面云集，得见兵二万余人，马千余匹，威震江东，形势转盛”（《三国志·孙破虏讨逆传》裴注引《江表传》）。

此时江东各地，豪强割据，各不统属，主要有乌程邹他、钱铜，吴人严白虎，前合浦太守王晟及自称为吴郡太守的陈瑀等，各聚兵数千到数万人，称霸一方，其中尤以严白虎的势力最大。孙策采取先弱后强的策略，首先平定了邹他、钱铜、王晟等人，接着便杀向严白虎。正当孙策大军出征严白虎之际，驻守海西的陈瑀却秘密遣其都尉万演渡江，联络豪帅严白虎、祖郎、焦已等，准备偷袭孙策军。孙策发觉此事后，仍亲率大军按计划出发，另派吕范、徐逸率兵进攻海西，大破陈瑀，杀其大将陈牧，获其吏士妻子四千人。

严白虎见孙策亲自领兵前来，便深沟高垒，坚守不出，同时派其弟严舆赴孙策军营请和。孙策假意允和，并置酒款待严舆。席间，孙策出其不意杀了严舆。严舆是严白虎手下的出名的骁将，他的被杀，使严白虎一军胆丧。双方军队一接触，严白虎军便败下阵来，严白虎带着少数人逃往余杭。至此，孙策基本平定了江东六郡，自领会稽太守，仍以吴景为丹杨太守。孙策把豫章郡分为豫章、庐陵两郡，以孙贲、孙辅两堂叔分任为太守。朱治为吴郡太守。彭城张昭、广陵张纮、秦松、陈端等为谋主，势力大盛。

建安二年（公元 197 年），袁术称帝于寿春，孙策上书反对，与袁术绝交。曹操趁此拉拢孙策对抗袁术，表孙策为讨逆将军，封吴侯。这样，孙策名正言顺割据了江东。

建安五年（公元 200 年），曹操与袁绍大战于官渡。这时，陈瑀之从兄子陈登任广陵太守，治射阳，他为报陈瑀兵败之仇，积极策划进攻孙策。孙策大举出兵，计划先讨平陈登，然后挥师直捣许都，准备挟天子以令诸侯。军行至丹徒，孙策外出射猎。他驰马疾追一鹿，从骑落在后面。突然，事先埋伏的三个许贡的宾客举弓向他射来。孙策奋力射杀一人，自己也中箭落地，受了重伤，另外的两个被赶到的孙策从骑击毙。许贡原是吴郡太守，被孙策所杀。许贡的小儿子及宾客亡匿江边。他们侦知孙策常爱个人追猎野兽，故伺机报仇。孙策中箭，医嘱静养可治。可是孙策性情急躁，他引镜自照，见面容憔悴，对左右说："这样一个丑样子，还有面目见人吗?"于是扔了镜子，大发脾气，缝合的创伤破裂，当夜就死了。这时孙策只有 26 岁。临终，把印绶交给了其弟孙权。孙策对孙权说："举江东之众，决机于两阵之间，与天下争衡，你不如我；举贤任能，各尽其心，以保江东，我不如你。"又嘱张昭、周瑜尽心辅佐。就这样，开创江东基业的孙策与世长辞了。

孙策 17 岁领兵，只有几百人。经过了九个春秋的战斗，却创下了江东基业，真是一代天骄，当世无与伦比。孙策长得英俊，又爱谈笑，而打起仗来勇猛异常，总是一马当先，时人称他为"孙郎"。敌方将士和草野百姓，一听孙郎来了，大都失魂落魄。在攻打笮融的战斗中，他中箭负伤，不能乘马，仍指挥若定，赢得了胜利。正是这种一往无前的气概，才成就了江东基业。

但是，孙策虽然勇猛，却并不是一介武夫。他治军整肃，百姓爱戴。史称"军士奉令，不敢虏略，鸡犬菜茹，一无所犯，民乃大悦，竟以牛酒诣军。"（《三国志·孙破虏讨逆传》裴注引《江表传》）他巧离袁术，智取严白虎，奇袭刘勋，不仅显示了出色的战争干才，也显示了他政治上的成熟。他不失时机地抓住袁曹官渡之战的时机，要奇袭许昌，挟天子以令诸侯，这事虽然没有实现，确表现了孙策的远大目光和胸中韬略，不知超过袁绍几多!

孙策善于识才，也善于用才。张昭、张纮是孙策亲自礼聘的，周瑜更是他的盟兄弟。收服太史慈尤表现了孙策的爱才和博大胸怀。太史慈是东莱人，也是一员虎将。他原在刘繇帐下效力。孙策亲自与他交战，打得难解难分，孙策的头盔也被太史慈夺走了。后来孙策打败刘繇，俘获了太史慈，爱其勇，不计前仇，亲自替太史慈松了绑，署为门下督。太史慈感戴不已，作战英勇，立了不少战功。东吴人杰吕蒙、吕范、朱然、蒋钦、周泰、陈武、董袭等人，都是孙策聚拢留给孙权的宝贵财富。

《吴主传》讲析

【提要】孙权（182—252）是东吴开国皇帝，也是三国时期的一位风云人物。他当政时间达五十余年，在内政外交各个方面都卓然有所建树，对保守江东起过巨大的作用，对三国历史的进程也有着重大影响。孙权生当乱世，注意招延英俊，网罗人才，以他为中心，吴国形成了一个坚强有力的领导核心，一大批政治、军事、外交干才在这时纷纷涌现，其中有许多是年轻的政治家、军事家。自古言“江东子弟多才俊”，当以此时为盛。在外部，孙权根据当时的客观形势，确定联蜀抗魏的战略方针，促进并巩固了三国鼎峙的局面。孙刘联盟共同抗击北方曹魏集团，是这一时期政治、军事斗争的主要线索，虽然吴、蜀之间为了各自的利益也发生过争执，甚至大动干戈，但毕竟是次要的和暂时的。吴蜀联合抗魏是孙权外交上的主导思想，它保证了东吴政权的巩固和实力的加强，从而能长时期地和曹魏对抗，并取得政治、军事的一系列胜利，这显示出孙权的战略才干。孙权继承光大父兄的基业，并把它交给了后人。孙权死后，吴国政局动荡不安：孙亮被废，孙休早死，孙皓残暴无道，丧尽人心。蜀国灭亡后，吴之所以能苟延残喘，实有赖于孙权奠定的基础。

孙权是三国时期杰出的政治家和军事家。他生于汉灵帝光和五年（公元 182 年），死于吴神凤元年（公元 252 年），终年 71 岁。他继承父兄遗绪，割据江东，一生经历了赤壁之战，吴蜀荆州之争，夷陵之战，吴称藩于魏，吴蜀重归于好等重大历史事件。孙权以其谋略和灵活的外交手腕，成为保守江东的一代英主，对整个三国历史的进程也产生了举足轻重的影响。

孙权年少继位。这时，北方强敌虎视眈眈，东吴内部“未有君臣之固”，大敌当前，内外交困，江东政权有旦夕之忧。在十分危急的情况下，孙权励精图治，招延英俊。他“待张昭以师傅之礼”，“纳鲁肃于凡品”，“拔吕蒙于行陈”，紧紧团结了周瑜、韩当、周泰等一大批才气过人的文臣武将，并及时分遣诸将，镇抚山越，平定内乱。孙权还多次西征黄祖，积极扩大地盘。经过几年努力，东吴政权方才初步稳定下来。当时挟天子以令诸侯，政治上处于有利地位的曹操，经过连年征战，相继消灭吕布、二袁和刘表等割据势力，统一了北方广大地区，三分天下有其二。建安十三年，曹操挥戈南下，刘琮慑于曹军声威，率众投降。操军兵不血刃，据有襄阳，接着又在当阳长坂大破刘备，夺取了江陵。曹操乘新胜之势，水陆并进，转而攻吴，意在一战吞吴，最后完成统一大业。孙权的大臣大都劝他效法刘琮，只有周瑜、鲁肃主张一战。孙权力挽狂澜，决心同曹操决一死战，于是他采纳鲁肃和诸葛亮的建议，决定联合刘备共同抗击曹操。这一决策虽大出群臣意外，但后来被事实证明是完全正确的。表面看来，孙刘联军只有三万多人，而曹军二十多万，众寡悬殊，但正如诸葛亮、周瑜等人所指出的那样，曹操军队也有许多不利因素：第一，曹军奔师远袭，已是强弩之末；第二，北军不习水战，却舍骑就舟，实是弃其所长，用其所短；第三，刘琮水军是乌合之众，远不足与孙刘水师相匹敌；第四，北方人心未服，曹操有心腹之患；第五，东吴据险而守，以逸待劳，急切难以攻破，而旷日持久，操军将不战自疲，无所用其锋。合此五端，已知赤壁之役曹操决然难以取胜。虽然周瑜用火攻之法，焚烧曹操军战船，延及岸上营落，使北军遭到惨重损失，加速了曹军的溃败，但这不是战争胜负的决定因素。王夫之《读通鉴论·献帝》认为赤壁之战吴、蜀必胜，曹操必败，乃不待火攻而后定。他在分析了各种因素后指出："即微火攻，持之数月，而操亦为官渡之绍矣。"这话符合实际情形。唐代诗人杜牧写过一首诗，有云"东风不与周郎便，铜雀春深锁二乔"，未免过于夸大了战争的偶然因素，似未足定论。赤壁会战，是决定吴、蜀生死存亡的关键战役。曹操溃败，仓皇北窜，从胜利的顶巅跌落下来，而吴蜀民心士气大为振奋，统治集团内部的自信心也随之增强。江东政权得到进一步巩固，刘备也有了立足之地，它标志着三国鼎峙局面的开始。赤壁一战，吴蜀联军扼制了北方集团的凌厉攻势，是三国形势一次带根本性的转变。此后，曹操害怕江滨郡县为孙权劫夺，曾下令百姓内迁，致使江西空虚。这说明曹操已不敢奢望一举消灭吴、蜀，而不得不作些防御的打算了。

随着三国形势的暂时稳定和吴、蜀实力的加强，孙刘两个统治集团的矛盾开始变得尖锐起来。当初孙权为了联合刘备抗曹，曾借荆州的南郡给刘备。赤壁战后，刘备乘机扩展势力，取得益州，孙权便派诸葛瑾赴蜀求取荆州江南三郡。孙权之所以急于收回荆州，有两点考虑：首先，荆州数郡原为东吴主力败曹才为刘备所得，而这时刘备已取得相当地盘，收回荆州，名正言顺；第二，荆州乃吴国上游门户，蜀国守将关羽勇猛超群，而又与孙权不睦，让一个不放心的人据守自家的大门，孙权自然难以容忍。从这个意义上讲，孙权决定讨还荆州，不光是为了争夺利益，也是为本国的安全着想。不想刘备也不肯轻易放弃既得利益，借口要等平定凉州后，才能归还荆州。孙权明知这是托辞，当然不会答应，于是下令设南三郡长吏，不料被关羽悉数赶走，这就进一步加深了吴蜀双方的矛盾。孙权遣吕蒙督部夺得三郡，刘备也不甘示弱，遣兵相向。本来双方一场大战已很难避免，恰巧这时魏军入侵汉中，刘备恐腹背受敌，不得已遣使向孙权求和，两军才暂时偃旗息鼓。但双方的矛盾并没有真正解决，一场大的冲突在酝酿之中。

吴蜀矛盾的激化，并非偶然。三国纷争与交合，都是以利相倾，没有绝对的道义可言。吴蜀联盟在一定程度上也是一种相互利用的关系。两国唇齿相依，因此不希望对方过早被曹操集团消灭，但也不愿意对方过于强大，对自己造成威胁。两家都有志图王，假如他们能共灭曹魏，双方也不会就此相安无事。赤壁战后，蜀汉集团跨有荆、益，势力有了长足的发展。对此，孙权心怀忌恨，一心想剪除关羽，收回荆州，苦于时机不成熟而迟迟未能下手。到了建安二十四年，各方面的形势都发生了很大变化。这年秋天，关羽擒于禁，俘获曹军三万人，又围曹仁于樊，曹操打算徙许都以避其锐气。然而，曹魏的谋臣看清了吴蜀日渐加深的矛盾，司马懿、蒋济认为："刘备、孙权外亲内疏，关羽得志，权必不愿。"（《三国志·蒋济传》）建议割江东封权，以解樊围。这时，东吴内部亲刘派代表人物鲁肃已经去世，由吕蒙接替。吕蒙"外倍修恩厚，与羽结好"（《三国志·吕蒙传》），而暗中却在图谋荆州。东吴既念念不忘夺回荆州，而老天又赐良机：关羽全力对曹仁作战，荆州十分空虚。孙权早已跃跃欲试，所以曹操使者一到，孙权便满口答应。经过周密策划，轻取荆州，一举擒杀关羽父子，除了心头之患。

建安二十五年，曹丕称帝，孙权遣使向魏文帝称藩，并将关羽俘获的于禁等人遣送回国。为了酬答孙权，魏文帝封他为吴王，并加九锡。虽则这些不是孙权追求的目标，但醉翁之意不在酒，孙权自然另有打算：他深知关羽与刘备情同手足，而荆州则如刘备心头之肉，蜀国决不肯自认吃亏而善罢甘休。得到曹魏集团的保证，在短时间内可不必忧虑北方，而能腾出力量来专力对付刘备。这一考虑，真是先着一鞭。果然不出所料，刘备深恨孙权袭杀关羽，于章武元年（公元 221 年）兴师动众，大举伐吴。孙权权衡利弊，决定遣使求和。但刘备积怨于中，盛怒不许，孙权也惟有一战了。夷陵大战，刘备一败涂地，仅以身免，但孙权知道吴国无力吞灭蜀国，如继续敌对下去，势必两败俱伤，最后被曹魏各个击破。因而他再次遣使求和。刘备也终因迫于形势，同意和解。

荆州、夷陵两次争战，是吴蜀联盟中出现的大波折，双方都为此付出了很大的代价：孙权不得已向曹魏称臣，刘备在军事上遭受了巨大的损失，从此元气大伤。虽然如此，从吴蜀关系发展的全过程来说，这仍然是暂时的和次要的。共同的敌人，共同的利害关系，最终使他们携起手来，一致对敌，这才是双方关系的本质和主流。

孙权向魏文帝称臣，完全是出于策略上的考虑，而不是出自诚心，曹丕、孙权虽名为君臣，吴魏关系却实在情同敌国。曹丕封孙权为吴王，东吴群臣以为不应受魏封，孙权回答："昔沛公亦受项羽拜为汉王，此盖时宜耳，复何损邪?"于是受之。孙权派赵咨使魏，魏文帝问孙权是什么样的君主，赵咨答以"聪明仁智雄略之主"，并直言不讳，宣称"据三州虎视于天下，是其雄也；屈身于陛下，是其略也"。更有甚者，魏军兵马渡江，孙权部下全琮等击杀之，而权托言不知，哪里还有臣服之意！对此，曹丕也耳闻目睹，不能释然于怀。他想进一步确定同孙权的关系，于是软硬兼施，一面派曹休、曹仁、曹真等三路大军齐出，以武力威逼孙权，一面又遣使表示对孙权的信任，一再催促吴太子孙登到京师作任子，并且加封。孙权则一再借故推托，以拖延时日。后因曹丕催逼过紧，不容旋踵，孙权干脆改变年号，临江拒守。

吴魏关系破裂后，孙权遣使聘刘备于白帝，积极恢复吴蜀关系，同时又继续与魏文帝来往。这一阶段孙权采取两不得罪的外交策略，显示了他的谨慎和权谋。刘备死后，吴蜀使者频频往来，两国关系不断得到巩固和加强，进入了全面发展的新时期。到了黄初三年（公元 222 年），魏文帝亲自出广陵，隔江相望，只能叹曰"彼有人焉，未可图也"，便匆匆撤离。

经过多年的苦心经营，孙权夺取了荆州，完全据有长江天堑，并与蜀结成了较为牢固的友好关系，在军事和外交上取得了一系列重大的胜利。他在国内改革内政，奖励农耕，更改法令，并平定了许多叛乱，建立起较为稳固的统治秩序。又通过改历、宣扬符瑞做了大量的舆论工作，孙权认为称帝条件已经成熟，便于黄龙元年（公元 229 年）登上皇帝宝座。

孙权即位之初，便与蜀国订立盟约，尔后公开打出了联蜀抗魏的旗帜。盟誓首先声讨曹魏集团的罪恶，罪及曹叡祖孙三代，并且分其土地人民，以示必加诛灭而后快。誓言接着规定吴蜀双方要互相扶持，休戚与共，若一方遭到侵害，另一方必须救援，并宣称要将这种关系传之后世。由于魏蜀吴三国强弱形势不同，吴蜀的主要忧虑始终来自北方曹魏集团，因而吴蜀联盟符合双方的长远利益，具有牢固可靠的基础。吴蜀结盟之后，双方互相配合，彼此呼应，在对曹魏集团的战争中，吴蜀能不时采取进攻的姿态，在很大程度上取决于两国的统一行动。直到蜀后主刘禅投降，两国联盟方告结束。

孙权前半生在忧患和危急中度过，由于他审时度势，长于权变，能应付各种复杂的情况，所以在他统治的五十余年中，内政、外交、军事等各个方面能不断有所建树。吴国多次经历重大战争，都能取得胜利。东吴由弱而强，转危为安。孙权后半生能够在较为安定的环境中度过，得力于他的谋略和审慎决策。孙权“分任授职，乘间伺隙，兵不妄动，故战少败而江南安”（《三国志·吴主传》注引《傅子》）。孙策临终曾对孙权说“举贤任能，各尽其心，以保江东，我不如卿”，曹操也曾有“生子当如孙仲谋”之誉，可见孙权确是保守江东不可多得的一位杰出人物。当然，孙权也不是完人，后期孙权猜忌过度，杀戮太多，判若两人，有时轻信谗言，制造了不少冤案，又更易太子，动摇国本，制造了统治集团的内讧，这些都是他明显的弱点，我们不必为之讳饰。陈寿以为吴国后世陵迟覆国，由孙权而致，不无道理。但功过相较，他巩固江东政权，为后世创下了基业，却是主要方面。

《周瑜传》讲析

【提要】 周瑜（175—210），字公瑾，孙吴政权的开国功臣。周瑜最显赫的功绩是公元208年取得的赤壁之战的胜利。当时，曹操亲率二十余万大军向江东推进，企图征服孙权，统一天下。强敌压境之际，孙权的谋臣张昭等人慑于曹操的军势，劝孙权投降。周瑜冷静地分析了敌我双方的形势，力排众议，赞助鲁肃联刘抗曹的主张，驳斥了投降派。在孙权的支持下，他统率三万二千孙刘联军，利用天时、地利、人和的条件，火攻曹军，一举破曹，创造了历史上以少胜多，以弱胜强的著名战例。赤壁之战，迫使曹操北还，为三国鼎立的形成奠定了基础。他和诸葛亮一样，"出师未捷身先死"，公元210年病死在进军西川的巴丘途中。周瑜死时才36岁，可谓壮志未酬，但他无疑是三国时代最杰出的政治家和军事家之一。

陈寿写《周瑜传》，是把周瑜作为一个奇才来描写的，这和当时乔玄称曹操是"命世之才"，徐庶称诸葛亮为"卧龙"一样。我们知道，当时社会流行着品评人物的风气，所以作者也对三国人物作了各种不同的品评，如说刘备是英雄，曹操是人杰，孙策、孙权是英杰，诸葛亮、鲁肃是奇才等等。周瑜既是三国时期吴国举足轻重的人物，陈寿自然会抓住他一生中的典型事例来加以表述。周瑜在短暂的戎马生涯中屡建战功，而赤壁破曹则是他一生中最辉煌的战绩。《周瑜传》全文二千余字中，描写赤壁之战前后的文字就用了 1072 字，约占全文的一半。因此，我们阅读《周瑜传》，就要把握住这一中心环节来加以剖析。

周瑜之奇，奇在与众不同，举其大端有三个方面。

第一，周瑜头脑冷静，能正确分析客观情况，把握事物的本质，不为气势汹汹的曹军所吓倒。曹操东进，号称八十万，声势浩大，吓得东吴投降派心惊胆战。张昭等人说："曹公豺虎也，然托名汉相，挟天子以征四方，动以朝廷为辞，今日拒之，事更不顺。""表治水军，蒙冲斗舰，乃以千数，操悉浮以沿江，兼有步兵，水陆俱下，此为长江之险，已与我共之矣。而势力众寡，又不可论。"既然力量对比悬殊，结论是只有投降这一条路，"愚谓大计不如迎之"。当时诸葛亮正出使江东，以孙刘两家联合抗曹游说孙权。孙权狐疑不决，既不甘心投降，又怕抗曹失败。周瑜针对张昭等人的恐曹心理，冷静地分析了主客观形势，指出抗曹必胜，驳斥了投降派。周瑜首先从政治上分析曹操的短处，说明抗曹的正义性。他指出："操虽托名汉相，其实汉贼。"既然是"汉贼"，那么孙、刘则是"为汉家除残去秽"，出师有名。以此号召天下，可以取得广泛的支持，就眼前来说，也能鼓舞士气，同仇敌忾。接着，周瑜从力量对比上分析，扬己之长，论敌之短。周瑜说，"将军以神武雄才，兼仗父兄之烈，割据江东，地方数千里，兵精足用，英雄乐业"，足能抗曹，"况操自送死"，岂不是天赐良机吗？他进一步指出曹军的不利之处：一，曹操有后顾之忧；二，"舍鞍马，仗舟楫"，"本非中国所长"；三，天气盛寒，"马无藁草"；四，中原之众"远涉江湖之间，不习水土，必生疾病"。由于周瑜透过表面强大的现象看到了曹军虚弱的本质，所以他肯定地说，"将军禽操，宜在今日"。最后周瑜自告奋勇，请求率兵迎战，并保证能打赢这场战争。孙权听了周瑜的一席话，精神大振，口发誓言说，"孤与老贼，势不两立"，并抽刀斫案，表示抗曹决心。这个决心，正是周瑜影响的结果，难怪作者评论他是“建独断之明，出众人之表”了。

第二，周瑜运筹帷幄，利用天时、地利、人和，以己之长，克敌之短，创造了以少胜多，以弱胜强的光辉战例。周瑜接受孙权的委派，领兵三万，在刘备所遣关羽、张飞二千人的支援下，拒曹军於赤壁。“时曹公军众已有疾病，初一交战，公军败退，引次（驻扎）江北”，形成两军隔江对峙的局面。周瑜等人认识到“今寇众我寡，难与持久”，并在冷静和仔细的观察中，发现曹军的战船首尾相接，于是出奇制胜，采用黄盖诈降和火攻战术，一举大破曹军。由此我们可以看到，战争的胜负，不单纯取决于军事实力的大小，还决定于主观指导的正确与否。曹操被胜利冲昏了头脑，看不到自己的不利条件，犯了主观指挥的错误，因而从优势转化为劣势，从主动变为被动。而周瑜则不仅敢于蔑视敌人，增强自己的信心，而且在行动上作了具体的部署，保证了战争的胜利。赤壁大捷的结果，使孙、刘政权得到了巩固和发展，为魏、蜀、吴三国鼎立局面的形成奠定了基础。

第三，周瑜雄图远略，为孙权规划全据长江的战略。周瑜的战略目标不是鼎足三分，而是全据长江。赤壁之战，孙刘结盟抗曹，在周瑜看来只是权宜之计。赤壁战后，周瑜向孙权提出了两点建议：一是控制刘备，二是进兵西川。公元 210 年，他借孙权、刘备会议之机，建议孙权把刘备控制起来。办法是“盛为筑宫室，多其美女玩好，以娱其耳目”。同时把关羽、张飞分散，以便分而治之，好控制使用他们。他劝说孙权无论如何不要把荆州借给刘备，生怕他们“蛟龙得云雨，终非池中物也”。

但是，孙权借荆州给刘备，也有他的功利目的。因为刘备和曹操的矛盾大于孙、刘之间的矛盾，借荆州可以利用刘备打击曹操，从而减轻自己的压力。这是鲁肃的策略，也是当时比较现实的策略。当时刘备的力量还不大，孙权可以放心，而树操之敌，可以有效地遏制曹操南下。曹操听到孙权把荆州三郡借给刘备的消息时，吓得不自觉把写字的笔掉在地上，可见孙、刘的联合，正是曹操的大忌。但是周瑜的建议并非要和刘备破裂，而是采取既要为我所用，又要限制他发展的办法，这和孙刘联合的总政策来说并不矛盾。不过控制刘备并非易事，孙权没有采纳。周瑜向孙权提出的第二个建议是："今曹操新折衄，方忧在腹心，未能与将军连兵相事也。乞与奋威俱进取蜀，得蜀而并张鲁，因留奋威固守其地，好与马超结援。瑜还与将军据襄阳以蹙操，北方可图也。"这就是说，趁曹操无力他顾之机，先取巴蜀，再并张鲁，西与马超结援，然后据襄阳以攻曹操，相机进军中原。周瑜的这个建议从孙吴立场上说是颇有远见卓识的。孙权日后袭杀关羽，夺取荆州，显然是受周瑜这一计划的影响。不过一来周瑜低估了刘备集团的力量，二来这种作法对两国同盟是不利的。周瑜没来得及实行这一计划，便病死于西征途中，年仅 36 岁。可以说，周瑜是壮志未酬，怀恨九泉的。周瑜为孙吴政权的奠基立业，建立了不可磨灭的功勋，难怪孙权痛哭流涕地说："公瑾有王佐之资，今忽短命，孤何赖哉!"又说："孤非周公瑾，不帝矣。"

《周瑜传》写作上有两个很突出的特点：

第一，叙事简洁，详略得当。作者不是流水账式地写周瑜的一生，而是抓住有代表性的事件加以介绍。赤壁大捷是周瑜一生中最辉煌的战绩，故着墨较多，但在具体写法上详写决策过程而略写战争实况。

第二，语言凝练，人物形象生动。"瑜长壮有姿貌"，使人看出周瑜少年英俊的形象。"瑜推道南大宅以舍策，升堂拜母，有无通共"以及"性度恢廓"的描述，使人得知周瑜心胸豁达而不是像《三国演义》所描写的那种气度褊狭的人。他的作风和鲁肃有相似之处。周瑜与孙策是同龄好友，比孙策小一个月，却比孙权大七岁。孙权的母亲嘱咐孙权说："我视之（周瑜）如子也，汝其兄事之。"但他对孙权则是"独先尽敬，便执臣节"。周瑜对同僚能做到"折节容下"，连老资格的程普也说和他相交"若饮醇醪，不觉自醉"。（《三国志·周瑜传》裴注引《江表传》）可见周瑜对人的谦让，在当时已是有口皆碑的了。"瑜少精意于音乐，虽三爵之后，其有误，瑜必知之"，寥寥数语，又刻画出周瑜是一个风雅之士。周瑜最可贵的品质是对孙吴政权的无比忠诚。他在与曹仁作战时身负重伤，为了稳定军心，“激扬吏士”，他忍受箭伤，“案行军营”。最后，周瑜死在出征西川的路上，孙权深情地说：“孤念公瑾，岂有已乎！”作者这样描写，也表达了他推崇“奇才”和“能臣”之目的。

《鲁肃传》讲析

【提要】 鲁肃（172—217），孙吴卓越的政治家和战将。鲁肃对吴国的贡献主要不在疆场，而在帷幄。鲁肃最早向孙权提出“鼎足江东”，“建号帝王以图天下”的战略目标，制定并始终如一地坚持联刘拒曹，说明在吴国众多的文臣武士中，他最有政治头脑，最具政治远见。陈寿赞他“建独断之明，出众人之表，实奇才也”。本传记事简洁，人物性格鲜明，文质相称，不愧是良史之笔。

鲁肃是东吴杰出的战略家和优秀的军事将领，他的方略对三国鼎立的形成起了重要作用。鲁肃生当汉末乱世，少有壮节，好为奇谋，招聚少年，讲武习兵，欲有一番作为。他利用“家富于财”的有利条件，赈济贫乏，结交士人，在乡里有很高的威信。

物以类聚，人以群分。鲁肃早年即与周瑜有“侨、札之分”，说明他有见识，善知人。“袁术闻其名，就署东城长”，他见袁“无纲纪”，知“不足与立事”，辞不赴任，“南到居巢就瑜”，更反映出他的深谋远虑。本传写鲁肃早年经历，突出他的志气与才识，为下文写他的谋略，作了很好铺陈。

鲁肃往依孙氏集团后，充任军事将领，但他的贡献主要不在擐甲执兵，疆场驰骋，而在运筹帷幄，助画方略。本传即以此为线索，谋篇布局，详记鲁肃的谋略。鲁肃之谋略意义重大，影响深远者有二：

其一，论帝王之业。鲁肃初见孙权，孙便要求鲁帮助建“桓文之功”，而鲁则希望孙成“高帝之业”。当是时，孙策新亡，权方视事，江东六郡，“深险之地犹未尽从，而天下英豪布在州郡，宾旅寄寓之士以安危去就为意，未有君臣之固”（《三国志·吴主传》）。可以说，孙氏集团面临生死存亡之秋，土崩瓦解，时有可能。平庸之辈，自顾不暇，何及言他。就以孙权论，也只求“尽力一方，冀以辅汉耳”。鲁肃敢于在此时此刻论帝王大业，光有才智，没有胆略是不行的。

鲁肃所谓帝王之大业，是轻狂文人的浮言虚语吗？不是。它是建筑在对形势透彻分析基础上的长虑远顾。关于形势，孙权认为，“今汉室倾危”，面临严重危机，但还有挽救的可能；但鲁肃则认为，汉室已“不可复兴”，有曹操在，“欲尊事义帝”也不可能。因此，别无他途，只有“建号帝王以图天下”一路可走。显然，鲁肃的见解更为深透，有气魄。

鲁肃所论之帝王大业，还有切实可行的具体步骤。第一步，“鼎足江东”，目的在“观天下之衅”。这样做一有巩固的基地，二便于隐蔽战略意图，避免过早为众瞩目，成为众矢之的。时“北方多务”，群雄角逐的中心在中原，江东一隅尚不为人重视，“鼎足江东”不仅可能而且可行。第二步，借北方的多务，相机发展势力，“剿除黄祖，进伐刘表”。孙刘世仇，除黄祖、伐刘表，是江东将士的普遍敌忾。但着眼点不同，鲁肃的目的不在报仇，而在“竟长江所极，据而有之”。第三步，“建号帝王以图天下”。这时才依靠长江流域逐鹿中原，与竞争对手决一雌雄。可见鲁肃的战略宏图周密细致，是深思熟虑的产物。将鲁肃的宏图与诸葛亮的“隆中对”比较，不难发现二人有惊人的相似，所谓“英雄所见略同”，当无过于此。张昭辈诋毁鲁肃“年少粗疏”，“谦下不足”，正暴露了他们目光短浅，反衬了鲁肃的卓识远见。

鲁肃把帮助孙权成帝王之业作为奋斗目标，随时以此激励孙权，给孙权以巨大鼓舞，坚定孙权的战斗意志。赤壁之战，曹操大军南下，遗书孙权，扬言“方与将军会猎于吴”（《三国志·孙权传》注引《江表传》）。当时东吴一片投降妥协的呼声，使得孙权也不无犹豫。鲁肃正是根据帝王之业的战略宏图向孙权指出：“今肃可迎操耳，如将军，不可也。何以言之？今肃迎操，操当以肃还付乡党，品其名位，犹不失下曹从事，乘犊车，从吏卒，交游士林，累官故不失州郡也。将军迎操，欲安所归？”于是打动了孙权。孙权下决心与曹操周旋到底，这才有了影响至深的赤壁大战。

其二，定联刘拒曹之策。公元208年的赤壁之战，是东汉末年有重要历史意义的一次战役。战役的结果，孙刘联军获胜，三国鼎立的形势基本确立。没有这一胜利，便不会有三国鼎立。

赤壁之战的胜利，就军事指挥而言，首功当推周瑜，就战略决策论，首功则当推鲁肃。孙刘联盟是赤壁之战联军获胜的根本保证，而联盟的实现则是鲁肃力排众议而一手促成的。

孙权与刘表有不共戴天之仇，且孙权要竟长江所极，荆州志在必取。刘备依附刘表，无所作为，所以联刘无从谈起。刘表死后，由于曹操南下，刘表二子分裂，联合刘备，控制荆州，共同对付曹操，成为当务之急。鲁肃不失时机，立即向孙权进言，指出荆州的战略价值，分析当前局势，要求奉命以“吊表二子”为名，只身前往荆州，相机行事。鲁肃清楚认识到，此次行动，干系重大，“如其克谐，天下可定”；然事不宜迟，“今不速往，恐为操所先”。事态的发展，完全证实了鲁肃的预见。他方在途中，曹操已大军南下。他日夜兼程，及至南郡，形势急转。刘琮投降，刘备“惶遽奔走”，正是千钧一发之际。鲁肃临危不惧，毅然亲赴前线，在当阳长阪与刘备会见，“宣腾权旨，及陈江东强固，劝备与权并力”。刘备十分高兴，“即共定交”。孙刘联盟，功在鲁肃。

鲁肃返命，孙刘联盟却遭到东吴群臣普遍反对。以长史张昭为首，面对曹操的军事威逼，“莫不响震失色”，极力主张降迎曹操，孙权狐疑。鲁肃力排众议，晓以利害，为孙权“廓开大计”，才终于坚定了孙权的抗曹决心，使孙刘联盟得以施行。

孙刘联盟保证了赤壁之战的胜利，鲁肃的胆略才智在这次战役中得到了充分的发挥。战役结束后，鲁肃先还，孙权“持鞍下马”，“大请诸将迎肃”。鲁肃在东吴的威望陡然上升，鲁肃在赤壁战役中的运筹之功受到了高度重视。《资治通鉴》述赤壁之战，从“鲁肃闻刘表卒，言于孙权曰”起始，也正确地肯定了鲁肃在赤壁战役中所起的作用。然后人论赤壁之战，大概多受《三国演义》影响，重周瑜而轻鲁肃，则未免有欠公允。

鲁肃固长于谋略，但并非不能将兵。周瑜死，肃拜“奋武校尉，代瑜领兵”。肃“威恩大行，众增万余人，拜汉昌太守，偏将军”。孙权曾赞扬鲁肃的实际军事才能，“然其作军，屯营不失，令行禁止，部界无废负，路无拾遗，其法亦美也”。

然鲁肃的主要贡献仍在于谋略。鲁肃不仅一手促成了孙刘联盟，并“守之终身而不易”（王夫之《读通鉴论》卷九）。为了维护孙刘联盟，鲁肃劝孙权借荆州给刘备；蜀将关羽，“与肃邻军，数生狐疑，疆埸纷错，肃常以欢好抚之”；刘备夺益州后，孙权为求长沙、零陵、桂阳三郡，几与刘备兵戎相见，鲁肃周旋其间，“备遂割湘水为界，于是罢军”。终鲁肃之世，孙刘联盟得以维持，就东吴方面言，主要得力于鲁肃。

鲁肃终身坚持孙刘联盟，就如诸葛亮终身坚持“结好孙权”一样，都是为了各自集团的根本利益。在三国鼎立的形势下，孙刘友好是双方求生存求发展的最佳策略。王夫之指出：“鲁、葛定交合力以与操争存亡，一时之大计无有出于此者”（《读通鉴论》卷九）。事情很明显，赤壁之战孙刘联军虽然打败了曹操，但曹操强而孙刘弱的基本状况并未改变，两弱联合，可以保持鼎立均势；两弱相斗，则仅有利于强者。因此可以说，刘备在一定程度上的强大，对孙权只有利而无害，“多曹之敌，而自为树党，计之上也”（《读通鉴论》卷九）。鲁肃正是看清了这一点才主张把荆州借给刘备的。把荆州借给刘备，单从军事着眼，对孙权也是有利的。孙吴缩短了战线，便于尽力于东线；西线有友军在前，是极好的屏障；让曹刘在襄樊一带拼杀，孙权可坐收渔人之利。曹操就看到了这一问题的严重性，“闻权以土地业备，方作书，落笔于地”。曹操的战略眼光确实非同寻常。

“夫荆楚与国邻接，水流顺北，外带江汉，内阻山陵，有金城之固，沃野万里，士民殷富。若据而有之，此帝王之资也。”将“帝王之资”给予他人，岂不与根本战略意图相抵触？然而是“借”不是“给”。“借”只是一时策略，最终还是要“据而有之”的，但要等待时机。在“鼎立”之时，应更好地运用策略“观天下之衅”。惜乎孙权没能真正理解联刘拒曹的深远意义，鲁肃死后，孙权为贪小利，袭杀关羽，先后向曹操父子称臣，这不仅有违鲁肃初衷，也给自己造成了危机。公元221年七月，刘备为关羽报仇，亲率诸军进击孙权。刘晔曾向曹丕进言，指出：“今天下三分，中国十有其八。吴、蜀各保一州，阻山依水，有急相救，此小国之利也。今还自相攻，天亡之也。”为此建议兴师伐吴，“径渡江袭其内。蜀攻其外，我袭其内，吴之亡不出旬矣”（《三国志·刘晔传》注引《傅子》）。由于曹丕初得政权，忙于安定内部，没能采纳刘晔意见，否则，后果的确不堪设想。

鲁肃为维护孙刘联盟呕心沥血，为佐孙权成帝王之业竭忠尽智，死后备享哀荣。“权为举哀，又临其葬”，“诸葛亮亦为发哀”。《鲁肃传》真实记录了鲁肃一生行状及其贡献，不仅是研究鲁肃，也是研究三国历史的宝贵资料。

《三国志》向以简约爽洁著称，《鲁肃传》充分体现了这一特点。全文1773字，写出了一个重要历史人物的一生，真可谓惜墨如金。行文时，该详则详，该略则略，繁简得宜。全文四段，重点在二三两段，几占全篇三分之二。论谋略，记对话，不厌其烦；人物动作、神情，如在眼前。至于其他，则一笔带过。本传以写谋略为主，记叙时笔墨酣畅，但仍着意剪裁，精于取舍，摈弃一时一事的纵横捭阖，着力于关系全局的大略宏图。

有人批评《三国志》“意务简洁，故裁制有余，文采不足”。（李慈铭《越缦堂日记·咸丰己未三月初三日》）。这个批评有欠妥当，本传是有文采的。鲁肃劝权拒操一段文字，语言情真意切，十分感人。“权起更衣，肃追于宇下，权知其意，执肃手曰”云云，看似寻常的几个细节，便将重大决策前人物的沉思、焦急、欲得知己、欲献忠心等等情态表现得淋漓尽致，难怪《资治通鉴》将本段照抄全录。赤壁之战后，鲁肃先还，“权大请诸将迎肃。肃将入阁拜，权起礼之，因谓曰：‘子敬，孤持鞍下马相迎，足以显卿未?’肃趋进曰：‘未也。’众人闻之，无不愕然。就坐，徐举鞭言曰：‘愿至尊威德加乎四海，总括九州，克成帝业，更以安车软轮征肃，始当显耳。’权抚掌欢笑”。胜利后的喜悦，通过这样一个典型的细节而跃然纸上。

从最初的“建号帝王以图天下”到“若据而有之，此帝王之资也”，从“将军迎操，欲安所归?愿早定大计”到“愿至尊威德加乎四海，总括九州，克成帝业”，线索分明，照应自然，内在逻辑联系严谨，表现了作者叙事的笔力和匠心。

《吕蒙传》讲析

【提要】 吕蒙（178—219）是东吴创建过程中有重要贡献的将领之一，他 15 岁左右从军，投靠孙策部将邓当，为孙策所赏识。邓当死后，蒙代领邓当的旧部，从孙权攻略各地，又从周瑜参加赤壁之战。后吕蒙继鲁肃屯兵陆口，与蜀汉名将关羽接境。吕蒙一生中最显著的功业为袭破荆州俘获关羽，这对当时三国形势具有很大影响。因赤壁战后“三分天下”的局势虽基本形成，但三分的均势尚未形成。由于荆州地处三方交叉地带，且位于扬州上游，关系到东吴安危，荆州未得，东吴实难以稳固。但强取荆州，则吴蜀破裂，两国受害。吕蒙偷袭荆州，差点打破了三国鼎立的局面。由于孙权对曹魏付出称臣纳贡的高昂政治代价，吴国才避免了两线作战。刘备复仇，惨败于夷陵，吴蜀又才重归于好。假如蜀胜，两国均将受祸。从鼎立形势论，吕蒙取荆州是一着险棋。但这一着险棋，吕蒙下得十分漂亮，取得了速胜，使孙权实现了多年的夙愿，摆平了地理均势，从而使吴蜀之间的疆域稳定下来，最终巩固了鼎立之势。因此，研究孙权开创吴国的历史和三国鼎立的形成过程，《吕蒙传》是一份具有重要参考价值的史料。

吕蒙是三国时一位值得称扬的历史人物，但长期以来人们对他的了解并不深、评价并不高，这是有客观原因的。一来传统的史著对于三国的历史多抱偏见，或以刘氏的蜀汉为正统，或以中原的魏晋为正统，对东吴君臣开拓江南的功业未予足够的重视；二来汉将关羽久为封建统治阶级所渲染和神化，而吕蒙作为擒杀关羽的主谋人，难以得到公允的评价。

幸而陈寿《三国志》保存了韦昭《吴书》的丰富史料，一定程度上反映了吴国历史的真实情况。而且由于陈寿著史卓具创见，对东吴开拓荆州的前后发展过程和吕蒙这位不太为人注目的历史人物作了客观的记载，才不至使其人其事湮没不闻。今天我们已完全摆脱掉传统的世俗之见，不再迷信什么“正统”，也不再迷信什么神圣不可侵犯的“关公”，重读这篇传记，很有助于我们对吕蒙这个人物的了解。原来威名显赫的“关公”之所以成为吕蒙手下的败将，并非出于偶然。

吕蒙少年从军，一生戎马倥偬，身经百战，为东吴呕心沥血，其献身精神实可与蜀汉诸葛亮的“鞠躬尽瘁死而后已”相媲美，然而两人境遇悬殊。诸葛亮出身于仕宦人家，从小饱读经史，精习韬略，熟知天下大势，能言善辩，学识高远，早年已被人尊称为“卧龙先生”，因此出山后便青云直上。而吕蒙出身孤穷，寄人篱下，“少不修书传”，识字无多，连普通文书也不会写；入伍时既无荫庇，又无部曲，以致连军吏都瞧不起他。出身经历的坎坷，更显示出吕蒙勤奋上进的艰难和可贵。

关于吕蒙自学成才的过程，裴松之引《江表传》作过说明：孙权见吕蒙有才干而无文化，深感可惜，劝他业余多读点书，又教以“急读《孙子》《六韬》《左传》《国语》及三史”。吕蒙自此才开始就学。他学习能专心致志，勤学不倦，所以进步很快，浏览史传之多，连年老博学的读书人也不能胜过他。后来鲁肃接替周瑜主持军务，与蒙言谈，常被折服，自叹不如说：“吾谓大弟但有武略耳，至于今者，学识英博，非复吴下阿蒙。”后来孙权也对他刮目相看：“子明少时，孤谓不辞剧易，果敢有胆而已；及身长大，学问开益，筹略奇至，可以次于公瑾。”事实上吕蒙为了弥补少时不学无文的缺点，坚持在繁忙的军务间隙不懈地学习，不断增长知识，增进修养，前后已判若两人。所以，说他才具“不亚于周瑜”，并非过誉。陈寿评论诸葛亮说“将略非所长”，“无应敌之才”，而谈及吕蒙竟无一语贬词。显然《三国志》的作者陈寿对吕蒙将略的评价高于诸葛亮，这一点是一般人所忽略的。

吕蒙的将略既来源于实践，也来源于读书。吕蒙善于学以致用，与一般书生的治学态度完全不同；他在治军时又善于用其所学，又与一般军人单凭经验作战有明显差别。他建功立业之所以能超于诸将，究其原因，不外乎他“学问开益”，具有远见卓识。裴注引《吴书》《吴录》，记濡须之役中吕蒙劝孙权夹水立坞。诸将以为“上岸击贼，洗足入船，何用坞为”，吕蒙却预见“兵有利钝，战无百胜，如有邂逅，敌步骑蹙人，不暇及水，其得入船乎”。后来果然用兵失利，慌忙退却，幸赖吕蒙所建夹水之坞掩护撤退，才站住阵脚，免于落水。又记征皖之役，诸将劝孙权“作土山、添工具”，稳扎稳打，独吕蒙审时度势后提出不同主张。他认为“治工具及土山，必历日乃成，城备既修，外救必至，不可图也”。他建议抓紧有利时机，立即发动猛攻，说“今观此城，不能甚固，以三军锐气，四面并攻，不移时可拔”。孙权采纳吕蒙的策略，一鼓作气攻上城去，只花了一顿饭工夫，就结束了战斗。曹军援兵晚到一步，见皖城已破，只好退去。倘若依诸将之见“作土山”，则土山未成，已腹背受敌，皖城难破了。从这些战役中不难看出，吕蒙的谋略确有过人之处。

文中巧取零陵一节，记吕蒙用兵善诈，写得淋漓尽致。当时孙权已发来命令，要他立即放弃攻取零陵的计划，北撤去声援鲁肃，以对抗刘备、关羽的援军。据孙权估计，零陵短时间内难以攻下，而刘、关大军压境，双方势将为争夺三郡掀起一场恶战。吕蒙并不完全同意这样的看法，他看出对方的弱点，因而在不违抗孙权命令的前提下作出创举，利用北撤前的间隙，迅速降服零陵守军，完成了三郡的占领任务，令刘备感到进援失据，只能坐下来谈判。他的方法是接到命令后保守秘密，连夜布置攻城，先瞒过素以博学著称而与守将交好的邓玄之，通过邓玄之把守将郝普哄骗过来。第二天早晨，不费一箭，不伤一卒，顺利地解除了零陵守军的武装，从而迫使刘备请盟。东吴处于优势地位与刘备谈判，满足了划湘水为界的要求，并避免了一场恶战。吕蒙这一系列活动，充分表现出他的才干和谋略。

文章的高潮是争夺荆州。荆州之争为三国时代重大政治事件之一。荆州的战略位置，使各方争逐，兵连祸结，前后延续已 29 年。早在公元 191 年，孙权的父亲孙坚即因争夺荆州，被刘表、黄祖部下射死。孙权的哥哥孙策，誓与刘表、黄祖不共戴天，但未捷而身先死，只好把未竟事业留给孙权。孙权杀死了黄祖，未及进兵荆州与刘表决战，而曹操已南下抢先平定了荆州。赤壁之战后，曹操主力北撤，荆州转入刘备手中，成了蜀汉起家的根据地。刘备入蜀，荆州由关羽据守。东吴几度索讨，甚至不惜兴师动众，也只求得以湘水划界，而荆州要地依然控制在关羽手中。东吴君臣为此怪怨鲁肃，鲁肃也无能为力。关羽威势日盛、兵强马壮的现实，使东吴将领们不敢与之抗争。只有吕蒙，敢于“图取关羽”，而且那么巧妙、毫不费力，就把荆州全部占有。这不能不使关羽叫苦不迭，使刘备目瞪口呆，使孙权大喜过望，使曹操为之咋舌。吕蒙谋取荆州的方式仿佛鸭子划水，只在底下活动，水面看不见一丝波纹。他“外倍修恩厚，与羽结好”，又通使，又聘问，又撤兵，又乞假，又称病笃，又露檄回建业……瞒过了内外所有人的耳目，让关羽放心北伐。正当关羽围困樊城，“水淹七军”、“尽擒禁等”，陶醉于胜利的狂热之中时，吕蒙悄悄地亲统精兵伪装商人乘虚而入，不战而收降士仁、糜芳，控制南郡、公安，俘获关羽军的家属、府库、粮草、军械等，于是蜀军军心瓦解，纷纷抛弃关羽，各自逃回荆州投降。这样，使不久前犹叱咤风云的关羽，一时间陷于孤立，走上穷途末路，为吴军所擒。荆州至此正式纳入了吴国版图。孙氏三世梦寐求之而未得，终借吕蒙之手得以实现，这自然成了东吴历史上的一项奇迹。

这场斗争，不但是力的较量，更重要的是智的竞争。关羽兵强，但他只会决战于疆场，敌不过吕蒙的善于“运筹策帷幄之中”。吕蒙取胜的要诀，在于能灵活运用“实则虚之，虚则实之”

和“兵不厌诈”等战略原则。而且他深深懂得民心、军心的向背是决定战争胜负的关键，因而他在布置军事活动的同时，认真做好了存恤耆老、慰问家属、厚遇来使、手书示信等一系列政治工作。这一政治攻势，则是关羽的大刀所抵挡不住的。

陈寿写吕蒙这一人物，不停留于直线叙述个人事迹，而是多方运用对比和陪衬手法，通过矛盾冲突，刻画出人物鲜明的形象。除吕蒙击败关羽的斗争外，全文还历述吕蒙少时从军与职吏冲突，校阅兵阵时与诸小将竞争，从权征伐时与陈就、黄祖搏斗，救援甘宁时与诸将争论，鲁肃代周瑜时令鲁肃折服，抗击庐州时袭退谢奇，进攻皖城时以速战败朱光、却张辽，取三郡时使子太“惭恨入地”，征合肥时预置强弩狙止曹操等等。这里作为矛盾对立面出现的曹操、关羽、曹仁、张辽、黄祖、朱光、郝普以及内部的鲁肃等风云人物，都一一在吕蒙面前受屈或认输。以英才俊杰作陪衬，把吕蒙的形象突现在众人之上，给读者留下了深刻的印象。

陈寿写吕蒙的另一成功经验，是在叙述其事迹的同时，注意了人物精神面貌的剖视。传文针对吕蒙这一特定的历史人物，深挖他品格中的特点，把握他生活态度的特征，深入细致地刻画出人物鲜明的性格。文中穿插了许多细节，丰满了吕蒙的形象，周瑜上表以降将袭肃军编入吕蒙麾下，吕蒙以大义为重，婉言谢绝，劝孙权保留袭肃编制并关怀其子弟的成长；吕蒙的部曲被江夏太守蔡遗告发，吕蒙不计私怨，还向孙权推荐蔡遗升迁；甘宁粗暴，与吕蒙不合，吕蒙宽容为怀，大局为重，用其所长；定荆州功勋卓著，孙权奖给他钱一亿、黄金五百斤，吕蒙固辞，不居功……这些简要的插叙，着笔不多，却使读者如同亲眼看见了吕蒙为人处世的风貌：心胸阔大，气度宽宏，与人为善，诚恳敦笃，关怀同僚，爱护友邻，尊重前辈，扶植后进，好学不倦，见利思义，居安思危，胜不居功。这些高尚的品德和优良的作风，显得亲切而逼真。

写了这些，陈寿似乎还嫌吕蒙的形象和性格不够突出，所以又通过吕蒙临死前后着力写了孙权对他的倚重和不同寻常的深切爱护，从侧面表现吕蒙的深得人主的敬重。吕蒙疾发，“迎置内殿”，“常穿壁瞻之”，“见小能下食则喜”；“治护者万方”；“募封内有能愈蒙疾者赐千金”；“权为之惨戚”，“夜不能寐”；“病中瘳，为下赦令”，“群臣毕贺”，“星辰下为之请命”；“权哀痛甚，为之降损”，“益以悲感”。这些描写，使吴国君主与吕蒙关系的亲密，吴国群臣对吕蒙病况的关切，跃然纸上，充分体现出吕蒙为人的感人至深。吕蒙为国事积劳成疾，人们把他的死看得重于泰山。

吕蒙有三个儿子，他临死时并未为子孙谋取福利，而嘱咐他们说：一切金宝等奖赏全部上交，身后丧事力求简约。在一千八百多年前的封建社会里，吕蒙有如此忘我的精神，实属难能可贵。所以陈寿在这篇传的结语中，称吕蒙“有国士之量”。

陈寿为周瑜、鲁肃、吕蒙三人合写的评语，共 102 字；其中直接称赞周瑜和鲁肃两人的话只有一句，计 18 字；而直接称扬吕蒙个人的文字，倒多达四十有余。吕蒙在评语中所占比例之重，显示出作者对吕蒙的偏爱。评论的内容，称赞周瑜、鲁肃不过“奇才”而已，并未涉及此两人的品德如何；而称扬吕蒙，除“勇而有谋，识军计，谲郝普，擒关羽，最为妙者”等语称赞他谋略过人的优点外，特意加添了“克己”、“国士”等道德方面的赞词。

陈寿作为封建史学家，对于吕蒙的两次参加“击贼”（镇压农民起义），没有也不可能从阶级斗争的角度去加以认识和批判。这是他的局限之处，也是我们阅读时须注意的。但总起来看，吕蒙对当时创建吴国、开发江南，有显著功绩，他的行为品格以封建道德标准衡量也是较高的。他全心全意效忠吴国，实无异诸葛亮的效忠蜀国，也无异于战国时屈原的效忠楚国。当一个社会还没有产生新的经济基础以前，对原来存在着的上层建筑，只能就它本身作评价，而不能超越历史条件去苛求，那么吕蒙与屈原、诸葛亮一样，他忠于其封建国家的忘我精神，不应轻易否定。由此可见，陈寿的《吕蒙传》基本上还是实事求是的。吕蒙这个历史人物毫无疑问应当给予应有的肯定和评价。

《陆逊传》讲析

【提要】 陆逊（183—245），字伯言，吴郡吴县华亭（今上海市松江）人，三国时吴国著名将领。《陆逊传》以逊长于谋略为主线，叙述了他受孙权器重而参与国务活动的一生及其贡献。

《陆逊传》是《三国志·吴书》中仅次于《吴主传》的大传，这足以证明陆逊在吴国历史中地位的重要。

陆逊出身于江南士族，从祖陆康，东汉末历任郡太守，颇有政声。逊少孤，随康生活，折节读书，颇具修养，为康所重。康预防袁术的攻击，遣逊等回梓，委之“纲纪门户”。陆逊幼年家居时代，即已显出不凡。他生于东汉灵帝光和四年（公元181年），死于三国吴赤乌八年（公元245年），享年65岁。陆逊比诸葛亮小两岁，比孙权小一岁，在同辈人中，就其社会阅历和显赫事功言之，他称得上是一个佼佼者。

陆逊与孙权年齿相若，甚相契合。陆逊21岁就仕吴下幕府，历任东西曹令史，海昌屯田都尉，兼领县事，获得孙权的青睐。孙权把其兄孙策之女许配给陆逊，结为秦晋，倚之心腹，“数访世务”。陆逊不失时机地向孙权提出扩大部伍，维护腹心，克敌图远的规划，并首先向吴国境内少数部族山越开刀，以镇压山越来实行他的“强者为兵，羸者补户”的计划，一举竟“得精卒数万人”。对于中国古代中世纪民族关系来说，此举不能被认为是光彩的，但对于陆逊个人向吴国孙权效忠，这却是一项很有分量的献礼。

赤壁战后，曹操、孙权、刘备三分鼎立的形势基本形成。刘备进兵西川，据有荆益，加强了鼎立形势。北方的曹操，无论兵力财力和人才储备，都远远超过吴或蜀。单独一个吴或蜀，实在不是曹操的对手，这是孙权刘备都能亲身感受到的事实。可以说吴蜀联盟是鼎足三分的生命线，诸葛亮隆中对策时已经有了预见。不过，这不是吴蜀当权者每人都能认识到的，人们在衡量长远利益和目前利益的关系时往往会摇摆失算。刘备和孙权两人对荆州的处理都有失冷静。孙权对刘备借荆州而不返，心常耿耿。鲁肃死后，吴国上下一片伐蜀取荆的呼声，但畏惧关羽，不敢妄动。吕蒙早有筹策，但孤掌难鸣；陆逊乘时而起，支持吕蒙偷袭荆州的计划，并作为执行者巧妙地运用权谋麻痹关羽，趁其北上伐曹之际，乘虚袭夺了荆州。吴在军事上虽然得手，夺回了荆州辖地，但却不得不向曹魏称臣，付出了高昂的政治代价。尽管如此，吴国仍处于两面受敌的危境之中，而不能高枕无忧。因为孙权称臣于曹魏，并非诚款，只是玩弄外交权术，避免两线作战，而曹魏也是利用吴蜀相争，坐收渔人之利的。吴蜀避免互相倾轧、彼此削弱，实在是加强鼎立形势，共抗曹魏的重要条件。刘备不甘荆州之失，兴师报仇。如果蜀胜，魏将乘其后灭吴；如果恢复鼎立，吴国必须速胜，恢复均势。陆逊首先按兵不出以老刘备之师，然后一把火烧退刘备报复之师，取得了夷陵之捷。陆逊洞察并权衡了当时曹魏、蜀汉、东吴的力量大小，断然拒绝穷追刘备之计，及时回防曹魏，避免了吴蜀的长期战斗，恢复了三国鼎立的态势。陆逊权衡事势，高人一着，挽救了陷吴于孤立的危局，是一位了不起的战略家。此后，他又击败了魏大司马曹休，加强了吴国在三国鼎立中的实力和地位。

陆逊镇压辖区内的少数民族山越，是其生平中一大污点。但他在吴国作了不少维护内部团结的工作，也在一定程度上关心过吴国的社会安定和人民生活问题。当他击败曹休，“诸军振旅过武昌”时，“权令左右以御盖覆逊，入出殿门，凡所赐逊，皆御物上珍，于时莫与为比”。孙权给予了他相应的尊荣。

陆逊与孙权虽有姻亲戚谊，但终因疏不间亲，孙权听信谗言，“累遣中使责让”陆逊，逊忧愤辞世。后孙权虽向逊子陆抗作了自我批评，但一代“社稷之臣”已经湮没，人去楼空，杳如黄鹤矣。

附编二：散论三篇

【说明】散论三篇，前两篇为参与相关社会活动形成的论文，后一篇是保留《三国十二帝》的《导言》。《导言》一文简洁地表述了作者的三国历史观，以及写作《三国十二帝》的宗旨。

漫谈《三国演义》的第一主角

本文漫谈《三国演义》的第一主角，以及由此折射的历史反思。

一、谁是《三国演义》的第一主角

《三国演义》，顾名思义，是演说三分的历史。而三分天下的创立者，曹操、孙权、刘备，毫无疑问是三国时期的第一等英雄，他们分别创立了魏国、吴国、蜀国。三国鼎立逐鹿中原，战争是主旋律。第一个善战者，非曹操莫属，他文武兼资，勇略皆备，南征北战，东征西讨，打仗最多，许多英雄倒在了他的脚下。此外，东吴的周瑜、吕蒙、陆逊都是第一流的军事家和战将，他们没有打过败仗。诸葛亮与这些人物相比，论功业不如曹操、孙权、刘备，论打仗不及周瑜、吕蒙、陆逊。但他们都不是《三国演义》群英谱中的第一主角。一百二十回的《三国演义》，从出场到收束，刘备所占回目第一，从第一回出场到八十五回收束，占了八十五个回目；曹操从第四回出场到七十四回收束，占了七十四个回目，为第二；诸葛亮从第三十七回出场，到一百零四回收束，占了六十八个回目，为第三。但所写的内容，记载的事件，诸葛亮第一，曹操第二，刘备第三。诸葛亮长于治国，短于戎阵，但《三国演义》却大写特写诸葛亮善战，他打的仗比曹操还多。诸葛亮南征，七擒七纵孟获，诸葛亮北伐，六出祁山，从八十七回到一百零四回，占了十八个回目，如此大的篇幅，没有第二人。曹操统一中原，消灭群雄，也没有这样大的篇幅。曹孙刘三方合作上演的赤壁之战，从四十三回到五十回，占了八个回目，事实主角，毫无疑问是周瑜，但在《三国演义》的描写中，诸葛亮成了主角，周瑜反倒是一个配角。总之，《三国演义》用最大的篇幅塑造诸葛亮，使他成为了智慧与正义的化身，是《三国演义》所塑造的历史舞台上的第一主角。诸葛亮成了第一主角，受害最大的是周瑜。赤壁之战，打败曹军的统帅是周瑜，羽扇纶巾，风流倜傥，小乔初嫁，何等惬意。周瑜碰上了诸葛亮，成了气度褊狭、嫉贤妒能的小人，被诸葛亮三气而死，蒙受了不白之冤。

二、第一主角非诸葛亮莫属

如前所述，论功业，诸葛亮不是三国时代第一人，但小说家为何要选定诸葛亮来担当第一主角呢？至少有以下三个方面的原因。第一，诸葛亮的综合素质是三国时代的一流大才，最适宜于塑造理想人物的原型。他的高风亮节和鞠躬尽瘁的精神，也毫无疑问是三国时代第一人。诸葛亮修身齐家、治国平天下的传统道德达到了出神入化的最高境界，他的身上积淀了民族精神，是无与伦比的典范：其一，诸葛亮存亡继绝，要兴复汉室正统；其二，大智大勇，无双国士；其三，不畏艰险，扶弱制强；其四，勤政爱民，廉洁正身；其五，受托孤辅主，鞠躬尽瘁。作为一代贤相，他名垂千古，在中国历史上也是数一数二的。第二，蜀亡，诸葛亮子孙殉国，满门忠良。诸葛氏一门的高风亮节与悲剧情怀，最受人们同情，也得到小说家的偏爱。第三，艺术构思，需要一个主角来贯穿全书，曹操、刘备、周瑜、吕蒙、荀彧等人都过早凋零，而孙权称帝以后即步入昏主行列，难以担当主角地位，除了诸葛亮，没有第二人选。诸葛亮成为《三国演义》的第一主角，是主客观条件的天然结合，非他莫属。

三、诸葛故事，虚构最多

《三国演义》七实三虚，这虚的部分，诸葛亮一人恐怕就要占三分之一。三国人物中的细节虚构，以诸葛亮一人最多。刘备三顾茅庐，《三国志》记载只有五个字："凡三往，乃见。"而《三国演义》竟用重笔描写，在第三十七回和三十八回两个回目中，洋洋洒洒写了五六千字，刘备从年底到来年的阳春三月，三度跋涉才见到了诸葛亮。特别是刘备第三次去见诸葛亮，还"斋戒三日，薰沐更衣"而往，而且到了草堂，见诸葛亮仰卧于草堂几席之上，于是"拱立阶下，半晌，先生未醒"，刘关张等人硬是立等达数小时之久。这些细节描写全为虚构，但它描写的人际关系却有重大意义。既表现了刘备礼贤之诚，又烘托了诸葛亮的不凡，真是一箭双雕，生动无比地再现了君臣相遇，鱼水情深的场景。实际中也许不大可能，但这一不同凡响的君臣相遇，更使人深信不疑。前文所述，赤壁之战，不在战场第一线的诸葛亮反倒成了决定全局的第一主角。舌战群儒，除了人名，故事全为虚构，仿佛孙吴君臣抗曹是诸葛亮发动起来的，连周瑜也是诸葛亮激发的。火烧赤壁是黄盖的计谋，《演义》中变成了诸葛亮与周瑜两人同时想到，手掌中写的都是一个"火"字，真是英雄所见略同。赤壁战后五年，公元213年，孙曹第一次濡须之战，孙权乘船探曹营水寨，船体受箭，得胜还营，这一情节被移到赤壁之战，生出了诸葛亮草船借箭的惊险故事，一场无意的遭遇，变成了有意的谋划，移花接木，张冠李戴。诸葛亮南征，七擒孟获的战斗场面和多数蛮夷首领，全为虚构。

在小说家笔下，诸葛亮通天文，晓地理，明阴阳，精阵法，算风云，擅长火攻水淹，以及陆战水战无一不精的神人。诸葛亮一生谨慎，而在《三国演义》却弄险多多，缺点也成了优点。例如，诸葛亮第一次北伐，他不采纳魏延出奇制胜的策略，却要采用进兵陇右，打一个平安的胜仗，结果既失战机，又吃败仗，反而生出"空城计"吓退司马懿的故事。诸葛亮用人不当，丢了街亭，也由马谡一人担着，叫做"马谡失街亭"。艺术家的夸张与虚构，只要安放在诸葛亮身上，人们都乐意接受，都认为是真实的。"七擒孟获"、"空城计"，早就在民间流传，历史也有记载，看来对诸葛亮的虚构，或多或少也有一些史影，与其定位为虚构，毋宁说是夸张。因为诸葛亮的情操，赢得了人们的崇敬，不希望他身上有缺点，小说家是按照人们心中的理想来塑造诸葛亮的，于是诸葛亮成了第一主角。

四、《三国演义》第一主角诸葛亮折射的历史思考

诸葛亮是三国时代第一流的政治家、军事家和外交家，没有人怀疑。但他毕竟只是一个偏安小国的丞相，不是三国时代历史的第一主角，但他却是不折不扣《三国演义》所写历史的第一主角，是否违背历史，而只是一个小说人物呢？直白地说，《三国演义》中的诸葛亮是否是一个虚构人物呢？回答是否定的，可以从三个方面来说。首先，艺术形象的诸葛亮是历史人物诸葛亮的再现。《三国演义》是演史小说，尽管有虚构，但并不是因文生事，而是以文运事，即用文学之笔演说历史，虽然虚虚实实，大较为实，可以说是细节虚，主线实；枝叶虚，主干实。就拿三顾茅庐来说，由于"凡三往，乃见"，这一大前提史实是真实的，其中的细节描写不过是遥情想象，这等虚构，不是子虚，而恰恰是补充了史实，因此，它不是虚构，而是艺术真实，补充史料被省略而实际上理应发生的事实，只是略有夸张而已。再如诸葛亮舌战群儒，也是遥情想象。诸葛亮过江谈判，受命于危难之中，要说服孙权抗曹，这是何等大事，何等艰难的谈判！舌战群儒，

既刻画了诸葛亮智慧的形象，同时也再现了在实际谈判中讨价还价的历史真实。其他如借东风、三气周瑜、抢占夷陵、智算华容道等虽为小说家增饰，它只是用以烘托诸葛亮的多智，这些地方也是枝叶虚，主干实。例如三气周瑜，纯属子虚。但历史人物的周瑜，他反对平等联合刘备，主张收容刘备，气度不免褊狭。周瑜西进取蜀，力不从心，病逝巴丘，英年早逝，一半的确是气度褊狭所致，所以三气周瑜也有史影。第二，人物塑造，从属于历史理念，也就是服务于主题思想。《三国志》这部史书，以蜀继汉，寄托有正统情结。三方鼎立，本来是魏吴对峙为主线，双方发生了多次大战。从公元209年到公元234年，孙权争淮南，亲自统领大军十一次征战，其中公元213年、216年，两次濡须之战是孙权与曹操对抗。公元234年，孙权三路大军北伐。公元241年，吴军四路北伐。公元252年、253年，诸葛恪大举出兵征淮南。此外，公元228年陆逊设伏大败曹休石亭之战，以及魏文帝于公元222年、224年、225年，三次兵临大江，都是大战役。《三国志》记载了魏吴对峙的这些大战役，但是，却把吴国安排在从属地位，魏吴主线已让位为魏蜀主线。《三国演义》对魏吴主线更为隐伏不见，许多大战役只字不提，全面突出魏蜀主线，诸葛亮北伐更是占了主位，这对于真实的历史是一个歪曲，但对于突出所宣扬的历史理念，强调蜀国的正统地位，却十分成功。既然《三国演义》的大前提是魏蜀对抗为主线，诸葛亮北伐为正义，所以大书特书，诸葛亮就自然成了主角。第三，作为真实的历史人物，诸葛亮之忠诚与曹操之奸诈，正好形成了鲜明的对照。两人一个要篡汉，一个要兴汉，恰好是一正一反互相衬映的历史人物，作为正面的诸葛亮，当然是主角。

综合来说，《三国演义》把诸葛亮写成半人半神，做了极度的夸张，是一个艺术形象的诸葛亮。我们去掉诸葛亮身上的神气、仙气，把他还原成一个人，却又实实在在是一代贤相。诸葛亮一生操劳，尽忠为国，真正是鞠躬尽瘁，死而后已，历史上罕与其比。在中国古代历史上，诸葛亮是一个鞠躬尽瘁，忠心汉室的典范人物，没有哪一个政治家或军事家像他那样，深受一代又一代广大人民的热爱。因此，《三国演义》把诸葛亮塑造为第一主角，符合人心所向这一历史大势，这是符合深层次历史理念的真实。也就是说，诸葛亮作为《三国演义》的第一主角，当之无愧。

（2009年4月提交在四川南充西华大学召开的《三国演义》学术研讨会论文）

弘扬关羽文化的现实意义

本题分三个层次来谈。一、历史的关羽；二、关羽文化的形成；三、现实需要弘扬关羽文化。

一、历史的关羽

关羽是三国时期一位著名的历史人物。历史的关羽，是指历史活动中真实的关羽，即历史文献记载的本来面目。《三国志》的《蜀书·关羽传》是我们认识历史的关羽最可靠的文献。

关羽，字云长，本字长生，河东解县人，在今山西运城市。关羽生当东汉末衰乱之世，青年关羽因避难逃亡到涿县，正值黄巾起义，涿郡人刘备、张飞拉起一支队伍报效国家，趁乱世闯荡一番事业。关羽投在刘备帐下，与刘备、张飞结成盟兄弟。《三国演义》写桃园三结义有其历史依据。《关羽传》记载，刘备与关羽、张飞“寝则同床，恩若兄弟”。关羽婉拒张辽劝降说：“吾极知曹公待我厚，然吾受刘将军厚恩，誓死与共，不可背之。”这“誓死与共”四字，当然是歃血结盟的誓言。黄初元年，公元220年，孙权偷袭荆州杀关羽，魏文帝诏问群臣，刘备是否兴兵为关羽报仇，魏国群臣都认为蜀小国，荆州兵破，关羽已死，无力出兵。只有刘晔说："关羽与备，义为君臣，恩犹父子；羽死不能为兴军报敌，于终始之分不足。"刘晔料定，刘备一定会兴兵报仇，因为有一个"终始之分"，即关羽说的"誓死与共"的盟约。刘备、关羽、张飞三人结义时都是血气方刚的青年。刘备生于公元161年[①]，最年长。假定关羽小一岁，当生公元162年。张飞小关羽"数岁"，假定小三岁，则张飞生于公元165年。三人结义共讨黄巾，当年刘备24岁，关羽23岁，张飞20岁。他们热血沸腾，结义起兵，以示一心。上报国家，下谋出路，在起事中确立了主仆名分，即君臣名分。刘备是帝室之胄，尽管家道败落，在涿郡仍是头面人物。刘备祖父刘雄，父亲刘弘，"世仕州郡"，刘雄官至东郡范令。所以关羽、张飞共推刘备为主，成为刘备心腹。两人尽心为主，"稠人广坐，侍立终日，随先主周旋，不避艰险。"[②]

在群雄逐鹿中，刘备势单力薄，两度得徐州，两度丢失。关羽、张飞始终追随刘备，不离不弃。建安五年（公元200年），曹操征讨刘备，刘备兵败北走袁绍，关羽被曹操俘获。曹操十分爱惜关羽的勇猛，拜为偏将军，礼遇优渥。但关羽丝毫不为势利所动，他托张辽转告曹操："吾终不留，吾要当立效以报曹公乃去。"曹操的厚爱，关羽心领了，但关羽我决不背离故主，只要刘备有下落，关羽就一定去投奔；对曹公的厚恩，关羽也一定回报后才能离去。当关羽诛颜良解白马之围后，曹操知关羽将要离去，但还要做最后的争取，上表汉献帝封关羽为汉寿亭侯，重加赏赐，关羽分毫不取，留下书信拜谢而去。冒着风险，千里走单骑赴袁绍军中找刘备。关羽诛杀了袁绍的爱将颜良，此一去，吉凶未卜，关羽顾不了这许多。曹操的左右要去追杀关羽，曹操说："彼各为其主，不要去追。"当时曹操与袁绍抗衡，他要笼络天下英雄，不敢杀忠义之士，当然也表现了曹操的帝王气度，他

① 《三国志》刘备传载，蜀章武三年，公元223年，刘备死，年63岁，上推生年为公元161年。

② 《三国志》卷三六《蜀书·关羽传》。

成全了关羽的忠义。《三国演义》渲染关羽过五关，斩六将，塑造关羽的英雄形象更为丰满，完全是出自小说家的虚构。尽管小说情节是虚构的，而表现的关羽忠义精神却是真实的。

公元200年，关羽千里走单骑，这一年40岁，人生进入了不惑之年。关羽追随刘备已经16年，路漫漫还看不到前途，而曹操这里，留给关羽花团锦簇的前程，两相对照，更加彰显关羽的忠义，义薄云天。

建安二十四年（公元219年），刘备打败曹操，夺了汉中。关羽受命，乘胜从荆州出兵北伐，围攻襄樊。曹魏大将于禁和庞德赶赴襄樊增援，于禁是百战百胜的将军，庞德是北方著名勇将。关羽大破曹军，擒于禁，斩庞德，威名大振，达到了他在军事上的鼎盛。

关羽得志荆襄，孙权却坐不住了。先前疆场未靖，曹操在北，江东无法单独抗衡曹操，孙权在赤壁战后借荆州南郡与刘备，联盟对抗曹操。当刘备取得益州后，孙权立即索要荆州，刘备不答应，托辞取了凉州还荆州，孙刘两家兵戎相向，差点闹翻，以中分荆州告一段落。但孙刘两家的裂痕已经显露，孙权时时提防关羽，外亲内疏。表面上孙权示好关羽，还派人说项，要与关羽结为儿女亲家，可是骄狂的关羽不识大体，极为藐视孙权，怒斥东吴使者，给孙刘关系的破裂雪上加霜。不久，东吴主张联刘抗曹的鲁肃死了，吕蒙接替鲁肃统兵，吕蒙是主张夺取荆州，拒险以抗曹操的疏刘派中坚人物。他为了麻痹关羽，装病回东吴，推荐胸有韬略但还未崭露头角的陆逊代替自己。果然关羽上当。大发兵北上，荆州成了一座空城。关羽俘获于禁官兵三万，粮食一时紧张，他不经外交协商就擅自夺取孙权辖地的粮仓。这一举动不仅加剧了孙刘矛盾，而且给孙权出兵制造了口实，赳赳武夫的关羽，就这样破坏了孙刘联盟。孙权派吕蒙率兵偷袭荆州，在关羽与曹操援军徐晃大战的紧要关头，背后捅刀子，夺了南郡。关羽率疲惫之军，退还荆州与吕蒙交战，曹操要坐收渔翁之利，严令曹军不得追击，因此，关羽才没有受到两路夹攻，尽管如此，已经丧失斗志的荆州兵一路溃散，关羽不敢恋战，转而向西退却，靠拢上庸，并向上庸蜀兵呼救。不料上庸守将刘封、孟达两人正闹矛盾，顾不上救援关羽。关羽陷入了四面楚歌的绝境，在麦城突围中，被吴将潘璋所擒杀。孙权把关羽首级送给了曹操。

以上所写，是《三国志》作者陈寿笔下的关羽。关羽是蜀国建立的主要功臣，镇守荆州，独当一面，是蜀国的栋梁之臣。关羽无疑是三国时代杰出的人物之一。但三国时代，英雄辈出，在三国英雄人物榜中，关羽至多是一个二流人物，蜀国的一位骁勇善战的边将。他有大功于蜀汉，但也有大过于蜀汉。关羽失荆州，意味着隆中路线半道夭折，“兴复汉室”成为泡影。可以说，关羽的个人悲剧，带来了蜀汉的悲剧，使刘备的事业受损。所以蜀后主景耀三年，公元 260 年，追谥关羽为壮缪侯。据《谥法解》，“胜敌志强曰壮”，“名与实爽曰缪”。爽，不符之意。前一字“壮”为上谥，美词；后一字“缪”为下谥，贬词。两字谥号，既肯定关羽一生的征战之功，又批评其严重错误造成了蜀汉的巨大损失，盖棺论定，十分公允。但关羽死后数百年，到宋代开始时来运转，关羽的缺点也成了优点，关羽不只是一个十全十美的人，而且随时间的推移，关羽由人变成神，他的品格被人们理想化了，关羽成了忠义的化身，人们崇拜的偶像。人们崇拜的关羽，已超凡入圣，入神，不再是历史人物的关羽，而是关羽文化的偶像，关羽成为民族精神的象征。历史为何选择关羽成为民族精神的象征，因为关羽的人格魅力有两大因素为常人所不及。其一，是关羽的忠义精神超凡入圣，义薄云天；其二，关羽败走麦城，从空前的顶峰一下跌落下来，他是被同盟暗算而悲剧谢幕，所以格外令人惋惜。当然关羽文化的形成还有其他复杂的历史原因，下一节细说分明。

二、关羽文化的形成

关羽文化的形成，经历了一个漫长的历史过程，由官方、民间、社会各方面的力量推动而形成。

先说历史过程。关羽文化的形成经历了萌芽期、形成期、发展期三个历史阶段。

萌芽期 魏晋六朝以及隋唐，是关羽文化的萌芽期，其特点是关羽故事、传说、神化等等，只在民间点点滴滴传播。《三国志》裴松之注，采录了魏晋时期的传说与故事。如关羽向曹操乞纳秦宜禄妻；刘备在许都与曹操共行猎，关羽劝刘备杀曹操；关羽围樊，“梦猪啮其足”等等。这些魏晋传说，在民间持续传播。“乞纳秦宜禄妻”事，收入陆龟蒙的《小名录》。“关羽梦猪啮足”事载范摅《云溪友议》卷三。唐代《重修玉泉关帝庙》记述了在隋代关羽显灵于湖北玉泉山，助智觊大师兴建玉泉寺的传说。唐段成式《酉阳杂俎》前集卷十三记载盗发蜀主刘备墓遭神灵惩罚的传说。关羽故事伴随三分故事在民间传播，入宋形成集大成的《三分事略》与《三国志平话》，涓涓细流汇成大河。

形成期 宋元是关羽文化的形成时期。关羽形象已成为了忠义的化身，关羽被选为了儒家文化的载体，他由历史的关羽，转化为一种文化信仰的载体。平话、戏剧演说的关羽，已不是关羽本人的现实存在，而是人们理想化的雕塑。关羽雕塑在《三国演义》小说中达到了完美的程度。《三国演义》原名《三国志演义》，意为“演”《三国志》之“义”。演史小说有两大功能，一是普及历史知识，二是阐释人心向往的道义。内容真真假假，《三国演义》七实三虚。大部分素材来自史书，主要是陈寿的《三国志》和裴注，许多段落就是原文的串释。虚的部分用文学之笔把诗歌、戏剧、说唱文学、传说、文人笔记，以及演义作者的遥情想象，一并汇入演义之中，使人物鲜活，寓意明确。两宋时代，积贫积弱，国家遭辽、金、蒙古的侵扰，希望振兴。北宋与辽、金，长期形成三国对峙状态。南宋则是偏安一隅。“三分故事”在这一历史背景下兴起，是爱国主义精神的发扬。司马光修《资治通鉴》还在北宋兴盛期，以北朝之曹魏为正统系年，而民间艺人、忧国忧民之士，随着理学兴起，随着北宋的败落，则以蜀为正统。“国乱思忠臣”，关羽的忠义成为振奋民族精神的旗帜。为了丰满关羽形象的一系列虚构故事在演义中化为了情节与生活细节。关羽下邳失守、屯土山约三事、秉烛达旦、万马军中诛颜良、斩文丑、挂印封金、灞桥挑袍、过五关斩六将、古城聚义等等，人们全都认为是实事。关羽下邳降曹，有亏臣节，但有了“屯土山约三事”、“秉烛达旦”，成了关羽忍辱负重的故事，从而升华了关羽忠贞与操守的思想境界。“华容道义释曹操”与关羽千里走单骑寻故主刘备，有异曲同工之妙。曹操是国贼，释放则为不忠；曹操保全刘备妻室成全关羽之忠又有大恩于关羽，关羽杀之则不义。在忠义两难的情况下，关羽冒死选择了义，不忘故旧之情，这是符合儒家的忠义的。关羽释曹，把义的境界升华到了顶点，赢得人们的赞叹。

发展期 明清是关羽文化的发展时期，关羽的人格升华成为了信仰，他已被神化。关羽一生的忠义勇武、坚贞不二的品格，为儒、释、道三教所崇敬。关羽作为忠义的化身，是儒学的载体；关羽在玉泉山显灵，皈依佛门为护法神，实际上是佛教借关羽在民间的影响来传布佛法；明万历皇帝宗仰道教，封关羽为“三界伏魔大帝神威远镇天尊关圣帝君”。关羽是唯一为三教共同敬仰的人。此外，关羽骁勇善战，被兵家尊为“武圣”；关羽信义，被商家奉为财神；关羽神勇坚贞，被民间奉为护民伏魔的神明。明清时代关帝庙遍布全国都邑通衢关隘，全民顶礼膜拜，求得关帝保佑。清代史学家赵翼在《陔余丛考》中说：“今且南极岭表，北极寒坦，凡儿童妇女，无有不震其威灵者。香火之盛，将与天地同不朽。”

推动关羽文化形成的力量，概括地说主要有三个方面。第一，关羽勇武忠义，为人民大众所喜爱，民间故事、民间传说，人民演义关羽，这是关羽文化之源，也是关羽文化之流，文化之根。关羽文化之根扎在人民大众之中，长盛不衰，越来越壮大。第二，社会各方面的力量。社会的行业、社团拥戴关羽。民间帮会组织，近代如清末民初的义和团、白莲教、天地会、三合会等，他们礼敬关羽，效法关羽的忠义作为帮会团结的纽带。商人礼敬关羽，尤其是晋商，十分虔诚，他们把关羽奉为保护神，效法关羽的忠诚信义，落实在经商活动中诚信坚忍，勤俭自律，化信仰为行动准则，拉近了人们与关羽的时空，仿佛关羽就生活在民间。商人有钱，他们建会馆，建庙宇，大大推动了关羽在民间的影响。社会上层建筑，文学艺术，尤其是《三国演义》对关羽文化的形成发挥巨大的作用。第三，官方褒扬起举足轻重的作用。关羽文化的形成与发展在宋元明清时代，恰恰是官方大力褒扬的时期。关羽原封只是一个亭侯，即汉寿亭侯。宋代起，由公至王。宋徽宗崇宁元年（公元 1102 年）封关羽为“忠惠公”，大观二年（公元 1108 年）加封为“武安王”，宣和五年（公元 1123 年）加封为“义勇武安王”，宋高宗建炎三年（公元 1129 年）改封为“壮缪义勇王”，宋孝宗淳熙十四年（公元 1187 年）加封为“壮缪义勇武安英济王”，元文宗天历元年（公元 1328 年）封关羽为“显灵义勇武安英济王”。明清两代帝王更是圣化、神化关羽，晋封为帝。明洪武二十七年（公元 1394 年），在南京鸡鸣山立关公庙；明成祖永乐元年（公元 1403 年）在北京帝都立关公庙，每岁官祭；明万历四十二年（公元 1614 年），敕封关羽帝号，为“三界伏魔大帝神威远镇天尊显圣帝君”。清朝十次加封关羽，钦赐美谥。顺治九年（公元 1652 年），封谥关羽“忠义神威关圣大帝”；光绪五年（公元 1879 年）竟加封谥达 26 字，为“忠义神武灵佑仁勇威显护国保民精诚绥靖翊赞宣德关圣大帝”，神化至登峰造极。

总上，关羽由一个人变成神，变成与孔子并称的文武两尊偶像，成为中华民族魂的象征。民间传说，《三国演义》塑造形象的渲染，统治者的提倡，这三大因素生动地反映了关羽赢得全民族从上到下、从皇帝到普通百姓一体的敬仰，根本原因是历史的关羽，所表现的人格魅力集中反映了中华民族的精神。关羽忠于刘备，极重义气，与其“誓以共死”，平时为之御侮，不避艰险，在稠人广坐中“侍立终日”，忠诚至极。曹操待他甚厚，他不忘恩德，出入万马军中杀颜良以报曹公，华容义释，涌泉报恩。关羽极为勇武，诸葛亮称他“绝伦逸群”，程昱说他“万人之敌”，陈寿评他“为世虎臣”。关羽被毒箭射穿左臂，医生为他刮骨去毒，“臂血流离”，他“割炙饮酒，言笑自若”，是一个多么英武盖世的形象。无论是统治者还是老百姓，都从关羽忠义勇武的人格魅力中找到自己需要的东西。统治者希望臣僚们都像关羽那样，有高超的武艺，有耿耿的忠心，竭诚效命，巩固其政权，而老百姓看中的是关羽的勇武与义气。所以关羽在宋代以来的一千余年间，由侯而王，由王而帝，由帝而圣，褒封不断，庙祀不绝。佛教、道教也敬仰关羽，奉为本教之神。明清以来的结社帮会，风餐驰逐的商人，无不敬奉关羽为神明，借关羽精神为纽带。关羽影响及于全世界，凡有华人的地方，都有关公崇拜。法国学者苏尔梦女士介绍，关羽被华裔商人奉为财神和诚实之神，仅东南亚就有关圣庙数十座。

三、现实需要弘扬关羽文化

20世纪下半叶，关羽崇拜被淡化，全国各地的关帝庙90%被毁弃，但关羽崇拜在海外的浓度并未减弱。在新千年的世纪之初，即近十年来关羽文化逐渐慢热起来。现实需要弘扬关羽文化，至少有四个方面的意义。

首先，关羽崇拜是儒、释、道三教共仰的信念，是各民族尊奉的圣人，关羽与孔子相配为文武二圣，是民族凝聚力的纽带，是多元文化融合的象征。

其次，关羽文化是海峡两岸文化沟通的一个渠道。弘扬关羽文化，可以增强海峡两岸人民的情感交融。

第三，关羽的忠义，是爱国主义思想的源泉。在封建社会，君国一体，忠君即是爱国。关羽对蜀汉政权的忠义体现了爱国的本质。今天，我们已经进入历史的新时期，我们一方面要扬弃关羽文化中所包含的封建社会的忠君色彩，一方面要对其中的爱国主义思想进行继承并发扬。

第四，关羽的信义，可以呼唤人们道德底线诚信的回归。

这一点在当前现实中至为重要。一代又一代的广大民众寄情于关羽，因为关羽的赤胆忠心，诚信守义，不是一般人所能拥有的。在乱世，君择臣，臣亦择君，依附强主，开创锦绣前途，是每一个人所想往的。所以在历朝历代，尤其在风云变换之际，许多人都有多次易主的经历，但关羽自始至终追随刘备。因为关羽在走投无路时，刘备救了他，刘备是关羽的初主、故主，如同纯洁爱情的初恋，关羽是从一而终了。无论刘备多么弱小，乃至两失徐州，成了寄人篱下的丧家之犬，但关羽至死至终不离不弃，尽忠尽义，在关羽身上得到完美的体现。在当代激烈的商业竞争社会中，一个人选择职业，如果得到知遇，就应赴汤蹈火，义无反顾。如果每一个人都忠于职守，执著坚守，那么小至一个企业，大至一个国家，就会由弱变强，由小变大，开拓事业，企业兴旺，国家富强。所以关羽的忠义精神，已经积淀为净化人生的一种道德追求。关羽的忠诚信义精神，将与世长存。

那么在今天如何弘扬关羽文化呢？现代文明国家，不可能效法封建王朝，再搞加封加谥，由政府弘扬不切实际。民间分散的、自发的顶礼膜拜，也已成历史，往日关帝庙的盛况也不可能复兴。但当代社会，有当代文明传播的途径。现代影视艺术的传播力量有空前的效力，因此弘扬关羽文化，要充分调动影视艺术，需要一批艺术家来宣扬承传。出版界要做出贡献。商务印书馆丁波先生已着手编辑关羽文化资料大全，这是一个振奋人心的消息。学术界要加强交流，有序开展，是否成立一个关羽学会来推动，有识之士要提上日程。关羽文化的精神核心是诚信。孔子认为兵、食、信三者，兵可去，食可去，唯有信不可去，因为“民无信不立”[①]。诚信是一个社会的道德底线。由于种种历史原因，这一道德底线遭到极大的削弱，以至于当今人与人之间坑蒙拐骗，商品交易中的假冒伪劣，负面影响时有发生。因而每年 3 月 15 日为质量万里行，开展打假的一个特

① 《论语》第一二《颜渊》。

殊日子，关羽精神尤应予以发扬。是否倡议成立一个关羽文化节，就是在每年的 3 月 15 日，在关羽文化节开展打假活动，可以相得益彰，必能收到奇效。此建议如能开展，这将是弘扬关羽文化的一个标志。

（2011 年提交湖北省宜昌市召开纪念辛亥革命一百周年海峡两岸关羽文化学术研讨会论文）

《三国十二帝》[1] 导言

人们熟知三国历史，大多来自《三国演义》。《三国演义》是一部演史小说，演史情节多有虚构，但它又不同于时下的一些戏说电视剧，任情所为。《三国演义》对历史的演说还是比较严肃的，它的虚构多为夸张，或张冠李戴，移甲作乙；或遥情想象，补充细节，很有分寸。如何看待《三国演义》中的虚构，提出以下看法，以供参考。

《三国演义》，原名《三国志演义》，为了顺口，流传中删去了一个“志”字。《三国演义》是一部成功的演史小说。演史小说，目的是普及历史，要人们记住历史，敬畏历史，给人以借鉴，宣扬某种精神。演史小说的前身，多是宋元平话。宋代积贫积弱，外患严重，统治者醉生梦死。有识之士，以平话戏曲宣传历史知识，唤醒民众，居安思危。只有真实的历史，才能有借鉴的实际意义。但为了人物形象的生动完整，往往有细节的虚构，并集中在几个人物身上，以突出作者所要宣扬的精神。诸葛亮是

---

① 本书2006年在华文出版社出版，全称《三分的挽歌——话说三国十二帝》，引起社会的关注。台湾知本家文化事业有限公司刘灿荣社长在2010年引进本书在宝岛出版，笔者表示欣然同意，这也是海峡两岸文化交流的一种形式。希望本书也能得到台湾大众的喜欢和批评。

智慧的化身，关羽是忠义的化身，曹操是权奸的化身，孙权是山寨英雄的化身，刘备是明君正义的化身，这几个人物虚构较多。清代史学家章学诚说《三国演义》七实三虚，现在有人做了文本对照的计量分析，有63%言之有据。《三国演义》半文半白，许多段落在《三国志》及裴注中可以找到。诸葛亮等几个人物的细节虚构，占了《三国演义》虚构的一多半。如果进一步做分层次的计量分析，那《三国演义》就不是七实三虚，而是八实二虚，即80%以上的描写有史实根据。可以说细节虚，主线实；枝叶虚，主干实。因此，我们要极力避免两种偏向。一是研究《三国演义》，不能不重视历史，要研究历史，对照历史。如果不懂历史，又不肯下功夫，往往以“虚构”二字涵盖一切，可以说带有这种偏向的研究，就是在“虚构”中研究，所做的艺术分析，也自然是“虚构”的分析，使读者不得要领。反过来，另一种偏向，研究历史，正说历史，也不能不研究《三国演义》的艺术虚构，否则会把《三国演义》看成戏说历史。正说三国历史，就要处处批《三国演义》，同样是一个大错误。

此外，对于《三国演义》中历史人物情节的虚构，还需要作进一步分析。以诸葛亮为例，他的出场是刘备三请诸葛。《三国志》记载只有“凡三往，乃见”五个字，而《三国演义》竟用重笔描写，在第三十七回和三十八回两个回目中，从年底到来年的阳春三月，“凡三往”，洋洋洒洒五六千字，许多情节都为虚构。特别是刘备最后见诸葛，不仅“斋戒三日，熏沐更衣”而往，而且到了草堂，见诸葛仰卧于草堂几席之上，于是“拱立阶下，半晌，先生未醒”，刘备立等达数小时之久。这一细节描写，既表现了刘备礼贤之诚，又烘托了诸葛亮的不凡，真是一箭双雕，生动地再现了君臣相遇，鱼水情深的场景。实际生活似乎不大可能如此，但这一改天换地的君臣相遇，如此这般才能见其不同凡响，使人深信不疑。由于“凡三往，乃见”这一大前提史实是真实的，其中的细节描写不过是遥情想象，这等虚构，不是子虚，而恰恰是补充了史实，因此，它不是虚构，而是艺术真实，补充了被史料省略了的实际上理应发生的事实，只是略有夸张而已。

再如诸葛亮舌战群儒，也是遥情想象。诸葛亮过江谈判，说服孙权抗曹，帮助刘备夺荆州，孙刘双边平等同盟，这是何等大事，何等艰难的谈判！舌战群儒，既刻画了诸葛亮，同时也是补充了在实际谈判中讨价还价的历史真实。再如诸葛亮七擒七纵孟获的故事，大前提真实，细节虚构，这些地方就不能以文字的计量统计来判定真实。其他如神借东风、三气周瑜、抢占彝陵、智算华容道等为小说家的增饰，用以烘托诸葛亮的多智，这些地方是枝叶虚，主干实。《三国演义》第九十二回写赵云70岁，能连斩五将的战斗场面，纯属子虚，但在总体结构上，仍属枝叶，不是主干。这等虚构，只是热闹，也给赵云一个回光返照。这一回写的是诸葛亮第一次北伐，先胜后败，而赵云是全军而返。这里写赵云还是为了衬托诸葛亮的神机妙算，夸张先前的实有胜利用以冲淡失败的阴影。这些地方的虚构，是完全的小说情节，但罗贯中仍然要捕捉一些史影。

小说家创作，因文生事，即按情节发展编造故事；历史学家创作，以文运事，即用文学之笔写实有之事，两者完全是两回事。但在操作中却有交叉，以及难点、盲点，掌握分寸就是大手笔。罗贯中创作《三国演义》，兼有史笔与文笔之长，章学诚七实三虚的直感，可为定评。罗贯中以讲史为主，以警世为用，所以读《三国演义》，不带几分历史眼光，以戏说观之，则不得要领。同理，正说三国，如果以《三国演义》为靶子，以戏说眼光看演义，同样犯错误。

我爱好三国史，做过一些研究，写了几本书，有《三国史研究》《三国史》《话说三国》《三国人物新传》等。《三国史研究》1988年在甘肃人民出版社初版，2003年在华文出版社再版。这是一本论文集，评述了三国时期的一些重大史事与人物，在学术界产生了一定的影响。

本书的写作是华文出版社杜海泓同志提出的课题，他建议用通俗形式，说一说三国十二帝，与华文2003年所出《三国史》相为表里，笔者非常高兴地接受了这个建议。因为三国历史、三国人物太有意思，许许多多层面、形形色色的人生故事，非常接近我们的现实生活。因为那是一个人们拼争的时代，许多人生哲理，与今天快节奏的生活所呈现的人生似曾相识，所以昨天的人生，可以为今天的人生提供借鉴和启迪。善读历史，就能感悟人生。我希望人们从三国人物中读出自己的精彩人生。我的笔力有限，可能表达得不那么完美，读书也是一种创作，我的讲述权作抛砖引玉，引发出读者你自己的创作吧！

基于上述构想，所以本书话说三国十二帝，着重不是三国演进的历史过程，而是三国鼎立是如何形成的，即曹孙刘三家何以在群雄角逐中脱颖而出，由弱变强，取得胜利。因此，作为话说的人物，当以三方创业之主为中心内容。曹操虽然只是做了周文王，他没有直接篡汉建立魏国，曹操称魏武帝是曹丕篡汉后追尊的，但曹操才是魏国的真正奠基人，所以本书把魏武帝曹操列入十二帝。此乃仿效西汉司马迁在《史记》中为项羽、吕太后立本纪之例，重实录，这才是历史的真实。讲三国鼎立，舍去曹操，那是不可想象的。

三国鼎立的形成，是一部金戈铁马、精彩纷呈的历史活剧。曹操、刘备、孙权三位创业之主，以及三方的谋臣武将，个个超群绝伦，他们在暴风骤雨般的激烈斗争中展示人生抱负，不失时机地建功立名，创造了一个时代。曹操、刘备、孙权都有实现一统天下的壮志，但又全都是失败的英雄，三分归一成就了司马氏。话说三国，到了结局不免是一曲挽歌，因此本书原题冠以“三分的挽歌”之名，唤起品味曹操、刘备、孙权三家悲剧的结局。《三国演义》电视剧主题歌说得妙极了，正可以借来作为本书冠名的提示，并作为本文的结束语。歌曰：

滚滚长江东逝水，浪花淘尽英雄。是非成败转头空，青山依旧在，几度夕阳红。　白发渔樵江渚上，惯看秋月春风。一壶浊酒喜相逢，古今多少事，都付笑谈中。

附录一：三国帝系表

魏帝系表

- 曹操
  - ①文帝曹丕（220—226）
    - ②明帝曹叡（226—239）—③齐王曹芳（239—254）
    - 曹霖—④高贵乡公曹髦（254—260）
  - 曹宇—⑤陈留王曹奂（260—266）

蜀帝系表

①昭烈帝刘备（221—223）——②后主刘禅（223—263）

吴帝系表

- ①大帝孙权（229—252）
  - ②废帝孙亮（252—258）
  - ③景帝孙休（258—264）
  - 孙和—④乌程侯孙皓（264—280）

附录二：三国大事年表

（一）第一阶段（190—207）：群雄并起，中原十年大混战，曹操统一北方

汉献帝初平元年（公元190年）

正月：关东诸侯起兵讨董卓。后将军袁术、长沙太守孙坚、冀州牧韩馥、豫州刺史孔伷、兖州刺史刘岱、河内太守王匡、渤海太守袁绍、陈留太守张邈、东郡太守桥瑁、山阳太守袁遗、济北相鲍信，十一路诸侯同时起兵讨董卓，共推袁绍为盟主。曹操亦起兵，行奋武将军。

初，灵帝中平六年（公元189年）四月，灵帝崩，皇子刘辩即位，年17岁，史称少帝，母何太后临朝。八月，大将军何进与司隶校尉袁绍谋诛宦官，何太后不从，何进召并州牧董卓带兵入洛，胁迫何太后。董卓未至，谋泄，宦官先下手杀何进，袁绍尽诛宦官。董卓入京，专擅朝政，九月甲戌朔，废少帝，立陈留王刘协为帝，年9岁，是为献帝。袁绍、袁术、曹操等逃出京师，至是，联络诸侯，起兵讨董卓。

二月：董卓胁迫献帝迁都长安，自留洛阳抗击关东军。

三月：献帝入长安。

初平二年（公元 191 年）

二月：孙坚兵逼洛阳。董卓发掘诸帝陵，火烧洛阳西走，二百年帝京成了一片废墟。

四月：董卓入长安。

七月：(1) 袁绍胁迫韩馥让出冀州，袁绍自为冀州牧，拉开了军阀大混战的序幕。主要割据者如下：

公孙度据辽东（今辽宁）；

刘虞、公孙瓒据幽州（今河北北部）；

袁绍据冀州（今河北南部）；

张杨据河内（今河南省黄河北岸地区）；

袁术据南阳（今河南南部）；

刘表据荆州（今两湖地区）；

陶谦据徐州（今江苏北部）；

刘焉据益州（今四川及云贵地区）；

张鲁据汉中（今陕南汉中盆地）；

马腾、韩遂据凉州（今甘肃）；

董卓及凉州将据关中。

(2) 袁绍表曹操为东郡太守，治东武阳。

(3) 袁术表孙坚为豫州刺史。

(4) 刘备依附公孙瓒为别部司马。

初平三年（公元 192 年）

正月：(1) 袁术遣孙坚击刘表。孙坚攻襄阳，与刘表将黄祖交战，中流矢死。

(2) 袁绍大破公孙瓒于界桥。

四月：(1) 司徒王允与吕布共杀董卓。卓将李傕、郭汜杀王允，专朝政。吕布逃依袁绍。

(2) 曹操大破兖州黄巾，受降卒三十余万，男女百余万口，收其精锐，号为青州兵。曹操自领兖州牧。

初平四年（公元 193 年）

三月：袁术进兵陈留攻曹操，袁绍助曹操击败袁术。袁术被赶出南阳，东走九江，杀扬州刺史陈温，据有淮南。

按：袁绍与袁术兄弟不睦。袁术联结公孙瓒以击袁绍，袁绍南联刘表击袁术。袁绍与曹操连合，袁绍在河北，曹操在河南，两人背向各自发展，互为犄角之援而无后顾之忧，于是所向无敌。

九月：(1) 曹操东征陶谦，下十余城，陶谦守城不敢出。

(2) 公孙瓒派刘备率兵救陶谦。

是岁：公孙瓒与袁绍展开大战。公孙瓒署田楷为青州刺史，袁绍派臧洪入青州，征战二年，青州落入袁绍之手。

兴平元年（公元 194 年）

四月：曹操第二次东征陶谦，拔五城，皆屠之。陈留太守张邈与谋士陈宫迎吕布，反击曹操。兖州郡县蜂起响应，只有荀彧、程昱所守鄄城、范县、东阿县三城未下。

按：吕布依袁绍，作战有功而骄狂，袁绍欲杀之，吕布往投河内张杨。至是，张邈迎吕布袭夺曹操兖州。

十二月：陶谦病卒，临终以州牧让刘备。刘备第一次得徐州。

是岁：(1) 刘焉病卒，子刘璋继任益州牧。

(2) 孙坚长子孙策，年 20 岁，向袁术求得孙坚旧部将士千余人渡江，数年间遂有江东。

兴平二年（公元 195 年）

二月：凉州将李傕与郭汜相攻，大战长安城中。李傕劫持天子，郭汜劫持公卿。

七月：兴义将军杨奉与安集将军董承护驾东归。

八月：吕布兵败，东投徐州牧刘备，驻屯小沛。张邈弟张超困守雍丘。张邈往淮南求救于袁术，在半道为部下所杀。

十二月：(1) 曹操攻破雍丘，杀张超，夷三族，全部收复兖州。

(2) 袁绍所署东郡太守臧洪，与张超有旧。臧洪向袁绍请兵救张超，袁绍不许，臧洪叛袁绍，袁绍攻围一年，杀臧洪。

建安元年（公元196年）

七月：献帝经河内东还入洛阳，幸故中常侍赵忠宅。是时，宫室烧尽，百官无府衙，依废墟墙壁而居。粮食匮乏，官吏士卒多有饿死者。

九月：（1）曹操迎献帝都许县，改元建安。

（2）曹操采纳枣祗建言，在许下试行屯田。当年得谷百余万斛。于是州郡例置田官，所在积谷。

（3）曹操表荐刘备为镇东将军，封宜城亭侯，以制袁术。袁术兴兵犯徐州，刘备东讨，与袁术军相持于淮上。吕布乘虚袭夺下邳，自称徐州刺史。

（4）刘备向吕布求和，驻屯小沛。

建安二年（公元197年）

正月：（1）袁术在淮南自称天子。

（2）曹操南征张绣，兵败淯水，丧其长子曹昂及侄儿曹安民。

三月：曹操让大将军位与袁绍。

建安三年（公元198年）

三月：曹操再次南征张绣于穰。五月，刘表救张绣。袁绍议欲袭许，许下惊惶，七月曹操退还。

四月：中郎将段煨讨灭李傕，夷三族。

九月：吕布破刘备于小沛，刘备往依曹操。曹操表荐刘备为豫州刺史、左将军，拜关羽为中郎将。

十月：曹操东征吕布。吕布连战皆败，困守下邳。吕布向河内张杨、淮南袁术求救，张、袁二人鞭长莫及，只能遥为声援。

十二月：曹操破下邳，擒杀吕布。

建安四年（公元199年）

二月：曹操策动张杨部将杨丑杀张杨，张杨另一部将眭固杀杨丑，投归袁绍。

四月：（1）曹操进兵河内，杀眭固，侵入袁绍领属区，建立河北前进基地。曹操声言北上助袁绍讨公孙瓒，暗中计划偷袭邺城。

(2) 袁绍击灭公孙瓒，兼有河北幽、冀、青、并四州，班师还邺，曹操退还许昌。袁曹矛盾公开化。

六月：曹操派刘备东出徐州，截击北上的袁术，不让二袁结合。袁术受阻，呕血病死，淮南归入曹操领区。这样，曹操占有河南司、豫、兖、徐四州及扬州北部广大地区，以河为界，与袁绍相峙，势均力敌。

八月：(1) 袁绍选精兵十万，骑万匹，声言南下清君侧，诛讨曹操。

(2) 曹操派琅邪相臧霸引精兵入青州，牵制袁绍，捍卫东方。

(3) 曹操自领兵进据黄河北岸重镇黎阳。留于禁屯守河南重要渡口延津，刘延守白马。

九月：曹操分兵守官渡。

十一月：袁曹双方展开外交战，袁绍使者四出无获，曹操挟天子以令诸侯，安集四方。张绣听贾诩建言，率众投效曹操。钟繇、卫觊出镇关中，关中诸将附从。曹操消除了与袁绍决战的后顾之忧。

十二月：曹操亲临官渡布防。

建安五年（公元 200 年）

正月：(1) 袁绍正式发布讨伐曹操的檄文，但按兵未动。

(2) 刘备宣布衣带诏声讨曹操，夺占徐州，分兵略地。

按：刘备在许都时，献帝舅车骑将军董承奉衣带密诏诛曹操。董承与刘备、长水校尉种辑、将军吴子兰、王子服等五人同谋。事未发，刘备东出。至是，刘备宣布衣带诏，董承等伏诛，被夷三族。

(3) 曹操从官渡亲率重兵东击刘备，刘备败走，北依袁绍。袁绍出邺城二百里郊迎刘备。

二月：袁绍进军黎阳，曹操收缩河南。袁绍令刘备助颜良为先锋，渡河围白马。

四月至六月：曹操北上解白马之围，关羽阵斩颜良。曹军在收缩撤退中杀文丑。颜良、文丑为河北名将，袁绍在序战中连折二将，绍军夺气。

七月至九月：（1）袁曹两军相持于官渡。

（2）关羽辞曹归刘备。

（3）刘备以开辟第二战线为由，脱离袁绍，率众到汝南，聚众数千。

十月：曹操劫粮乌巢，败袁绍于官渡，斩杀活埋袁绍军八万余人。

十一月：曹操南击刘备。刘备败投刘表，驻屯新野。

是岁：四月，孙策治军，阴欲袭许迎献帝。部署诸将，未发，被故吴郡太守许贡宾客刺杀。孙策临终，呼孙权授以印绶。

建安七年（公元 202 年）

五月：袁绍病死，少子袁尚领冀州牧，长子袁谭为青州刺史，中子袁熙为幽州刺史，甥高干为并州刺史。袁绍欲令诸儿各据一州，以观其能。

建安八年（公元 203 年）

是岁：袁谭与袁尚争冀州，兄弟相攻，袁谭战败，向曹操求救。

建安九年（公元 204 年）

八月：曹操大破袁尚，平冀州，自领冀州牧。曹操发布《蠲河北租赋令》《收田租令》。

建安十年（公元 205 年）

正月：（1）曹操破袁谭于青州南皮，斩谭，诛其妻子。

（2）袁熙、袁尚为其部将焦触、张南所攻，逃奔辽西乌桓。焦触自号幽州刺史，以州降曹操。

九月：曹操发布《整齐风俗令》。

建安十一年（公元 206 年）

三月：操破并州，擒斩高干。

建安十二年（公元 207 年）

八月：曹操远征，大破三郡乌桓于柳城，斩其大豪蹋顿单于。袁熙、袁尚逃奔辽东。曹操班师。辽东公孙康斩袁熙、袁尚，传首京师，河北悉平。幽、冀、青、并四州，尽为曹操所有，北方基本统一。

十一月：刘备三顾茅庐。诸葛亮发表“隆中对”，建言刘备取荆、益，联孙抗曹。

（二）第二阶段（208—229）：孙刘结盟抗曹，形成三国鼎立

建安十三年（公元 208 年）

正月：（1）曹操在邺城作玄武湖训练水师，备战南下江南。

（2）孙权建行营于柴桑，抢先发动荆州之战，一举灭黄祖。

六月：曹操罢三公官，置丞相、御史大夫。曹操自领丞相。

七月：曹操动员三十万众，发布南征荆州令。

八月：（1）刘表卒，次子刘琮为荆州牧。

（2）八月二十九日壬子，曹操杀太中大夫孔融，夷其族。

（3）曹操正式出师，大军指向宛、叶，曹操自领五千轻骑从径道奇袭荆州。

九月：（1）荆州牧刘琮，不战而降曹操。

（2）曹操追败刘备于长坂，进兵江陵。

（3）孙权使者鲁肃见刘备、诸葛亮于长坂，说备与孙权结盟。

十月：（1）曹操遗书孙权，发动赤壁之战。

（2）诸葛亮使吴，订立鼎足之形的双边同盟。

（3）孙刘联军赤壁大捷，曹操北还。

按：赤壁之战推动孙刘结盟，曹操败北。

十二月：（1）孙权乘赤壁大捷，自将围合肥，攻围四月，败还。

（2）张昭攻九江当涂，不克。

（3）周瑜进兵江陵，攻曹仁岁余，仁委城走。周瑜得江陵，被孙权任命为南郡太守。

（4）刘备进兵江南，取荆州南四郡：武陵、长沙、桂阳、零陵。

建安十四年（公元 209 年）

刘备屯公安，表孙权为徐州牧；孙权表刘备为荆州牧，以妹妻备，加固同盟。

建安十五年（公元 210 年）

十二月：（1）刘备到京口见孙权，求借荆州南郡江陵。周瑜、吕范上疏孙权留备。孙权以曹操在北，疆埸未靖，不从。

（2）周瑜整众欲西取益州，不幸病卒于巴丘。

（3）鲁肃代瑜领兵，劝孙权借荆州与刘备，“多操之敌，而自为树党，计之上也”，权从之。曹操闻孙权以土地业备，“方作书，落笔于地”。

按：鲁肃主荆州事，孙刘结盟进入蜜月期。

建安十六年（公元 211 年）

正月：孙权复遣孙瑜率水军驻夏口，欲与刘备共取蜀。刘备欲自图蜀，托言与璋为宗室，不接受孙权的建议，孙权召孙瑜还。

八月：曹操西征，破马超、韩遂。

十二月：益州牧刘璋迎备入蜀北讨张鲁。孙权迎妹归吴，孙夫人携备子刘禅还吴。张飞、赵云勒兵截江，乃得禅还。

按：孙刘暗中斗争。

建安十七年（公元 212 年）

九月：（1）孙权建都秣陵，改名建业。

（2）孙权用吕蒙计，夹濡须水口立坞，经营江北防线。

十月：曹操东征孙权。

十二月：刘备从葭萌关还军攻刘璋。

建安十八年（公元213年）

正月：（1）曹操率步骑四十万进军濡须口，孙权率七万众御之。

（2）曹操攻破孙权江西营，而受阻于濡须，相持月余引军还。

四月：曹操征令淮南民内移，民转相惊，庐江、九江、蕲春、广陵户十余万皆东渡江，江西遂虚，合肥以南唯有皖城。

五月：曹操进爵为魏公。

七月：魏始立社稷、宗庙。

建安十九年（公元214年）

四月：刘备攻雒城，军师庞统中流矢死。诸葛亮留关羽守荆州，与张飞、赵云将兵溯流入益州，与刘备会师围成都。

五月：孙权征皖城，克之，获庐江太守朱光及参军董和。

六月：刘备取益州。孙权闻之曰："猾虏乃敢挟诈如此。"

七月：曹操举十万之众再征孙权，无功还。

按：孙刘并力，刘备得益州，孙权克皖城，筑起了江北防线。

建安二十年（公元215年）

五月：（1）孙权使诸葛瑾从备索求荆州南三郡，备不许曰："吾方图凉州，凉州定，乃尽以荆州相与耳。"权曰："此假而不反，乃欲以虚辞引岁也。"遂置长沙、零陵、桂阳三郡长吏，关羽尽逐之。权大怒，遣吕蒙督兵二万取南三郡。

（2）刘备率军五万后东出，屯公安与孙权争江南三郡。

七月：（1）曹操乘孙刘交恶，自将破张鲁，取汉中。主簿司马懿、刘晔说操进兵取蜀，操不从，徙汉中民八万余口实关中、洛、邺。

(2) 刘备惧失益州，与孙权求和，以湘水为界中分荆州：长沙、江夏、桂阳东属孙权，南郡、零陵、武陵西属刘备。

八月：孙权率十万之兵围合肥，被张辽、李典七千之众击败，退还。

十一月：刘备遣将军黄权与曹将张郃争三巴。张飞击破张郃走还汉中，刘备还成都。

按：廖立曰："昔先帝不取汉中，走与吴人争南三郡，卒以三郡与吴人，既亡汉中，几丧一州。"

建安二十一年（公元216年）

五月：曹操晋爵魏王。

十月：曹操治军，备战再征孙权。

建安二十二年（公元217年）

二月：曹操征孙权，进军濡须，三月引军还。孙权遣徐详诣曹操请降，曹操回报修好。

四月：曹操设天子旌旗，出入称警跸。

十月：鲁肃卒，吕蒙代肃领兵镇陆口。

按：刘备争荆州南三郡，失信于吴，孙权改变策略，靠拢曹操，又派吕蒙镇荆州，吕蒙为疏刘派，力主擒杀关羽，全据长江。

建安二十四年（公元219年）

正月：刘备进兵汉中，击斩夏侯渊。

三月：(1) 曹操亲与刘备争汉中，败还，移武都氐人五万余落出居扶风、天水界。

(2) 刘备遣宜都太守孟达从秭归北攻房陵，又遣养子刘封自汉中乘沔水下，统孟达军。

按：孟达，蜀上将，守宜都可为荆州之援。刘备调孟达北攻房陵，抽空荆州后援，又用人不专，令刘封统达军，遗患无穷。

七月：刘备自称汉中王。

八月：(1) 孙权攻合肥，无功。

(2) 关羽攻曹仁于樊，擒于禁，威震荆襄。

按：东线孙权不敌曹军，进无咫尺之功；西线刘备节节取胜，关羽得志，孙权不安，联盟危机。

十月：孙权致信曹操，乞讨关羽自效。曹操令曹仁以弩射权书示羽，羽犹豫不能去。

十二月：(1) 吕蒙偷袭荆州，杀关羽。

(2) 曹操表孙权为骠骑将军，领荆州牧，封南昌侯。

(3) 孙权遣使入贡，又遣朱光等归，上书称臣于曹操，陈说天命劝进。

建安二十五年（公元220年）

正月：曹操薨。曹丕嗣为魏王。

七月：(1) 孙权遣使奉献。

(2) 孟达与刘封不协，达以上庸降魏；刘封还成都，赐死。

十月：二十八日庚午，曹丕篡汉即皇帝位，改元黄初。追尊曹操谥号为"武帝"。

十一月：癸酉朔，废汉献帝为山阳公。

按：关羽骄矜失荆州。曹丕趁吴蜀交恶代汉。

魏黄初二年、蜀章武元年（公元221年）

四月：(1) 刘备称帝，建元章武。

(2) 孙权移都鄂，改名武昌。

七月：刘备自将八万东征，孙权遣使求和，备不许。

八月：孙权遣使称臣于魏，卑辞奉章，送于禁等还。

十一月：(1) 魏使邢贞抵鄂，拜孙权为大将军，封吴王，加九锡。随员浩周带曹丕口信与权，征质子。

(2) 孙权遣都尉赵咨使魏致谢。曹丕求贡雀头香、大贝、明珠、象牙、犀角、玳瑁、孔雀、翡翠、斗鸭、长鸣鸡，孙权皆具与之。

十二月：曹丕封权子孙登为万户侯，征以为质。孙权遣西曹掾沈珩入谢，并献方物。孙权以登年幼，上书辞封，以登为王太子。

按：刘备复仇东伐，孙权委曲求全于魏以避免两线作战。曹丕征质，孙权虚与委蛇。

魏黄初三年、蜀章武二年、吴黄武元年（公元 222 年）

正月：吴将陆逊统兵五万拒刘备于夷陵。

闰六月：陆逊大破刘备于夷陵。

八月：陆逊回军布防于江。

九月：（1）魏遣侍中辛毗、尚书桓阶使吴，与权盟誓，并征质子，吴王孙权辞让不受。

（2）曹魏三路大军征吴，孙权临江拒守。

十月：（1）孙权卑辞上书，求自改厉。曹丕报曰："登身朝到，夕召兵还。"

（2）孙权改元黄武。

十二月：曹军临江，无功退还。

吴使太中大夫郑泉聘于蜀，蜀太中大夫宗玮报吴，吴蜀复通。

按：魏吴为时一年多的质子之争，以兵戎相见结束；吴蜀重又通好。

魏黄初四年、蜀章武三年、吴黄武二年（公元 223 年）

四月：汉主刘备殂于永安，诸葛亮与李严受遗命辅后主，改元建兴。

八月：邓芝使吴，说孙权绝魏，专与汉连合。

魏黄初五年、蜀建兴二年、吴黄武三年（公元 224 年）

五月：吴王孙权使张温聘于汉，汉再使邓芝回报，自是吴蜀信使往来不绝。

魏黄初六年，蜀建兴三年、吴黄武四年（公元 225 年）

正月：诸葛亮率众南征，其秋悉平。军资所出，国以富饶。

魏黄初七年、蜀建兴四年、吴黄武五年（公元 226 年）

六月：魏文帝曹丕崩殂。子曹叡即位，是为明帝。

七月：孙权征江夏，围石阳，不克而还。

魏太和元年、蜀建兴五年、吴黄武六年（公元 227 年）

诸葛亮上《出师表》，率诸军北驻汉中，备战北伐。

魏太和二年、蜀建兴六年、吴黄武七年（公元228年）

正月：诸葛亮率诸军攻魏祁山。魏南安、天水、安定三郡叛魏应亮，关中响震。马谡违亮节度，丢失街亭，汉诸军败还。

八月：吴将陆逊大破魏扬州牧曹休于石亭。

十二月：诸葛亮第二次出师，北出散关，围陈仓。魏将郝昭据城坚守，诸葛亮粮尽退还，斩魏追将王双。

魏太和三年、蜀建兴七年、吴黄龙元年（公元229年）

正月：(1) 诸葛亮第三次出师，派将军陈式西出阳平关，攻取魏武都、阴平二郡。

(2) 孙权乘陆逊夹石之胜的声威，扬声出江北而潜袭西阳，魏将满宠早为之备，权退还。

四月：孙权称帝，改元黄龙，还都建业。

诸葛亮遣卫尉陈震使吴，贺权称尊号。吴蜀订立中分天下盟约，以豫、青、徐、幽属吴；兖、冀、并、凉属汉，司州之土，以函谷关为界。

按：刘备死，诸葛亮主政，奉灵活外交，与吴通好，形成吴蜀与魏南北对峙的鼎立局面。

（三）第三阶段（230—280）：三国南北对峙，并走向统一

魏太和四年、蜀建兴八年、吴黄龙二年（公元230年）

五月：诸葛亮第四次出师，再次指向祁山，与魏将司马懿相持于上邽，蜀军运粮不继，退还汉中。魏将张郃追击，在木门中伏毙命。

魏太和七年、蜀建兴十一年、吴嘉禾二年（公元233年）

二月：魏改元青龙。

是岁：孙权再围合肥新城，遣将军全琮征六安，皆不克还。

魏青龙二年、蜀建兴十二年、吴嘉禾三年（公元234年）

二月：(1) 诸葛亮第五次出师，率十余万由斜谷大入，直指

眉、雍，约吴同攻。四月，蜀军至眉，军于渭水南原。诸葛亮“分兵屯田，为久驻之基”。

（2）魏将司马懿坚壁不出，与蜀军相持。

五月：孙权大举伐魏，东西相应。吴兵三路北进。西路陆逊、诸葛瑾向襄阳，东路孙韶、张承向广陵、淮阳，孙权自率大军出中路围合肥。魏明帝曹叡亲征，未至寿春，权退还。

八月：诸葛亮病逝五丈原，蜀军退还。诸葛亮出师北伐曹魏的战争，于此结束。

按：三国相持，曹魏避免两线作战而取防守战略，南镇襄阳，东守合肥，西固祁山，以逸待劳，疲弊吴蜀之兵，以待经济恢复，等待有利时机，大举代吴灭蜀。由于曹魏有备，吴蜀北伐，屡出无功。

魏景初三年、蜀延熙二年、吴赤乌二年（公元 239 年）

一月：初二日丁亥，魏明帝曹叡崩殂。齐王曹芳即位，年八岁，司马懿与曹爽，共受明帝遗诏辅政。明年，改元正始。

魏正始二年、蜀延熙四年、吴赤乌四年（公元 241 年）

四月：孙权四路北伐。卫将军全琮略淮南，威北将军诸葛恪攻六安，车骑将军朱然围樊，大将军诸葛瑾取相中。此役，为孙权在位最后一次大举北上，诸路皆无功还。

五月：吴太子孙登病卒。

魏正始三年、蜀延熙五年、吴赤乌五年（公元 242 年）

正月：孙权立孙和为太子。

八月：孙权立子霸为鲁王。

按：鲁王母谢姬，有宠于孙权，故孙霸恃宠骄侈，服饰器用与太子孙和无别。既而孙霸谋夺太子位，兄弟不睦，朝中大臣各有彼此，举国中分，导致吴国政治危机。

魏正始十年、嘉平元年、蜀延熙十二年、吴赤乌十二年（公元 249 年）

正月：太傅司马懿诛除曹爽集团，大权独揽。

魏嘉平二年、蜀延熙十三年、吴赤乌十三年（公元 250 年）

是岁：孙权废太子和，赐死鲁王孙霸，立少子孙亮为太子。

魏嘉平三年、蜀延熙十四年、吴赤乌十四年、太元元年（公元 251 年）

八月：太傅司马懿病逝。子司马师为抚军大将军，录尚书事。

魏嘉平四年、蜀延熙十五年、吴太元二年（公元 252 年）

四月：（1）孙权病殂，谥曰大皇帝。

（2）孙亮即位，改元建兴。亮年十岁，大将军诸葛恪拜太傅，受遗诏辅政。

十月：诸葛恪筑东兴堤以提高巢湖水位，利于舟船进军合肥。

十二月：魏使将军诸葛诞、胡遵等率步骑七万围东兴。诸葛恪率军四万驰援，大败魏师。

魏嘉平五年、蜀延熙十六年、吴太元二年（公元 253 年）

正月：蜀丞相费祎被刺，卫将军姜维主政。

三月：吴大将军诸葛恪违众大发兵二十万伐魏，围合肥新城，八月败还，兵卒疫死者大半。

四月：蜀大将军姜维第四次北伐，率众围南安，不克而还。

按：蜀诸葛亮死后，后继者蒋琬、费祎常裁制姜维，与其兵不过万人。公元 247 年姜维第一次伐魏，小胜；公元 249 年、公元 250 年，两次伐魏皆无功。至是，姜维大举。

十月：吴武卫将军孙峻杀诸葛恪，专擅朝政。

魏嘉平六年、蜀延熙十七年、吴五凤元年（公元 254 年）

九月：魏大将军司马师废齐王曹芳。

十月：立高贵乡公曹髦为帝，年 14 岁。

是岁：蜀姜维第五次伐魏，出陇西，魏狄道长李简举城降，进围襄武破徐质军，乘胜“拔河关、狄道、临洮三县民还”。

魏正元二年、蜀延熙十八年、吴五凤二年（公元 255 年）

正月：魏镇东将军毌丘俭、扬州刺史文钦反于淮南。大将军司马师抱病东征。

闰正月：（1）司马师斩毋丘俭，文钦降吴。

（2）吴大将孙峻众十万攻魏寿春，败还。

二月：（1）司马师班师，病死于途中许昌。弟司马昭为大将军，录尚书事。

（2）蜀汉姜维第六次伐魏，复出陇西狄道，大破魏雍州刺史王经于洮西，“经众死者数万人”。

魏正元三年、蜀延熙十九年、吴五凤三年（公元256年）

正月：蜀汉以姜维为大将军，第七次伐魏，整军大举。七月，为魏将邓艾大破于段谷，蜀军“星散流离，死者甚众”。

魏甘露元年、蜀延熙二十年、吴太平二年（公元257年）

五月：魏镇东大将军诸葛诞反于淮南寿春。

七月：（1）吴使将军唐咨、全端等率军三万救援诸葛诞。

（2）司马昭亲率二十六万大军东征。

（3）姜维乘魏关中兵东调之机，第八次伐魏，率数万经出骆谷，魏将邓艾坚壁不出。诸葛诞兵败，维引还。

魏甘露三年、蜀景耀元年、吴太平三年（公元258年）

三月：司马昭破寿春，擒斩诸葛诞，淮南悉平。

九月：吴大将军孙綝废孙亮为会稽王，立孙权第六子孙休为帝，改元永安。

魏甘露五年、蜀景耀三年、吴永安三年（公元260年）

五月：魏高贵乡公曹髦不堪为傀儡，率左右侍从二百人攻司马昭，被弑，年20岁。

六月：司马昭立陈留王曹奂为帝，年15岁。改元景元。

按：司马氏贪权立幼，便于控制，故曹芳、曹髦、曹奂三人皆少年即位，史称三少帝，又称三嗣主。

魏甘露七年、蜀景耀五年、吴永安五年（公元263年）

八月：钟会伐蜀。

十月：邓艾从阴平穿行无人之地七百里，绕过剑阁，直达江油。蜀将马邈不战而降。邓艾长驱入成都，后主请降，蜀汉灭亡。

魏咸熙二年、吴永安七年（公元265年）

七月：吴主孙休崩殂。孙皓即位，为吴末帝，改元元兴。

八月：魏相国晋王司马昭薨。子司马炎嗣位为晋王。

十二月：十三日壬戌，司马炎篡魏，受禅即皇帝位，建立晋朝，建元泰始。

晋咸宁五年、吴天纪三年（公元279年）

十一月：西晋兵分六路，大举伐吴。

晋咸宁六年、吴天纪四年（公元280年）

三月：晋师破建业，孙皓出降，吴亡。

四月：三国归一统，晋武帝改元太康。

附录三：书评二则

演绎历史　把握要略[①]

2003年2月，华文出版社出版了张大可的《三国史》一书。该书图文并茂，叙事清楚，说理透彻，对人物事件有独到见解。

该书大量使用历史人物画像生动再现了三国时期政治、军事、外交上的重要人物，使用历史地图描绘了历次大战役作战双方的兵力布署及作战态势和各方的防御体系等，使用历史文物照片计20幅。全书大约平均4页便有一幅插图[②]，这在我们所能见到的断代史著作中，确实是少有的。这些插图大大拉近了读者与历史的距离，大大提高了人们的阅读兴趣。

此外，该书在最后附录了三国帝系和大事年表。年表长达17页，按历史发展的本来面目，将三国时期的历史划分为三大阶

① 本文作者顾向明，某学报编辑，所写《三国史》书评，刊于某学报。此为一家报刊以"新书快评"为题摘要。十年前顾与作者有过通话联系，此后联系中断，故资讯不明，这里刊发的是作者收藏的剪报。

② 《三国史》收入文集，为省篇幅，并与全文集风格统一，90%插图删略。

段。每阶段中按年、月列出重大事件及有关历史人物，并对过程作扼要叙述。这份年表大大增加了该书的价值含量。

对于三国时期纷繁复杂的历史应该如何叙述？《三国史》的作者采取了“以专题形式与时间顺序交叉展开”的办法，前十章从东汉末年的军阀混战起，叙事到两晋统一为止，包含了三国时期所有的军事、政治、外交活动。最后一章集中评述三国的经济和文化，因此该书展现在我们面前的，是一幅波澜壮阔、曲折跌宕、感人肺腑、催人深思、演绎了八九十年的历史长卷。该书的编写体例中有一点特别值得提倡，那就是在每章的开篇位置，对本章所要评述的人物或事件作高度的概括，短短百字，言简意赅，方便读者把握概略。

作者的见解也比较独特，针对过去史学界比较公认的三国鼎立的必然性理论，作者指出：事实上三分鼎立局面是由三分的人才均势，三分的地理均势，三分的政治均势等多种历史原因的交叉才形成的。而“人谋”在这里起了主导的作用。

作者在叙述过程中往往采用夹叙夹议的形式，对每一个重要或比较重要的事件和每一位重要或比较重要的人物都有或多或少的切合实际的评论，读者可以从中获取丰厚的历史启迪。尤其对于三国鼎立中的三位顶尖人物，作者更是倾注了巨大的热情和精力，作了深入、细致、全面的评述，有些论述的篇幅之长，竟如一篇学术论文。而且对同一人物的评议，往往又会出现于不同章目中之中，可以说是从不同角度反复论证。而这些评议，自始至终围绕“人谋”的巨大作用这一主导因素而展开。

该书作者对三国人物和事件的评议，既继承了前人的合理意见，又有新的发展；同时对前人的不妥之处，也提出了个人新的看法。对于曹操，作者和前人一样，肯定其为三国时代第一号英雄人物，关于孙权的历史地位，作者提出了新的看法，指出了他是一流的政治家和外交家。

读《三分的挽歌》[1]

三国人物和事件千百年来在群众中被广泛地传颂着，人们津津乐道，三国话题常说常新。张大可教授所著《三分的挽歌——话说三国十二帝》，“以史为鉴评说千古风流人物，感悟人生思考三国帝王功过”，通俗晓畅，娓娓动听，引人入胜，使人仿佛身临其境。我很荣幸作为本书编辑，读后收获甚多，继而拙笔于此，抒发我编后的一点心中感悟。

三国时期是我国古代历史发展的一个重要时期，也是一个英雄辈出的时代。三国时期在我国历史上非常短暂，但却影响着后世直至今天。可以说三国时期在我国历史上描绘了一个波澜壮阔的画卷，这个画卷给人们带来深深的思考，充满了丰富的内涵，启迪着人们的智慧。尤其是《三国演义》所带给人们的影响之深、范围之广，超出了任何一部史书或其它文学著作。三国时期，曹操、刘备、孙权乃至诸葛亮等等都有统一华夏的志愿，因此，三国的历史向人们诉说了分裂只是短暂的，中华民族统一的趋势是任何力量都阻挡不住的。

三国的产生有着深刻的历史原因。东汉后期，王朝中央政府其政治现象最突出的是宦官、外戚势力轮流控制皇权。由于皇权受到了极大的削弱，致使地方豪强——士族地主势力日益膨胀。由于封建统治阶级的残酷剥削以及连年的自然灾害，引发了黄巾军农民起义，东汉封建王朝只能依靠豪强势力的军队去镇压起义。豪强地主们在镇压黄巾军农民起义中，借机发展自己的军事势力，扩大部曲，形成一个个封建割据的军阀。他们互相争夺，都力图控制皇权，这就引发了天下的大乱。

东汉时期，黄河流域中原地区的生产力最为发达，是成熟的

① 本文是《三分的挽歌——话说三国十二帝》责任编辑杜海泓以《编后记——读〈三分的挽歌〉》为题写的书评，作于2006年4月。杜海泓，华文出版社主任编辑。

农耕文化区，南方仍保留了刀耕火种和渔猎经济。中原地区的生产总值占全国生产总值的一大半、三分之二以上。谁占领了中原，谁就控制了全国的经济命脉，因此，豪强之间的争斗从一开始就一直围绕着中原地区展开。由于残酷的战争，人口锐减，百姓流离失所，中原地区的生产力遭受到极大的破坏。所谓“乱世出英雄”，在军阀之间的相互争斗和残杀中，凡是运用较正确的策略的都取得了成功。北方的割据者曹操取得胜利后要恢复经济，南方的孙权、刘备要发展经济与北方抗衡，于是形成三分鼎立，互相角力，各方的政治策略、军事策略、人才策略、经济策略等等都各自发挥到淋漓尽致的地步，曹、孙、刘三家对历史都作出了卓越的贡献，于是产生了三国鼎立时代。

自秦朝以皇权为核心的中央集权的封建政治制度建立到东汉末年，已经长达四百多年。皇权已在中国的政治制度格局中占有至高无上的地位。曹操制定了“挟天子以令诸侯”的战略，控制皇权，形成了以他为首的强大的政治势力，这是他取得成功的第一要素。自西汉中期以来，儒家思想作为封建统治的精神支柱到东汉末年已历经三百年，儒家思想的首要点是维护正统。刘备打着“衣带诏”和维护汉王朝正统的旗号，得到了天下的“人和”，形成了以他为核心的儒家集团。诸葛亮投靠刘备，其中一个重要原因就是刘备曾是汉末名儒卢植的学生。东汉末年由于战乱，许多中原地区的豪强带着部曲南迁，同时也给南方进一步带来了中原地区先进的文化和生产力。孙权在父兄创业的基础上，在各军阀目光都集中在中原地区的时候，以北方南迁的豪强势力为依托，融合当地豪强势力，形成了自己的实力集团。

在曹操晚年被封为魏王后，魏国地域面积占全国三分之二，并控制着中原地区，汉王朝政府实际只剩下一个空架子。当时的魏国统治对魏境大部分地区只是一种军事占领，曹丕继位后，完成了由军事占领到政治、经济、文化实质性管理的过渡，并使魏国得到不断的强大。因此，在鼎立的三国中，魏国的经济和军事实力超过蜀汉和东吴的总和。这其中不仅因为魏国占据着中原，而且魏国前期在政治上皇权连续三代明主，即魏武帝曹操、文帝曹丕、明帝曹叡都是英武之君。曹操奠定立国基础，魏朝建立后连续两代继位者都励精图治，也就是说文帝和明帝这两朝皇帝得以实施自己的抱负，使魏国的实力得到不断的增长，因此具备了统一全国的条件。蜀国在刘备死后，刘禅暗弱，尽管有诸葛亮辅佐，并以汉正统自居，但由于国力太弱，经济实力无法与魏国抗衡。另外，荆州丢失后东边的出路被吴国阻挡，要想统一中原只有北出秦川一路，且道路艰险崎岖，后方支持牵扯极大，这就注定了蜀国不具备统一的条件。吴国凭借长江偏安一隅，且孙权晚年以后政治上昏聩残暴，政局不稳，也注定了吴国国运不会长久。

尽管魏国具备统一华夏的各方面条件，而最后完成统一的却是魏国的司马氏集团。曹、刘、孙三家都是悲剧英雄，司马氏成了最大摘桃派。三国归一于司马氏的结局，给三国历史带来了无尽遐思的花絮。作者给本书冠名“三分的挽歌”，引人长思。曹氏政权为何败亡，这在史学界有很多不同的观点。我认为最重要的有两个因素：其一，汉末形成的世族地主集团正方兴未艾，司马氏是世族地主集团的代表，曹氏是寒族地主集团，社会基础不稳；第二，曹操“挟天子以令诸侯”，他的权奸色彩使曹氏皇权基础不牢固，人心不附。司马氏以其人之道还治其人之身，夺了曹氏政权。从大环境来说，魏晋处于中国封建专制的中前期，皇权的统治经验不如唐宋以后完善，所以曹氏、司马氏玩弄的禅代把戏一直持续到了隋文帝。南北朝改朝换代频繁，如同走马灯式的禅让替换，这是始作俑者曹操所始料未及的。

通过本书可以看出，三国时期的每一个皇帝在政治、军事、经济、文化方面如何作为，影响着历史的进程，这也就决定了这个国家谁能最后完成统一大业。在《三国志》中，只有魏国的皇帝被列入“纪”，而刘备、孙权等蜀、吴的皇帝都被列入“传”，这一史家的正统观念也说明了在封建时期“国无二主”的思想，也间接表明了“大一统”的意识。三国人物家喻户晓，而三国人物的本来面目是怎样的，为什么蜀国不能统一中原，本书都给予了解答。本书淋漓酣畅地讲述了三国十二个皇帝的作为、施政纲领、功过是非。书中所述完全是历史的“正说”，还原了这十二个皇帝的本来面目，使人们在获得历史知识的同时得以深思。本书将史学中学术研究予以大众化，普通人都可以看得懂。本书观点虽为一家之言，但其在治学上是严谨的。三国的话题已历经千百年，三国的研究也远无止境。在此也希望广大读者在阅读本书后发表观点，积极讨论，促进学术的发展，促进人们认识的不断深化，这对于以史为鉴，促进中华民族文化的不断发展是有益处的。